W9-DET-748

CHANGER L'EAU DES FLEURS

Valérie Perrin est née en 1967 et a deux enfants : Valentin et Tess. En 2009, elle publie le carnet de tournage de *Ces amours-là*, film de Claude Lelouch, photographies et textes. De 2010 à 2018, elle est la coscénariste de Claude Lelouch. En 2015, elle publie *Les Oubliés du dimanche*. Traduit dans une dizaine de pays, il obtient 13 prix littéraires et se classe depuis parmi les meilleures ventes au Livre de Poche. En 2018, elle connaît un succès retentissant avec *Changer l'eau des fleurs*, qui obtient le prix Maison de la Presse et le Prix des lecteurs du Livre de Poche. Elle rentre dans le classement du *Figaro littéraire* des 10 auteurs les plus vendus en France en 2019, et figure en tête des ventes internationales : son roman est traduit dans 32 pays dont la Chine, les États-Unis et la Russie. Elle est l'auteure la plus vendue en Italie en 2020 et 2021. Elle travaille à l'adaptation cinématographique de son roman. En 2021, elle publie *Trois* et rentre à nouveau dans le classement du *Figaro littéraire* des 10 auteurs les plus vendus en France en 2021. *Trois* est le roman préféré du *Parisien* en 2021, et ses droits sont cédés dans 15 langues.

Paru au Livre de Poche :

LES OUBLIÉS DU DIMANCHE

TROIS

VALÉRIE PERRIN

Changer l'eau des fleurs

ROMAN

ALBIN MICHEL

ISBN : 978-2-253-23802-7 – 1re publication LGF

À mes parents, Francine et Yvan Perrin.
Pour Patricia Lopez « Paquita »
et Sophie Daull.

1

Un seul être nous manque et tout est dépeuplé.

Mes voisins de palier n'ont pas froid aux yeux. Ils n'ont pas de soucis, ne tombent pas amoureux, ne se rongent pas les ongles, ne croient pas au hasard, ne font pas de promesses, de bruit, n'ont pas de sécurité sociale, ne pleurent pas, ne cherchent pas leurs clés, leurs lunettes, la télécommande, leurs enfants, le bonheur.

Ils ne lisent pas, ne payent pas d'impôts, ne font pas de régime, n'ont pas de préférences, ne changent pas d'avis, ne font pas leur lit, ne fument pas, ne font pas de listes, ne tournent pas sept fois leur langue dans la bouche avant de parler. Ils n'ont pas de remplaçants.

Ils ne sont pas lèche-cul, ambitieux, rancuniers, coquets, mesquins, généreux, jaloux, négligés, propres, sublimes, drôles, accros, radins, souriants, malins, violents, amoureux, râleurs, hypocrites, doux, durs, mous, méchants, menteurs, voleurs, joueurs, courageux, feignants, croyants, vicelards, optimistes.

Ils sont morts.

La seule différence entre eux, c'est le bois de leur cercueil : chêne, pin ou acajou.

2

Que veux-tu que je devienne si je n'entends plus ton pas, est-ce ta vie ou la mienne qui s'en va, je ne sais pas.

Je m'appelle Violette Toussaint. J'ai été garde-barrière, maintenant je suis garde-cimetière.

Je déguste la vie, je la bois à petites gorgées comme du thé au jasmin mélangé à du miel. Et quand arrive le soir, que les grilles de mon cimetière sont fermées et la clé accrochée à ma porte de salle de bains, je suis au paradis.

Pas le paradis de mes voisins de palier. Non.

Le paradis des vivants : une gorgée de porto – un cru 1983 –, que me rapporte José-Luis Fernandez chaque 1er septembre. Un reste de vacances versé dans un petit verre en cristal, une sorte d'été indien que je débouche vers 19 heures, qu'il pleuve, qu'il neige, qu'il vente.

Deux dés à coudre de liquide rubis. Le sang des vignes de Porto. Je ferme les yeux. Et je savoure.

Une seule gorgée suffit à égayer ma soirée. Deux dés à coudre parce que j'aime l'ivresse mais pas l'alcool.

José-Luis Fernandez fleurit la tombe de Maria Pinto épouse Fernandez (1956-2007) une fois par semaine sauf au mois de juillet, là c'est moi qui prends le relais. D'où le porto pour me remercier.

Mon présent est un présent du ciel. C'est ce que je me dis chaque matin, quand j'ouvre les yeux.

J'ai été très malheureuse, anéantie, même. Inexistante. Vidée. J'ai été comme mes voisins de palier mais en pire. Mes fonctions vitales fonctionnaient mais sans moi à l'intérieur. Sans le poids de mon âme, qui pèse, paraît-il, que l'on soit gros ou maigre, grand ou petit, jeune ou vieux, vingt et un grammes.

Mais comme je n'ai jamais eu le goût du malheur, j'ai décidé que ça ne durerait pas. Le malheur, il faut bien que ça s'arrête un jour.

J'ai très mal commencé. Je suis née sous X dans les Ardennes, au nord du département, dans ce coin qui fricote avec la Belgique, là où le climat est considéré comme « continental dégradé » (fortes précipitations en automne et fréquentes gelées en hiver), là où j'imagine que le canal de Jacques Brel s'est pendu.

Le jour de ma naissance, je n'ai pas crié. Alors on m'a mise de côté, comme un paquet de 2,670 kilos sans timbre, sans nom de destinataire, le temps de remplir les papiers administratifs pour me déclarer partie avant d'être arrivée.

Mort-née. Enfant sans vie et sans nom de famille.

La sage-femme devait me trouver un prénom vite fait pour remplir les cases, elle a choisi Violette.

J'imagine que je l'étais de la tête aux pieds.

Quand j'ai changé de couleur, quand ma peau a viré au rose et qu'elle a dû remplir un acte de naissance, elle n'a pas changé mon prénom.

On m'avait posée sur un radiateur. Ma peau s'était réchauffée. Le ventre de ma mère qui ne me désirait pas avait dû me glacer. La chaleur m'a ramenée vers le jour. C'est sans doute pour cela que j'aime tellement l'été, que je ne rate jamais une occasion de me caler dans le premier rayon de soleil venu comme une fleur de tournesol.

Mon nom de jeune fille c'est Trenet, comme Charles. Après Violette, c'est sans doute la même sage-femme qui m'a donné mon nom de famille. Elle devait aimer Charles. Comme je l'ai aimé à mon tour. Je l'ai longtemps considéré comme un cousin éloigné, une sorte d'oncle d'Amérique que je n'aurais jamais rencontré. Quand on aime un chanteur, à force de chanter ses chansons, on a comme qui dirait un lien de parenté quand même.

Toussaint est venu plus tard. Quand je me suis mariée avec Philippe Toussaint. Avec un nom pareil, j'aurais dû me méfier. Mais il y a des hommes qui s'appellent Printemps et qui cognent leur femme. Un joli nom, ça n'empêche personne d'être un salaud.

Ma mère ne m'a jamais manqué. Sauf quand j'ai

eu de la fièvre. Quand j'ai été en bonne santé, j'ai grandi. J'ai poussé très droit comme si l'absence de parents m'avait mis un tuteur le long de la colonne vertébrale. Je me tiens droite. C'est une particularité chez moi. Je n'ai jamais penché. Pas même les jours de chagrin. On me demande assez souvent si j'ai fait de la danse classique. Je réponds que non. Que c'est le quotidien qui m'a disciplinée, qui m'a fait faire de la barre et des pointes chaque jour.

3

Qu'ils me prennent ou qu'ils prennent les miens puisque tous les cimetières un jour font des jardins.

En 1997, quand notre barrière a été automatisée, mon mari et moi avons perdu notre emploi. Nous sommes passés dans le journal. Nous représentions les dernières victimes collatérales du progrès, les employés qui activaient la dernière barrière manuelle de France. Pour illustrer l'article, le journaliste a fait une photo de nous. Philippe Toussaint a même passé un bras autour de ma taille en prenant la pose. Malgré mon sourire, Dieu que mes yeux ont l'air tristes sur cette photo.

Le jour de la parution de l'article, Philippe Toussaint est rentré de la feue ANPE la mort dans l'âme : il venait de réaliser qu'il allait devoir travailler. Il avait pris l'habitude que je fasse tout à sa place. Avec lui, niveau fainéantise, j'avais gagné le gros lot. Les bons numéros et le jackpot qui va avec.

Pour lui remonter le moral, je lui ai tendu un

papier : « Gardien de cimetière, un métier d'avenir ». Il m'a regardée comme si j'avais perdu la raison. En 1997, il me regardait chaque jour comme si j'avais perdu la raison. Est-ce qu'un homme qui ne l'aime plus regarde la femme qu'il a aimée comme si elle avait perdu la raison ?

Je lui ai expliqué que j'étais tombée sur cette annonce par hasard. Que la mairie de Brancion-en-Chalon recherchait un couple de gardiens pour s'occuper du cimetière. Et que les morts, ils avaient des horaires fixes et qu'ils feraient moins de bruit que les trains. Que j'avais parlé au maire, qu'il était prêt à nous embaucher tout de suite.

Mon mari ne m'a pas crue. Il m'a dit que le hasard, il n'y croyait pas. Qu'il préférerait crever plutôt que d'aller « là-bas » et faire ce métier de charognard.

Il a allumé la télé et a joué à *Mario 64*. Le but du jeu, c'était d'attraper toutes les étoiles de chaque monde. Moi, il n'y a qu'une étoile que je voulais attraper : la bonne. C'est ce que j'ai pensé quand j'ai vu Mario courir partout pour sauver la princesse Peach enlevée par Bowser.

Alors j'ai insisté. Je lui ai dit qu'en devenant gardiens de cimetière, on aurait un salaire chacun et bien meilleur qu'à la barrière, que les morts, ça rapportait plus que les trains. Qu'on aurait un très joli logement de fonction et pas de charges. Que ça nous changerait de la maison que nous habitions depuis des années, une bicoque qui prenait l'eau comme un vieux rafiot l'hiver et était aussi chaude que le pôle Nord l'été. Que ce serait un nouveau départ et qu'on en avait besoin, qu'on mettrait de jolis rideaux aux fenêtres pour ne rien voir des voisins, des croix, des veuves et tout et tout. Que ces rideaux, ce serait la frontière entre notre vie et la tristesse des autres. J'aurais pu lui dire la vérité, lui dire que ces rideaux, ce serait la frontière entre ma tristesse et celle des autres. Mais surtout pas. Ne rien dire. Faire croire. Faire semblant. Pour qu'il plie.

Pour finir de le convaincre, je lui ai promis qu'il n'aurait RIEN à faire. Que trois fossoyeurs s'occupaient déjà de l'entretien, des fosses et de l'aménagement de ce cimetière. Que ce travail, ce n'était qu'une histoire d'ouverture et de fermeture de grilles. De présence. Avec des horaires pas fastidieux. Des vacances et des week-ends aussi longs que le viaduc de la Valserine. Et que moi, je ferais le reste. Tout le reste.

Super Mario a arrêté de courir. La princesse a dégringolé.

Avant de se coucher, Philippe Toussaint a relu l'annonce : « Gardien de cimetière, un métier d'avenir ».

Notre barrière se trouvait à Malgrange-sur-Nancy. À cette période de ma vie, je ne vivais pas. « À cette période de ma mort » serait plus juste. Je me levais, m'habillais, travaillais, faisais les courses, dormais. Avec un somnifère. Voire deux. Voire plus. Et je regardais mon mari me regarder comme si j'avais perdu la raison.

Mes horaires étaient monstrueusement fastidieux. Je baissais et levais la barrière près de quinze fois par jour en semaine. Le premier train passait à 4 h 50 et le dernier à 23 h 04. J'avais les automatismes de la sonnerie de la barrière dans la tête. Je l'entendais avant même qu'elle retentisse. Cette cadence infernale, on aurait dû la partager, la faire par roulement. Mais la seule chose que Philippe Toussaint faisait rouler, c'était sa moto et le corps de ses maîtresses.

Oh que les usagers que j'ai vus passer m'ont fait rêver. Pourtant, ce n'étaient que des petits trains régionaux qui reliaient Nancy à Épinal et qui s'arrêtaient une dizaine de fois par trajet dans des bourgades paumées, pour rendre service aux autochtones. Pourtant, j'enviais ces hommes et ces femmes. J'imaginais qu'ils allaient à des rendez-vous, des rendez-vous que j'aurais voulu avoir comme ces voyageurs que je voyais filer.

*

Nous avons mis le cap vers la Bourgogne trois semaines après la parution de l'article dans le journal. Nous sommes passés du gris au vert. Du bitume aux prés, de l'odeur du goudron de la voie ferrée à celle de la campagne.

Nous sommes arrivés au cimetière de Brancion-en-Chalon le 15 août 1997. La France était en vacances. Tous les habitants avaient déserté. Les oiseaux qui volent de tombe en tombe ne volaient plus. Les chats qui s'étirent entre les pots de fleurs avaient disparu. Il faisait même trop chaud pour les fourmis et les lézards, les marbres étaient brûlants. Les fossoyeurs étaient en congé, les nouveaux morts aussi. Je déambulais seule au milieu des allées, lisant le nom de gens que je ne connaîtrais jamais. Pourtant, je m'y suis tout de suite sentie bien. À ma place.

4

L'être est éternel, l'existence un passage,
la mémoire éternelle en sera le message.

Quand des adolescents ne mettent pas du chewing-gum dans le trou de la serrure, c'est moi qui ouvre et ferme les lourdes grilles du cimetière.

Les horaires d'ouverture varient selon les saisons.

De 8 heures à 19 heures du 1er mars au 31 octobre.

De 9 heures à 17 heures du 2 novembre au 28 février.

Personne n'a statué pour le 29 février.

De 7 heures à 20 heures le 1er novembre.

J'ai repris les fonctions de mon mari après son départ – ou plus exactement sa disparition. Philippe Toussaint apparaît sous la dénomination « disparition inquiétante » dans le fichier national de la gendarmerie.

Il me reste plusieurs hommes pour horizon. Les trois fossoyeurs, Nono, Gaston et Elvis. Les trois officiers des pompes funèbres, les frères Lucchini qui se prénomment Pierre, Paul, Jacques, et le père Cédric Duras. Tous ces hommes passent plusieurs fois par jour chez moi. Ils viennent boire un verre ou manger une bricole. Ils m'aident aussi au jardin potager si j'ai des sacs de terreau à porter ou à réparer des fuites d'eau. Je les considère comme des amis, pas comme des collègues de travail. Même si je ne suis pas là, ils peuvent entrer dans ma cuisine, se faire couler un café, rincer leur tasse et repartir.

Les fossoyeurs font un métier qui inspire de la répulsion, du dégoût. Pourtant, ceux de mon cimetière sont les hommes les plus doux et plaisants que je connaisse.

Nono est la personne en laquelle j'ai le plus confiance. C'est un homme droit qui a la joie de vivre dans le sang. Tout l'amuse et il ne dit jamais non. Sauf quand il faut assister à l'enterrement d'un enfant. Il laisse « ça » aux autres. « À ceux qui ont le courage », comme il dit. Nono ressemble à Georges Brassens, ça le fait rire parce que je suis la seule personne au monde à lui dire qu'il ressemble à Georges Brassens.

Gaston, lui, a inventé la maladresse. Il a les gestes désajustés. Il a toujours l'air ivre bien qu'il ne boive que de l'eau. Au cours des enterrements, il se place entre Nono et Elvis au cas où il perdrait l'équilibre. Sous les pieds de Gaston, il y a un tremblement de terre permanent. Il fait tomber, il tombe, il renverse, il écrase. Quand il entre chez moi, j'ai toujours peur qu'il brise quelque chose ou qu'il se blesse. Et comme la peur n'évite pas le danger, chaque fois il casse un verre ou il se blesse.

Elvis, tout le monde l'appelle Elvis à cause d'Elvis Presley. Il ne sait ni lire ni écrire, mais il connaît toutes les chansons de son idole par cœur. Il prononce très mal les paroles, on ne sait jamais s'il chante en anglais ou en français, mais le cœur y est. « Love mi tendeur, love mi trou... »

Les frères Lucchini ont à peine un an d'écart, trente-huit, trente-neuf et quarante ans. Ils travaillent dans les pompes funèbres de père en fils depuis des générations. Ils sont aussi les heureux propriétaires de la morgue de Brancion qui est attenante à leur magasin. Nono m'a raconté que seul un sas sépare le magasin de la morgue. C'est Pierre, l'aîné, qui reçoit les familles endeuillées. Paul est thanatopracteur. Il est installé dans les sous-sols. Et Jacques est le chauffeur des fourgons funéraires. Le dernier voyage, c'est lui. Nono les appelle les « apôtres ».

Et puis, il y a notre curé, Cédric Duras. Dieu a du goût, à défaut d'être toujours juste. Depuis que le père Cédric est arrivé, il paraît que beaucoup de femmes ont été frappées par la révélation divine dans la région. Il y aurait de plus en plus de croyantes sur les bancs de l'église le dimanche matin.

Moi, je ne vais jamais à l'église. Ce serait comme coucher avec une collègue de travail. Pourtant, je pense recevoir plus de confidences de la part des gens de passage que n'en reçoit le père Cédric dans son confessionnal. C'est dans ma modeste maison et mes allées que les familles déversent leurs mots. En arrivant, en repartant, parfois les deux. Un peu comme les morts. Eux, ce sont les silences, les plaques funéraires, les visites, les fleurs, les photographies, la façon dont se comportent les visiteurs devant leur sépulture qui me racontent les choses de leur ancienne vie. De quand ils étaient vivants. En mouvement.

Mon métier consiste à être discrète, aimer le contact, ne pas avoir de compassion. Ne pas avoir de compassion pour une femme comme moi, ce serait comme être astronaute, chirurgienne, vulcanologue ou généticienne. Ça ne fait pas partie de ma planète, ni de mes compétences. Mais je ne pleure jamais devant un visiteur. Cela m'arrive avant ou après un enterrement, jamais pendant. Mon cimetière a trois siècles. Le premier mort qu'il a accueilli est une morte. Diane de Vigneron (1756-1773), morte en couches à l'âge de dix-sept ans. Si on caresse la plaque de sa sépulture du bout des doigts, on devine encore son identité gravée dans la pierre grège. Elle n'a pas été exhumée bien que mon cimetière manque de place. Aucun des maires successifs n'a osé prendre la décision de déranger la première inhumée. Surtout qu'il y a une vieille légende autour de Diane. D'après les habitants de Brancion, elle serait apparue dans ses « habits de lumière » à plusieurs reprises devant les vitrines des magasins du centre-ville et dans le cimetière. Quand je fais les vide-greniers de la région, je trouve parfois des représentations de Diane en fantôme sur d'anciennes gravures datant du XVIIIe siècle ou sur des cartes postales. Une fausse Diane mise en scène, déguisée en vulgaire fantôme de pacotille.

Il y a beaucoup de légendes autour des tombes. Les vivants réinventent souvent la vie des morts.

Il y a une deuxième légende à Brancion, beaucoup plus jeune que Diane de Vigneron. Elle s'appelle Reine Ducha (1961-1982), elle est enterrée dans mon cimetière, allée 15, dans le carré des Cèdres. Une jolie jeune femme brune et souriante sur la photo accrochée à sa stèle. Elle s'est tuée en voiture à la sortie de la ville. Des jeunes gens l'auraient aperçue au bord de la route, toute vêtue de blanc, à l'endroit de l'accident.

Le mythe des « dames blanches » a fait le tour du monde. Ces spectres de femmes mortes accidentellement hanteraient le monde des vivants, traînant leur âme en peine dans les châteaux et les cimetières.

Et pour accentuer la légende de Reine, sa tombe a bougé. D'après Nono et les frères Lucchini, c'est une histoire de glissement de terrain. Cela arrive souvent quand trop d'eau s'accumule dans un caveau.

En vingt ans, je pense avoir vu beaucoup de choses dans mon cimetière, certaines nuits, j'ai même surpris des ombres en train de faire l'amour sur ou entre les tombes, mais ce n'étaient pas des fantômes.

À part les légendes, rien n'est éternel, pas même les concessions à perpétuité. On peut acheter une concession pour quinze ans, trente ans, cinquante ans ou l'éternité. Sauf que l'éternité, il faut s'en méfier : si après une période de trente ans une concession perpétuelle a cessé d'être entretenue (aspect indécent et délabré) et qu'aucune inhumation n'a eu lieu depuis longtemps, la commune peut la récupérer ; les restes seront alors placés dans un ossuaire au fond du cimetière.

Depuis que je suis arrivée, j'ai vu plusieurs concessions périmées être démontées et nettoyées et les ossements des défunts placés dans l'ossuaire. Et personne n'a rien dit. Parce que ces morts étaient considérés comme des objets trouvés que plus personne ne réclamait.

C'est toujours comme ça avec la mort. Plus elle est ancienne, moins elle a de prise sur les vivants. Le temps dézingue la vie. Le temps dézingue la mort.

Avec mes trois fossoyeurs, nous faisons tout pour ne jamais laisser une tombe à l'abandon. Nous ne souffrons pas de voir apposer l'étiquette municipale : « Cette tombe fait l'objet d'une procédure de reprise. Merci de contacter la mairie d'urgence. » Alors que le nom du défunt qui y repose apparaît encore.

C'est sans doute pour cela qu'il y a des épitaphes plein les cimetières. Pour conjurer le sort du temps qui passe. S'accrocher aux souvenirs. Celle que je préfère est : « La mort commence lorsque personne ne peut plus rêver de vous. » Elle est sur la tombe d'une jeune infirmière, Marie Deschamps, décédée en 1917. Il paraît que c'est un soldat qui a déposé cette plaque en 1919. À chaque fois que je passe devant, je me demande s'il a longtemps rêvé d'elle.

« Quoi que je fasse, où que tu sois, rien ne t'efface, je pense à toi » de Jean-Jacques Goldman et « Les étoiles entre elles ne parlent que de toi » de Francis Cabrel sont les paroles des chansons les plus reprises sur les plaques funéraires.

Mon cimetière est très beau. Les allées sont bordées de tilleuls centenaires. Une bonne partie des tombes est fleurie.

Devant ma petite maison de gardien, je vends quelques pots de fleurs. Et quand elles ne sont plus vendables, je les offre aux sépultures abandonnées.

J'ai planté des pins aussi. Pour l'odeur qu'ils dégagent les mois d'été. C'est mon odeur préférée.

Je les ai plantés en 1997, l'année de notre arrivée. Ils ont beaucoup grandi et donnent une très belle allure à mon cimetière. L'entretenir, c'est prendre soin des morts qui y reposent. C'est les respecter. Et s'ils ne l'ont pas été de leur vivant, au moins ils le sont de leur mort.

Je suis sûre que beaucoup de salauds y reposent. Mais la mort ne fait pas de différence entre les bons et les méchants. Et puis, qui n'a pas été un salaud au moins une fois dans sa vie ?

Contrairement à moi, Philippe Toussaint a tout de suite détesté ce cimetière, cette petite ville, la Bourgogne, la campagne, les vieilles pierres, les vaches blanches, les gens d'ici.

Je n'avais pas encore fini de déballer les cartons du déménagement qu'il partait faire de la moto du matin jusqu'au soir. Et avec les mois, il lui arrivait de partir des semaines entières. Jusqu'au jour où il n'est plus rentré. Les gendarmes n'ont pas compris pourquoi je n'avais pas déclaré sa disparition plus tôt. Je ne leur ai jamais dit que cela faisait des années qu'il avait disparu, même quand il dînait encore à ma table. Pourtant, quand au bout d'un mois j'ai compris qu'il ne reviendrait pas, je me suis sentie aussi abandonnée que les tombes que je nettoie régulièrement. Aussi grise, terne et bringuebalante. Prête à être démontée et mes restes jetés dans un ossuaire.

5

Le livre de la vie est le livre suprême, qu'on ne peut ni fermer ni rouvrir à son choix, on voudrait revenir à la page où l'on aime, et la page où l'on meurt est déjà sous nos doigts.

J'ai rencontré Philippe Toussaint au Tibourin, une boîte de nuit à Charleville-Mézières en 1985.

Philippe Toussaint était accoudé au bar. Et moi, j'étais barmaid. Je cumulais les petits boulots en mentant sur mon âge. Un copain du foyer dans lequel je vivais avait falsifié mes papiers pour me rendre majeure.

Je n'avais pas d'âge. J'aurais pu avoir quatorze comme vingt-cinq ans. Je ne portais que des jeans et des tee-shirts, j'avais les cheveux courts et des boucles d'oreilles partout. Même dans le nez. J'étais menue et j'entourais mes yeux de fards charbonneux pour me donner un genre à la Nina Hagen. Je venais de quitter l'école. Je ne savais pas bien lire, ni écrire. Mais je savais compter. J'avais déjà vécu plusieurs vies et avais pour seul objectif de travailler pour me payer un loyer et quitter le foyer au plus vite. Ensuite, je verrais.

En 1985, la seule chose qui était droite chez moi, c'était ma dentition. J'avais eu cette obsession pendant toute mon enfance, avoir de belles dents blanches comme les filles des magazines. Quand les éducatrices passaient dans mes familles d'accueil, et me demandaient si j'avais besoin de quelque chose, je réclamais systématiquement une visite chez le dentiste, comme si mon destin et ma vie tout entière allaient dépendre du sourire que j'aurais.

Je n'avais pas de copines, je ressemblais trop à un garçon. Je m'étais attachée à des sœurs de substitution mais les séparations répétées, les changements de familles d'accueil m'avaient massacrée. *Ne jamais s'attacher.* Je me disais qu'avoir les cheveux rasés, ça me protégerait, ça me donnerait le cœur et le cran d'un garçon. Du coup, les filles m'évitaient. J'avais déjà couché avec des garçons pour faire comme tout le monde, mais rien de transcendant, j'avais été déçue, je ne trouvais pas ça ragoûtant. Je le faisais pour donner le change ou obtenir des fringues, une barrette de shit, une entrée quelque part, une main qui serrerait la mienne. Je préférais l'amour dans les contes pour enfants, ceux qu'on ne m'avait jamais racontés. « Ils se marièrent et eurent beaucoup, beaucoup, beaucoup… »

Accoudé au bar, Philippe Toussaint observait ses copains danser sur la piste en sirotant un whisky-

Coca sans glace. Il avait une gueule d'ange. Une sorte de Michel Berger en couleur. De longues boucles blondes, des yeux bleus, une peau claire, un nez aquilin, une bouche fraise… prête à être consommée, une fraise du mois de juillet bien mûre. Il portait un jean, un tee-shirt blanc et un blouson en cuir noir. Il était grand, charpenté, parfait. Dès que je l'ai vu, mon cœur a fait boum comme le chante mon oncle par alliance imaginaire, Charles Trenet. Avec moi, Philippe Toussaint aurait tout gratuit, même ses verres de whisky-Coca.

Il n'avait rien à faire pour embrasser les jolies blondes qui lui tournaient autour. Comme des mouches qui encerclent un morceau de barbaque. Philippe Toussaint avait l'air de se foutre de tout. Il se laissait faire. Il n'avait pas à lever le petit doigt pour obtenir ce qu'il souhaitait, à part pour porter son verre à ses lèvres de temps en temps, entre deux baisers fluorescents.

Il me tournait le dos. De lui, je ne voyais que les boucles blondes qui passaient du vert au rouge au bleu sous les projecteurs. Ça faisait une bonne heure que mes yeux lambinaient dans ses cheveux. Par moments, il se penchait vers la bouche d'une fille qui lui murmurait quelque chose à l'oreille et je scrutais son profil parfait.

Et puis, il a pivoté vers le bar et son regard s'est posé sur moi pour ne plus jamais me lâcher. À partir de cet instant, je suis devenue son jouet préféré.

Au début, j'ai pensé que je l'intéressais à cause

des doses d'alcool gratis que je versais dans son verre. En le servant, je m'arrangeais pour qu'il ne voie pas mes ongles rongés, juste mes dents blanches et parfaitement alignées. J'ai pensé qu'il avait l'air d'un fils de bonne famille. Pour moi, à part les jeunes du foyer, tout le monde avait l'air d'une fille ou d'un fils de bonne famille.

Il y avait un embouteillage de midinettes derrière lui. Comme à un péage sur l'autoroute du Soleil un jour de grands départs. Mais il a continué à me reluquer, avec de l'envie plein les yeux. Je me suis appuyée contre le bar, face à lui, pour être sûre que c'était bien moi qu'il regardait. J'ai mis une paille dans son verre. J'ai relevé les yeux. C'était bien moi.

Je lui ai dit : « Vous voulez boire autre chose ? » Je n'ai pas entendu sa réponse. Je me suis approchée de lui, en criant : « Comment ? » Il m'a dit : « Toi », à l'oreille.

Je me suis servi un verre de bourbon dans le dos du patron. Après une gorgée j'ai cessé de rougir, après deux je me suis sentie bien, après trois j'ai eu tous les courages. Je suis revenue du côté de son oreille et je lui ai répondu : « Après mon service, on pourra boire ensemble. »

Il a souri. Ses dents étaient comme les miennes, blanches et alignées.

Je me suis dit que ma vie allait changer quand Philippe Toussaint a passé le bras par-dessus le bar pour frôler le mien. J'ai senti ma peau durcir, comme si elle avait un pressentiment. Il avait dix ans de plus que moi. Cette différence d'âge lui donnait de la hauteur. J'avais l'impression d'être le papillon qui regarde l'étoile.

6

Car l'heure vient où tous ceux qui sont
dans les tombeaux commémoratifs entendront
sa voix et sortiront.

On frappe doucement à ma porte. Je n'attends personne, d'ailleurs je n'attends plus personne depuis longtemps.

Il y a deux accès à ma maison, un côté cimetière, l'autre côté rue. Éliane se met à japper en se dirigeant vers la porte côté rue. Sa maîtresse, Marianne Ferry (1953-2007), repose carré des Fusains. Éliane est arrivée le jour de son enterrement et n'est jamais repartie. Les premières semaines, je la nourrissais sur la tombe de sa maîtresse et peu à peu elle m'a suivie jusqu'à la maison. Nono l'a baptisée Éliane comme Isabelle Adjani dans *L'Été meurtrier*, parce qu'elle a de beaux yeux bleus et que sa maîtresse est morte en août.

En vingt ans, j'ai eu trois chiens qui sont arrivés en même temps que leur maître et qui sont devenus les miens par la force des choses, mais il ne me reste qu'elle.

On frappe à nouveau. J'hésite à ouvrir. Il n'est que 7 heures. Je suis en train de siroter mon thé en recouvrant mes biscottes de beurre salé et de confiture de fraises offerte par Suzanne Clerc, dont l'époux (1933-2007) repose carré des Cèdres. J'écoute de la musique. En dehors des heures d'ouverture du cimetière, j'écoute toujours de la musique.

Je me lève et j'éteins la radio.

Qui est là ?

Une voix masculine hésite et me répond :

— Excusez-moi, madame, j'ai vu de la lumière.

Je l'entends frotter ses pieds sur le paillasson.

— J'ai des questions à propos de quelqu'un qui repose dans le cimetière.

Je pourrais lui dire de revenir à 8 heures, à l'ouverture.

— Deux minutes, j'arrive !

Je monte dans ma chambre et ouvre la penderie hiver pour enfiler une robe de chambre. J'ai deux penderies. Une que j'appelle « hiver », l'autre « été ». Cela n'a rien à voir avec les saisons mais avec les circonstances. La penderie hiver ne contient que des vêtements classiques et sombres, elle est destinée aux autres. La penderie été ne contient que des vêtements clairs et colorés, elle m'est destinée. Je porte l'été sous l'hiver, et j'ôte l'hiver quand je suis seule.

J'enfile donc une robe de chambre grise matelassée par-dessus mon déshabillé en soie rose. Je redescends ouvrir la porte et découvre un homme d'environ quarante ans. Je ne vois d'abord que ses yeux noirs qui me fixent.

— Bonjour, excusez-moi de vous déranger si tôt.

Il fait encore sombre et froid. Derrière lui, je vois que la nuit a déposé une couche de givre. De la vapeur sort de sa bouche comme s'il tirait des taffes dans le jour qui se lève. Il sent le tabac, la cannelle et la vanille.

Je suis incapable de prononcer un mot. Comme si je retrouvais quelqu'un perdu de vue. Je pense qu'il fait irruption chez moi trop tard. Que s'il avait pu arriver sur le pas de ma porte il y a vingt ans, *tout* aurait été différent. Pourquoi je me dis ça ? Parce que cela fait des années que personne n'a frappé à ma porte côté rue à part des gosses bourrés ? Que tous mes visiteurs arrivent par le cimetière ?

Je le fais entrer, il me remercie, l'air gêné. Je lui sers du café.

À Brancion-en-Chalon, je connais tout le monde. Même les habitants qui n'ont pas encore de morts chez moi. Tous sont passés au moins une fois par mes allées pour l'enterrement d'un ami, d'un voisin, de la mère d'un collègue.

Lui, je ne l'ai jamais vu. Il a une petite pointe d'accent, quelque chose qui vient de la Méditerranée dans sa façon de ponctuer les phrases. Il est très brun, si brun que ses rares cheveux blancs ressortent dans le désordre des autres. Il a un grand nez, des lèvres épaisses, des poches sous les yeux. Il ressemble un peu à Gainsbourg. On sent qu'il est fâché avec son rasoir mais pas avec la grâce. Il a de belles mains, de longs doigts. Il boit son café brûlant à petites gorgées, il souffle dessus et se réchauffe les mains contre la porcelaine.

Je ne sais toujours pas pourquoi il est là. Je l'ai laissé entrer chez moi parce que ce n'est pas vraiment chez moi. Cette pièce, elle est à tout le monde. C'est comme une salle d'attente municipale que j'ai transformée en séjour-cuisine. Elle appartient à tous les gens de passage et aux habitués.

Il semble observer les murs. Cette pièce de vingt-cinq mètres carrés a la même allure que ma penderie hiver. Rien aux murs. Pas de nappe en couleur ni de canapé bleu. Juste du contreplaqué un peu partout et des chaises pour s'asseoir. Rien d'ostentatoire. Une cafetière toujours prête à servir, des tasses blanches et des alcools forts pour les cas désespérés. C'est là que je recueille les larmes, les confidences, la colère, les soupirs, le désespoir et le rire des fossoyeurs.

Ma chambre est au premier. C'est mon arrière-cour secrète, mon chez-moi. Ma chambre et ma salle de bains sont deux bonbonnières pastel. Rose poudré, vert amande et bleu ciel, c'est comme si j'avais redessiné moi-même les couleurs du printemps. Dès qu'il y a un rayon de soleil, j'ouvre les fenêtres en grand et, à moins d'avoir une échelle, impossible de voir de l'extérieur.

Personne n'a jamais pénétré dans ma chambre telle qu'elle est aujourd'hui. Juste après la disparition de Philippe Toussaint, je l'ai entièrement repeinte, j'y ai ajouté des rideaux, des dentelles, des meubles blancs et un grand lit avec un matelas suisse qui épouse les formes. La mienne pour ne plus dormir dans celle du corps de Philippe Toussaint.

L'inconnu souffle toujours dans sa tasse. Il finit par me dire :

— J'arrive de Marseille. Vous connaissez Marseille ?

— Je vais à Sormiou chaque année.

— Dans la calanque ?

— Oui.

— Drôle de hasard.

— Je ne crois pas au hasard.

Il semble chercher quelque chose dans la poche de son jean. Mes hommes ne portent pas de jean. Nono, Elvis et Gaston sont tout le temps en bleu de travail, les frères Lucchini et le père Cédric en pantalon de tergal. Il retire son écharpe, dégage son cou, pose sa tasse vide sur la table.

— Je suis comme vous, je suis assez rationnel… Et puis, je suis commissaire.

— Comme Columbo ?

Il me répond en souriant pour la première fois :

— Non. Lui, il était inspecteur.

Il pose son index sur quelques grains de sucre éparpillés sur la table.

— Ma mère souhaite reposer dans ce cimetière et je ne sais pas pourquoi.

— Elle habite dans la région ?

— Non, à Marseille. Elle est morte il y a deux mois. Reposer ici fait partie de ses dernières volontés.

— Je suis désolée. Vous voulez une goutte d'alcool dans votre café ?

— Vous avez l'habitude de saouler les gens si tôt le matin ?

— Ça m'arrive. Comment s'appelle votre mère ?

— Irène Fayolle. Elle a souhaité être incinérée… et que ses cendres soient déposées sur la tombe d'un certain Gabriel Prudent.

— Gabriel Prudent ? Gabriel Prudent, 1931-2009. Il est enterré allée 19, dans le carré des Cèdres.

— Vous connaissez tous les morts par cœur ?

— Presque.

— La date de leur décès, leur emplacement et tout ?

— Presque.

— Qui était ce Gabriel Prudent ?

— Une femme passe de temps en temps… Sa fille, je crois. Il était avocat. Il n'y a pas d'épitaphe sur sa tombe en marbre noir, ni de photo. Je ne me souviens plus du jour de l'enterrement. Mais je peux regarder dans mes registres si vous le souhaitez.

— Vos registres ?

— Je consigne tous les enterrements et les exhumations.

— Je ne savais pas que ça faisait partie de vos attributions.

— Ça n'en fait pas partie. Mais s'il fallait qu'on ne fasse que ce qui fait partie de nos attributions, la vie serait triste.

— C'est drôle d'entendre ça dans la bouche d'une… comment appelle-t-on votre métier ? « Garde-cimetière » ?

— Pourquoi ? Vous pensez que je pleure du matin au soir ? Que je suis taillée dans les larmes et le chagrin ?

Je lui ressers un café pendant qu'il me demande à deux reprises :

— Vous vivez seule ?

Je finis par répondre oui.

J'ouvre mes tiroirs à registres et consulte le cahier 2009. Je cherche par nom de famille et trouve tout de suite celui de Prudent Gabriel. Je commence à lire :

> 18 février 2009, enterrement de Gabriel Prudent, pluie diluvienne.
>
> Il y avait cent vingt-huit personnes pour la mise en terre. Son ex-femme était présente, ainsi que ses deux filles, Marthe Dubreuil et Cloé Prudent.

À la demande du défunt, ni fleurs ni couronnes.

La famille a fait graver une plaque sur laquelle on peut lire : « En hommage à Gabriel Prudent, avocat courageux. “Le courage, pour un avocat, c'est l'essentiel, ce sans quoi le reste ne compte pas : talent, culture, connaissance du droit, tout est utile à l'avocat. Mais sans le courage, au moment décisif, il n'y a plus que des mots, des phrases qui se suivent, qui brillent et qui meurent” (Robert Badinter). »

Pas de curé. Pas de croix. Le cortège n'est resté qu'une demi-heure. Quand les deux officiers des pompes funèbres ont fini de descendre le cercueil dans le caveau, tout le monde est reparti. Il pleuvait toujours très fort.

Je referme le registre. Le commissaire a l'air sonné, perdu dans ses pensées. Il passe une main dans ses cheveux.

— Je me demande pourquoi ma mère veut reposer près de cet homme.

Pendant un temps, il détaille à nouveau mes murs blancs sur lesquels il n'y a absolument rien à détailler. Puis il revient à moi, comme s'il ne me croyait pas. Il désigne le registre 2009 du regard.

— Je peux lire ?

D'habitude, je ne confie mes notes qu'aux familles concernées. J'hésite quelques secondes et finis par le lui tendre. Il commence à le feuilleter. Entre chaque page, il me dévisage comme si c'était sur mon front que figuraient les mots de l'année 2009. Comme si le cahier qu'il tenait entre les mains était un prétexte pour poser les yeux sur moi.

— Et vous faites ça pour chaque enterrement ?

— Pas tous, mais presque. Ainsi, quand ceux qui n'ont pas pu y assister viennent me voir, je leur raconte d'après mes notes... Vous avez déjà tué quelqu'un ? Je veux dire, rapport à votre métier...

— Non.

— Vous avez une arme ?

— Ça m'arrive, parfois. Mais là, ce matin, non.

— Vous êtes venu avec les cendres de votre mère ?

— Non. Pour l'instant elles sont au crématorium... Je ne vais pas poser ses cendres sur la tombe d'un inconnu.

— Pour vous c'est un inconnu, pas pour elle.

Il se lève.

— Je peux voir la tombe de cet homme ?

— Oui. Pouvez-vous revenir dans une petite demi-heure ? Je ne vais jamais dans mon cimetière en robe de chambre.

Il sourit pour la deuxième fois, et quitte le séjour-cuisine. Par réflexe, j'allume le plafonnier. Je n'allume jamais quand une personne entre chez moi mais lorsqu'elle part. Pour remplacer sa présence par de la lumière. Une vieille habitude d'enfant née sous X.

Une demi-heure après, il m'attendait dans sa voiture garée devant les grilles. J'ai vu l'immatriculation, 13, Bouches-du-Rhône. Il avait dû s'assoupir contre son écharpe, sa joue était marquée, comme froissée.

J'avais enfilé un manteau bleu marine sur une robe carmin. J'avais fermé mon manteau jusqu'au cou. Je ressemblais à la nuit, pourtant, en dessous, je portais le jour. Il aurait suffi que j'ouvre mon manteau pour qu'il cligne à nouveau des yeux.

Nous avons marché à travers les allées. Je lui ai dit que mon cimetière avait quatre ailes : Lauriers, Fusains, Cèdres et Ifs, deux columbariums et deux jardins du souvenir. Il m'a demandé si ça faisait longtemps que je faisais « ça », je lui ai répondu : « Vingt ans. » Qu'avant, j'étais garde-barrière. Il a demandé ce que ça faisait de passer des trains aux corbillards. Je n'ai pas su quoi lui répondre. Il s'était passé trop de choses entre ces deux vies. J'ai juste pensé qu'il posait de drôles de questions pour un commissaire rationnel.

Quand nous sommes arrivés au niveau de la tombe de Gabriel Prudent, il a pâli. Comme s'il venait se recueillir sur la tombe d'un homme dont il n'avait jamais entendu parler mais qui pouvait tout à fait être un père, un oncle, un frère. Nous sommes restés immobiles un long moment. J'ai fini par souffler dans mes mains tant il faisait froid.

D'habitude je ne reste jamais avec les visiteurs. Je les accompagne et me retire. Mais là, je ne sais pas pourquoi, il m'aurait été impossible de le laisser seul. Au bout d'un moment qui m'a paru durer une éternité, il a dit qu'il allait reprendre la route. Rentrer à Marseille. Je lui ai demandé quand il pensait revenir pour déposer les cendres de sa mère sur la stèle de M. Prudent. Il n'a pas répondu.

7

Il manquera toujours quelqu'un
pour faire sourire ma vie, toi.

Je rempote des fleurs sur la tombe de Jacqueline Victor épouse Dancoisne (1928-2008) et Maurice René Dancoisne (1911-1997). Ce sont deux belles bruyères blanches, on dirait deux morceaux de falaise de bord de mer en pot. Les rares fleurs qui résistent à l'hiver, avec les chrysanthèmes et les succulentes. Mme Dancoisne aimait les fleurs blanches. Elle venait chaque semaine sur la tombe de son mari. Nous papotions. Enfin, à la fin, une fois qu'elle s'était un peu habituée à la perte de son Maurice. Les premières années, elle était dévastée. Le malheur, ça coupe la parole. Ou bien ça fait dire n'importe quoi. Puis, peu à peu, elle avait retrouvé le chemin qu'il faut prendre pour faire des phrases simples, demander des nouvelles des autres, des nouvelles des vivants.

Je ne sais pas pourquoi on dit « sur la tombe ».

On devrait plutôt dire « au bord de la tombe » ou « contre la tombe ». À part le lierre, les lézards, les chats ou les chiens, personne ne monte sur une tombe. Mme Dancoisne a rejoint son mari du jour au lendemain. Le lundi elle nettoyait la stèle de son bien-aimé, le jeudi suivant je fleurissais la sienne. Depuis son enterrement, ses enfants passent une fois par an et me demandent de m'en occuper le reste du temps.

J'aime mettre mes mains dans la terre de bruyère même s'il est midi et que le soleil pâle de ce jour d'octobre peine à réchauffer. Et bien que mes doigts soient gelés, ils se régalent. Tout comme quand je les plonge dans la terre de mon jardin.

À quelques mètres de moi, Gaston et Nono creusent une fosse à la pelle en se racontant leur soirée. De là où je suis, j'entends des bribes de leur conversation selon la direction du vent. « Ma femme m'a dit… à la télé… des démangeaisons… faudrait pas que… le chef va passer… une omelette chez Violette… je l'ai connu… c'était un bon gars… un frisé c'est ça ?… Oui, il devait avoir dans nos âges… c'était gentil ça… sa femme… pimbêche… chanson de Brel… faut pas jouer les riches quand on a pas le sou… une de ces envies de pisser… trouille… prostate… faire des courses avant que ça ferme… des œufs pour Violette… si c'est pas malheureux… »

Demain, il y a un enterrement à 16 heures. Un nouveau résident pour mon cimetière. Un homme de cinquante-cinq ans, mort d'avoir trop fumé.

Enfin, ça, c'est ce qu'ont dit les médecins. Ils ne disent jamais qu'un homme de cinquante-cinq ans peut mourir de ne pas avoir été aimé, de ne pas avoir été entendu, d'avoir reçu trop de factures, d'avoir contracté trop de crédits à la consommation, d'avoir vu ses enfants grandir et puis partir, sans vraiment dire au revoir. Une vie de reproches, une vie de grimaces. Alors sa petite clope et son petit canon pour noyer la boule au ventre, il les aimait bien.

On ne dit jamais qu'on peut mourir d'en avoir eu trop souvent trop marre.

Un peu plus loin, deux petites dames, Mme Pinto et Mme Degrange, nettoient les tombes de leurs hommes. Et comme elles viennent chaque jour, elles inventent ce qu'il y a à nettoyer. Autour de leurs caveaux, c'est aussi propre que dans un magasin de bricolage qui expose des revêtements de sol.

Ces gens qui viennent chaque jour sur les tombes, ce sont eux qui ressemblent à des fantômes. Qui sont entre la vie et la mort.

Mme Pinto et Mme Degrange sont aussi légères qu'un moineau au sortir de l'hiver. Comme si c'étaient leurs époux qui les nourrissaient tant qu'ils étaient encore en vie. Je les connais depuis que je travaille ici. Plus de vingt ans qu'en allant faire leurs courses, elles font un détour chaque matin, comme un passage obligé. Je ne sais pas si c'est de l'amour ou de la soumission. Ou les deux. Si c'est pour les apparences ou par tendresse.

Mme Pinto est portugaise. Et comme la plupart des Portugais qui vivent à Brancion, en été, elle repart au Portugal. Ça lui donne du boulot pour la rentrée. Début septembre, elle revient, toujours aussi maigre mais la peau brunie, les genoux égratignés d'avoir nettoyé les tombes de ceux qui sont morts au pays. Moi en son absence, j'ai arrosé les fleurs françaises. Alors, pour me remercier, elle m'offre une poupée en costume folklorique dans une boîte en plastique. Chaque année, j'ai droit à ma poupée. Et chaque année, je dis : « Merci, madame Pinto, merci, il ne FALLAIT pas, les fleurs, pour moi, c'est un plaisir, pas un travail. »

Il existe des centaines de costumes folkloriques au Portugal. Donc, si Mme Pinto vit encore trente ans et moi avec, j'aurai droit à trente nouvelles poupées effrayantes qui ferment les yeux quand on allonge les boîtes qui leur servent de sarcophages pour faire la poussière.

Comme Mme Pinto passe chez moi de temps en temps, je ne peux pas cacher les poupées qu'elle m'offre. Mais je n'en veux pas dans ma chambre et je ne peux pas non plus les poser là où les gens passent pour chercher du réconfort. Elles sont trop laides. Alors, je les « expose » sur les marches de l'escalier qui monte à ma chambre. L'escalier se trouve derrière une porte vitrée. On le voit depuis la cuisine. Quand elle passe boire un café chez moi, Mme Pinto les regarde pour vérifier qu'elles sont bien à leur place. L'hiver, quand il fait nuit à

17 heures, et que je les vois avec leurs yeux noirs qui brillent et leurs costumes à froufrous, j'imagine qu'elles vont ouvrir leur couvercle et me faire un croche-pied pour que je tombe dans l'escalier.

J'ai remarqué que contrairement à beaucoup d'autres, Mme Pinto et Mme Degrange ne parlent jamais à leurs maris. Elles nettoient en silence. Comme si elles avaient cessé de leur parler bien avant qu'ils ne soient morts. Que ce silence, c'était comme une continuité. Elles ne pleurent jamais non plus. Leurs yeux sont secs depuis des lustres. Parfois, elles se télescopent, et se parlent du beau temps, des enfants, des petits-enfants et même bientôt, vous vous rendez compte, de leurs arrière-petits-enfants.

Je les ai vues rire une fois. Une seule petite fois. Quand Mme Pinto a raconté à l'autre que sa petite-fille lui avait posé cette question : « Mamie, c'est quoi la Toussaint ? Des vacances ? »

8

Que ton repos soit doux comme ton cœur fut bon.

22 novembre 2016, ciel bleu, dix degrés, 16 heures. Enterrement de Thierry Teissier (1960-2016). Cercueil en acajou. Pas de marbre. Une tombe creusée à même la terre. Seul.

Une trentaine de personnes sont présentes. Dont Nono, Elvis, Pierre Lucchini et moi-même.

Une quinzaine de collègues de travail de Thierry Teissier des usines DIM ont déposé une gerbe de lys : « À notre cher collègue ».

Une employée du service oncologie de Mâcon, qui se prénomme Claire, tient un bouquet de roses blanches à la main.

La femme du défunt est présente ainsi que leurs deux enfants, un garçon et une fille respectivement âgés de trente et vingt-six ans. Sur une plaque funéraire, ils ont fait graver : « À notre père ».

Pas de photographie de Thierry Teissier.

Sur une autre plaque funéraire : « À mon mari ».

Avec une petite fauvette dessinée au-dessus du mot «mari».

Une grande croix en bois d'olivier a été scellée dans la terre.

Trois copains de collège lui lisent, tour à tour, un poème de Jacques Prévert.

Un village écoute désolé
Le chant d'un oiseau blessé
C'est le seul oiseau du village
Et c'est le seul chat du village
Qui l'a à moitié dévoré
Et l'oiseau cesse de chanter
Le chat cesse de ronronner
Et de se lécher le museau
Et le village fait à l'oiseau
De merveilleuses funérailles
Et le chat qui est invité
Marche derrière le petit cercueil de paille
Où l'oiseau mort est allongé
Porté par une petite fille
Qui n'arrête pas de pleurer
Si j'avais su que cela te fasse tant de peine
Lui dit le chat
Je l'aurais mangé tout entier
Et puis je t'aurais raconté
Que je l'avais vu s'envoler
S'envoler jusqu'au bout du monde
Là-bas où c'est tellement loin
Que jamais on n'en revient

Tu aurais eu moins de chagrin
Simplement de la tristesse et des regrets
Il ne faut jamais faire les choses à moitié.

Avant que le cercueil ne soit mis en terre, le père Cédric prend la parole :

— Rappelons-nous les paroles de Jésus à la sœur de Lazare qui venait de mourir : « Je suis la résurrection et la vie : celui qui croit en moi, même s'il meurt, vivra. »

Claire dépose le bouquet de roses blanches près de la croix. Tout le monde repart en même temps.

Je ne connaissais pas cet homme. Mais le regard que certains ont posé sur sa tombe donne à penser qu'il était bon.

9

*Sa beauté, sa jeunesse souriaient au monde
où il aurait vécu. Puis de ses mains est tombé le livre
dans lequel il n'a rien lu.*

Il y a plus de mille photographies dispersées dans mon cimetière. Des photos en noir et blanc, sépia, aux couleurs vives ou passées.

Le jour où toutes ces photos ont été prises, aucun des hommes, des enfants, des femmes qui posaient innocemment devant l'objectif ne pouvait penser que cet instant les représenterait pour l'éternité. C'était le jour d'un anniversaire ou d'un repas de famille. Une balade au parc un dimanche, une photo de mariage, de bal de promotion, un Nouvel An. Un jour où ils étaient un peu plus beaux, un jour où ils étaient tous réunis, un jour particulier où ils étaient plus élégants. Ou alors dans leurs habits de militaire, de baptême ou de communiante. Que d'innocence dans le regard de tous ces gens qui sourient sur leurs tombes.

Souvent, la veille d'un enterrement, on trouve un article dans le journal. Un article qui résume en quelques phrases la vie du défunt. Brièvement. Une vie, ça ne prend pas beaucoup de place dans le journal local. Un peu plus si c'était un commerçant, un médecin ou un entraîneur de foot.

C'est important de mettre des photos sur les tombes. Sinon, on n'est plus qu'un nom. La mort emporte aussi les visages.

Le plus beau couple de mon cimetière, c'est Anna Lave épouse Dahan (1914-1987) et Benjamin Dahan (1912-1992). On les voit sur une photo colorisée qui a été prise le jour de leur mariage dans les années 30. Deux merveilleux visages souriant au photographe. Elle, blonde comme un soleil, la peau diaphane, lui, le visage fin, presque taillé, et leurs regards brillants comme des saphirs étoilés. Deux sourires qu'ils offrent à l'éternité.

En janvier, je passe un chiffon sur les photos de mon cimetière. Je ne le fais que sur les tombes qui sont abandonnées ou très peu visitées. Un chiffon imbibé d'eau contenant une goutte d'alcool à brûler. Je fais la même chose sur les plaques mais avec un chiffon trempé dans du vinaigre blanc.

J'en ai pour environ cinq à six semaines de nettoyage. Quand Nono, Gaston et Elvis souhaitent m'aider, je leur dis non. Qu'ils ont déjà assez à faire avec l'entretien général.

Je ne l'ai pas entendu arriver. C'est rare. Les pas

que font les gens sur le gravillon des allées, je les repère tout de suite. Je sais même s'il s'agit d'un homme, d'une femme ou d'un enfant. D'un promeneur ou d'un habitué. Lui, il se déplace sans faire de bruit.

Je suis en train de nettoyer les neuf visages de la famille Hesme – Étienne (1876-1915), Lorraine (1887-1928), Françoise (1949-2000), Gilles (1947-2002), Nathalie (1959-1970), Théo (1961-1993), Isabelle (1969-2001), Fabrice (1972-2003), Sébastien (1974-2011) – quand je sens son regard dans mon dos. Je me retourne. Il est à contre-jour, je ne le reconnais pas tout de suite.

C'est à son « Bonjour », à sa voix, que je comprends qu'il s'agit de lui. Et juste après sa voix, avec deux ou trois secondes de retard, son odeur de cannelle et de vanille. Je ne pensais pas qu'il reviendrait. Cela fait plus de deux mois qu'il est venu frapper à ma porte côté rue. Mon cœur s'emballe un peu. Je sens qu'il me souffle : *Méfiance.*

Depuis la disparition de Philippe Toussaint, aucun homme n'a fait battre mon cœur un peu plus vite. Depuis Philippe Toussaint, il ne change pas de rythme, exactement comme une vieille horloge qui ronronne nonchalamment.

À part le jour de la Toussaint, où la cadence s'accélère : je peux vendre jusqu'à cent pots de chrysanthèmes et il faut que je guide les nombreux visiteurs occasionnels qui sont égarés dans les allées. Mais ce matin, alors que ce n'est pas le jour des morts, mon cœur s'emballe. Et c'est à cause de *lui*. Je crois déceler de la peur, la mienne.

J'ai encore mon chiffon à la main. Le commissaire observe les visages que je suis en train d'astiquer. Il me sourit timidement.

— Ce sont des gens de votre famille ?

— Non. J'entretiens les tombes, c'est tout.

Ne sachant pas quoi faire des mots qui se bousculent dans ma tête, je lui dis :

— Dans la famille Hesme, les gens meurent jeunes. Comme s'ils étaient allergiques à la vie ou qu'elle ne voulait pas d'eux.

Il hoche la tête, resserre son col de manteau et me dit en souriant :

— Ça caille dans votre pays.

— C'est sûr qu'il fait plus froid ici qu'à Marseille.

— Vous y allez cet été ?

— Oui, comme tous les étés. Je retrouve ma fille là-bas.

— Elle vit à Marseille ?

— Non, elle voyage un peu partout.

— Qu'est-ce qu'elle fait ?

— Elle est magicienne. Professionnelle.

Comme pour nous interrompre, un jeune merle se pose sur le caveau de la famille Hesme et se met à chanter à tue-tête. Je n'ai plus envie d'astiquer les visages. Je verse mon seau d'eau dans le gravier et range mes chiffons et mon alcool à brûler. En me baissant, mon long manteau gris s'entrouvre et laisse apparaître ma jolie robe à fleurs carmin. Je vois que ça n'échappe pas au commissaire. Il ne me regarde pas comme les autres. Il a quelque chose de différent.

Pour détourner son attention, je lui rappelle que pour déposer les cendres de sa mère sur la tombe de Gabriel Prudent, il faudra demander l'autorisation à la famille.

— Pas la peine. Avant de mourir, Gabriel Prudent avait indiqué à la mairie que ma mère reposerait avec lui… Ils avaient tout prévu.

Il semble embarrassé. Il frotte ses joues mal rasées. Je ne vois pas ses mains, il porte des gants. Il me fixe un peu trop longtemps.

— J'aimerais que vous lui organisiez quelque chose pour le jour où je déposerai ses cendres. Enfin, quelque chose qui ressemble à une fête sans fête.

Le merle s'envole. Il a été effrayé par Éliane qui vient se frotter contre moi pour quémander une caresse.

— Ah mais moi je ne fais pas ça. Il faut vous adresser à Pierre Lucchini aux pompes funèbres Le Tourneurs du Val, rue de la République.

— Les pompes funèbres, c'est pour les enterrements. Moi, je veux juste que vous m'aidiez à faire un petit discours pour le jour où je déposerai ses cendres sur la tombe de ce type. Il n'y aura personne. Juste elle et moi… Je voudrais lui dire quelques mots qui restent entre elle et moi.

Il s'accroupit pour caresser Éliane à son tour. Il la regarde en me parlant.

— J'ai vu que sur vos… registres, enfin vos cahiers d'enterrements, je ne sais pas comment vous les appelez, vous aviez recopié des discours. Je pourrais peut-être prendre des morceaux à gauche et à droite… dans le discours des autres, pour écrire celui de ma mère.

Il passe une main dans ses cheveux. Il a plus de cheveux gris que la dernière fois. C'est peut-être parce que la lumière est différente. Aujourd'hui le ciel est bleu, la lumière est blanche. La première fois que j'ai vu cet homme, le ciel était bas.

Mme Pinto passe près de nous. Elle dit : « Bonjour, Violette » et observe le commissaire avec méfiance. Dans la région, dès qu'un inconnu passe une porte, une grille, un porche, on le regarde avec méfiance.

— J'ai un enterrement à 16 heures, passez me voir après 19 heures dans la maison de gardien. Nous écrirons quelques lignes ensemble.

Il semble soulagé. Délesté d'un poids. Il sort un paquet de cigarettes de sa poche, en met une dans sa bouche sans l'allumer en me demandant où est l'hôtel le plus proche.

— À vingt-cinq kilomètres. Sinon, juste derrière l'église, vous verrez une petite maison qui a des volets rouges. C'est chez Mme Bréant, elle fait chambre d'hôte. Une seule chambre mais elle n'est jamais occupée.

Il ne m'écoute plus. Son regard est ailleurs. Il est parti, perdu dans ses pensées. Il revient à moi.

— Brancion-en-Chalon… Il n'y a pas eu un drame, ici ?

— Des drames, il y en a tout autour de vous, chaque mort est le drame de quelqu'un.

Il semble fouiller dans sa mémoire sans trouver ce qu'il cherche. Il souffle dans ses mains et murmure : « À tout à l'heure » et : « Merci beaucoup ». Il remonte l'allée principale jusqu'aux grilles. Ses pas sont toujours silencieux.

Mme Pinto repasse près de moi pour remplir son arrosoir. Derrière elle, Claire, la femme du service oncologie de Mâcon, se dirige vers la tombe de Thierry Teissier, un rosier en pot à la main. Je la rejoins.

— Bonjour, madame, je voudrais planter ce rosier sur la tombe de M. Teissier.

J'appelle Nono qui est dans son local. Les fossoyeurs ont un local dans lequel ils se changent, prennent une douche midi et soir et lavent leur tenue. Nono dit que l'odeur de la mort ne peut pas s'accrocher à ses vêtements mais qu'il n'existe aucun détergent pour l'empêcher de salir l'intérieur de sa caboche.

Tandis que Nono creuse là où Claire veut planter le rosier, Elvis chante : *Always on my mind, always on my mind…* Nono met un peu de tourbe et un tuteur pour que le rosier pousse droit. Il dit à Claire qu'il a connu Thierry, et que c'était un brave type.

Claire a voulu me donner de l'argent pour que j'arrose le rosier de Thierry de temps en temps. Je lui ai dit que je l'arroserais mais que je ne prenais jamais d'argent. Qu'elle pouvait glisser de la monnaie dans la tirelire en forme de coccinelle qui se trouve dans ma cuisine, sur le frigidaire, et que ces dons en espèces étaient destinés à acheter la nourriture des animaux du cimetière.

Elle a dit : « D'accord. » Que d'habitude elle ne faisait jamais ça, aller à l'enterrement des patients de son service. Que c'était la première fois. Que Thierry Teissier, il était trop gentil pour être enterré sous de la terre, comme ça, sans rien autour. Qu'elle avait choisi un rosier rouge pour ce qu'il représente et qu'elle voudrait que Thierry continue à exister à travers lui. Elle a ajouté que les fleurs lui tiendraient compagnie.

Je l'ai amenée au bord d'une des plus belles tombes du cimetière, celle de Juliette Montrachet (1898-1962), sur laquelle différentes plantes et arbustes ont poussé, mélangeant les couleurs et les feuillages de manière harmonieuse, sans jamais avoir été entretenue. Une tombe jardin. Comme si le hasard et la nature s'étaient arrangés à l'amiable.

Claire a dit : « Ces fleurs, ce sont un peu des échelles vers le ciel. » Elle m'a remerciée, aussi. Elle a bu un verre d'eau chez moi, elle a glissé quelques billets dans la tirelire coccinelle et elle est repartie.

10

Parler de toi, c'est te faire exister,
ne rien dire serait t'oublier.

J'ai rencontré Philippe Toussaint le 28 juillet 1985, le jour de la mort de Michel Audiard, l'immense scénariste. C'est peut-être pour cela que Philippe Toussaint et moi, on n'a jamais eu grand-chose à se dire. Que nos dialogues étaient aussi plats que l'encéphalogramme de Toutankhamon. Quand il m'a dit : « Ce verre, on va le boire chez moi ? », j'ai tout de suite répondu : « Oui. »

Avant de quitter le Tibourin, j'ai senti le regard des autres filles. Celles qui faisaient le pied de grue dans la file qui s'éternisait derrière lui depuis qu'il leur avait tourné le dos pour me regarder. J'ai senti leurs yeux pleins de fard et de rimmel me tuer, me jeter des sorts, me condamner à mort quand la musique s'est arrêtée.

À peine lui avais-je répondu oui que nous étions sur sa moto, un casque trop grand sur la tête et sa main posée sur mon genou gauche. J'ai fermé les yeux. Il s'est mis à pleuvoir sur nous. J'ai senti des gouttes sur mon visage.

Ses parents lui louaient un studio dans le centre de Charleville-Mézières. Pendant que nous montions les étages, j'ai continué à cacher mes ongles rongés dans mes manches.

Dès que nous sommes entrés chez lui, il s'est jeté sur moi, sans me dire un mot. Moi aussi, je suis restée silencieuse. Philippe Toussaint était tellement beau qu'il me coupait la chique. Comme quand ma maîtresse de CM2 nous avait fait un exposé sur Picasso et la période bleue. Les tableaux qu'elle nous avait montrés avec sa règle sur un livre m'avaient coupé la chique et j'avais décidé que le reste de ma vie serait bleu.

J'ai dormi chez lui, étourdie par la jouissance qu'il avait donnée à mon corps. Pour la première fois, j'avais aimé faire l'amour, je ne l'avais pas fait en échange de quelque chose. Je me suis mise à espérer que ça recommence. Et nous avons recommencé. Je ne suis pas repartie, j'ai continué à dormir chez lui. Un jour, deux jours, puis trois. Ensuite, tout se confond. Les jours sont collés les uns aux autres. Comme un train dont ma mémoire ne distingue plus les wagons. Seul reste le souvenir du voyage.

Philippe Toussaint a fait de moi une contemplative. Une enfant émerveillée qui regardait la photographie d'un blond aux yeux bleus sur un magazine en se disant : *Cette image m'appartient, je peux la mettre dans ma poche.* Je passais des heures à le caresser, j'avais toujours une main qui traînait quelque part sur lui. On dit que la beauté ne se mange pas en salade, moi, sa beauté, je la mangeais en entrée, en plat et en dessert. Et s'il y avait du rab, je me resservais. Lui se laissait faire. J'avais l'air de lui plaire, et mes gestes aussi. Il me possédait, c'est la seule chose qui comptait.

Je suis tombée amoureuse. Heureusement que je ne n'avais jamais eu de famille, je l'aurais abandonnée à mon tour. Philippe Toussaint est devenu mon seul centre d'intérêt. J'ai concentré tout ce que j'étais et ce que j'avais sur lui. Tout mon être pour une seule personne. Si j'avais pu vivre en lui, à l'intérieur de lui, je n'aurais pas hésité.

Un matin, il m'a dit : « Viens vivre ici. » Il n'a rien ajouté. Il a juste dit ça : « Viens vivre ici. » J'ai quitté le foyer en faisant le mur, je n'étais pas encore majeure. J'ai débarqué chez Philippe Toussaint avec une valise contenant tout ce qui m'appartenait. C'est-à-dire pas grand-chose. Quelques vêtements et ma première poupée, Caroline. Elle parlait quand on me l'avait offerte (« Bonjour, maman, je m'appelle Caroline, viens jouer avec moi », puis elle riait) mais les piles, les circuits mouillés, les déménagements, les familles d'accueil, les assistantes sociales, les éducatrices spécialisées, ça lui avait coupé la chique à elle aussi. Des photos de classe, quatre 33 tours, deux d'Étienne Daho (*Mythomane* et *La Notte, la*

Notte), un d'Indochine (*3*), un de Charles Trenet (*La Mer*), cinq albums de Tintin (*Le Lotus bleu*, *Les Bijoux de la Castafiore*, *Le Sceptre d'Ottokar*, *Tintin et les Picaros*, *Le Temple du soleil*), la trousse qui m'avait servi durant ma maigre scolarité, avec la signature de tous les autres cancres (Lolo, Sika, So, Stéph, Manon, Isa, Angelo) au stylo Bic.

Philippe Toussaint a poussé quelques affaires pour faire de la place aux miennes. Puis il a dit :

— Tu es vraiment une drôle de fille.

Et moi, j'ai répondu :

— On va faire l'amour ?

Je n'avais pas envie d'entamer la conversation. Je n'ai jamais eu envie d'entamer la conversation avec lui.

11

Berce son repos de ton chant le plus doux.

Une mouche nage dans mon verre de porto. Je la dépose sur le rebord de ma fenêtre. En la refermant, je vois le commissaire remonter la rue à pied, la lumière des réverbères sur son manteau. Le chemin qui mène au cimetière est bordé d'arbres. En bas se trouve l'église du père Cédric. Et derrière l'église, les quelques rues du centre-ville. Le commissaire marche vite. Il semble transi de froid.

J'ai envie d'être seule. Comme tous les soirs. Ne parler à personne. Lire, écouter la radio, prendre un bain. Fermer les volets. M'envelopper d'un kimono en soie rose. Juste être bien.

Après la fermeture des grilles, le temps est à moi. J'en suis l'unique propriétaire. C'est un luxe d'être propriétaire de son temps. Je pense que c'est un des plus grands luxes qu'un être humain puisse s'offrir.

Je porte encore l'hiver sur l'été alors que normalement, à cette heure-ci, je porte l'été. Je m'en veux un peu d'avoir proposé au commissaire de passer chez moi, de lui avoir offert mon aide.

Il frappe à la porte, comme la première fois. Éliane ne bouge pas. Elle a déjà commencé sa nuit, roulée en boule dans les innombrables couvertures de son panier.

Il me sourit, me dit bonsoir. Un froid sec entre en même temps que lui. Je referme aussitôt. Je tire une chaise pour qu'il s'assoie. Il n'enlève pas son manteau. C'est bon signe. Cela veut dire qu'il ne restera pas longtemps.

Sans rien lui demander, je sors un verre en cristal et lui sers mon porto – le cru 1983 –, celui que me rapporte José-Luis Fernandez. En voyant la collection de bouteilles à l'intérieur du meuble qui me sert de bar, mon visiteur écarquille ses grands yeux noirs. Il y en a des centaines. Vins cuits, malts, liqueurs, eaux-de-vie, spiritueux.

— Je ne fais pas de trafic d'alcools, ce sont des cadeaux. Les gens n'osent pas m'offrir de fleurs. On n'offre pas de fleurs aux gardiens de cimetière, d'autant que j'en vends. On n'offre pas de fleurs aux fleuristes. À part Mme Pinto qui me rapporte des poupées sous vide chaque année, les autres, ce sont des bouteilles ou des pots de confiture. Il me faudrait plusieurs vies pour tout ingurgiter. Alors j'en donne beaucoup aux fossoyeurs.

Il retire ses gants et boit une première gorgée de porto.

— Ce que vous buvez là, c'est ce que j'ai de meilleur.

— Divin.

Je ne sais pas pourquoi, mais je n'aurais jamais imaginé qu'il puisse prononcer le mot « divin » en sirotant mon porto. À part ses cheveux qui partent dans tous les sens, il n'y a aucune fantaisie chez lui. Il a l'air aussi triste que les vêtements qu'il porte.

Je prends de quoi noter, m'assieds face à lui et lui demande de me parler de sa mère. Il semble réfléchir quelques instants, prend une inspiration et me répond :

— Elle était blonde. C'était naturel.

Et puis plus rien. Il recommence à observer mes murs blancs comme s'il y avait des tableaux de maître accrochés dessus. De temps en temps, il porte le verre en cristal à sa bouche et avale le liquide à petites gorgées. Je vois qu'il déguste. Et qu'il se détend au fur et à mesure qu'il boit.

— Je n'ai jamais su faire de discours. Je pense et parle comme un rapport de police ou une pièce d'identité. Je sais vous dire si telle personne a une cicatrice, un grain de beauté, une excroissance… si elle boite, sa pointure… En un coup d'œil, je connais la taille, le poids, la couleur des yeux, de la peau, le signe particulier d'un individu. Mais pour ce qui est de ce qu'il ressent… j'en suis incapable. Sauf s'il a quelque chose à cacher…

Il a fini son verre. Aussitôt, je le ressers et

découpe quelques tranches de comté que je dispose dans une assiette en porcelaine.

— Pour ce qui est des secrets, j'ai du flair. Je suis un vrai cabot… Je repère tout de suite le geste qui trahit. Enfin ça, c'est ce que je croyais… avant de découvrir les dernières volontés de ma mère.

Mon porto fait le même effet à tout le monde. Il agit comme un sérum de vérité.

— Et vous ? Vous ne buvez pas ?

Je me sers une larme et trinque avec lui.

— C'est tout ce que vous buvez ?

— Je suis gardienne de cimetière, je ne bois que des larmes… On pourrait parler des passions de votre mère. Quand je parle de « passions », ce n'est pas forcément de théâtre ou de saut à l'élastique. Juste quelle était sa couleur préférée, l'endroit où elle aimait se promener, la musique qu'elle écoutait, les films qu'elle regardait, si elle avait des chats, des chiens, des arbres, comment elle s'occupait, si elle aimait la pluie, le vent ou le soleil, quelle était sa saison préférée…

Il reste longtemps silencieux. Il a l'air de chercher les mots comme un promeneur perdu cherche son chemin. Il finit son verre et me dit :

— Elle aimait la neige et les roses.

Et puis c'est tout. Il n'a rien d'autre à dire sur elle. Il a l'air à la fois honteux et désemparé. C'est comme s'il venait de m'avouer qu'il était atteint d'une maladie orpheline. Celle de ne pas savoir parler d'un de ses proches.

Je me lève et me dirige vers l'armoire à registres. Je prends celui de 2015 et je l'ouvre à la première page.

— C'est un discours qui a été écrit le 1er janvier 2015 pour Marie Géant. Sa petite-fille n'a pas pu venir à l'enterrement parce qu'elle était à l'étranger pour son travail. Elle me l'a envoyé et m'a demandé de le lire aux funérailles. Je pense que cela vous aidera. Prenez le registre, lisez le discours, prenez des notes et vous me le rendrez demain matin.

Il se lève aussitôt en emportant le registre sous son bras.

C'est la première fois qu'un registre sort de chez moi.

— Merci, merci pour tout.

— Vous dormez chez Mme Bréant ?

— Oui.

— Vous avez dîné ?

— Elle m'a préparé quelque chose.

— Vous repartez à Marseille demain ?

— Aux aurores. Je vous déposerai le registre avant de partir.

— Laissez-le sur le rebord de la fenêtre, derrière la jardinière bleue.

12

Dors, mamy, dors, mais que nos rires
d'enfants tu les entendes encore
au plus profond du firmament.

Discours pour Marie Géant

Elle ne savait pas marcher, elle courait. Elle ne tenait pas en place. Elle jambotait. « Jamboter » c'est une expression de l'est de la France. « Arrête de jamboter », ça veut dire : « Assieds-toi une bonne fois pour toutes. » Eh bien, ça y est, elle s'est assise une bonne fois pour toutes.

Elle se couchait de bonne heure et se levait à 5 heures du matin. Elle était la première arrivée dans les magasins pour ne pas faire la queue. Elle avait une sainte horreur de faire la queue. À 9 heures, elle avait déjà fait ses courses pour la journée avec son filet à commissions.

Elle est morte dans la nuit du 31 décembre au 1er janvier, un jour férié, elle qui aura trimé toute sa vie. J'espère qu'elle n'a pas eu à faire la queue trop longtemps devant les portes du paradis avec tous les fêtards et les accidentés de la route.

Pour les vacances, à ma demande, elle me préparait deux aiguilles à tricoter et la pelote de laine qui allait avec. Je n'ai jamais dépassé dix rangs. Les années mises bout à bout, j'ai dû finir par faire une écharpe imaginaire qu'elle me mettra autour du cou quand je la rejoindrai au paradis. Si je le mérite, le paradis.

Pour s'annoncer au téléphone, elle disait : « C'est mémère » en rigolant.

Elle envoyait des lettres chaque semaine à ses enfants. Ses enfants qui étaient partis loin de chez elle. Elle écrivait comme elle pensait.

Elle envoyait des colis et des chèques à chaque anniversaire, fête, Noël, Pâques, pour les « cocos ». Pour elle, tous les enfants étaient des « cocos ».

Elle aimait la bière et le vin.

Elle faisait un signe de croix sur le pain avant de le couper.

Elle disait : « Jésus, Marie. » Souvent. C'était comme une ponctuation. Une sorte de point final qu'elle mettait au bout de ses phrases.

Sur le buffet, il y a toujours eu un grand poste de radio qui restait allumé tout le matin. Comme elle a été veuve très tôt, j'ai souvent pensé que la voix masculine des animateurs lui tenait compagnie.

À partir de midi, c'était la télé qui prenait le relais. Pour tuer le silence. Tous les jeux débiles y passaient jusqu'à ce qu'elle s'endorme devant Les Feux de l'amour. *Elle commentait chaque réplique des personnages comme s'ils existaient dans la vraie vie.*

Deux, trois ans avant qu'elle ne trébuche et qu'elle soit obligée de quitter son appartement pour la maison de retraite, on lui a volé ses guirlandes et ses boules de Noël dans sa cave. Elle m'a téléphoné en pleurant, comme si on lui avait volé tous les Noëls de sa vie.

Elle chantait souvent. Très souvent. Même à la fin de sa vie, elle disait : « J'ai envie de chanter. » Elle disait : « J'ai envie de mourir » aussi.

Elle allait à la messe tous les dimanches.

Elle ne jetait rien. Surtout pas les restes. Elle les réchauffait et les mangeait. Parfois, elle se rendait malade de manger et remanger la même chose jusqu'à ce qu'il n'y en ait plus. Mais elle préférait vomir que jeter un quignon de pain à la poubelle. Un vieux reste de guerre dans le ventre.

Elle achetait des verres à moutarde avec des dessins dessus qu'elle gardait pour ses petits-enfants – ses cocos – quand ils venaient en vacances chez elle.

Il y avait toujours un bon plat qui mijotait sur sa gazinière, dans une cocotte en fonte. Une poule au riz lui faisait la semaine. Et elle récupérait le bouillon de la poule pour les repas du soir. Dans sa cuisine, il y avait aussi deux, trois oignons au fond d'une poêle ou une petite sauce qui faisait saliver.

Elle a toujours été locataire. Jamais propriétaire. Le seul endroit qui lui aura appartenu c'est son caveau de famille.

Quand elle savait qu'on arrivait pour les vacances, elle nous attendait à la fenêtre de sa cuisine. Elle guettait les voitures qui se garaient sur le petit parking en bas. On voyait ses cheveux blancs à travers la fenêtre. On était à peine arrivés chez elle qu'elle disait : « Quand est-ce que vous reviendrez voir mémère ? » Comme si elle voulait qu'on reparte.

Les dernières années, elle ne nous attendait plus. Si on avait le malheur d'avoir cinq minutes de retard à la maison de retraite pour l'emmener déjeuner au restaurant, on la retrouvait au réfectoire avec les autres vieux.

Elle dormait avec un filet sur la tête pour ne pas défaire sa mise en plis.

Elle buvait un citron pressé dans de l'eau tiède chaque matin.

Son dessus-de-lit était rouge.

Elle a été la marraine de guerre de mon grand-père Lucien. Quand il est revenu de Buchenwald, elle ne l'a pas reconnu. Il y avait une photo de Lucien sur sa table de nuit. Ensuite, on a emmené la photo en même temps qu'elle à la maison de retraite.

J'adorais enfiler ses combinaisons en nylon. Comme elle commandait tout par correspondance, elle recevait des tas de cadeaux, des babioles en tout genre. Dès que j'arrivais chez elle, je lui demandais si je pouvais aller fouiller dans son armoire. Elle me disait : « Mais oui, vas-y. » Et je fouillais pendant des heures. Je trouvais des missels, des crèmes Yves Rocher, des draps, des soldats de plomb, des pelotes de laine, des robes, des foulards, des broches, des poupées en porcelaine.

La peau de ses mains était rugueuse.

Je lui ai fait quelquefois sa mise en plis.

Par souci d'économie, elle ne faisait pas couler l'eau pour rincer la vaisselle.

À la fin de sa vie, elle disait : « Qu'est-ce que j'ai fait au Bon Dieu pour être ici ? », en parlant de la maison de retraite.

J'ai commencé à déserter son petit appartement quand j'ai eu dix-sept ans, pour dormir chez ma tante qui habitait à trois cents mètres de chez elle. Un bel appartement au-dessus d'un grand café et d'un cinéma fréquenté par des jeunes, avec un baby-foot, des jeux vidéo et des esquimaux. J'allais quand même manger chez mémère, mais je préférais dormir chez ma tante à cause des cigarettes qu'on fumait en douce, du cinéma toute la journée et du bar.

C'était toujours Mme Fève, une gentille dame, que j'avais vue faire le ménage et le repassage chez ma tante. Et un jour, je suis tombée nez à nez avec ma grand-mère qui passait l'aspirateur dans les chambres. Elle remplaçait Mme Fève qui était en congé ou malade. Cela arrivait parfois. C'est ce que j'ai appris.

Le jour de sa mort, je n'ai pas pu dormir de la nuit à cause de « ça ». De ce malaise qu'il y avait eu entre nous, à cet instant. Quand j'avais poussé une porte en riant et que j'étais tombée nez à nez avec ma grand-mère faisant le ménage. Pliée en deux sur un aspirateur pour arrondir ses fins de mois. J'ai essayé de me rappeler ce qu'on s'était dit ce jour-là. Ça m'a empêchée de dormir. Je revoyais la scène en boucle, une scène que j'avais complètement oubliée jusqu'au jour de sa mort. Toute la nuit j'ai poussé cette porte et je l'ai vue derrière, en train de faire le ménage chez les autres. Toute la nuit j'ai continué à rire avec mes cousins et elle à passer l'aspirateur.

La prochaine fois que je la verrai, je lui poserai la question : « Mémère, tu te souviens du jour où je t'ai vue faire le ménage chez ma tante ? » Elle haussera sûrement les épaules et me répondra : « Et les cocos, ils vont bien les cocos ? »

13

Il y a plus fort que la mort, c'est le souvenir des absents dans la mémoire des vivants.

Je viens de trouver le registre 2015 glissé derrière ma jardinière bleue. Le commissaire a griffonné : « Merci beaucoup. Je vous téléphone » au dos du prospectus d'une salle de sport du 8e arrondissement de Marseille. Il y a la photo d'une fille qui sourit dessus. Son corps de rêve est déchiré au niveau des genoux.

Il n'a rien écrit d'autre, pas un commentaire sur le discours pour Marie Géant, pas un mot au sujet de sa mère. Je me demande s'il est loin de Marseille. S'il est déjà arrivé. À quelle heure a-t-il pris la route ? Est-ce qu'il vit près de la mer ? La regarde-t-il ou n'y prête-t-il plus attention ? Comme ceux qui vivent ensemble depuis si longtemps qu'ils en sont séparés.

Nono et Elvis arrivent au moment où j'ouvre les grilles. Ils me lancent un « Salut, Violette ! » et garent le camion de la ville dans l'allée principale pour entrer dans le local et enfiler leur tenue. Je les entends rire depuis les allées annexes que j'arpente pour vérifier que tout va bien. Que tout le monde est à sa place.

Les chats viennent se frotter contre mes jambes. En ce moment, il y en a onze qui vivent dans le cimetière. Cinq d'entre eux appartenaient à des défunts, du moins c'est ce qu'il me semble, ils sont apparus le jour des enterrements de Charlotte Boivin (1954-2010), Olivier Feige (1965-2012), Virginie Teyssandier (1928-2004), Bertrand Witman (1947-2003) et Florence Leroux (1931-2009). Charlotte est blanche, Olivier est noir, Virginie est une chatte de gouttière, Bertrand est gris et Florence (c'est un mâle) est tacheté de blanc, noir et brun. Les six autres sont arrivés avec le temps. Ils vont et viennent. Comme les gens savent qu'au cimetière les chats sont nourris et stérilisés, ils sont abandonnés voire jetés par-dessus les murs.

C'est Elvis qui les baptise au fur et à mesure qu'il les trouve. Il y a Spanish Eyes, Kentucky Rain, Moody Blue, Love Me, Tutti Frutti et My Way. My Way a été déposé sur mon paillasson dans une boîte à chaussures pour homme taille 43.

Quand Nono voit un petit nouveau débarquer dans le cimetière, il lui annonce la couleur : « Je te préviens, la spécialité de la taulière, c'est de faire couper les roubignolles. » Mais ça n'empêche pas les chats de rester près de moi.

Nono a installé une chatière à la porte de ma maison pour qui veut entrer. Mais la plupart se faufilent à l'intérieur des chapelles funéraires. Ils ont leurs habitudes et leurs préférences. À part My Way et Florence qui sont toujours roulés en boule quelque part dans ma chambre, les autres me suivent jusqu'au palier mais n'entrent pas. Comme si Philippe Toussaint était toujours là, à l'intérieur. Est-ce qu'ils voient son fantôme ? On dit que les chats conversent avec les âmes. Philippe Toussaint n'aimait pas les animaux. Moi, je les ai aimés dès ma plus tendre enfance, bien que mon enfance n'ait jamais été que dure.

En général, les visiteurs aiment se prendre les pieds dans les chats du cimetière. Beaucoup d'entre eux se disent que leur défunt se sert des félins pour leur faire un signe. Sur la tombe de Micheline Clément (1957-2013) il est écrit : « Si paradis il y a, paradis ne sera que si j'y suis accueillie par mes chiens et mes chats. »

Je rentre à la maison suivie par Moody Blue et Virginie. Quand je pousse la porte, Nono est en train de parler de Gaston au père Cédric. Il lui parle de sa maladresse légendaire, de ce tremblement de terre que Gaston semble vivre en permanence. Du jour où, au cours d'une exhumation, Gaston a retourné sa brouette pleine d'ossements au milieu du cimetière et qu'un crâne a roulé sous un banc sans qu'il s'en aperçoive. Et que Nono l'a rappelé pour lui dire qu'il avait oublié une « boule de billard » sous le banc.

Contrairement aux curés qui l'ont précédé, Cédric passe à la maison tous les matins. En écoutant les histoires de Nono, le père Cédric répète : « Mon Dieu, ce n'est pas possible, mon Dieu, ce n'est pas possible. » Mais chaque matin, il revient et questionne Nono qui l'abreuve d'histoires. Entre chaque phrase, il éclate de rire, et nous avec. Moi la première.

J'adore rire de la mort, me moquer d'elle. C'est ma façon de l'écraser. Comme ça, elle fait moins son importante. En me jouant d'elle, je laisse la vie prendre le dessus, prendre le pouvoir.

Nono tutoie le père Cédric mais l'appelle « monsieur le curé ».

— Pareil, une fois, on a sorti un corps qui était presque intact. Après plus de soixante-dix ans, monsieur le curé, intact !... Et le problème, c'est que le trou pour mettre les macchabées dans l'ossuaire, il est tout petit. Elvis a couru me chercher, Elvis, toujours la goutte au nez, qui me dit : « Nono, viens vite, viens vite ! » Moi je dis : « Mais qu'est-ce qu'y a ? » Et Elvis qui hurle : « Y a Gaston qu'a coincé un bonhomme dans le machin ! » Moi je dis : « Mais quel machin ? » J'arrive à l'ossuaire en courant, et je vois Gaston qui pousse sur le corps pour le faire entrer à l'intérieur de l'ossuaire ! Je leur ai dit : « Putain, les gars, on n'est pas chez les Allemands pendant la guerre, là... » Le plus beau, ça c'est le plus beau, je le raconte tout le temps au maire et le maire, il rigole, hein… la ville nous avait donné une bouteille de gaz sur un petit chariot avec quatre roues et au bout un chalumeau pour brûler les mauvaises herbes. Alors l'autre, l'Elvis, il allume le chalumeau et Gaston ouvre le gaz… alors, je t'explique, monsieur le curé, il faut ouvrir le gaz tout doucement, sauf que Gaston, il l'ouvre à fond quand l'Elvis arrive avec son briquet, et ça fait des BOUM dans tout le cimetière ! On aurait dit qu'il y avait la guerre là-dedans… Et tenez-vous bien ! Ils ont trouvé le moyen de…

Nono se met à rire très fort. Il reprend son histoire, le nez dans un mouchoir :

— Il y a une femme qui nettoie sa tombe, elle a posé son sac à main dessus, ils ont foutu le feu au sac à main de la dame… je te jure sur la tête de mon petit-fils, monsieur le curé, que c'est vrai ! Que je meure à l'instant si je mens. L'Elvis s'est mis à sauter à pieds joints sur le sac à main de la dame pour éteindre le feu, à pieds joints sur le sac !

Calé contre une fenêtre, My Way sur les genoux, Elvis se met à chanter tout doucement : *I fell my temperature rising, higher, higher, it's burning through to my soul…*

— Elvis, raconte à M. le curé que dans le sac il y avait les lunettes de la dame, et que tu as cassé les verres ! Tu aurais vu le travail, monsieur le curé ! Elvis qui disait : « Le Gaston a foutu le feu au sac… » Et la petite vieille qui hurlait : « Il a pété mes lunettes ! Il a pété mes lunettes ! »

Le père Cédric, pris d'un fou rire, pleure dans sa tasse.

— Mon Dieu, ce n'est pas possible, mon Dieu, ce n'est pas possible !

Nono aperçoit son chef à travers mes carreaux. Il se lève fissa. Elvis l'imite.

— Quand on parle du loup, on en voit toujours la queue. Et de sa queue, celui-là, il s'en sert. Excuse-moi, monsieur le curé ! Que Dieu me pardonne, et s'il me pardonne pas, c'est pas bien grave. Allez, salut la compagnie !

Nono et Elvis sortent de chez moi et se dirigent vers leur chef. En tant que responsable des services techniques de la ville, c'est Jean-Louis Darmonville qui supervise les fossoyeurs. Il paraît qu'il a autant de maîtresses dans mon cimetière que dans la rue principale de Brancion. Pourtant, il n'est pas bien jojo. De temps en temps, il pointe le bout de son nez et arpente mes allées. Se souvient-il de toutes les femmes qu'il a à peine serrées dans ses bras ? De celles qui l'ont sucé ? Regarde-t-il leur portrait ? Se souvient-il de leur nom ? De leur visage ? De leur voix ? De leur rire ? De leur odeur ? Que reste-t-il de ses non-amours ? Je ne l'ai jamais vu se recueillir. Juste marcher, le nez en l'air. Vient-il s'assurer qu'aucune d'entre elles ne parlera jamais de lui ?

Moi, je n'ai pas de chef. Juste le maire. Le même depuis vingt ans. Et le maire, je ne le vois que pour les enterrements de ses administrés. Les commerçants, les militaires, les employés municipaux et les personnes influentes, les « huiles » comme on les appelle ici. Une fois, il a enterré un ami d'enfance, le chagrin lui avait tellement mangé le visage que je ne l'ai pas reconnu.

Le père Cédric se lève pour partir à son tour.

— Bonne journée, Violette. Merci pour le café et la bonne humeur. Ça fait trop de bien.

— Bonne journée, mon père.

Il pose la main sur la poignée de ma porte et se ravise.

— Violette, vous arrive-t-il de douter, parfois ?

Je pèse mes mots avant de lui répondre. Je pèse toujours mes mots. On ne sait jamais. Surtout quand je m'adresse à un commis de Dieu.

— Depuis quelques années, moins. Mais c'est parce que je me sens à ma place ici.

Il marque un temps avant de reprendre :

— J'ai peur de ne pas être à la hauteur. Je confesse, je marie, je baptise, je prêche, j'enseigne le catéchisme. C'est une lourde responsabilité. J'ai souvent le sentiment de trahir ceux qui placent leur confiance en moi. Et Dieu en premier.

Là, je ne pèse plus rien et lui réponds :

— Ne pensez-vous pas que Dieu soit le premier à trahir les hommes ?

Le père Cédric semble choqué par ma remarque.

— Dieu n'est qu'amour.

— Si Dieu n'est qu'amour, il trahit forcément : le propre de l'amour, c'est la trahison.

— Violette, vous pensez vraiment ce que vous dites ?

— Je pense toujours ce que je dis, mon père. Dieu est à l'image de l'homme. Ça veut dire qu'il ment, qu'il donne, qu'il aime, qu'il reprend, qu'il trahit comme tout un chacun.

— Dieu est un amour universel. Au travers de toute sa création, Dieu évolue grâce à vous, grâce à nous, grâce à toutes les hiérarchies de lumière, il ressent et vit tout ce qui est vécu et il désire créer toujours plus de perfection, de beauté… C'est de moi que je doute, jamais de lui.

— Pourquoi doutez-vous ?

Aucun son ne sort de sa bouche. Il me regarde, prostré.

— Vous pouvez parler, mon père. Il y a deux confessionnaux à Brancion, celui de votre église et cette pièce. Sachez qu'ici, on me raconte beaucoup de choses.

Il sourit tristement.

— Je ressens de plus en plus l'envie d'être père… Ça me réveille la nuit… Au début, j'ai pris ce désir de paternité pour de l'orgueil, de la vanité. Mais…

Il s'approche de la table, ouvre et referme le sucrier machinalement. My Way vient se frotter contre ses jambes. Il se penche pour le caresser.

— Avez-vous pensé à l'adoption ?

— Je n'en ai absolument pas le droit, Violette.

Toutes les lois me l'interdisent. Les terrestres comme les divines.

Il se retourne et regarde machinalement vers la fenêtre.

Une ombre passe.

— Pardon, mon père, mais êtes-vous déjà tombé amoureux ?

— Je n'aime que Dieu.

14

Le jour où quelqu'un vous aime, il fait très beau.

Les premiers mois de notre vie commune à Charleville-Mézières, j'ai écrit, au feutre rouge, à l'intérieur de chaque jour : AMOUR FOU. Et ce jusqu'au 31 décembre 1985. Mon ombre était toujours dans celle de Philippe Toussaint. Sauf quand je travaillais. Il m'aspirait. Me buvait. M'enveloppait. Il était d'une sensualité folle. Il me fondait dans la bouche comme un caramel, du sucre glace. J'étais perpétuellement à la fête. Quand je pense à cette époque de ma vie, je me vois dans une fête foraine.

Il savait toujours où poser ses mains, sa bouche, ses baisers. Il ne se perdait jamais. Il détenait une carte routière de mon corps, des itinéraires qu'il connaissait par cœur et dont j'ignorais jusqu'à l'existence.

Quand on avait fini de faire l'amour, nos jambes et nos lèvres tremblaient à l'unisson. Nous vivions dans les brûlures l'un de l'autre. Philippe Toussaint disait toujours : « Violette, bordel, mais bordel, Violette, j'ai jamais rien connu de pareil ! T'es une sorcière, je suis sûr que t'es une sorcière ! »

Je pense qu'il me trompait déjà la première année. Je pense qu'il m'a toujours trompée. Menti. Qu'il roulait vers d'autres dès que j'avais le dos tourné.

Philippe Toussaint était comme ces cygnes qui sont si beaux sur l'eau et marchent en claudiquant sur terre. Il transformait notre lit en paradis, il était gracieux et sensuel dans l'amour, mais dès qu'il se levait, qu'il était à la verticale, qu'il quittait l'horizontalité de notre amour, il perdait plusieurs teintes. Il n'avait aucune conversation et ne s'intéressait qu'à sa moto et aux jeux vidéo.

Il ne voulait plus que je sois barmaid au Tibourin, il était trop jaloux des hommes qui m'approchaient. J'avais dû démissionner tout de suite après notre rencontre. Je travaillais désormais comme serveuse dans une brasserie. Je commençais à 10 heures pour préparer le service de midi et je finissais vers 18 heures.

Quand je sortais de notre studio le matin, Philippe Toussaint dormait encore. J'avais un mal de chien à quitter notre nid douillet pour retrouver le froid des rues. La journée, il me disait qu'il partait faire de la moto. Quand je rentrais le soir, il était allongé devant la télévision. Je poussais la porte et m'allongeais sur lui. Exactement comme si après le travail je plongeais dans une immense piscine chaude, immergée de soleil. Moi qui voulais mettre du bleu dans ma vie, j'étais servie.

J'aurais pu faire n'importe quoi pour qu'il me touche. Juste ça. Me toucher. J'avais ce sentiment de lui appartenir corps et âme et j'adorais ça, lui appartenir corps et âme. J'avais dix-sept ans et, dans ma tête, beaucoup de bonheur en retard à rattraper. S'il m'avait quittée, mon corps n'aurait sans doute pas encaissé le choc d'une deuxième séparation après celle d'avec ma mère.

Philippe Toussaint ne travaillait qu'épisodiquement. Quand ses parents se fâchaient. Son père trouvait toujours un ami pour l'embaucher. Il a tout fait. Peintre en bâtiment, mécanicien, livreur, gardien de nuit, homme d'entretien. Philippe Toussaint s'y rendait à l'heure le premier jour, mais ne finissait généralement pas la semaine. Il avait toujours une excuse pour ne pas y retourner. Nous vivions avec mon salaire, que je faisais verser sur son compte, comme j'étais mineure c'était plus simple. Je gardais juste les pourboires pour moi.

Parfois, ses parents débarquaient dans la journée sans prévenir. Ils avaient un double des clés du studio. Ils passaient pour sermonner leur fils unique de vingt-sept ans sans travail, et remplir son frigidaire.

Je ne les voyais jamais, je travaillais. Mais un jour de congé, ils ont déboulé. Nous venions de faire l'amour. J'étais nue, allongée sur le canapé. Philippe Toussaint prenait une douche. Je ne les ai pas entendus rentrer. Je chantais du Lio à tue-tête : « Hé, toi, dis-moi que tu m'aimes ! Même si c'est un mensonge ! Puisque je sais que tu mens ! La vie est si triste ! Dis-moi que tu m'aimes ! Tous les jours sont les mêmes ! J'ai besoin de romaaaance ! » Quand je les ai vus, j'ai pensé : *Philippe Toussaint ne ressemble pas du tout à ses parents.*

Je n'oublierai jamais le regard que la mère Toussaint a posé sur moi, son rictus. Je n'oublierai jamais le mépris de son regard. Moi qui savais à peine lire, qui butais sur les mots, j'ai su l'interpréter. Comme si un miroir malfaisant me renvoyait l'image d'une jeune femme dégradée, dépréciée, sans aucune valeur. Un rebut, une souillon, de la mauvaise graine, une fille du ruisseau.

Elle était châtain roux. Ses cheveux étaient tellement tirés et emprisonnés dans son chignon qu'on voyait les veines de ses tempes sous sa peau fine. Sa bouche était une ligne de désapprobation. Ses paupières toujours couvertes de fard vert sur ses yeux bleus étaient une faute de goût qu'elle trimballait en permanence. Comme un maléfice. Elle avait un nez en forme de bec, celui d'un oiseau en voie de disparition, et une peau très blanche qui n'avait sans doute jamais été caressée par le soleil. Quand elle a baissé ses yeux plâtrés de fard, qu'elle a vu mon petit ventre arrondi, elle a dû attraper une chaise de cuisine pour s'asseoir.

Le père Toussaint, un homme voûté et soumis de naissance, s'est mis à me parler comme si nous étions à un cours de catéchisme. Je me souviens des mots « irresponsables » et « inconséquents ». Je crois même qu'il a parlé de Jésus-Christ. Je me suis demandé ce que Jésus viendrait faire ici, dans ce studio. Qu'est-ce qu'il dirait en voyant les parents Toussaint engoncés dans l'opprobre et les beaux vêtements, et moi, toute nue, enroulée dans une couverture avec des gratte-ciel et New York City en imprimé rouge ?

Quand Philippe Toussaint est sorti de la salle de bains, une serviette nouée autour de la taille, il ne m'a pas regardée. A fait comme si je n'existais pas. Comme si seule sa mère était présente dans la pièce. Il n'a eu d'yeux que pour elle. Je me suis sentie encore plus minable. Le chiot du cabot. Le rien. Comme le père Toussaint. La mère et le fils se sont mis à parler de moi comme si je ne les entendais pas. Surtout la mère.

— Mais c'est toi le père ? Tu en es sûr ? Tu t'es fait avoir, non ? Où as-tu rencontré *cette fille* ? C'est notre mort que tu veux ? C'est bien ça ? Mais l'avortement, ce n'est pas fait pour les chiens ! Où as-tu la tête, mon pauvre garçon !

Quant au père, il continuait à prêcher la bonne parole :

— Tout est possible, rien n'est impossible, on peut changer, il suffit d'y croire, ne baissez jamais les bras…

Enroulée dans mes gratte-ciel, j'avais envie de rire et de pleurer en même temps. J'avais le sentiment d'être dans une comédie italienne sans la beauté des Italiens. Avec les assistantes sociales et les éducatrices spécialisées, j'avais l'habitude qu'on parle de moi, de ma vie, de mon avenir comme si je n'étais pas concernée. Comme si j'étais absente de mon histoire, de mon existence. Comme si j'étais un problème à résoudre et non une personne.

Les parents Toussaint étaient coiffés et chaussés comme s'ils allaient à un mariage. Parfois, la mère posait ses yeux sur moi l'espace d'une seconde, plus longtemps elle se serait sali la cornée.

Quand ils sont partis sans me saluer, Philippe Toussaint s'est mis à crier : « Merde ! Fais chier ! » en donnant de grands coups de pied dans les murs. Il m'a demandé de partir, le temps qu'il se calme. Sinon, ces coups, ça finirait sur moi. Il avait l'air terrorisé alors que c'est moi qui aurais dû l'être. La violence ne m'était pas étrangère. J'avais grandi à proximité, sans jamais qu'elle me touche physiquement. J'étais toujours passée à travers les gouttes.

Je suis sortie dans la rue, il faisait froid. J'ai marché vite pour me réchauffer. Notre quotidien était fait d'insouciance, il avait fallu que le père et la mère Toussaint poussent notre porte pour tout faire voler en éclats. Je suis rentrée au studio une heure plus tard. Philippe Toussaint s'était endormi. Je ne l'ai pas réveillé.

Le lendemain, j'ai eu dix-huit ans. En guise de cadeau d'anniversaire, Philippe Toussaint m'a annoncé que son père nous avait trouvé du travail à tous les deux. Nous allions devenir gardes-barrière. Il fallait attendre que la place se libère, d'ici peu, du côté de Nancy.

15

Gentil papillon, ouvre tes jolies ailes
et va sur sa tombe lui dire que je l'aime.

Gaston est encore tombé dans une fosse. Je ne compte plus le nombre de fois où cela arrive. Il y a deux ans, au cours d'une exhumation, il est tombé à quatre pattes dans le cercueil et s'est retrouvé à plat ventre dans les ossements. Combien de fois, pendant les enterrements, s'est-il pris les pieds dans des cordes imaginaires ?

Nono lui a tourné le dos quelques minutes pour emmener une brouette de terre à une quarantaine de mètres, Gaston était en train de parler avec la comtesse de Darrieux, et quand Nono est revenu, Gaston avait disparu. La terre s'était éboulée et Gaston nageait dans la fosse en hurlant : « Il faut appeler Violette ! » À quoi Nono a répondu : « Violette, elle est pas maître nageur ! » Pourtant, Nono l'avait prévenu, la terre est friable en cette saison. Tandis qu'il aidait Gaston à se sortir de son pétrin, Elvis a chanté : *Face down on the street, in the ghetto, in the ghetto…* Parfois, j'ai le sentiment de vivre avec les Marx Brothers. Mais la vérité me rattrape chaque jour.

Demain, il y a un enterrement. Le docteur Guyennot. Même les médecins finissent par mourir. Une mort naturelle à quatre-vingt-onze ans, dans son lit. Il a soigné tout Brancion-en-Chalon et ses environs pendant cinquante ans. Il devrait y avoir beaucoup de monde pour ses obsèques.

La comtesse de Darrieux se remet de ses émotions en sirotant une petite prune qui m'a été offerte par Mlle Brulier, dont les parents reposent carré des Cèdres. La comtesse a eu très peur quand elle a vu Gaston faire un plongeon dans la fosse. Elle me dit, dans un sourire malicieux : « J'ai cru revoir les championnats du monde de natation. » J'adore cette femme. Elle fait partie des visiteurs qui me font du bien.

Dans mon cimetière reposent son époux et son amant. Du printemps à l'automne, la comtesse de Darrieux fleurit les deux tombes. Des plantes grasses pour son époux et un bouquet de tournesols dans un vase pour son amant, qu'elle nomme son « véritable amour ». Le problème, c'est que son véritable amour était marié. Et quand la veuve de ce véritable amour découvre les tournesols de la comtesse dans leur vase, elle les jette à la poubelle.

J'ai déjà essayé de récupérer ces pauvres fleurs pour les déposer sur une autre tombe, mais c'est impossible, car la veuve en a arraché tous les pétales. Et ce n'est sûrement pas en murmurant : « Un peu, beaucoup, passionnément, à la folie, pas du tout » qu'elle effeuille les tournesols de la comtesse.

En vingt ans, j'en ai vu des veuves éplorées le jour de l'enterrement de leur mari et ne jamais remettre les pieds au cimetière ensuite. J'ai aussi rencontré beaucoup de veufs qui se remariaient alors que le corps de leur femme était encore chaud. Au début, ils glissent quelques centimes dans la coccinelle pour que je continue à m'occuper des fleurs.

Je connais quelques dames de Brancion qui sont spécialisées dans le veuf. Elles arpentent les allées tout de noir vêtues et repèrent les hommes seuls qui arrosent les fleurs de la tombe de leur défunte. J'ai longtemps observé le manège d'une dénommée Clotilde C. qui chaque semaine s'inventait de nouveaux morts à chérir dans mon cimetière. Le premier veuf inconsolable repéré, elle le ferrait en entamant la conversation à propos de la météo, de la vie qui continue et se faisait inviter à « boire l'apéritif un de ces soirs ». Elle a fini par se faire épouser par Armand Bernigal dont l'épouse (Marie-Pierre Vernier épouse Bernigal, 1967-2002) repose carré des Ifs.

J'ai récupéré et ramassé des dizaines de plaques funéraires neuves dans la poubelle ou dissimulées sous des buissons par des familles outragées. Des plaques avec les mots : « À mon amour pour l'éternité » qui avaient été déposées par un amant ou une amante.

Et je vois, chaque jour, des illégitimes venir se recueillir discrètement. Surtout des maîtresses. Il y a une majorité de femmes qui hantent les cimetières, parce qu'elles vivent plus longtemps. Les amants ne viennent jamais les week-ends, aux heures où ils pourraient croiser quelqu'un. Toujours à l'ouverture et à la fermeture des grilles. Combien en ai-je déjà enfermé ? Accroupis sur les tombes, je ne les vois pas et ils doivent venir frapper à ma porte pour que je les libère.

Je me souviens d'Émilie B. Depuis que son amant, Laurent D., avait rendu l'âme, elle arrivait toujours une demi-heure avant l'ouverture. Quand je la voyais attendre derrière les grilles, j'enfilais un manteau noir sur ma chemise de nuit et j'allais lui ouvrir en pantoufles. C'est la seule personne pour qui j'ai fait cela, mais elle me faisait trop de peine. Je lui offrais une tasse de café sucré avec un peu de lait chaque matin. Nous échangions quelques mots. Elle me parlait de son amour fou pour Laurent. Elle me parlait de lui comme s'il était présent. Elle me disait : « Le souvenir est plus fort que la mort. Je sens encore ses mains sur moi. Je sais qu'il me regarde de là où il est. » Avant de repartir, elle déposait sa tasse vide sur le rebord de la fenêtre. Quand des visiteurs venaient se recueillir sur la tombe de Laurent, son épouse, ses parents ou ses enfants, Émilie changeait de tombe, attendant, tapie dans un coin. Dès qu'il n'y avait plus personne, elle revenait vers Laurent pour se recueillir, lui parler.

Un matin, Émilie n'est pas venue. J'ai pensé qu'elle avait fait son deuil. Parce que la plupart du temps, on finit par faire son deuil. Le temps détricote le chagrin. Aussi immense soit-il. Sauf le chagrin d'une mère ou d'un père qui a perdu son enfant.

Je me trompais. Émilie B. n'a jamais fait son deuil. Elle est revenue dans mon cimetière entre quatre planches. Entourée des siens. Je pense que personne n'a jamais su que Laurent et elle s'étaient aimés. Bien sûr, Émilie n'a pas été enterrée près de lui.

Le jour de son enterrement, quand tout le monde est reparti, comme on plante un arbre le jour d'une naissance, j'ai fait un bouturage. Émilie avait planté une lavande sur la tombe de Laurent. J'ai coupé une longue tige de cette lavande, je lui ai fait plein de petites plaies pour favoriser la reprise des racines, j'ai coupé la tête et je l'ai enfoncée dans un fond de bouteille percé, rempli de terre et d'un peu de fumier. Un mois après, la tige avait refait des racines.

La lavande de Laurent allait aussi devenir celle d'Émilie. Ils auraient cela pendant des années, cette fleur en commun, enfant de la plante mère. J'ai pris soin du rejet tout l'hiver, et je l'ai replanté au printemps sur la tombe d'Émilie. Comme le chante Barbara, « le printemps c'est joli pour se parler d'amour ». Aujourd'hui encore, les lavandes de Laurent et Émilie sont magnifiques et embaument toutes les tombes d'à côté.

16

On ne rencontre jamais les gens par hasard. Ils sont destinés à traverser notre chemin pour une raison.

— Léonine.

— Comment tu dis ?

— Léonine.

— Non mais t'es cintrée… C'est quoi ce prénom ? Une marque de lessive ?

— J'adore ce prénom. Et puis, les gens l'appelleront Léo. J'aime bien les filles qui ont des prénoms de garçon.

— Appelle-la Henri pendant que tu y es.

— Léonine Toussaint… c'est très joli.

— On est en 1986 ! Tu pourrais trouver quelque chose de plus moderne comme… Jennifer ou Jessica.

— Non, s'il te plaît, Léonine…

— De toute façon tu fais ce que tu veux. Si c'est une fille, c'est toi qui choisis. Si c'est un garçon, c'est moi.

— Et comment tu appellerais notre fils ?
— Jason.
— J'espère que c'est une fille.
— Pas moi.
— On va faire l'amour ?

17

J'entends ta voix dans tous les bruits du monde.

19 janvier 2017, ciel gris, huit degrés, 15 heures. Enterrement du docteur Philippe Guyennot (1924-2017). Cercueil en chêne, dessus de cercueil en roses jaunes et blanches. Marbre noir. Une petite croix dorée sur la stèle.

Une cinquantaine de gerbes, couronnes, pieds de tombe, plantes (lys, roses, cyclamens, chrysanthèmes, orchidées).

Rubans mortuaires sur lesquels on peut lire: « À notre cher père », « À mon cher époux », « À notre cher grand-père », « Souvenir de la classe 1924 », « Les commerçants de Brancion-en-Chalon », « À notre ami », « À notre ami », « À notre ami ».

Sur les plaques funéraires: « Le temps passe, le souvenir reste », « À mon cher époux », « Tes amis qui ne t'oublieront jamais », « À notre père », « À notre grand-père », « À notre arrière-grand-oncle », « À notre parrain », « Ainsi tout passe sur la terre, esprit, beauté, grâce et talent, telle une fleur éphémère que renverse le souffle du vent».

Une centaine de personnes sont présentes autour de la tombe. Dont Nono, Gaston, Elvis et moi. Avant la mise en terre plus de quatre cents personnes se sont réunies dans la petite église du père Cédric. Tout le monde n'a pas pu entrer, s'asseoir sur les bancs, on a laissé d'abord les vieux s'installer les uns à côté des autres. Beaucoup de personnes sont restées debout, recueillies sur le petit parvis de l'église.

La comtesse de Darrieux m'a dit qu'elle avait repensé à ce brave médecin quand il arrivait chez elle à minuit passé, la chemise froissée, qu'après avoir battu la campagne il revenait pour vérifier que la fièvre du petit dernier avait baissé depuis le matin. Elle m'a dit: «Chacun d'entre nous a repensé à ses angines de poitrine, ses oreillons, ses mauvaises grippes et aux actes de décès qu'il remplissait, penché sur la table de la cuisine, car quand le docteur Guyennot avait débuté on mourait encore dans son lit et non à l'hôpital.»

Philippe Guyennot laisse de très belles empreintes derrière lui. Pendant son discours, son fils a dit: «Mon père était un homme dévoué, qui ne faisait payer qu'une seule consultation même quand il passait plusieurs fois dans la même journée ou qu'il posait son stéthoscope sur le cœur de toute une famille. C'était un grand médecin qui faisait le bon diagnostic après avoir posé trois questions et regardé le fond de l'œil du malade. Dans un monde où le monde n'avait pas encore inventé les *génériques.* »

Sur la stèle, un médaillon représentant Philippe Guyennot a été scellé. La famille a choisi une photo de vacances sur laquelle le médecin a une cinquantaine d'années. Il sourit à pleines dents, il est bronzé et on devine la mer derrière lui. Un été où il avait dû prendre un remplaçant et déserter la campagne et les quintes de toux pour fermer les yeux au soleil.

Avant de bénir le cercueil, les derniers mots du père Cédric sont : « Philippe Guyennot, comme le Père m'a aimé, je vous ai aimé. Il n'y a pas de plus grand amour que de donner sa vie pour ceux qu'on aime. »

Un verre est organisé dans la salle communale de la mairie, en hommage au défunt. On m'invite toujours, mais je n'y vais jamais. Tout le monde repart, sauf Pierre Lucchini et moi.

Pendant que les marbriers referment le caveau de famille, Pierre Lucchini me raconte que le défunt a rencontré sa femme le jour de son mariage avec un autre homme. Pendant l'ouverture du bal, elle s'était foulé la cheville. On a appelé Philippe en urgence pour la soigner. Quand le médecin a vu sa future femme en robe de mariée, la cheville dans de la glace, il en est tombé amoureux. Il l'a prise dans ses bras pour l'emmener faire une radio à l'hôpital et ne l'a jamais ramenée à son nouvel et bref époux.

Pierre ajoute en souriant : « C'est en soignant sa cheville qu'il a demandé sa main. »

Avant la fermeture des grilles, les deux enfants de Philippe reviennent. Ils regardent le travail des marbriers. Ils détachent les mots de condoléances accrochés aux gerbes. Ils me font un signe de la main avant de remonter dans une voiture et repartir à Paris.

18

Les feuilles mortes se ramassent à la pelle,
les souvenirs et les regrets aussi.

Je parle toute seule. Je parle aux morts, aux chats, aux lézards, aux fleurs, à Dieu (pas toujours gentiment). Je me parle. Je m'interroge. Je m'interpelle. Je me donne du courage.

Je ne rentre pas dans les cases. Je ne suis jamais rentrée dans les cases. Quand je fais un test dans un magazine féminin, « Connaissez-vous vous-même » ou « Connaissez-vous mieux », il n'y a pas de réponse pour moi. Je suis ex-aequo partout.

À Brancion-en-Chalon, il y a des gens qui ne m'aiment pas, se méfient ou qui ont peur de moi. Peut-être parce que je semble porter le deuil en permanence. S'ils savaient qu'en dessous il y a l'été, ils me feraient peut-être brûler sur un bûcher. Tous les métiers qui touchent à la mort ont l'air suspects.

Et puis, mon mari a disparu. Comme ça, du jour au lendemain. « Avouez tout de même que c'est bizarre. Il part en moto et hop, disparu. On ne le revoit jamais. Un bel homme en plus, si c'est pas malheureux. Et les gendarmes qui ne font rien. Elle n'a jamais été inquiétée, jamais interrogée. Et elle n'a pas l'air d'avoir de chagrin. Les yeux secs. Moi, je dis qu'elle cache quelque chose. Toujours habillée en noir, tirée à quatre épingles… sinistre, cette femme. Il se passe des choses pas très catholiques dans le cimetière, elle ne m'inspire pas confiance. Les fossoyeurs sont tout le temps fourrés chez elle. Et puis, regardez-la parler toute seule. Ne me dites pas que c'est normal de parler tout seul. »

Et il y a les autres. « Une brave femme. Le cœur sur la main. Dévouée. Souriante, discrète. Un métier si difficile. Plus personne ne veut faire un métier pareil. Toute seule en plus. Son mari l'a abandonnée. Elle a du mérite. Toujours un petit verre de quelque chose à offrir aux plus malheureux. Toujours un mot gentil. Et bien mise sur elle, d'une élégance… Polie, souriante, compatissante. Rien à lui reprocher. Une vraie travailleuse. Le cimetière est impeccable. Une femme simple qui ne fait pas de vagues. Un peu dans la lune, mais ça n'a jamais tué personne d'être dans la lune. »

Je suis le sujet principal de leur guerre civile.

Une fois, le maire a reçu un courrier qui demandait mon renvoi du cimetière. Il a répondu poliment que je n'avais jamais commis de fautes.

Il arrive que des jeunes balancent des cailloux sur les volets de ma chambre pour me faire peur ou qu'ils viennent frapper à ma porte bruyamment en pleine nuit. Depuis mon lit, je les entends ricaner. Quand Éliane se met à aboyer ou que je secoue ma cloche dont le son est effrayant, ils s'enfuient à toutes jambes.

Les jeunes, je préfère les connaître vivants, pénibles, bruyants, saouls, stupides, que voir des gens suivre leur cercueil, courbés par le chagrin.

L'été, il arrive aussi que des ados passent par-dessus les murs du cimetière. Ils attendent minuit. Ils viennent en groupe et s'amusent à se faire peur. Ils se cachent derrière les croix en poussant des grognements ou font claquer la porte des chapelles funéraires. Il y en a aussi qui font des séances de spiritisme pour effrayer ou impressionner leurs petites amies. « Esprit, es-tu là ? » Au cours de ces séances, j'entends des filles hurler et détaler à la moindre « manifestation surnaturelle ». Manifestations qui proviennent des chats qui chassent les papillons de nuit entre les tombes, des hérissons qui renversent les gamelles de croquettes ou de moi qui les vise, cachée derrière une tombe, avec un pistolet rempli d'éosine à l'eau.

Je ne supporte pas qu'on ne respecte pas le lieu où reposent les défunts. Dans un premier temps, j'allume les lumières devant ma maison et je fais sonner ma cloche. Si rien n'y fait, je sors mon pistolet à éosine et les poursuis à travers les allées. Il n'y a pas de lumière dans le cimetière la nuit. Je peux me déplacer sans jamais me faire repérer. Je le connais par cœur. Je peux m'y diriger les yeux fermés.

En dehors de ceux qui viennent faire l'amour, une nuit j'ai découvert un groupe qui visionnait un film d'horreur, assis sur la tombe de Diane de Vigneron, la première inhumée du cimetière. Celle dont certains habitants de Brancion apercevraient le fantôme depuis des siècles. Je suis arrivée derrière les intrus à pas de loup et j'ai soufflé de toutes mes forces dans un sifflet. Ils ont détalé comme des lapins. Abandonnant leur ordinateur sur la tombe.

En 2007, j'ai rencontré de sérieux problèmes avec une bande de jeunes gens en vacances. Des gens de passage. Des Parisiens ou quelque chose comme ça. Du 1er au 30 juillet, ils sont passés chaque soir par-dessus les murs du cimetière pour dormir à la belle étoile sur les tombes. J'ai appelé les gendarmes plusieurs fois, Nono leur a mis quelques coups de pied aux fesses en leur expliquant que le cimetière n'était pas une aire de jeux, mais ils revenaient dès le lendemain. J'avais beau allumer les lumières devant ma maison, secouer ma cloche, les viser avec mon pistolet à éosine, impossible de les faire décamper. Rien ne semblait les impressionner.

Heureusement, le 31 juillet au matin, ils sont repartis. Mais l'année suivante, ils sont revenus. Le 1er juillet au soir, ils étaient là. Je les ai entendus vers minuit. Ils se sont installés sur la tombe de Cécile Delaserbe (1956-2003). Et contrairement à l'année précédente, ils fumaient et buvaient beaucoup, abandonnant leurs bouteilles dans tout le cimetière. Chaque matin, il fallait ramasser les mégots écrasés dans les pots de fleurs.

Et puis, il y a eu un miracle : dans la nuit du 8 au 9 juillet, ils sont partis. Je n'oublierai jamais les cris d'épouvante qu'ils ont poussés. Ils ont raconté qu'ils avaient vu « quelque chose ».

Le lendemain, Nono m'a dit qu'il avait retrouvé des « cachetons » bleus vers l'ossuaire, une drogue un peu trop costaud qui avait dû déformer la vision d'un feu follet dans leurs esprits détraqués en une sorte de spectre. Je ne sais pas si c'est le fantôme de Diane de Vigneron ou celui de Reine Ducha, la dame blanche, qui m'a débarrassée de ces jeunes cons, mais je lui rends grâce.

19

S'il poussait une fleur à chacune de mes pensées pour toi, la terre serait un immense jardin.

J'allais pousser la porte cochère en bas de notre studio quand j'ai vu une pomme rouge dans la vitrine, sur la couverture d'un livre : *L'Œuvre de Dieu, la part du Diable* de John Irving. Je n'ai pas su interpréter le titre. C'était trop compliqué pour moi. En 1986, j'avais dix-huit ans et le niveau scolaire d'une enfant de six ans. Maî-tre-sse, é-co-le, je vais, j'ai, tu as, je ren-tre à la mai-son, c'est, bonjour-ma-da-me, Panzani, Babybel, Boursin, Skip, Oasis, Ballantine's.

J'ai acheté ce livre de huit cent vingt et une pages alors que lire une phrase et la comprendre pouvait durer des heures. Un peu comme si j'avais fait du 50 et que je m'étais offert un jean taille 36. Mais je l'ai acheté, parce que la pomme m'avait mis l'eau à la bouche. Et depuis quelques mois, j'avais perdu l'envie. Ça avait commencé par le souffle de Philippe

Toussaint dans ma nuque. Ce souffle qui signifiait qu'il était prêt, qu'il me voulait. Philippe Toussaint m'a toujours voulue, pas désirée. Je n'ai pas bougé. J'ai fait semblant de dormir. De respirer fort.

C'était la première fois que mon corps ne répondait pas à l'appel du sien. Et puis, le manque d'envie est passé, une fois, deux fois. Puis il est revenu comme du givre qui se déposait de temps en temps.

J'avais toujours composé avec la vie, j'avais toujours vu le beau côté des choses, rarement leur part d'ombre. Comme ces maisons situées au bord de l'eau, dont les façades sont éclairées par le soleil. Depuis le bateau, on voit la couleur éclatante des murs, des palissades blanches comme des miroirs et des jardins verdoyants. Il était rare que je voie l'arrière de ces bâtisses, celui que l'on découvre quand on passe par la route, l'ombre dans laquelle sont cachées les poubelles et la fosse septique.

Avant Philippe Toussaint, malgré les familles d'accueil et mes ongles rongés, je voyais le soleil sur les façades, rarement les ombres. Avec lui, j'ai compris ce qu'était la désillusion. Qu'il ne suffisait pas de jouir d'un homme pour l'aimer. L'image du beau garçon sur papier glacé s'était écornée. Sa fainéantise, son manque de courage face à ses parents, sa violence latente et l'odeur des autres filles sur le bout de ses doigts m'avaient volé quelque chose.

C'est lui qui voulait un enfant de moi. C'est lui qui m'avait dit : « On va faire des bébés. » Le même homme de dix ans mon aîné qui avait chuchoté à sa mère qu'il m'avait « ramassée », que j'étais une « fille paumée » et qu'il était « désolé ». Et quand sa mère avait tourné le dos après lui avoir fait un énième chèque, il m'avait embrassée dans le cou en me disant qu'il avait toujours raconté n'importe quoi à ses « vieux » pour s'en débarrasser. Mais les mots étaient jetés, pipés.

Moi aussi j'avais fait semblant ce jour-là. J'avais souri, j'avais dit : « D'accord, bien sûr, je comprends. » Cette désillusion avait fait naître autre chose en moi. Quelque chose de fort. Au fur et à mesure que je voyais mon ventre s'arrondir, j'avais envie de réapprendre. De savoir ce que signifiait vraiment avoir l'eau à la bouche. Pas à travers quelqu'un, mais à travers les mots. Ceux qui sont dans les livres et que j'avais fuis parce qu'ils me faisaient peur.

J'ai attendu que Philippe Toussaint parte à moto pour lire la quatrième de couverture du livre *L'Œuvre de Dieu, la part du Diable*. J'étais obligée de lire à voix haute : pour comprendre le sens des mots, il fallait que je les entende. Comme si je me racontais une histoire. J'étais mon double : celle qui voulait apprendre et celle qui allait apprendre. Mon présent et mon futur penchés sur le même livre.

Pourquoi va-t-on vers des livres comme on va vers des gens ? Pourquoi sommes-nous attirés par des couvertures comme nous le sommes par un regard, une voix qui nous paraît familière, déjà entendue, une voix qui nous détourne de notre chemin, nous fait lever les yeux, attire notre attention et va peut-être changer le cours de notre existence ?

Après plus de deux heures, je n'en étais qu'à la dixième page et j'avais réussi à comprendre un mot sur cinq. Je lisais et relisais à voix haute cette phrase : « Un orphelin est davantage enfant que les autres enfants par son goût des choses qui surviennent chaque jour à heure fixe. De tout ce qui promet de durer, de demeurer, l'orphelin se montre avide. » « Avide. » Qu'est-ce que ce mot pouvait bien signifier ? J'allais acheter un dictionnaire et apprendre à m'en servir.

Jusque-là, je connaissais les paroles des chansons qui étaient écrites à l'intérieur de mes 33 tours. Je les écoutais et tentais de les lire en même temps, mais je ne les comprenais pas.

C'est en pensant à l'achat de mon dictionnaire que j'ai senti Léonine bouger pour la première fois. Les mots que j'avais lus à voix haute avaient dû la réveiller. J'ai vécu ses lents mouvements comme un encouragement.

Le lendemain, nous avons déménagé à Malgrange-sur-Nancy pour devenir gardes-barrière. Mais avant, je suis descendue acheter un dictionnaire pour trouver le mot « avide » à l'intérieur : « Qui désire quelque chose avec voracité. »

20

Si la vie n'est qu'un passage,
notre souvenir gardera ton image.

Je passe un chiffon sur les boîtes en plastique qui renferment mes poupées portugaises. Je les allonge le plus souvent possible pour ne plus voir leurs yeux, de minuscules têtes d'épingle noires.

J'ai entendu dire que des nains de jardin disparaissaient dans des propriétés… Et si je faisais croire à Mme Pinto que toutes mes poupées avaient été volées ?

Nono et le père Cédric sont en grande conversation derrière moi. Surtout Nono. Elvis est penché à la fenêtre de la cuisine, il regarde les visiteurs passer, en chantonnant tout doucement « Tutti Frutti ». La voix de Nono couvre la sienne :

— J'étais peintre. Peintre en bâtiment, pas peintre comme Picasso. Et puis ma femme m'a laissé tout seul avec trois gosses en bas âge… et je me suis retrouvé sans boulot. J'ai été licencié pour cause économique. Alors j'ai été embauché en 1982 par la ville comme fossoyeur.

— Quel âge avaient tes enfants ? demande le père Cédric.

— Ils étaient pas bien vieux. Les grands avaient sept et cinq ans et le petiot six mois. Je les ai élevés tout seul. Plus tard, j'ai eu une autre fille… Je suis né tout près, derrière le premier pâté de maisons à côté de ton église. Dans le temps, la sage-femme venait à la maison. Et toi, monsieur le curé, tu es né où ?

— En Bretagne.

— Il pleut tout le temps par là-bas.

— C'est possible, mais ça n'empêche pas les enfants de naître. Je ne suis pas resté longtemps en Bretagne, mon père était militaire. Il était tout le temps muté.

— Un militaire qui fait un curé, c'est pas commun ça.

Le rire du père Cédric résonne entre mes murs. Elvis continue à fredonner. Je ne lui ai jamais connu d'amoureuse, lui qui passe ses journées à chanter des chansons d'amour.

Nono m'appelle : « Violette ! Arrête de jouer à la poupée, y a quelqu'un qui frappe. »

Je jette mon chiffon dans l'escalier et pars ouvrir à ce visiteur qui cherche sans doute une tombe.

J'ouvre la porte côté cimetière, c'est le commissaire. C'est la première fois qu'il arrive par cette porte. Il n'a pas l'urne. Il est toujours mal coiffé. Il sent encore la cannelle et la vanille. Ses yeux brillent comme s'il avait pleuré, la fatigue sans doute. Il me sourit timidement. Elvis referme la fenêtre, le bruit qu'il fait couvre mon bonjour.

Le commissaire aperçoit Nono et le père Cédric assis à la table. Il me dit : « Je vous dérange ? Vous voulez que je repasse plus tard ? » Je réponds non. Que dans deux heures il y a un enterrement, je n'aurai plus de temps.

Il entre. Il salue Nono, Elvis et le père Cédric d'une franche poignée de main.

— Je vous présente Norbert et Elvis, mes collègues, et notre prêtre, Cédric Duras.

Le commissaire se présente à son tour, c'est la première fois que je l'entends prononcer son nom : Julien Seul. Mes trois acolytes partent de concert comme si le nom du commissaire les avait effrayés. Nono crie : « À tout à l'heure, Violette ! »

Je me présente pour la première fois : « Moi, je m'appelle Violette. Violette Toussaint. » Le commissaire répond :

— Je sais.

— Ah bon, vous savez ?

— Au début, j'ai cru que c'était un surnom, une sorte de blague.

— Une blague ?

— Avouez que pour une garde-cimetière, ce n'est pas commun de s'appeler Toussaint.

— En fait, je m'appelle Trenet. Violette Trenet.

— Trenet, ça vous va mieux que Toussaint.

— Toussaint, c'était le nom de mon mari.

— Pourquoi « c'était » ?

— Il a disparu. Il s'est volatilisé du jour au lendemain. Enfin, pas vraiment du jour au lendemain… Disons qu'il a prolongé une de ses absences.

Il me dit, gêné :

— Ça aussi, je sais.

— Vous savez ?

— Mme Bréant a des volets rouges et la langue bien pendue.

Je vais me laver les mains, je fais couler du savon liquide au creux de mes paumes, un savon doux à la rose. Chez moi, tout a une odeur de rose poudrée, mes bougies, mon parfum, mon linge, mon thé, les petits gâteaux que je trempe dans mon café. J'enduis mes mains de crème à la rose. Je passe des heures les doigts dans la terre, à jardiner, il faut que je les protège. J'aime avoir de belles mains. Cela fait des années que je ne me ronge plus les ongles.

Pendant ce temps, Julien Seul observe à nouveau mes murs blancs. Il a l'air préoccupé. Éliane frotte son museau contre lui, il la caresse en souriant.

En lui servant une tasse de café, je me demande ce que Mme Bréant a bien pu lui raconter.

— J'ai écrit le discours pour ma mère.

Il sort une enveloppe de sa poche intérieure et la pose contre la tirelire coccinelle.

— Vous venez de faire quatre cents kilomètres pour m'apporter le discours pour votre mère ? Pourquoi ne pas me l'avoir envoyé par la poste ?

— Non, je ne suis pas vraiment venu pour ça.

— Vous avez ses cendres ?

— Non plus.

Il marque un temps. Il a l'air de plus en plus mal à l'aise.

— Est-ce que je peux fumer à la fenêtre ?

— Oui.

Il sort un paquet écrasé de sa poche et en tire une cigarette, une blonde. Avant de gratter une allumette, il me dit :

— Il y a autre chose.

Il se dirige vers la fenêtre et l'entrouvre. Il me tourne le dos. Tire une taffe et souffle la fumée vers l'extérieur.

Je crois comprendre qu'il me dit, dans une volute :

— Je sais où est votre mari.

— Pardon ?

Il écrase sa cigarette sur le muret extérieur et met son mégot dans sa poche. Il se retourne vers moi, et répète :

— Je sais où est votre mari.

— Quel mari ?

Je me sens mal. Je ne veux absolument pas comprendre ce qu'il est en train de dire. C'est comme s'il venait de monter dans ma chambre sans ma permission et qu'il ouvrait tous mes tiroirs pour les fouiller et en sortir ce qu'ils contiennent sans que je puisse l'en empêcher. Il baisse les yeux, et d'une voix à peine audible il souffle :

— Philippe Toussaint… je sais où il est.

21

La nuit n'est jamais complète, il y a toujours au bout du chemin une fenêtre ouverte.

Les seuls fantômes auxquels je crois sont les souvenirs. Qu'ils soient réels ou imaginaires. Pour moi, les entités, les revenants, les esprits, toutes ces choses surnaturelles n'existent que dans l'esprit des vivants.

Certaines personnes communiquent avec les morts et je les pense sincères, mais quand un être est mort, il est mort. S'il revient, c'est un vivant qui le fait revenir par la pensée. S'il parle, c'est un vivant qui lui prête sa voix, s'il apparaît, c'est un vivant qui le projette avec son esprit, comme un hologramme, une imprimante en trois dimensions.

Le manque, la douleur, l'insupportable peuvent faire vivre et ressentir des choses qui dépassent l'imaginaire. Quand quelqu'un est parti, il est parti. Sauf dans l'esprit de ceux qui restent. Et l'esprit d'un seul homme est bien plus grand que l'univers.

Au début, je me disais que le plus difficile serait d'apprendre à faire du monocycle. Mais je me trompais. Le plus dur, ça a été la peur. La maîtriser, la nuit où je l'ai fait. Ralentir les battements de mon cœur. Ne pas trembler. Ne pas se dégonfler. Fermer les yeux et foncer. Il fallait que je me débarrasse du problème. Sinon, ça ne s'arrêterait jamais.

J'avais tout essayé. La gentillesse, l'intimidation, les autres. Je ne dormais plus. Je ne pensais qu'à ça : me débarrasser du problème. Mais comment faire ?

Sur un vélo, qu'il y ait une roue ou deux, c'est presque la même chose, c'est une question d'équilibre. En revanche, pour s'entraîner à rouler sur le gravier du cimetière, j'avais intérêt à le faire la nuit. Personne ne devait voir la gardienne faire du vélo à une roue le long des tombes. Je me suis donc exercée une fois la nuit tombée, les grilles fermées, plusieurs jours d'affilée. Il fallait que je travaille les ralentissements et les accélérations. Il était inenvisageable qu'au moment venu, je puisse tomber.

Le plus long, le plus fastidieux, ça a été la couture du linceul, cette pièce de tissu qui sert à envelopper les cadavres. J'ai assemblé des mètres et des mètres de tissus blancs : mousseline, soie, draps de coton, tulle. J'ai passé beaucoup de temps à coudre tout cela pour donner à l'ensemble un côté réaliste et surréaliste en même temps. J'ai pensé en m'amusant, pendant les nuits où je confectionnais la « chose », que c'était la robe de mariée que je n'avais pas portée le jour de mon union avec Philippe Toussaint. Je suis sûre qu'on finit par rire de tout. Sourire, en tout cas. On finit par sourire de tout.

Ensuite, j'ai passé le linceul en machine, à froid, avec cinq cents grammes de bicarbonate de sodium pour qu'il soit fluorescent. Avant de coudre la doublure, j'ai collé des bandes photoluminescentes qui se rechargent quand elles sont exposées à la lumière. J'en avais subtilisé plusieurs mètres dans le camion des agents de la voirie. Normalement, ils les utilisent pour les signalisations extérieures. Elles produisent une luminescence très puissante. Il suffit de les placer à la lumière juste avant de les utiliser. Un bain de soleil ou une exposition prolongée sous une lampe.

Il fallait que mon visage et mes cheveux soient entièrement dissimulés. J'ai récupéré un des bonnets noirs de Nono dans le local. Je l'ai découpé au niveau des yeux et, par-dessus, j'ai enfilé un voile de mariée. Un croque-mort de passage m'avait offert un porte-clés en forme d'ange. Il projetait une lumière assez puissante quand on en pinçait les extrémités. Une sorte de lampe de poche de secours mais petite et souple. Je l'ai coincée entre mes lèvres.

Quand je me suis vue dans la glace, j'ai pensé que je faisais peur. Vraiment peur. Je ressemblais au film d'horreur que les jeunes regardaient sur la tombe de Diane de Vigneron le jour où ils avaient abandonné leur ordinateur après mes coups de sifflet. Attifée de la sorte – une longue robe blanche fantasmagorique, le visage dissimulé sous un voile de mariée, mon corps brillant comme de la neige dans des phares, ma bouche s'illuminant selon que je fermais ou pinçais les lèvres –, dans un contexte particulier, c'est-à-dire un cimetière de nuit où le craquement de la moindre brindille peut prendre des proportions irrationnelles, je pouvais provoquer une crise cardiaque.

Il me manquait le son. J'avais l'image mais pas la bande originale. C'est ce que je me suis dit quand j'ai fini de rire toute seule. Il y a plusieurs sons qui terrifieraient n'importe qui dans un cimetière la nuit. Des gémissements, des plaintes, un grincement, le bruit du vent, des pas, une musique qui tourne au ralenti. J'ai opté pour une petite radio qui ne serait pas branchée sur la bonne fréquence. Je l'ai accrochée à mon vélo. Quand le moment serait venu, je l'actionnerais.

Vers 22 heures, je me suis cachée à l'intérieur d'une chapelle mortuaire, le cœur battant sous mon accoutrement, mon vélo à la main.

Je n'ai pas eu à attendre bien longtemps. Leurs voix ont précédé leurs pas. Ils sont passés par-dessus le mur situé à l'est du cimetière. Ils étaient cinq ce soir-là. Trois garçons et deux filles. Ça pouvait varier.

J'ai attendu qu'ils « s'installent ». Qu'ils commencent à ouvrir leurs canettes de bière et qu'ils se servent des pots de fleurs comme de cendriers. Ils se sont allongés sur la tombe de Mme Cedilleau, une brave femme que j'avais bien connue quand elle venait fleurir la tombe de sa fille. De les savoir allongés sur la mère et la fille m'a donné de la force.

J'ai commencé par enfourcher mon vélo et disposer ma longue robe correctement, il ne fallait pas qu'elle se prenne dans les roues. Ma tenue se voyait de très loin, j'avais exposé mes bandes pendant deux heures sous un halogène. J'ai poussé la porte de la chapelle mortuaire en faisant beaucoup de bruit, un bruit sec. Leurs voix se sont tues. J'étais à plusieurs centaines de mètres du groupe. J'ai commencé à pédaler. Doucement. Comme si les airs me portaient.

J'étais à environ quatre cents mètres d'eux, quand l'un des garçons m'a repérée. J'étais terrorisée. Je sentais la moiteur de mes mains, le coton dans mes jambes, la chaleur de ma tête. Le garçon a été incapable de prononcer un mot. Mais en voyant son expression, sa stupeur horrifiée, une des filles s'est tournée vers moi, une clope au bec, et elle, elle a hurlé. Elle a hurlé si fort que ma bouche est devenue sèche, très sèche. Son hurlement a fait sursauter les trois autres. Eux qui jusque-là riaient à gorge déployée ont cessé de rire.

Ils m'ont fixée tous les cinq. Ça a duré une ou deux secondes, pas plus. Je me suis arrêtée net à deux cents mètres d'eux. J'ai pincé les lèvres, ça a projeté de la lumière dans leur direction. J'ai ouvert les bras en croix et j'ai à nouveau foncé sur eux, mais cette fois beaucoup plus rapidement, menaçante.

Dans ma mémoire, tout cela s'est passé au ralenti,

j'ai eu le temps de disséquer chaque seconde. Si je ratais mon coup, si j'étais démasquée, s'ils me poursuivaient à leur tour, j'étais fichue. Mais ils n'ont pas réfléchi. Quand ils ont réalisé qu'un fantôme était en train de leur foncer droit dessus en flottant, à vive allure, les bras en croix, ils ont détalé comme en accéléré. Jamais quelqu'un ne s'est relevé aussi vite. Trois d'entre eux sont partis vers les grilles en hurlant, deux vers le fond du cimetière.

J'ai choisi de poursuivre les trois. L'un a chuté mais s'est relevé aussitôt.

Je ne sais pas comment ils ont réussi à enjamber les grilles pourtant hautes de trois mètres cinquante. Preuve que la peur donne des ailes.

Je ne les ai jamais revus. Je sais qu'ils ont raconté à qui voulait l'entendre que le cimetière était hanté. J'ai ramassé leurs mégots et leurs canettes vides. J'ai passé la tombe de Mme Cedilleau à l'eau chaude.

J'ai eu du mal à m'endormir, je n'arrêtais pas de rire. Dès que je fermais les yeux, je les revoyais, détalant comme des lapins.

Le lendemain matin, j'ai rangé le vélo et le déguisement de mon fantôme au grenier. Avant de le dissimuler dans une malle, je l'ai remercié. Je l'ai rangé comme on range sa robe de mariée et qu'on la ressort de temps en temps pour voir si on rentre toujours dedans.

22

Petite fleur de vie. Éternel est ton parfum
même si l'humanité trop tôt t'a cueillie.

— Philippe Toussaint est mort. La seule différence qu'il y a entre lui et les défunts de ce cimetière, c'est qu'il m'arrive de me recueillir sur leur tombe.

— Philippe Toussaint est dans l'annuaire. Enfin, le nom de son garage est dans l'annuaire.

Cela fait plus de dix-neuf ans que personne n'avait prononcé son prénom et son nom à voix haute devant moi. Même dans la parole des autres, Philippe Toussaint avait disparu.

— Son garage ?

— Je pensais que vous voudriez savoir, que vous l'aviez cherché.

Je suis incapable de répondre au commissaire. Je n'ai pas cherché Philippe Toussaint. Je l'ai attendu longtemps, c'est différent.

— J'ai constaté qu'il y avait eu des mouvements sur le compte bancaire de M. Toussaint.

— Son compte bancaire…

— Son compte courant a été vidé en 1998. Je suis allé vérifier sur place, là où l'argent avait été retiré, pour savoir s'il s'agissait d'une escroquerie, d'une usurpation d'identité ou si c'était Toussaint lui-même qui avait retiré cet argent.

Je me sens glacée de la tête aux pieds. À chaque fois qu'il prononce son nom je voudrais qu'il se taise. Je voudrais qu'il ne soit jamais entré dans ma maison.

— Votre mari n'a pas disparu. Il vit à cent kilomètres d'ici.

— Cent kilomètres…

Pourtant, cette journée avait bien commencé, l'arrivée de Nono, le père Cédric, Elvis qui chantait à la fenêtre, la bonne humeur, l'odeur du café, le rire des hommes, mes affreuses poupées, la poussière à enlever, le chiffon, la chaleur dans l'escalier…

— Mais pourquoi avez-vous fait des recherches sur Philippe Toussaint ?

— Quand Mme Bréant m'a dit qu'il avait disparu, j'ai eu envie de savoir, de vous aider.

— Monsieur Seul, s'il y a une clé sur la porte de nos armoires, c'est pour que personne ne les ouvre.

23

Si la vie n'est qu'un passage, sur ce passage,
au moins, semons des fleurs.

Nous sommes arrivés à la barrière de Malgrange-sur-Nancy à la fin du printemps 1986. Au printemps, tout semble possible, la lumière et les promesses. On sent que le bras de fer entre l'hiver et l'été est déjà gagné. Que les dés sont pipés. Un jeu tronqué par avance même s'il pleut.

« Les filles de l'Assistance se contentent de peu. » C'est ce qu'une éducatrice avait dit à ma troisième famille d'accueil quand j'avais sept ans, comme si je n'entendais pas, comme si je n'existais pas. Être abandonnée à la naissance devait me donner un statut d'invisibilité. Et puis, quel est ce « peu » ?

Moi, j'avais le sentiment de tout avoir, ma jeunesse, mon envie d'apprendre à lire *L'Œuvre de Dieu, la part du Diable*, un dictionnaire, un enfant dans le ventre, une maison, un travail, une famille qui allait être ma première famille. Une famille bancale, mais une famille quand même. Depuis ma naissance, je n'avais jamais rien eu à part mon sourire, quelques vêtements, ma poupée Caroline, mes 33 tours de Daho, Indochine, Trenet et mes *Tintin*. À dix-huit ans, j'allais avoir un travail déclaré, un compte en banque et une clé à moi, rien qu'à moi. Une clé où j'allais accrocher tout un tas de breloques qui feraient du bruit pour me rappeler que j'avais une clé.

Notre maison était carrée avec un toit de tuiles recouvertes de mousse comme en dessinent les enfants de maternelle. Deux forsythias étaient en fleur de chaque côté de la maison. On aurait dit que la petite bicoque blanche aux fenêtres rouges portait des boucles blondes. Une haie de rosiers rouges encore en bouton séparait l'arrière de la maison de la ligne de chemin de fer. La route principale, traversée par les rails, se tortillait à deux mètres du palier sur lequel reposait un paillasson fatigué.

Les gardes-barrière, M. et Mme Lestrille, partaient en retraite le surlendemain. Ils avaient deux jours pour nous former. Nous expliquer les ficelles du métier : baisser et ouvrir la barrière.

M. et Mme Lestrille quittaient leurs meubles vieillots, leur lino et leurs savonnettes noircies. Des cadres accrochés aux murs depuis des années venaient juste d'être enlevés : des rectangles un peu plus clairs marquaient la tapisserie à fleurs par endroits. Ils avaient abandonné une *Joconde* en canevas près de la fenêtre de la cuisine.

Dans la cuisine, pas de cuisine. Juste une pièce grasse où trônaient une vieille gazinière et trois éléments soutenus par des vis rouillées. Quand j'ai ouvert le minuscule frigidaire comme abandonné derrière une porte, j'ai trouvé un morceau de beurre jauni mal emballé.

Malgré la vétusté et la saleté de l'endroit, je parvenais à voir ce que j'en ferais. Comment je transformerais ces pièces d'un coup de pinceau. Je parvenais à sourire devant la couleur des murs repeints qui se cachait derrière les fleurs rabougries de ce papier datant d'avant-guerre. J'allais tout redresser. Surtout les étagères qui m'aideraient à soutenir notre vie future. Philippe Toussaint m'a promis à l'oreille de retapisser tous les murs dès que les Lestrille auraient le dos tourné.

Avant de partir, le vieux couple nous a laissé une liste de numéros de téléphone de secours au cas où la barrière se bloquerait.

— Depuis qu'on ne remonte plus la barrière à la manivelle, les circuits peuvent se bloquer, ce genre de connerie arrive plusieurs fois par an.

Ils nous ont laissé les horaires des trains. Horaires d'été. Horaires d'hiver. Il n'y avait pas grand-chose à ajouter. Les jours fériés, de grève et les dimanches, il y avait moins de passage et moins de trains. Ils espéraient qu'on nous avait prévenus, les horaires seraient difficiles, le rythme de travail fatigant. On ne serait pas trop de deux. Ah, si, ils allaient oublier : nous avions trois minutes entre le début du signal sonore et le moment où le train passerait pour baisser la barrière. Trois minutes pour appuyer sur le bouton du poste de commande qui activait la barrière et bloquait la circulation. Une fois que le train était passé, la réglementation exigeait une minute d'attente avant d'activer la montée de la barrière.

En enfilant son pardessus, M. Lestrille nous a dit :

— Un train peut peut-être en cacher un autre mais nous, en trente ans de barrière, on n'a jamais vu de train en cacher un autre.

Sur le pas de la porte, Mme Lestrille s'est retournée pour nous avertir :

— Méfiez-vous des véhicules qui essaieront de passer quand la barrière sera baissée. Des cinglés, il y en aura toujours. Des gens bourrés, aussi.

Pressés de partir en retraite, ils nous ont souhaité bonne chance et ont ajouté sans sourire :

— C'est à nous de prendre le train.

Et nous ne les avons jamais revus.

Dès qu'ils ont passé la porte, au lieu de tout retapisser, Philippe Toussaint m'a enlacée et m'a dit :

— Oh, ma Violette, qu'est-ce qu'on va être bien ici quand tu auras tout arrangé.

Je ne sais pas si c'est *L'Œuvre de Dieu, la part du Diable* que j'avais commencé la veille ou le dictionnaire que j'avais acheté le matin même qui m'a donné de la force, mais je me suis senti le courage de lui demander de l'argent pour la première fois.

Depuis un an et demi, mes salaires étaient versés sur son compte, je me débrouillais avec mes pourboires de serveuse, mais là, je n'avais plus un sou en poche.

Il m'a généreusement donné trois billets de dix francs qu'il a eu un mal de chien à sortir de son portefeuille. Portefeuille auquel je n'ai jamais eu accès. Chaque jour, il comptait ses billets pour s'assurer que rien n'avait disparu. Quand il faisait ce geste, il me perdait un peu. Pas moi, mais l'amour dont j'étais faite.

Dans l'esprit de Philippe Toussaint, tout était simple : j'étais une fille perdue qu'il avait ramassée en boîte de nuit et il me faisait travailler en échange du gîte et du couvert. En plus, j'étais jeune et jolie, pas contrariante, de bonne composition, plutôt courageuse et il adorait me posséder physiquement. Et dans une sous-couche plus perverse de son esprit, il avait pigé que j'avais une peur bleue de l'abandon, donc que je ne partirais pas. Et avec un enfant de lui, il savait qu'il m'avait immobilisée là, à portée de main.

J'avais une heure et quart avant le prochain train. J'ai traversé la route avec mes trente francs en poche et je suis entrée au Casino pour acheter un seau, une serpillière, des éponges et des détergents. J'ai tout acheté au hasard et au moins cher. J'avais dix-huit ans, je n'y connaissais rien en produits ménagers. Normalement, à cet âge-là, on s'achète de la musique. Je me suis présentée à la caissière :

— Bonjour, je m'appelle Violette Trenet, je suis la nouvelle garde-barrière d'en face. Je remplace M. et Mme Lestrille.

La caissière, dont le prénom, Stéphanie, était indiqué sur son badge, ne m'a pas écoutée. Elle a bloqué sur la rondeur de mon ventre et m'a demandé :

— Vous êtes la fille des nouveaux gardes-barrière ?

— Non, je suis la fille de personne. Je suis la nouvelle garde-barrière.

Tout était rond chez Stéphanie, son corps, son visage, ses yeux. On aurait dit qu'elle avait été dessinée au crayon pour illustrer une bande dessinée, une héroïne pas futée, naïve et gentille avec l'air toujours étonné. Les yeux écarquillés en permanence.

— Mais vous avez quel âge ?

— Dix-huit ans.

— Ah d'accord. Et le bébé, c'est pour quand ?

— Septembre.

— Ah bah c'est bien. On va se voir souvent alors.

— Oui, on va se voir souvent. Au revoir.

J'ai commencé par laver les étagères de la chambre avant de ranger nos vêtements.

J'ai regardé sous la moquette crasseuse, il y avait du carrelage. J'étais en train de la retirer quand l'alarme de la barrière s'est mise à retentir. Le train de 15 h 06 s'annonçait.

J'ai couru jusqu'au passage à niveau. J'ai appuyé sur le bouton rouge qui correspondait à la descente de la barrière. J'ai été soulagée quand je l'ai vue s'abaisser. Une voiture a ralenti et s'est arrêtée à ma hauteur. Une longue voiture blanche dont le chauffeur m'a lancé un regard noir comme si j'étais responsable des horaires de train. Le 15 h 06 est passé. Les rails ont tremblé. Les passagers étaient ceux du samedi. Des grappes de filles qui allaient passer l'après-midi à Nancy pour faire du shopping ou flirter.

J'ai pensé : *Peut-être des filles de l'Assistance, celles qui se contentent de peu.* En appuyant sur le bouton vert pour relever la barrière, j'ai souri : j'avais un travail, des clés, une maison à repeindre, un enfant dans le ventre, une moquette à enlever, un homme bancal à qui il ne fallait pas que j'oublie de rendre la monnaie des courses, un dictionnaire, de la musique et *L'Œuvre de Dieu, la part du Diable* à lire.

24

Il faut apprendre à donner de votre absence à ceux qui n'ont pas compris l'importance de votre présence.

La mort ne prend pas de temps de pause. Elle ne connaît ni les grandes vacances, ni les jours fériés, ni les rendez-vous chez le dentiste. Les heures creuses, les périodes de grands départs, l'autoroute du Soleil, les trente-cinq heures, les congés payés, les fêtes de fin d'année, le bonheur, la jeunesse, l'insouciance, le beau temps, tout cela, elle s'en fiche. Elle est là, partout, tout le temps. Personne n'y pense vraiment, sinon on devient fou. Elle est comme un chien qui slalomerait dans nos jambes en permanence, mais dont on ne s'aperçoit de la présence que le jour où il nous mord. Ou, pire, où il mord un proche.

Il y a un cénotaphe dans mon cimetière. Il se trouve allée 3, carré des Cèdres. Un cénotaphe, c'est un édifice mortuaire monté sur du vide. Un vide laissé par un défunt disparu en mer, en montagne, en avion ou dans une catastrophe naturelle. Un vivant qui s'est volatilisé, mais dont la mort semble indéniable. Le cénotaphe de Brancion n'a plus de plaque. Il est très ancien et je n'ai jamais su à la mémoire de qui il avait été élevé. Hier, par hasard, Jacques Lucchini m'a appris qu'il avait été érigé en 1967 pour un jeune couple disparu en montagne. Avant de remonter dans son fourgon mortuaire, Jacques m'a dit : « Des jeunes qui faisaient de l'escalade, ils auraient dévissé. »

J'entends souvent : « Perdre un enfant c'est ce qu'il y a de pire. » Mais j'entends dire aussi que le pire, c'est de ne pas savoir. Qu'il y a plus effroyable qu'une tombe, il y a le visage d'un disparu placardé sur des poteaux, des murs, des vitrines, des journaux, un écran de télévision. Des photos qui vieillissent mais jamais le visage qu'elles représentent. Qu'il y a plus terrible qu'un enterrement, il y a la date d'anniversaire de la disparition, le journal télévisé, le lâcher de ballons, la marche blanche et silencieuse.

À quelques kilomètres de Brancion, un enfant s'est volatilisé il y a trente ans. Sa mère, Camille Laforêt, vient au cimetière chaque semaine. La mairie lui a exceptionnellement cédé une concession sur laquelle elle a eu le droit d'inscrire le nom de son fils disparu : Denis Laforêt. Rien ne prouve que Denis soit mort. Il avait onze ans quand il s'est volatilisé entre sa salle de classe et l'arrêt de bus situé en face de son collège. Denis a quitté les cours une heure plus tôt que ses copains. Il devait aller en étude. Et puis plus rien. Sa mère l'a cherché partout. La police aussi. Chaque famille de la région connaît le visage de Denis. C'est le « disparu de 1985 ».

Camille Laforêt m'a souvent dit que le nom de Denis inscrit sur cette fausse tombe lui avait sauvé la vie. Que ce nom gravé dans le marbre la retenait entre le possible et l'impossible : celui d'imaginer qu'il serait encore en vie, quelque part, seul, sans amour, en souffrance. Et chaque fois qu'elle pousse ma porte, qu'elle s'assied à ma table, qu'elle boit un café, qu'elle me dit : « Comment ça va, Violette ? », elle ajoute : « Il y a pire que la mort, il y a la disparition. »

Moi, je m'étais vraiment habituée à la disparition de Philippe Toussaint. Je n'aurais jamais voulu savoir.

J'ouvre l'enveloppe contenant le discours que Julien Seul a écrit pour sa mère. Celui qu'il lira le jour où il finira par accepter de déposer ses cendres sur la tombe de Gabriel Prudent. Maudite rencontre que celle de ces deux-là. Si Irène Fayolle n'avait pas rencontré Gabriel Prudent, jamais Julien Seul n'aurait mis les pieds dans mon cimetière.

Irène Fayolle était ma mère. Elle sentait bon. Elle se parfumait à « L'Heure bleue ».

Bien que née à Marseille le 27 avril 1941, elle n'a jamais eu l'accent du Midi. Elle n'avait pas le Sud dans les gènes. Elle était réservée, distante, parlait peu. Elle a toujours préféré le froid à la chaleur, les ciels bouchés au soleil. Même son physique la révoquait. Elle avait le teint pâle, des taches de rousseur et les cheveux blonds.

Elle aimait le beige. Je ne l'ai jamais vue porter de vêtements colorés ni de nu-pieds, sauf une robe jaune sur un cliché de vacances en Suède, avant ma naissance. Un vêtement comme une erreur de parcours.

Elle aimait les thés anglais. Elle aimait la neige. Elle la prenait en photo. Sur les albums de famille, il n'y a que des photos prises sous la neige.

Elle souriait peu. Elle était souvent perdue dans ses pensées.

En épousant mon père, elle est devenue Mme Seul. Comme elle avait le sentiment de faire une faute d'orthographe en l'écrivant, elle a gardé son nom de jeune fille.

Elle n'a eu qu'un enfant, moi. Je me suis longtemps demandé si c'était à cause de moi ou de notre nom de famille que mes parents n'avaient plus eu envie de se reproduire.

Elle a d'abord été coiffeuse, puis elle est devenue horticultrice. Elle a créé différentes variétés de roses qui ne craignent pas l'hiver. Des roses à son image.

Un jour, elle m'a dit qu'elle aimait vendre des fleurs même si elles étaient destinées à embellir des tombes. Qu'une rose était une rose, et qu'elle soit destinée à un mariage ou à un cimetière n'avait aucune importance. Que sur toutes les vitrines des fleuristes, il était écrit : « Mariage et deuil ». Que l'un n'allait pas sans l'autre.

Je ne sais pas si elle pensait à l'inconnu avec lequel

elle a choisi de reposer pour l'éternité le jour où elle m'a dit cela.

Je respecte son choix comme elle a toujours respecté les miens.

Repose en paix, chère maman.

25

L'amour d'une mère est un trésor
que Dieu ne donne qu'une fois.

Léonine a attendu que j'aie fini de repeindre tous les murs de la maison de garde-barrière pour faire son apparition.

Dans la nuit du 2 au 3 septembre 1986, j'ai ressenti une première contraction qui m'a réveillée. Philippe Toussaint dormait contre moi. Ma fille a choisi la bonne nuit pour arriver : celle du samedi, il y avait une coupure de neuf heures entre le dernier train et celui du dimanche matin. J'ai réveillé Philippe Toussaint. Il avait quatre heures devant lui pour m'emmener à la maternité et revenir baisser la barrière du 7 h 10.

Léonine a traîné trop longtemps pour que son père soit présent quand elle a poussé son premier cri. Il était midi quand je l'ai expulsée vers la vie.

Des vagues d'amour et de terreur m'ont submergée. Une vie qui allait peser bien plus lourd que la mienne et dont j'étais responsable. J'ai eu du mal à respirer. Je peux dire que Léo m'a coupé le souffle. Je me suis mise à trembler de la tête aux pieds. L'émotion et l'effroi m'ont fait claquer des dents.

Elle avait l'air d'une petite vieille. L'espace de quelques secondes, j'ai senti qu'elle était l'ancêtre et moi l'enfant.

Sa peau sur la mienne, sa bouche qui a cherché mon sein. Sa petite tête dans le creux de ma main. Sa fontanelle, ses cheveux noirs, du crachat vert sur la peau, une bouche en cœur. Le mot « séisme » n'est pas trop fort.

Quand Léonine est apparue, ma jeunesse s'est fracassée aussi violemment qu'un vase en porcelaine sur du carrelage. C'est elle qui a enterré ma vie de jeune fille. En quelques minutes, je suis passée du rire aux larmes, du beau temps à la pluie. Comme un ciel de mars, j'étais les éclaircies et les giboulées en même temps. J'avais tous les sens en éveil, aiguisés comme ceux d'une aveugle.

Toute ma vie, en croisant mon reflet dans le miroir, je m'étais demandé auquel de mes deux parents je ressemblais. Quand ses grands yeux m'ont fixée, j'ai pensé qu'elle ressemblait au ciel, à l'univers, à un monstre. Je l'ai trouvée laide et belle. Furieuse et douce. Fusionnelle et étrangère. Une merveille et du venin dans la même personne. Je lui ai parlé comme si nous poursuivions une conversation débutée il y a très longtemps.

Je lui ai souhaité la bienvenue. Je l'ai caressée. Je

l'ai mangée des yeux, je l'ai respirée, je l'ai recrachée. J'ai inspecté chaque centimètre de sa peau, je l'ai léchée du regard.

Quand on me l'a prise pour la peser, la mesurer, la laver, j'ai serré les poings. Dès qu'elle a disparu de mon champ de vision, je me suis sentie enfant, toute petite, désarmée, désœuvrée. J'ai appelé ma mère. Je n'avais pas de fièvre, pourtant je l'ai appelée.

J'ai revu mon enfance en accéléré. Comment allais-je m'y prendre pour que jamais ma fille n'ait à vivre ce que j'avais vécu ? Est-ce qu'on allait me l'enlever ? Dès que Léo est arrivée dans ma vie, j'ai eu peur que l'on soit séparées. J'ai eu peur qu'elle m'abandonne. Et paradoxalement, j'ai eu envie qu'elle disparaisse, qu'elle revienne plus tard, quand je serais grande.

Philippe Toussaint nous a retrouvées dans l'après-midi, entre le 15 h 07 et le 18 h 09. Je l'ai déçu. Il voulait un fils. Il n'a rien dit. Il nous a regardées. Il nous a souri. Il m'a embrassée dans les cheveux. Je l'ai trouvé beau avec notre enfant dans les bras. Je lui ai demandé de nous protéger, toujours. Il m'a répondu : « Évidemment. »

Et puis, il y a eu le deuxième séisme. Léo avait deux jours. Elle venait de téter. Je l'avais posée sur mes cuisses repliées, sa petite tête surélevée par mes genoux, ses petits pieds contre mon ventre, ses deux poings serrant mes index. Je la regardais. Je cherchais le passé de son visage, comme si mes parents allaient m'apparaître. Je la regardais tellement que les sages-femmes me disaient qu'à force, j'allais l'user. Elle me fixait tandis que je lui parlais, je ne me rappelle plus ce que j'étais en train de lui raconter. On dit que les bébés ne sourient pas, qu'ils sourient aux anges. Je ne sais pas quel ange elle a vu à travers moi, mais elle m'a très clairement fixée et souri.

Comme pour me rassurer. Comme pour me dire : « Tout va bien se passer. » Jamais je n'ai ressenti un sentiment d'amour aussi troublant.

La veille de la sortie, le père et la mère Toussaint sont venus à la maternité dans leurs beaux vêtements. Elle, des pierres précieuses sur les doigts, lui dans des chaussures à pompons hors de prix. Le père m'a demandé si je ferais baptiser « l'enfant », la mère l'a prise dans ses bras alors que Léonine dormait profondément dans son lit transparent. Elle l'a prise maladroitement sans me demander quoi que ce soit, comme si la petite lui appartenait. La marâtre a fait disparaître la fontanelle de Léo dans le tissu de son chemisier. La haine m'a submergée. Je me suis violemment mordu l'intérieur des joues pour ne pas pleurer de rage.

C'est ce jour-là que j'ai compris qu'on pouvait me faire et me dire n'importe quoi, que ma peau et mon âme de Violette avaient été imperméabilisées à la naissance contre toute forme d'anéantissement. En revanche, tout ce qui toucherait à ma fille pénétrerait en moi. J'absorberais tout ce qui la concernerait, une mère poreuse.

Tandis qu'elle berçait mon enfant, la mère Toussaint s'est adressée à elle en l'appelant Catherine. J'ai rectifié : « Elle s'appelle Léonine. » La mère Toussaint m'a répondu : « Catherine c'est bien plus joli. » À ce moment-là, le père Toussaint s'est adressé à sa femme : « Chantal, tu exagères. » C'est ainsi que j'ai appris que la mère Toussaint avait un prénom…

Léo s'est mise à pleurer, sans doute l'odeur de la vieille, sa voix, ses doigts crispés, sa peau rêche. J'ai demandé à la mère Toussaint de me la rendre. Ce qu'elle n'a pas fait. Elle a posé Léo hurlante dans son lit et non dans mes bras.

Et puis nous sommes rentrées à la « maison des trains », comme elle l'a nommée plus tard. Je l'ai collée contre moi, dans notre lit, dans notre chambre. Philippe Toussaint dormait du côté droit, moi du côté gauche, et Léo encore plus à gauche. Les deux premiers mois de notre vie commune, je ne l'ai quittée que pour monter et descendre la barrière. Je la changeais sous les couvertures. Je surchauffais notre salle de bains pour la baigner chaque jour.

Puis il y a eu l'hiver, les bonnets, les écharpes, elle, emmitouflée dans son landau. Les poussées dentaires, les éclats de rire, la première otite. Moi qui la promenais entre deux trains. Les gens qui se penchaient sur elle pour la regarder. Qui disaient : « Elle vous ressemble » et moi qui répondais : « Non, elle ressemble à son père. »

Puis il y a eu son premier printemps, une couverture posée sur l'herbe, entre la maison et les rails, à l'ombre du soleil. Ses jouets, elle qui commençait à bien se tenir assise, qui mettait tout à la bouche entre deux sourires, la barrière à baisser et à lever, Philippe Toussaint qui partait faire des tours, mais revenait toujours à l'heure pour mettre les pieds sous la table. Et repartait faire un tour. Léo l'amusait beaucoup mais pas plus de dix minutes.

Je pense avoir réussi à m'occuper de ma fille malgré mon jeune âge. J'ai su trouver les gestes, la voix, le toucher, l'écoute. Avec les années, la peur de la perdre s'est tue. J'ai fini par comprendre qu'il n'y aurait aucune raison pour que nous nous abandonnions.

26

Rien ne s'oppose à la nuit, rien ne justifie.

Puisque l'ombre gagne
Puisqu'il n'est pas de montagne
Au-delà des vents plus haute que les marches de l'oubli
Puisqu'il faut apprendre
À défaut de le comprendre
À rêver nos désirs et vivre des « ainsi soit-il »
Et puisque tu penses
Comme une intime évidence
Que parfois même tout donner n'est pas forcément suffire
Puisque c'est ailleurs
Qu'ira mieux battre ton cœur
Et puisque nous t'aimons trop pour te retenir
Puisque tu pars…

C'est cette chanson qui est la plus entendue pendant les enterrements. À l'église et au cimetière.

En vingt ans, j'ai tout entendu. De l'*Ave Maria* à «L'envie d'avoir envie» de Johnny Hallyday. Pour une inhumation, une famille a demandé la chanson de Pierre Perret «Le zizi» parce que c'était la préférée du défunt. Pierre Lucchini et notre ancien curé ont refusé. Pierre a expliqué qu'on ne pouvait pas réaliser toutes les dernières volontés, ni dans la maison de Dieu ni dans le «jardin des âmes» – c'est ainsi qu'il nomme mon cimetière. La famille n'a pas compris le manque d'humour du protocole funéraire.

Il arrive régulièrement qu'un visiteur pose un lecteur de musique sur une tombe. Il ne met jamais le son bien haut, comme pour ne pas déranger les voisins.

J'ai vu aussi une dame poser sa petite radio sur la tombe de son mari, «pour qu'il entende les infos». Une très jeune fille mettre des écouteurs de chaque côté de la croix sur la tombe d'un lycéen, pour lui faire écouter le dernier album de Coldplay.

Il y a aussi les anniversaires qu'on vient fêter en déposant des fleurs sur la tombe ou en passant de la musique d'un téléphone portable.

Chaque 25 juin, une femme prénommée Olivia vient chanter pour un défunt dont les cendres ont été dispersées dans le jardin des souvenirs. Elle arrive à l'ouverture des grilles. Elle boit un thé sans sucre et sans dire un mot dans ma cuisine, à part peut-être une remarque sur le temps qu'il fait. Vers 9 h 10, elle se dirige vers le jardin des souvenirs. Je ne l'accompagne jamais, elle connaît parfaitement le chemin. S'il fait beau et que mes fenêtres sont ouvertes, j'entends sa voix jusque chez moi. Elle chante toujours la même chanson, « Blue Room » de Chet Baker : *We'll have a blue room, a new room for two room, where ev'ry day's a holiday because you're married to me…*

Elle prend son temps pour la chanter. Elle la chante fort mais lentement, pour faire durer. Il y a de grands silences entre chaque couplet, comme si quelqu'un lui répondait, lui faisait écho. Ensuite, elle s'assied quelques instants à même le sol.

En juin dernier, j'ai dû lui prêter un parapluie parce qu'il tombait des cordes. Quand elle est repassée par la maison pour me le rendre, je lui ai demandé si elle était chanteuse, à cause de sa voix si belle. Elle a ôté son manteau, puis elle s'est assise près de moi. Elle a commencé à me parler comme si je lui avais posé un tas de questions alors qu'en vingt ans, je ne lui en avais posé qu'une seule.

Elle m'a parlé de l'homme, François, pour qui elle venait chanter chaque année. Elle était lycéenne à Mâcon quand elle l'avait rencontré, c'était son professeur de français. Elle en était tombée amoureuse, tout de suite, au premier cours. Elle en avait perdu l'appétit. Elle ne vivait plus que pour le retrouver. Les vacances scolaires étaient des puits sans fond. Bien sûr, elle s'arrangeait toujours pour être devant, au premier rang. Elle ne travaillait plus que le français où elle excellait. Elle redécouvrait sa langue maternelle. En cours d'année, elle avait obtenu un 19/20 à une écriture d'invention. Elle avait choisi comme sujet : « L'amour est-il un leurre ? » Elle avait brillamment écrit dix pages autour de l'amour qu'un homme, professeur de son état, ressentait pour une de ses élèves. Amour qu'il rejetait en bloc. Olivia avait construit sa dissertation comme un roman policier dont la coupable n'était autre qu'elle. Elle avait changé le prénom de tous ses personnages (les élèves de sa classe) et le lieu où se déroulait l'intrigue. Elle l'avait transposée dans un collège anglais. Elle avait effrontément demandé à François :

— Monsieur, pourquoi 19 ? Pourquoi pas 20 ?

Il lui avait répondu :

— Parce que la perfection n'existe pas, mademoiselle.

— Mais alors, avait-elle insisté, pourquoi le 20 a-t-il été inventé si la perfection n'existe pas ?

— Pour les mathématiques, pour la résolution des problèmes. En français, il y a très peu de solutions infaillibles.

Comme annotation à côté du 19/20, il avait gribouillé au stylo rouge : « Style direct parfait. Vous avez su mettre votre prodigieuse imagination au service d'une construction littéraire implacable. Le sujet est passionnant et traité avec brio, légèreté, humour et gravité. Bravo, vous faites preuve d'une grande maturité d'écriture. »

Elle avait mille fois surpris son regard posé sur elle quand elle avait le nez dans ses cahiers. Elle avait rongé beaucoup de capuchons de stylo cette année-là, à le regarder donner des explications sur les sentiments d'Emma Bovary.

Elle était sûre que cet amour était réciproque. Et, fait étrange, ils portaient tous deux le même nom de famille. Cela l'avait troublée, bien que leur nom, Leroy, soit commun.

Quelques jours avant de passer le bac de français, Olivia, parmi un noyau d'élèves qui révisaient avec François, avait osé lui dire :

— Monsieur Leroy, si on se mariait tous les deux, rien ne changerait. Nous n'aurions aucune démarche administrative à faire, ni pour nos papiers d'identité ni pour les factures.

Tout le groupe avait ri aux éclats, et François rougi.

Olivia avait passé son bac de français et obtenu les notes de 19 à l'oral et 19 à l'écrit. Elle avait envoyé un mot à François : « Monsieur, je n'ai pas eu 20 parce que vous n'avez pas encore trouvé de solution à notre problème. »

Il avait attendu qu'elle passe le bac avant de demander à la voir pour un entretien seul à seule. Après un long silence qu'elle avait pris pour un trouble amoureux, il lui avait dit :

— Olivia, un frère et une sœur ne se marient pas ensemble.

Sur le coup, elle avait ri. Elle avait ri parce qu'il avait prononcé son prénom, alors qu'il l'avait toujours appelée « mademoiselle ». Puis elle avait cessé de rire tandis qu'il la fixait intensément. Elle était restée sans voix quand François lui avait appris qu'ils avaient tous les deux le même père. François était né d'une union précédente, vingt ans avant Olivia, près de Nice. Leur père et la mère de François avaient vécu ensemble deux années, puis ils s'étaient séparés douloureusement. Les années avaient passé.

François avait fait des recherches beaucoup plus tard et découvert que son père s'était remarié et était père d'une petite Olivia.

Le père avait caché l'existence de François à sa seconde famille. Ils s'étaient revus. François s'était fait muter à Mâcon pour se rapprocher de lui.

Il avait été bouleversé de découvrir que sa sœur prenait des cours dans sa classe. À l'appel de son nom, le jour de la rentrée, il avait cru à une méchante coïncidence quand elle avait décollé sa bouche de l'oreille de sa voisine pour lever le doigt à l'annonce de son nom et souffler : « Présente » en le fixant droit dans les yeux. Il l'avait reconnue parce qu'ils se ressemblaient. Lui l'avait remarquée parce qu'il savait, elle, non, parce qu'elle ignorait tout.

Au début, Olivia n'avait pas voulu le croire. Croire que son père avait pu cacher l'existence de François. Elle avait pensé qu'il inventait cette histoire pour mettre fin à ses agissements aguicheurs d'enfant capricieuse. Et puis, quand elle avait compris que cette histoire était réelle, elle avait lancé à François, faussement légère :

— Nous ne venons pas du même ventre, ça ne compte pas. Je vous aime d'amour.

Il lui avait répondu, dans une colère froide :

— Non, oubliez, oublie ça tout de suite.

Il y avait eu l'année de terminale. Ils se croisaient dans les couloirs du lycée. À chaque fois qu'elle l'apercevait, elle avait envie de se jeter dans ses bras. Mais pas comme une sœur dans les bras de son frère.

Lui l'évitait, baissait la tête. Agacée, elle faisait un détour pour l'affronter et lui criait presque :

— Bonjour, monsieur Leroy !

Et lui répondait timidement :

— Bonjour, mademoiselle Leroy.

Elle n'avait rien osé demander à son père. Elle n'en avait pas eu besoin. Elle avait vu comment il avait observé François, le jour de la remise des diplômes de fin d'année.

Olivia avait surpris un sourire entre François et leur père. Elle avait eu envie d'en prendre un pour tuer l'autre. Ses larmes et sa rage étaient montées. Elle ne voyait pas d'issue sinon oublier.

Après la remise des diplômes, il y avait eu une fête. Les élèves et les professeurs s'étaient successivement produits sur scène. Après avoir entendu des reprises des groupes Trust et Téléphone, François avait chanté « Blue Room » a cappella, avec la même intensité que Chet Baker : *We'll have a blue room, a new room for two room, where ev'ry day's a holiday because you're married to me…*

Il l'avait chantée pour elle, les yeux dans les yeux. Elle avait compris que jamais elle n'aimerait un autre homme que lui. Et que cet amour impossible était réciproque.

Alors elle était partie. Avait fait des tours du monde et passé des diplômes pour devenir professeur de littérature à son tour. Elle s'était mariée ailleurs, à quelqu'un d'autre. Elle avait changé de nom.

Sept ans après, à l'âge de vingt-cinq ans, elle était retournée vivre auprès de François. Elle avait frappé à sa porte un matin et lui avait dit : « Maintenant nous pouvons vivre ensemble, je ne porte plus le même nom que vous. Nous ne nous marierons pas, nous n'aurons pas d'enfant, mais au moins, nous vivrons ensemble. » François avait répondu : « D'accord. »

Ils avaient continué à se vouvoyer, toujours. Comme pour se garder à distance l'un de l'autre. Pour rester dans un début, un premier rendez-vous. La vie leur avait donné vingt ans de vie commune. Le même nombre d'années qui les séparaient.

En buvant une gorgée de porto, Olivia m'a dit : « Notre famille nous a rejetés, mais nous n'en avons pas trop souffert, notre famille c'était nous. À la mort de François, comme pour nous punir, sa mère l'a fait incinérer ici, à Brancion-en-Chalon, sa ville natale à elle. Pour faire complètement disparaître son fils, elle a fait jeter ses cendres dans le jardin des souvenirs. Mais jamais il ne disparaîtra, je le porterai toujours en moi. Il a été mon âme frère. »

27

Une aube affaiblie verse par les champs
la mélancolie des soleils couchants.

Dès que Léonine est née, j'ai commandé un livre d'école pour réapprendre à lire : *La Journée des tout-petits. Méthode Boscher*, de M. Boscher, V. Boscher, J. Chapron, instituteurs, et M. J. Carré. À la fin de ma grossesse, j'avais entendu une institutrice en parler à la radio. Elle avait raconté qu'un de ses élèves avait redoublé deux fois le CP à cause de son illettrisme. Qu'il ne cherchait pas à lire mais à deviner. Il pouvait dire n'importe quoi ou utiliser sa mémoire pour faire semblant de lire alors qu'il récitait par cœur. C'est exactement ce que je faisais depuis toujours. L'institutrice l'avait alors mis sur cette méthode de lecture et en six mois, son élève lisait presque comme les autres de la classe. Cette méthode ancienne de lecture était entièrement syllabique. Elle interdisait le global : impossible de tricher, de chercher à reconnaître ou deviner des mots ou des phrases.

Pendant des heures, alors que Léonine était encore un nourrisson dans son landau, je lui lisais des mots à voix haute : « La rue à midi, i u i i u u i u, hibou, lune, bûchettes, billes. La fête de Noël. u o a i o u a o, olives, avion, dominos, haricots, abricots. Toto a été têtu. Ta. Té. Ti. Te. Tu. Tè. To. Tê. Émile. La lune. Le loto. La lame. La lime. Émile a été poli à l'école. Cou. Sou. Fou. Chou. Pou. Vous. Gou. La sou pi è re. La bou che. Le cou de. Le bi jou. La sou cou pe. La cha lou pe. La cou tu re. La dou ve. Un filou. Éliane achète un joujou, je débouche la carafe, ma mère coupera un chou, fera de la soupe. »

Léonine ouvrait ses grands yeux et m'écoutait sans juger la lenteur de ma lecture, les répétitions, les erreurs de prononciation, les mots qui coinçaient ou ce qu'ils signifiaient. Chaque jour, je lui répétais les mêmes syllabes, jusqu'à ce qu'elles glissent toutes seules.

Les illustrations étaient très colorées, joyeuses et naïves. Très vite, elle a posé ses petits doigts dessus. Mon cahier d'école a été taché dès que Léonine a su l'attraper et le froisser. Bave, chocolat, sauce tomate, feutre. Elle s'est même fait les dents sur la couverture, elle le portait à la bouche comme pour l'avaler.

Les premières années, j'ai caché ce livre. Je ne voulais pas que Philippe Toussaint tombe dessus par hasard. Qu'il puisse découvrir que je réapprenais à lire correctement m'aurait été insupportable.

Ça aurait signifié que j'étais vraiment la pauvre fille inculte méprisée par sa mère.

Je le ressortais dès qu'il partait faire un tour. Quand Léonine voyait le manuel, elle poussait des cris de joie, elle savait que la lecture allait débuter. Elle allait se laisser bercer par ma voix, et observer des dessins qu'elle connaissait par cœur. Des petites filles aux cheveux blonds et aux robes rouges, des poules, des canards, des sapins de Noël, de la verdure, des fleurs, des scènes de la vie quotidienne destinées à de très jeunes enfants. Des vies simplifiées et heureuses.

Je me disais que j'avais trois ans pour lire couramment, que quand elle rentrerait en maternelle je saurais. J'y suis parvenue bien avant. Quand Léonine a soufflé sa première bougie, j'en étais à la page 60.

J'ai réappris à lire correctement, sans buter sur les mots, grâce à cette méthode Boscher. J'aurais aimé le dire à l'institutrice de la radio, lui dire que son témoignage avait changé le cours de ma vie. J'ai téléphoné à RTL, j'ai dit à une standardiste que j'avais entendu une institutrice témoigner dans une émission de Fabrice en août 1986, mais on m'a répondu que c'était impossible à retrouver si je n'avais pas la date exacte et je ne l'avais pas.

Apprendre à lire c'est comme apprendre à nager. Une fois que les mouvements de la brasse sont acquis, que la peur de se noyer est passée, traverser une piscine ou un océan revient au même. C'est juste une question de souffle et d'entraînement.

Je suis très vite arrivée à l'avant-dernière page, et l'histoire qui y est contée est devenue la préférée de Léonine. C'est tiré d'un conte d'Andersen, *Le Petit Sapin*.

« Dans la forêt, il y avait une fois le plus mignon petit sapin qu'on puisse imaginer. Il poussait dans un bon endroit où le soleil pouvait le réchauffer, avec de bons camarades autour de lui : des sapins et des pins. Or, lui n'avait qu'une idée : être bien vite grand. Les enfants s'asseyaient près de lui ; le regardant, ils disaient : "Comme il est mignon, ce petit sapin." Et le petit sapin ne pouvait souffrir cela. Grandir, grandir ; devenir haut et âgé, voilà le seul bonheur sur terre, pensait-il… À la fin de l'année, les bûcherons venaient toujours abattre quelques arbres, toujours les plus beaux. Où vont-ils ? se demandait le petit sapin… Une cigogne lui dit : "Je crois bien que je les ai vus ; ils se dressaient, la tête haute, sur de beaux bateaux neufs et parcouraient le monde." Quand arrivait la Noël, on abattait aussi tous les ans de tout jeunes arbustes, choisis parmi les plus beaux, les mieux faits. Où peuvent-ils bien aller ? se demandait le sapin. Enfin, ce fut son tour. Et il fut emporté dans une grande et belle salle où il y avait de beaux fauteuils ; à toutes ses branches des jouets brillaient, des lumières étincelaient. Quel éclat ! Quelle splendeur ! Que de joie ! Le lendemain, le sapin fut emporté dans

un coin où on l'oublia. Il eut le temps de réfléchir. Revoyant son heureuse jeunesse dans les bois, la joyeuse nuit de Noël, il soupira : "Passé, tout cela est passé ! Ah, si j'avais seulement su jouir du grand air et du bon soleil quand il en était temps encore !" »

J'ai acheté des livres pour enfants, des vrais. Je les ai lus et relus cent fois à Léonine. C'est sans doute la petite fille à qui il a été raconté le plus d'histoires. C'est devenu un rituel de chaque jour, jamais elle ne s'est endormie sans une histoire. Même en journée, elle me courait après, des livres dans les mains, et bredouillait : « Histoire, histoire » jusqu'à ce que je la pose sur mes genoux et qu'on ouvre un livre ensemble. Alors elle ne bougeait plus, fascinée par les mots.

J'avais refermé *L'Œuvre de Dieu, la part du Diable* à la page 25. Je l'avais caché dans un tiroir comme on cache une promesse. Des vacances reportées. Je l'ai rouvert l'année des deux ans de Léonine. Je ne l'ai plus jamais refermé. Et encore aujourd'hui, je le relis plusieurs fois par an. Je retrouve les personnages comme on retrouve sa famille adoptive. Le docteur Wilbur Larch est mon père de cœur. J'ai fait de l'orphelinat Saint Cloud's, dans le Maine, la maison de mon enfance. L'orphelin Homer Wells est mon grand frère et Nurse Edna et Nurse Angela mes deux tantes imaginaires.

Ça, c'est le choix du roi de l'orphelin. Il fait ce

qu'il veut. Lui aussi peut décider de qui sont ses parents.

L'Œuvre de Dieu, la part du Diable est le livre qui m'a adoptée. J'ignore pourquoi je ne l'ai jamais été. Pourquoi on m'a laissée traîner de famille d'accueil en famille d'accueil plutôt que me confier à l'adoption. Est-ce que ma mère biologique prenait de mes nouvelles de temps en temps afin que je ne le sois jamais ?

Je suis retournée à Charleville-Mézières en 2003 pour consulter mon dossier d'enfant née sous X. Comme je m'y attendais, il était vide. Pas une lettre, pas un bijou, pas une photo, pas une excuse. Dossier qui pouvait aussi être consulté par ma mère si elle le souhaitait. J'ai glissé mon roman d'adoption à l'intérieur.

28

Il n'est de solitude qui ne soit partagée.

Ce matin, on a enterré Victor Benjamin (1937-2017).

Le père Cédric n'était pas là. Victor Benjamin voulait un enterrement civil. Jacques Lucchini a installé son matériel sono près de la tombe et chacun s'est recueilli autour de la chanson « Mon vieux » de Daniel Guichard.

« Dans son vieux pardessus râpé, il s'en allait, l'hiver, l'été, dans le petit matin frileux, mon vieux… »

Pas de croix, ni de fleurs, ni de couronnes à la demande de Victor. Juste quelques plaques funéraires déposées par ses amis et collègues, sa femme et ses enfants. Un des enfants de Victor tenait leur chien en laisse. Il a assisté à l'enterrement de son maître, s'est assis quand Daniel Guichard a chanté :

« Nous, on connaissait la chanson, tout y passait,

bourgeois, patrons, la gauche, la droite, même le bon Dieu, avec mon vieux. »

La famille est repartie à pied, suivie par le chien qui a eu l'air de plaire à Éliane. Elle les a suivis un peu, et puis elle est revenue se pelotonner dans son panier. Trop vieille pour les amours.

Quand je suis rentrée chez moi, j'ai eu un gros coup de blues. Nono l'a senti. Il est allé acheter une baguette croustillante et des œufs de ferme et on s'est fait une bonne omelette avec du comté que j'ai râpé. On a trouvé du jazz à la radio.

Sur ma table, au milieu des publicités pour des marques de graines de salades et de cyprès à repiquer, des factures de plantes, des catalogues de chez Willem & Jardins, le facteur avait déposé une lettre. J'ai regardé le timbre avec le château d'If dessus, elle avait été postée de Marseille.

Violette Trenet-Toussaint,
Cimetière de Brancion-en-Chalon (71)
Saône-et-Loire.

J'ai attendu que Nono soit parti pour l'ouvrir.

Pas de « Chère Violette » ni de « Madame », Julien Seul commençait sa lettre sans formule de politesse.

« Le notaire a ouvert une lettre qui m'était destinée. Ma mère devait manquer de confiance en moi. Elle voulait que les choses soient "officielles". Elle

voulait que ce soit lui qui me lise ses dernières volontés pour que je ne puisse pas y déroger, j'imagine.

Il n'y avait qu'une volonté. Celle de reposer près de Gabriel Prudent dans votre cimetière. J'ai demandé au notaire de me répéter le nom de cet homme que je ne connaissais pas. Gabriel Prudent.

Je lui ai dit qu'il devait faire erreur. Que ma mère était mariée à mon père, Paul Seul, enterré au cimetière Saint-Pierre à Marseille. Le notaire m'a dit qu'il n'y avait pas d'erreur. Qu'il s'agissait bien des dernières volontés d'Irène Fayolle épouse Seul, née le 27 avril 1941 à Marseille.

Je suis monté dans ma voiture, dans mon GPS j'ai entré ces données : "Brancion-en-Chalon, route du cimetière" parce que "cimetière" ne figurait pas dans la liste proposée. Trois cent quatre-vingt-dix-sept kilomètres. Il fallait remonter la France, c'était tout droit. Pas de détour ni de déviation, de l'autoroute jusqu'à Mâcon. Sortir à la hauteur de Sancé et rouler dix kilomètres dans des chemins de campagne. Qu'est-ce que ma mère était allée faire là-bas ?

Le reste de la journée, j'ai essayé de travailler, en vain. J'ai pris la route vers 21 heures. J'ai roulé pendant des heures. Je me suis arrêté à hauteur de Lyon pour boire un café, faire le plein et taper "Gabriel Prudent" sur le navigateur de mon portable. La seule chose que j'ai trouvée était une définition de la prudence sur Wikipédia : "Fondée sur l'aversion au risque et au danger".

Alors que je roulais vers cet homme mort et

enterré, j'ai essayé de retrouver ma mère, les moments passés avec elle les dernières années. Les quelques déjeuners du dimanche, un café de temps en temps, quand je passais dans son quartier, rue Paradis. Elle commentait l'actualité, ne me demandait jamais si j'étais heureux. Moi non plus, je ne lui demandais jamais si elle l'était. Elle me posait des questions d'ordre professionnel. Elle paraissait déçue par mes réponses, elle attendait du sang et des histoires de crimes passionnels, quand je ne lui offrais que des trafics de drogue, des crimes crapuleux et des vols à la tire. Avant de partir, en m'embrassant dans le couloir, elle me disait toujours, rapport à mon métier : "Fais quand même attention."

J'ai cherché ce qu'elle avait pu me laisser entrevoir de sa vie privée – rien. Je n'ai pas trouvé la moindre trace de cet homme dans mes souvenirs, pas même une ombre.

Je suis arrivé à Brancion-en-Chalon à 2 heures du matin. Je me suis garé devant le cimetière dont les grilles étaient fermées et je me suis endormi. J'ai fait des cauchemars. J'ai eu froid. J'ai redémarré le moteur pour me réchauffer. Je me suis rendormi. J'ai ouvert les yeux vers 7 heures.

J'ai vu de la lumière à l'intérieur de votre maison. J'ai frappé à votre porte. Je ne m'attendais pas du tout à vous. En frappant à la porte d'un garde-cimetière, je m'attendais à découvrir un vieil homme rougeaud et bedonnant. Je sais, les idées reçues sont stupides. Mais qui aurait pu s'attendre à vous ? À votre regard affûté, apeuré, doux et méfiant ?

Vous m'avez fait entrer et offert du café. Il faisait bon chez vous et ça sentait bon et vous sentiez bon. Vous portiez une robe de chambre grise, un truc de vieille dame alors que vous dégagiez quelque chose touchant à la jeunesse. Je ne trouve pas les mots. Une certaine énergie, quelque chose que le temps n'avait pas abîmé. On aurait dit que vous étiez déguisée dans votre robe de chambre. Voilà, on aurait dit une enfant qui avait emprunté un vêtement à un adulte.

Vos cheveux étaient ramenés en chignon. Je ne sais pas si c'est le choc que j'avais eu chez le notaire, la route de nuit, la fatigue qui perturbait ma vision mais je vous ai trouvée incroyablement irréelle. Un peu comme un fantôme, une apparition.

En vous découvrant, j'ai senti que pour la première fois, ma mère partageait sa drôle de vie parallèle avec moi, qu'elle m'avait amené là où elle demeurait vraiment.

Et puis, vous avez sorti vos registres sur les enterrements. C'est à ce moment-là que j'ai compris que vous étiez singulière. Qu'il existe des femmes qui ne ressemblent à aucune autre. Vous n'étiez pas la copie de quelqu'un, vous étiez quelqu'un.

Le temps que vous vous prépariez, je suis retourné dans ma voiture, j'ai fait tourner le moteur et j'ai fermé les yeux. Je n'ai pas pu dormir. Je vous ai revue derrière cette porte. Vous me l'avez ouverte pendant une heure. Comme un extrait de film que je me suis repassé en boucle pour réentendre la musique de la scène que je venais de vivre.

Quand je suis ressorti de ma voiture, que je vous ai vue dans votre long manteau bleu marine, m'attendant derrière la grille, j'ai pensé : Il faut que je sache d'où elle vient et ce qu'elle fait là.

Ensuite, vous m'avez amené jusqu'à la tombe de Gabriel Prudent. Vous vous teniez droite et votre profil était beau. À chacun de vos pas, je devinais le rouge sous votre manteau. Comme si vous cachiez des secrets sous vos chaussures. Et j'ai pensé à nouveau : Il faut que je sache d'où elle vient et ce qu'elle fait là. *J'aurais dû être triste ce matin d'octobre dans votre sinistre cimetière glacé, mais c'est tout le contraire que je ressentais.*

Devant la tombe de Gabriel Prudent, je me suis fait l'effet d'un homme qui tombe amoureux d'une invitée le jour de son mariage.

Au cours de ma deuxième visite, je vous ai longtemps observée. Vous nettoyiez les portraits des morts sur les tombes en leur parlant. Et j'ai pensé, pour la troisième fois : Il faut que je sache d'où elle vient et ce qu'elle fait là.

Je n'ai pas eu besoin de questionner Mme Bréant, la propriétaire de la chambre d'hôte, qui m'a dit que vous viviez seule, que votre mari avait "disparu". J'ai cru que "disparu" signifiait "mort". Et je vous avoue qu'alors j'ai ressenti de la joie. Une joie obscure à penser : Elle est seule. *Quand Mme Bréant a précisé que votre mari s'était volatilisé du jour au lendemain il y a vingt ans, j'ai senti qu'il pourrait revenir. Que cet état d'irréalité dans lequel je vous avais trouvée derrière votre porte, la première fois, tenait peut-être à cela. À ces heures suspendues à l'intérieur desquelles cette disparition vous avait enfermée, entre une vie et une autre vie. Une salle d'attente où vous étiez assise depuis des années sans que jamais personne ne vienne vous appeler, ne prononce votre nom. Comme si Toussaint et Trenet se renvoyaient la balle. C'était sans doute cela, cette sensation de déguisement, votre jeunesse sous une robe de chambre grise.*

J'ai voulu savoir pour vous. J'ai voulu délivrer la princesse. Jouer au héros de bande dessinée. Enlever le manteau bleu marine pour vous voir dans votre robe rouge. Est-ce que j'ai cherché à savoir à travers vous ce que j'ignorais de ma propre mère, donc de ma propre existence ? Sûrement. Je suis entré dans votre vie privée par effraction pour soulager la mienne. Et je vous en demande pardon.

Pardon.

En vingt-quatre heures j'ai su ce que vous sembliez ignorer depuis vingt ans. Il n'a pas été difficile pour moi de me procurer une copie de la main courante que vous aviez déposée à la gendarmerie. J'ai lu dans les notes du brigadier qui vous avait reçue en 1998 que votre époux désertait régulièrement. Qu'il n'était pas rare qu'il parte plusieurs jours, voire plusieurs semaines sans vous informer du lieu où il résidait durant ces périodes d'absence. Aucune recherche n'avait été effectuée. Sa disparition n'avait pas été jugée inquiétante. Son profil psychologique et moral ainsi que son état de santé laissaient à penser qu'il était parti de son plein gré. J'ai découvert que cette disparition n'était qu'une légende. La vôtre et celle des habitants de Brancion.

Une personne majeure est libre de ne plus rentrer en contact avec ses proches et si son adresse est retrouvée, elle ne sera communiquée qu'avec son consentement. Je n'ai pas le droit de vous donner les coordonnées de Philippe Toussaint mais je le prends. C'est vous-même qui m'avez dit : "S'il fallait qu'on ne fasse que ce qui fait partie de nos attributions, la vie serait triste."

Faites de cette adresse ce que vous voudrez. Je l'ai écrite et glissée dans cette enveloppe jointe. Ouvrez-la si vous le souhaitez.

Votre dévoué,
Julien Seul »

C'est la première lettre d'amour que je reçois de toute ma vie. Une étrange lettre d'amour mais une lettre d'amour quand même. Il n'a écrit que quelques lignes pour rendre hommage à sa mère. Des mots qu'il semble avoir eu un mal de chien à sortir. Et il m'envoie des pages. Il est définitivement plus facile de déballer son sac devant un parfait inconnu que dans une réunion de famille.

J'observe l'enveloppe jointe et cachetée qui contient l'adresse de Philippe Toussaint. Je la glisse entre les pages d'un *Roses Magazine*. Je ne sais pas encore ce que je vais en faire. La garder dans l'enveloppe fermée, la jeter ou l'ouvrir. Philippe Toussaint vit à cent kilomètres de mon cimetière, je n'arrive pas à y croire. Je l'imaginais à l'étranger, au bout du monde. Un monde qui n'est plus le mien depuis très longtemps.

29

Les feuilles tombent, les saisons passent,
seul le souvenir est éternel.

Philippe Toussaint m'a épousée le 3 septembre 1989, le jour des trois ans de Léonine. Il ne m'a pas fait de demande en mariage en s'agenouillant devant moi et tout et tout. Il m'a juste dit, un soir, entre deux « Je vais faire un tour » : « Ce serait bien qu'on soit mariés pour la petite. » Fin de l'histoire.

Quelques semaines après, il m'a demandé si j'avais appelé la mairie pour convenir d'une date. Il a exactement dit ça, « convenir d'une date ». Le mot « convenir » ne faisait pas partie de son vocabulaire. C'est ainsi que j'ai compris qu'il ne faisait que répéter une phrase qu'on lui avait soufflée. Philippe Toussaint m'a épousée à la demande de sa mère. Pour que je ne puisse pas avoir la garde de Léonine en cas de séparation. Ni m'envoler du jour au lendemain sans laisser de trace comme le font « ces filles-là ». Oui, aux yeux de la mère Toussaint je serais toujours « l'autre », « elle », « cette fille-là ». Je n'aurais jamais de prénom. Comme elle ne serait jamais Chantal pour moi.

L'après-midi du mariage, nous nous sommes fait remplacer à la barrière pour la première fois depuis notre arrivée à Malgrange-sur-Nancy. Nous prenions nos congés à tour de rôle, mais jamais nous n'avions quitté notre barrière ensemble. Cela arrangeait Philippe Toussaint, ainsi nous ne pouvions jamais partir en vacances. Et pendant mes congés, comme il ne changeait pas ses habitudes, je travaillais.

La mairie n'était qu'à trois cents mètres de notre passage à niveau, dans la Grand-Rue. Nous nous y sommes rendus à pied : Philippe Toussaint, ses parents, Stéphanie – la caissière de Casino –, Léonine et moi. La mère Toussaint était le témoin de son fils, Stéphanie le mien.

Depuis la naissance de Léo, les parents Toussaint venaient nous voir deux fois par an. Quand ils garaient leur grosse voiture devant chez nous, notre petite bicoque disparaissait. Leur aisance dévorait notre dénuement en un créneau. Nous n'étions pas pauvres, mais nous n'étions pas riches non plus. Du moins ensemble. Avec les années, j'ai appris que Philippe Toussaint avait beaucoup d'argent mais qu'il était placé sur un compte à part et que sa mère avait toutes les procurations. Bien sûr, nous nous sommes mariés sous le régime de la séparation de biens. Et nous ne sommes pas passés par l'église, au grand désespoir du père. Mais Philippe Toussaint n'a pas voulu transiger.

La mère Toussaint nous téléphonait régulièrement, en général aux mauvais moments : quand la petite était dans son bain, quand nous allions passer à table, quand il fallait sortir de la maison pour baisser la barrière ET que Léo était dans son bain. Elle appelait plusieurs fois par jour pour parvenir à joindre son fils qui s'absentait beaucoup pour « faire des tours ». Comme c'est moi qui répondais la plupart du temps, j'entendais son souffle agacé suivi de sa voix qui claquait comme un fouet : « Passez-moi Philippe. » Pas de temps à perdre. Trop occupée. Quand elle arrivait enfin à joindre son fils et que la conversation finissait par aborder ma personne, Philippe Toussaint quittait la pièce. Je l'entendais baisser la voix comme si j'étais une ennemie, comme s'il fallait se méfier. Que pouvait-il raconter sur moi ? Je me demande encore aujourd'hui ce qu'il pouvait bien dire à sa mère. Comment me voyait-il ? D'ailleurs me voyait-il ? J'étais celle qui le nourrissait, faisait son travail, lavait, repeignait les murs, élevait sa fille. Est-ce qu'il réinventait Violette Trenet ? Me prêtait-il des habitudes ? Des manies ? Se servait-il de toutes ses maîtresses pour ne parler que d'une femme, la sienne ? Prenait-il un peu de l'une, un peu de l'autre, un peu de l'une et l'autre pour me reconstituer ?

La cérémonie a été menée par l'adjoint de l'adjoint au maire qui a lu trois phrases du Code civil.

Quand il a prononcé les mots « vous jurer fidélité et assistance jusqu'à ce que la mort vous sépare », le train de 14 h 07 a couvert sa voix et Léonine a crié : « Maman, le train ! » Elle n'a pas compris pourquoi je ne sortais pas pour baisser la barrière. Philippe Toussaint a répondu oui. J'ai répondu oui. Il s'est penché vers moi pour m'embrasser. En enfilant sa veste parce qu'il était attendu ailleurs, l'adjoint a dit : « Je vous déclare unis par les liens du mariage. » Les adjoints aux adjoints font sans doute le minimum syndical quand la mariée n'est pas en blanc. En témoigne encore la seule photo qui a été faite par Stéphanie et qu'il me reste de cette union, Philippe Toussaint et moi étions beaux à regarder.

Nous sommes tous allés déjeuner chez Gino, une pizzeria tenue par des Alsaciens qui n'ont jamais mis les pieds en Italie. Léonine a soufflé ses trois bougies entre deux éclats de rire. Les lumières dans ses yeux. Son expression émerveillée quand elle a vu le gros gâteau d'anniversaire que je lui avais fait préparer. Je peux encore sentir et ressentir ce moment, le revivre à la demande. Léo et les mêmes boucles que son père.

Léo a fait de moi une mère aimante. Je l'avais toujours dans les bras. Philippe Toussaint me disait souvent : « Tu ne peux pas la lâcher un peu, cette gosse ? »

Ma fille et moi avons mélangé nos cadeaux de mariage et d'anniversaire, nous les avons ouverts au hasard. C'était joyeux. En tout cas, moi, j'étais joyeuse. Je n'étais pas en blanc le jour de mon mariage mais, grâce au sourire de Léo, je portais la plus belle des robes, celle de l'enfance de ma fille.

Dans nos paquets-cadeaux, il y avait une poupée, une batterie de cuisine, de la pâte à modeler, un livre de recettes, des crayons de couleur, un abonnement d'un an à *France Loisirs*, une panoplie de princesse et une baguette magique.

J'ai emprunté la baguette magique à Léo et, d'un coup d'un seul, j'ai dit à la petite assemblée qui mangeait le plat du jour le nez plongé dans son assiette : « Que la fée Léonine bénisse ce mariage. » Personne ne m'a entendue, sauf Léo qui a éclaté de rire et qui a dit, en tendant la main vers sa baguette magique : « À moi, à moi, à moi. »

30

Devant cette rivière où tu aimais rêver,
les poissons argentés glissaient si légers,
garde nos souvenirs, qui ne peuvent mourir.

Il y a du monde chez moi ce matin. Nono raconte ses histoires au père Cédric et aux trois apôtres. C'est très rare que les frères Lucchini soient réunis. Il y en a toujours un qui est occupé au magasin mais depuis dix jours, personne ne meurt.

My Way dort en boule sur les genoux d'Elvis, qui, comme à son habitude, regarde à la fenêtre en chantonnant.

Nono fait rire tout le monde :

— Et quand on pompait l'eau, parfois, on ouvrait les fosses ou un caveau, ils étaient pleins d'eau, mais à ras. On mettait un tuyau dedans pour le vider, mais un tuyau comme ça !

Nono fait de grands gestes pour décrire le diamètre du tuyau.

— Quand on mettait la pompe en marche, il

fallait le tenir, le tuyau ! Eh ben, le Gaston, il avait foutu le tuyau dans l'allée… comme ça, à ras les pâquerettes… le tuyau s'est gonflé, s'est gonflé, et là, PAM, de l'eau partout ! Et quand l'eau est partie comme un coup de canon, Gaston et Elvis, ils ont noyé une bourgeoise ! En plein dans le chignon ! Y a tout qu'a volé ! La bonne femme, ses lunettes, son chignon et son sac en croco ! Fallait voir le travail ! En trois ans, c'était la première fois qu'elle venait visiter son feu mari, eh ben on ne l'a jamais revue !

Elvis se retourne et chante : *With the rain in my shoes, rain in my shoes, searchin' for you.*

Pierre Lucchini intervient :

— Je m'en souviens ! J'étais là ! Bon sang ce que j'ai rigolé ! C'était la femme d'un contremaître ! Le genre coincée qui rit quand elle se brûle. Raide comme la justice. Du temps qu'il était vivant, son mari l'appelait Mary Poppins parce qu'il rêvait qu'elle disparaisse et elle disparaissait jamais, elle était tout le temps sur son dos.

— Mais il y a quand même pas un enterrement qui ressemble à un autre enterrement, reprend Nono.

— C'est comme les couchers de soleil au bord de la mer, chante Elvis.

— T'as déjà vu la mer, toi ? lui demande Nono.

Elvis se tourne vers l'extérieur, sans répondre.

— Moi, reprend Jacques Lucchini, j'ai vu des enterrements où y avait un monde fou et d'autres où il y avait cinq, six personnes. Mais bon, comme je dis, ça s'enterre quand même… Mais c'est vrai que pendant des enterrements, y a eu des coups d'engueulade à cause d'un héritage, ça s'engueule devant le cercueil… Le pire que j'ai vu, c'est deux bonnes femmes qu'on a dû séparer parce qu'elles se crêpaient le chignon… Deux folles hystériques… Et mon père, paix à son âme, a pris des coups ce jour-là… elles hurlaient : « T'es une voleuse, pourquoi tu as pris ça, pourquoi tu veux ça », elles s'insultaient… si c'est pas malheureux.

— En plein enterrement… ça fait bien…, soupire Nono.

— C'était avant vous, Violette, me dit Jacques Lucchini. C'était encore l'ancien garde-cimetière, Sasha.

Entendre le prénom de Sasha m'oblige à m'asseoir. Personne ne l'avait prononcé à voix haute devant moi depuis des années.

— Qu'est-ce qu'il est devenu d'ailleurs, Sasha ? demande Paul Lucchini. Quelqu'un a des nouvelles ?

Nono réagit au quart de tour pour détourner la conversation :

— Il y a une dizaine d'années, une très vieille tombe a été rachetée… Il a fallu jeter tout ce qu'il y avait dessus. On a tout nettoyé, on a tout mis dans une benne, autrement on donne les choses aux gens s'ils les veulent. Mais là, c'était vraiment vieux, foutu quoi. J'ai trouvé une ancienne plaque avec écrit dessus : « À mes chères disparues ». Donc, je la jette dans la benne. Et puis, je vois une dame, très bien sur elle, je tairai son nom par respect parce que c'est une gentille, une courageuse… Elle récupère cette plaque « À mes chères disparues » dans la benne et la fourre dans un sac en plastique. Je lui dis : « Mais enfin, qu'est-ce que vous allez faire de ça ? » Et elle me répond très sérieusement du tac au tac : « Mon mari n'a pas de couilles, je vais lui en faire cadeau ! »

Les hommes font tellement de bruit en riant que My Way prend peur et monte dans ma chambre.

— Et Dieu dans tout ça ? demande le père Cédric. Est-ce que tous ces gens croient en Dieu ?

Nono hésite avant de répondre.

— Y en a qui croient en Dieu le jour où il les débarrasse des cons. Moi, j'en ai vu des veuves joyeuses et des veufs heureux, je peux te dire que dans ces cas-là, ça remercie ton Dieu à tour de bras, monsieur le curé… Ah, je rigole, va, fais pas cette tête. Ton Dieu, il soulage bien des peines. C'est simple, s'il n'existait pas, il faudrait l'inventer.

Le père Cédric sourit à Nono.

— On voit de tout dans notre métier, reprend Paul Lucchini. Du malheur, du bonheur, des croyants, du temps qui passe, de l'insoutenable, de l'injustice, de l'insupportable… c'est la vie, quoi. Au fond, nous les croque-morts, on est dans la vie. Peut-être encore plus que dans les autres métiers. Parce que ceux qui s'adressent à nous, c'est ceux qui restent, ceux qui restent en vie… Notre père, paix à son âme, nous disait toujours : « Mes fils, nous sommes les sages-femmes de la mort. Nous accouchons la mort, alors profitez de la vie, et gagnez-la bien. »

31

Nous étions deux pour nous aimer,
je reste seule pour te pleurer.

La moto de Philippe Toussaint ne l'a pas emmené loin de Brancion. Il vit à cent dix kilomètres exactement de mon cimetière. Il a juste changé de département.

Je me suis souvent posé une foule de questions : *Qu'est-ce qui a fait qu'il se soit arrêté dans une autre vie et qu'il y soit resté ? Est-il tombé en panne ou amoureux ? Pourquoi ne m'a-t-il pas prévenue ? Pourquoi ne m'a-t-il pas envoyé une lettre de licenciement, de démission, d'abandon ? Que s'est-il passé le jour où il est parti ? Est-ce qu'il savait qu'il ne reviendrait pas ? Est-ce que j'ai dit quelque chose qu'il ne fallait pas ou, au contraire, est-ce que je n'ai rien dit ?* À la fin, je ne disais plus rien. Je faisais à manger.

Il n'avait pas rempli de sac de voyage. Il n'avait rien emporté. Aucun vêtement, aucun bibelot, aucune photographie de notre fille.

Au début, j'ai pensé qu'il s'attardait dans le lit d'une autre femme. Une qui lui parlait.

Après un mois, j'ai pensé qu'il avait eu un accident. Après deux mois, je suis allée à la police pour signaler sa disparition. Comment aurais-je pu savoir que Philippe Toussaint avait vidé ses comptes en banque, je n'y avais pas accès. Seule sa mère avait procuration sur tout.

Après six mois, j'ai eu peur qu'il revienne. Quand je me suis habituée à son absence, j'ai repris mon souffle. Comme si j'étais restée longtemps sous l'eau, au fond d'une piscine. Son départ m'a permis de donner un coup de pied et de remonter à la surface pour respirer.

Après un an, je me suis dit : *S'il revient, je le tue.*

Après deux ans, je me suis dit : *S'il revient, je l'empêche de rentrer.*

Après trois ans : *S'il revient, j'appelle la police.*

Après quatre ans : *S'il revient, j'appelle Nono.*

Après cinq ans : *S'il revient, j'appelle les frères Lucchini.* Plus précisément Paul, celui qui est thanatopracteur.

Après six ans : *S'il revient, je lui poserai des questions avant de le tuer.*

Après sept ans : *S'il revient, c'est moi qui pars.*

Après huit ans : *Il ne reviendra pas.*

*

Je sors de chez maître Rouault, le notaire de

Brancion, pour qu'il envoie une lettre à Philippe Toussaint. Il m'a dit qu'il ne pouvait rien faire. Qu'il fallait que je m'adresse à un avocat spécialisé en droit de la famille, que c'était la procédure.

Comme je connais très bien maître Rouault, je me suis permis de lui demander de le faire à ma place. D'appeler un avocat de son choix et d'écrire la lettre pour moi, sans que j'aie rien à expliquer, rien à justifier, rien à quémander ni à ordonner. Juste informer Philippe Toussaint que je souhaitais récupérer mon nom de jeune fille, Trenet. J'ai dit à maître Rouault qu'il n'était pas question de réclamer une pension alimentaire ou quoi que ce soit, ce serait juste une formalité. Maître Rouault m'a parlé de « prestation compensatoire pour abandon de domicile », j'ai répondu : « Non. Rien. »

Je ne veux rien.

Maître Rouault m'a dit que pour mes vieux jours, ça pourrait être mieux pour moi, plus confortable. Mes vieux jours, je les passerai dans mon cimetière. Je n'aurai pas besoin de confort en plus de ce que j'ai déjà. Il a insisté. Il a dit :

— Vous savez, chère Violette, peut-être qu'un jour vous ne serez plus en mesure de travailler, il faudra bien prendre votre retraite, vous reposer.

— Non, rien.

— D'accord, Violette, je m'occupe de tout.

Il a noté l'adresse de Philippe Toussaint, celle que Julien Seul avait griffonnée dans l'enveloppe cachetée que j'avais fini par ouvrir.

M. Philippe Toussaint,
chez Mme Françoise Pelletier
13, avenue Franklin-Roosevelt
69500 Bron

— Permettez-moi de vous demander comment vous l'avez retrouvé. Je croyais que votre époux avait disparu. Depuis tout ce temps, il a bien fallu qu'il travaille, qu'il ait un numéro de sécurité sociale !

C'était vrai. La mairie avait cessé de le rémunérer comme gardien de cimetière quelques mois après sa disparition. Ça aussi, je ne l'ai su que bien plus tard. Les parents Toussaint recevaient ses bulletins de salaire et faisaient ses déclarations d'impôt. Comme gardes-barrière et gardes-cimetière, nous n'avons jamais payé ni loyer ni charges. Je faisais les courses du quotidien sur mon salaire. Philippe Toussaint disait : « Je te donne un toit, je te chauffe, je t'éclaire et en échange, tu me nourris. »

À part pour l'entretien de sa moto, il n'avait pas touché à ses salaires pendant nos années de vie commune. C'est toujours moi qui achetais ses vêtements et ceux de Léonine.

— Vous êtes sûre qu'il s'agit bien de lui ? Toussaint est un nom commun. Il s'agit peut-être d'un homonyme. Ou de quelqu'un qui lui ressemble.

J'ai expliqué à maître Rouault qu'on pouvait toujours se tromper, mais pas quand on revoyait l'homme avec lequel on avait partagé autant d'années de vie commune. Que même s'il avait perdu ses cheveux et pris du poids, jamais je ne confondrais Philippe Toussaint avec un autre homme.

J'ai raconté le commissaire Julien Seul à maître Rouault, qu'il s'appelait VRAIMENT Julien Seul, comment il avait débarqué dans mon cimetière, les cendres de sa mère, Gabriel Prudent, l'enquête qu'il avait faite sur Philippe Toussaint sans demander ma permission à cause d'une robe rouge qui dépassait de mon manteau, et le retour à la vie de Philippe Toussaint qui ne vivait qu'à cent dix kilomètres de mon cimetière. Que j'avais emprunté la voiture de Nono – « Norbert Jolivet, le fossoyeur », j'ai précisé –, que j'avais roulé jusqu'à Bron, que je m'étais garée à côté du 13, avenue Franklin-Roosevelt, que le 13 c'était une maison qui aurait pu ressembler à celle que j'avais habitée à Malgrange-sur-Nancy avant, quand j'étais garde-barrière dans l'est de la France, mais qu'il y avait de beaux rideaux aux fenêtres, un étage en plus, et que les fenêtres étaient en chêne avec double vitrage. Qu'en face du 13, il y avait la brasserie Carnot. Que j'avais bu trois cafés en attendant. En attendant quoi, je n'en avais aucune idée. Et puis, je l'avais vu traverser l'avenue.

Il était avec un autre homme. Ils souriaient. Ils avaient marché dans ma direction. Ils étaient entrés dans la brasserie. J'avais baissé la tête.

J'avais dû me cramponner au comptoir quand Philippe Toussaint était passé derrière moi. J'avais reconnu son odeur, son parfum particulier, un mélange de « Pour un homme » de Caron et de celui des autres femmes. Il portait toujours leur odeur comme un vêtement détesté. Sans doute l'odeur de ses anciennes maîtresses qui s'était accrochée comme de mauvais souvenirs et que moi seule percevais. Même après toutes ces années.

Les deux hommes avaient commandé deux plats du jour. Je l'avais regardé déjeuner, dans le miroir en face de moi. Je m'étais dit que tout était possible, qu'il souriait et que n'importe qui pouvait refaire sa vie, que ni Léonine ni moi n'avions de nouvelles de lui depuis longtemps et que tout le monde l'ignorait dans son présent. Que n'importe qui pouvait apparaître dans une vie et disparaître dans une autre. Ici ou ailleurs, n'importe qui était capable de se reconstruire, de tout refaire. N'importe qui pouvait être Philippe Toussaint qui partait faire un tour et ne revenait pas.

Philippe Toussaint avait grossi, mais il souriait franchement. Je ne l'avais jamais vu sourire comme ça du temps où nous vivions ensemble. Son regard n'était toujours pas habité par la curiosité. Il vivait avenue Franklin-Roosevelt et je savais que même dans ce présent, celui où il souriait plus qu'avant, il ne savait pas qui était Roosevelt, que même s'il avait changé de vie, si dans celle-là quelqu'un lui avait demandé qui était Franklin Roosevelt, il aurait répondu : « Le nom de ma rue. »

Agrippée à mon comptoir, j'avais compris que j'avais eu beaucoup de chance qu'il soit parti et jamais revenu. Je n'avais pas bougé. Je ne m'étais pas retournée. Je lui tournais le dos. Je ne voyais de lui que son reflet souriant dans le miroir.

Le serveur l'avait appelé « monsieur Pelletier » mais celui que j'avais pris pour son ami l'avait appelé deux fois « patron », puis le serveur avait dit : « Je mets tout sur la note comme d'habitude, monsieur Pelletier ? » Et Philippe Toussaint avait répondu : « Ok. »

Je l'avais suivi dans la rue. Les deux hommes marchaient côte à côte. Ils étaient entrés dans un garage situé à deux cents mètres de la brasserie, le garage Pelletier.

Je m'étais cachée derrière une voiture qui semblait aussi mal en point que moi quand Philippe Toussaint avait disparu. En panne, cabossée, rayée, garée sur un côté en attendant de savoir ce qu'on en ferait. Il y avait sûrement quelques pièces du moteur à récupérer. Un reste de carburant au fond de la jauge. Assez pour redémarrer. Finir le voyage.

Philippe Toussaint s'était dirigé vers un bureau protégé par des parois vitrées. Il avait téléphoné. Il avait l'air d'être le patron. Mais quand Françoise Pelletier était arrivée dix minutes après, il avait l'air d'être le mari de la patronne. Il l'avait regardée en souriant. Il l'avait regardée amoureusement. Il l'avait regardée.

J'étais repartie.

J'avais récupéré la voiture de Nono. Une contravention était coincée entre le pare-brise et l'essuie-glace, cent trente-cinq euros d'amende parce que j'étais stationnée au mauvais endroit.

— L'histoire de ma vie, j'ai dit en souriant au notaire.

Maître Rouault est resté sans voix pendant quelques secondes.

— Ma chère Violette, j'ai tout vu dans mon métier de notaire. Des oncles qui se font passer pour des fils, des sœurs qui se renient, des fausses veuves, des faux veufs, de faux enfants, de faux parents, de fausses attestations, de faux testaments, mais on ne m'avait jamais raconté une histoire pareille.

Puis il m'a raccompagnée jusqu'à la sortie.

Avant que je quitte son étude, il m'a promis de s'occuper de tout. L'avocat, la lettre, les formalités du divorce.

Maître Rouault me porte dans son cœur parce qu'à chaque fois qu'il va geler, je m'occupe de recouvrir les fleurs originaires d'Afrique qu'il a plantées pour sa femme. Marie Dardenne épouse Rouault (1949-1999).

32

Mes chers amis, quand je mourrai, plantez un saule au cimetière. J'aime son feuillage éploré. La pâleur m'en est douce et chère, et son ombre sera légère à la terre où je dormirai.

En avril, je mets des larves de coccinelles sur mes rosiers et ceux des défunts pour lutter contre les pucerons. C'est moi qui dépose les coccinelles avec un petit pinceau une à une sur les plantes. C'est comme si je repeignais mon cimetière au printemps. Comme si je plantais des escaliers entre la terre et le ciel. Je ne crois ni aux fantômes ni aux revenants, mais je crois aux coccinelles.

J'ai la certitude que quand une coccinelle se pose sur moi, c'est une âme qui me fait signe. Quand j'étais enfant, j'imaginais que c'était mon père qui venait me voir. Que ma mère m'avait abandonnée parce que mon père était mort. Et comme on se raconte les histoires qu'on a envie de se raconter, j'ai toujours imaginé que mon père ressemblait à Robert Conrad, le héros des *Mystères de l'Ouest*. Qu'il était beau, puissant, tendre et qu'il m'adorait depuis le ciel. Qu'il me protégeait de là où il était.

Je me suis inventé mon ange gardien. Celui qui est arrivé en retard le jour de ma naissance. Et puis j'ai grandi. Et j'ai compris que mon ange gardien n'aurait jamais de contrat à durée indéterminée. Qu'il pointerait souvent à l'ANPE et, comme le chante Brel, qu'il se saoulerait « toutes les nuits, avec du mauvais vin ». Mon Robert Conrad a mal vieilli.

Placer mes coccinelles une à une m'occupe pendant dix jours si je ne fais que cela. S'il n'y a pas d'enterrement entretemps. Les poser sur les rosiers me donne le sentiment d'ouvrir les portes au soleil, de le laisser entrer partout dans mon cimetière. C'est comme une autorisation. Un laissez-passer. Cela n'empêche personne de mourir au mois d'avril ni de me rendre visite.

Une fois encore, je ne l'ai pas entendu arriver. Il est derrière moi. Julien Seul est derrière moi. Il m'observe sans bouger. Depuis combien de temps est-il là ? Il serre l'urne contenant les cendres de sa mère contre lui. Ses yeux brillent comme des marbres noirs recouverts de givre quand le soleil d'hiver se reflète légèrement dessus. Je reste sans voix.

Le voir me fait l'effet de mes penderies : une robe de laine noire sur une combinaison en soie rose. Je ne lui souris pas, mais mon cœur cogne comme un enfant en retard à la porte de sa pâtisserie préférée.

— Je suis revenu vous dire pourquoi ma mère voulait reposer sur la tombe de Gabriel Prudent.

— J'ai pris l'habitude des hommes qui disparaissent.

C'est la seule chose que je suis capable de lui répondre.

— Voulez-vous m'accompagner sur sa tombe ?

Je dépose mon pinceau délicatement sur le caveau de la famille Monfort et me dirige vers Gabriel Prudent.

Julien Seul me suit, avant de me dire :

— Je n'ai aucun sens de l'orientation, alors dans un cimetière…

Nous marchons côte à côte en silence en direction de l'allée 19. Quand nous arrivons devant la tombe de Gabriel Prudent, Julien Seul dépose l'urne et la déplace à plusieurs reprises, comme s'il ne trouvait pas, comme s'il essayait de caser une pièce de puzzle au bon endroit. Il finit par la mettre contre la stèle, à l'ombre.

— Comme ma mère préférait l'ombre au soleil…

— Voulez-vous lui lire le discours que vous avez écrit ? Voulez-vous être seul ?

— Non, je préférerais que ce soit vous qui le lisiez, plus tard. Quand le cimetière sera fermé. Je suis sûr que vous savez très bien faire ça.

L'urne est couleur vert sapin. « Irène Fayolle

(1941-2016) » est gravé en lettres d'or. Il se recueille quelques instants, je reste près de lui.

— Je n'ai jamais su prier… J'ai oublié les fleurs. Vous en vendez toujours ?

— Oui.

En choisissant un pot de jonquilles, il me dit qu'il veut descendre en ville acheter une plaque. Il me demande si je peux l'accompagner au Tourneurs du val, le magasin funéraire des frères Lucchini. J'accepte sans réfléchir. Je ne suis jamais allée au Tourneurs du Val. Cela fait vingt ans que j'indique aux autres le chemin pour s'y rendre, sans jamais y avoir mis les pieds.

Je monte dans la voiture du commissaire qui sent le tabac froid. Il est silencieux. Moi aussi. En mettant le contact, un CD glissé dans l'autoradio se met à hurler « Elsass Blues » d'Alain Bashung à tue-tête. Nous sursautons. Il coupe le son. On se met à rire. C'est la première fois qu'Alain Bashung fait rire quelqu'un avec cette chanson magnifique mais triste à mourir.

Nous nous garons devant Le Tourneurs du Val. Le magasin des frères Lucchini est attenant à la morgue mais aussi au Phénix, le restaurant chinois de Brancion-en-Chalon. C'est la blague préférée de tous les habitants d'ici. Mais ça n'empêche pas le Phénix d'être plein à craquer au service de midi.

Nous poussons la porte. En vitrine, il y a des plaques funéraires et des bouquets de fleurs artificielles. Je déteste les fleurs artificielles. Une rose en plastique ou en synthétique, c'est comme une lampe de chevet qui voudrait imiter le soleil. À l'intérieur, des bois de cercueil sont exposés comme dans les magasins de bricolage où on peut choisir la couleur de son parquet. Il y a les bois précieux pour faire des cercueils d'exception. Puis ceux de qualité secondaire, les bois tendres, durs, exotiques, contreplaqués. J'espère que l'amour que l'on porte à un vivant ne se mesure pas à la qualité du bois que l'on choisit.

Sur presque toutes les plaques en vitrine, on peut lire : « Fauvette, si tu voles autour de cette tombe, chante-lui ta plus belle chanson. » Après avoir lu quelques textes que Pierre Lucchini lui a présentés, Julien Seul choisit : « À ma mère » en lettres de laiton sur une plaque noire. Pas de poème ni d'épitaphe.

Pierre s'étonne de me voir dans son magasin. Il ne sait pas quoi me dire alors qu'il passe chez moi plusieurs fois par semaine depuis des années et qu'il ne lui viendrait jamais à l'idée d'entrer dans mon cimetière sans venir me saluer.

Je sais presque tout de Pierre, ses sacs de billes, son premier amour, sa femme, les angines de ses enfants, son chagrin quand il a perdu son père, les produits qu'il applique sur son crâne pour ses cheveux qui tombent, et là, c'est comme si j'étais une inconnue au milieu de ses fleurs en plastique et de ses plaques qui ne parlent que d'éternité.

Julien Seul paye et nous repartons.

En remontant vers mon cimetière, Julien Seul me demande s'il peut m'inviter à dîner. Il veut me raconter l'histoire de sa mère et Gabriel Prudent.

Et me remercier pour tout. Et aussi essayer de se faire pardonner d'avoir recherché Philippe Toussaint sans m'en parler. Je lui réponds : « D'accord, mais je préfère qu'on dîne chez moi. »

Parce qu'on aura du temps et qu'on ne sera pas dérangés par un serveur entre chaque plat. Il n'y aura pas de viande au dîner, mais ce sera quand même bon. Il me répond qu'il part réserver sa chambre chez Mme Bréant, même si elle n'est jamais occupée, et qu'il revient chez moi à 20 heures.

33

Avec le temps, va, tout s'en va, on oublie
les passions et l'on oublie les voix, qui vous disaient
tout bas les mots des pauvres gens : ne rentre
pas trop tard, surtout ne prends pas froid.

Irène Fayolle et Gabriel Prudent se sont rencontrés à Aix-en-Provence en 1981. Elle avait quarante ans, et lui cinquante. Il défendait un détenu qui en avait aidé un autre à s'évader. Irène Fayolle s'était retrouvée dans ce tribunal à la demande de son employée et amie Nadia Ramirès. Cette dernière était la femme d'un complice du prévenu. « On ne choisit pas de qui on tombe amoureux, avait-elle dit à Irène entre un décollement de racines et un brushing, ce serait trop simple. »

Irène Fayolle a assisté au procès le jour de la plaidoirie de maître Prudent. Il a parlé du bruit des clés, de liberté, de ce besoin de s'extirper de murs sans âge, de retrouver le ciel, l'horizon oublié, l'odeur du café dans un bistrot. Il a parlé de solidarité entre détenus. Il a dit que la promiscuité de l'enfermement pouvait donner naissance à une véritable fraternité entre les hommes, que libérer la parole était une sortie de secours. Que perdre la liberté, c'était perdre un être cher. Que c'était comme un processus de deuil. Que personne ne pouvait comprendre s'il ne l'avait pas vécu.

Comme dans *Vingt-quatre heures de la vie d'une femme* de Stefan Zweig, durant la plaidoirie, Irène Fayolle n'a regardé que les mains de maître Prudent. De grandes mains, qui s'ouvraient et se fermaient. Avec des ongles blancs, parfaitement polis. Irène Fayolle s'est dit : *C'est drôle, les mains de cet homme n'ont pas vieilli. Elles sont restées en enfance, ce sont celles d'un jeune homme. Des mains de pianiste.* Quand Gabriel Prudent s'adressait au jury, elles s'ouvraient, quand il s'adressait à l'avocat général, elles se refermaient dans une crispation telle qu'elles semblaient rabougries, comme si elles retrouvaient leur âge véritable. Quand il fixait le président, elles se figeaient, quand il observait le public, elles ne tenaient pas en place comme deux adolescentes surexcitées, et quand il revenait vers l'accusé, elles se rejoignaient, se blottissaient l'une contre l'autre comme deux chatons qui cherchent la chaleur. En quelques secondes, ses mains passaient de l'enfermement à la joie, de la retenue à la liberté, puis repartaient vers une sorte de prière, de supplication. En fait, ses mains ne faisaient que mimer ses paroles.

Après la plaidoirie, il a fallu quitter la salle d'audience pour aller boire un verre dans Aix pendant que le jury délibérait. Il faisait beau comme toujours à Aix et cela n'enjouait ni n'attristait Irène. Le beau temps ne lui avait jamais fait aucun effet. Elle s'en fichait comme de sa dernière chemise.

Nadia Ramirès est partie à l'église du Saint-Esprit pour allumer un cierge. Irène est entrée dans un café au hasard, elle n'a pas eu envie de terrasse comme tous les autres. Elle est montée au premier étage, pour être tranquille. Elle voulait lire. La veille au soir, tandis que Paul, son mari, dormait déjà, elle avait commencé un roman dans lequel elle voulait se replonger.

Maître Prudent, qui aimait le soleil mais pas la foule, était là, seul, assis dans un coin. Attendant le verdict de son client contre une fenêtre fermée. Les yeux dans le vague, il fumait cigarette sur cigarette. Bien qu'il soit seul à l'étage, une épaisse fumée envahissait la pièce jusque dans les lustres. Avant d'en éteindre une, il s'en servait pour en allumer une autre. Une fois de plus, Irène s'est figée à la vue de sa main droite qui écrasait le mégot dans le cendrier.

Dans le roman de la veille, elle avait lu qu'un fil invisible relie ceux qui sont destinés à se rencontrer, que ce fil peut s'emmêler, mais jamais se briser.

Quand Gabriel Prudent a vu Irène Fayolle en haut de l'escalier, il lui a dit : « Vous étiez dans la salle tout à l'heure. » Ce n'était pas une question, juste une remarque. Ils étaient très nombreux dans la salle d'audience. Et elle était au fond, sur l'avant-dernier banc. Comment l'avait-il remarquée ? Elle n'a pas demandé. Elle s'est assise dans un coin, en silence.

Et comme s'il l'avait entendue penser, il s'est mis à lui décrire la tenue vestimentaire de chaque membre du jury et des deux suppléants, des prévenus et de toutes les personnes assises dans le public. Les unes après les autres. Il employait de drôles de mots pour parler de la couleur d'un pantalon, d'une jupe ou d'un pull-over, « amarante », « bleu outremer », « blanc d'Espagne », « chartreuse », « corail ». On aurait dit un teinturier ou un vendeur de tissus au marché Saint-Pierre. Il avait même remarqué que la dame à l'extrême gauche sur le troisième banc, « celle avec un chignon jais, un foulard coquelicot et une tenue gris de lin », portait une broche en forme de scarabée. Pendant cette description vestimentaire hallucinante, il agitait ses mains à certains moments. Surtout quand il avait eu à prononcer le mot « vert », qu'il n'avait pas prononcé. Comme si ce mot lui était défendu, il avait employé les mots « émeraude », « menthe à l'eau », « pistache » et « olive ».

Toujours silencieuse, Irène Fayolle se demandait quel était l'intérêt pour un avocat d'identifier les vêtements de chacun.

Une fois encore, comme s'il l'avait entendue penser, il lui a dit que dans un tribunal, tout était inscrit dans le vêtement. L'innocence, les regrets, la culpabilité, la haine ou le pardon. Que chacun choisissait précisément ce qu'il portait le jour d'un jugement, que ce soit le sien ou celui d'un autre. Comme pour son enterrement ou son mariage. Qu'il n'y avait pas de place pour le hasard. Et que selon ce que chaque individu portait, lui était en mesure de deviner si c'était quelqu'un de la partie civile ou adverse, de l'accusation, de la défense, un père, un frère, une mère, un voisin, un témoin, une amoureuse, un ami, un ennemi ou un curieux. Et qu'il ajustait sa plaidoirie selon le vêtement et l'allure de chacun quand il posait ses mots et son regard sur lui. Et que par exemple elle, Irène Fayolle, à la façon dont elle était habillée aujourd'hui, il était clair qu'elle n'était pas impliquée dans cette affaire. Qu'elle n'avait aucun parti pris. Qu'elle était là en dilettante.

« En dilettante », il a vraiment employé ces mots.

Elle n'a pas eu le temps de lui répondre, Nadia Ramirès venait de la rejoindre. Elle a dit à Irène qu'elle exagérait de s'enfermer dans ce bistrot par un temps pareil, que son mec, lui, il aurait rêvé d'une terrasse. Et que s'il était acquitté, ils feraient toutes celles d'Aix les unes après les autres pour fêter ça. Et Irène Fayolle a pensé : *Moi, mon rêve, c'est de continuer à lire le roman que j'ai au fond de mon sac… ou de partir en Islande avec l'homme* aux mains *qui fume clope sur clope au bout de cette pièce.*

Nadia a salué maître Prudent, lui a dit que sa plaidoirie était exceptionnelle, que comme convenu elle le payerait un peu chaque mois, que *son Jules* serait sûrement acquitté grâce à lui. Et l'avocat a répondu, entre deux taffes, avec une voix grave :

— Nous le saurons tout à l'heure, après les délibérations. Vous êtes très en beauté, j'aime beaucoup la robe rose dragée que vous portez. Je suis sûr qu'elle a remonté le moral de votre mari.

Irène a bu un thé, Nadia un jus d'abricot et Gabriel Prudent une pression sans mousse. Il a réglé toutes les consommations et est parti avant elles. Irène a regardé ses mains une dernière fois, elles étaient crispées sur ses dossiers. Deux grosses pinces qui serraient les affaires en cours.

Irène Fayolle n'a pas pu entrer dans la salle d'audience pour le verdict, seules les familles étaient admises. Mais elle a attendu devant le tribunal, au bout de la passerelle, pour observer la couleur des vêtements des gens qui en ressortiraient. Elle a vu le pull-over bleu outremer, la robe corail, la jupe menthe à l'eau et le scarabée de la femme au chignon jais. Elle les a tous vus, les uns après les autres.

Irène est rentrée seule à Marseille. Nadia Ramirès est restée à Aix pour fêter l'acquittement de son Jules de terrasse en terrasse.

Quelques semaines après, Irène a fermé son salon de coiffure et s'est lancée dans l'horticulture. Elle se disait qu'elle voulait faire autre chose de ses mains, elle était arrivée au bout des cheveux à couper, des produits à l'ammoniaque, des bacs à shampooing et surtout des bavardages. Irène Fayolle était d'une nature taiseuse, trop secrète pour être coiffeuse. Pour être un bon coiffeur, il fallait être curieux, drôle et généreux. Elle pensait ne posséder aucun de ces attributs.

Depuis des années, la terre et les roses la taraudaient. Avec l'argent de son salon, elle a acheté un bout de terrain dans le 7e arrondissement de Marseille qu'elle a transformé en roseraie. Elle a appris à planter, faire pousser, arroser, cueillir. Elle a aussi appris à créer de nouvelles variétés de roses couleur carmin, framboise, grenadine et cuisse de nymphe émue en repensant aux mains de Gabriel Prudent.

Elle a créé des fleurs comme on crée des mains qui s'ouvrent et se referment selon la météo.

Un an après, Irène Fayolle a raccompagné Nadia Ramirès à Aix-en-Provence pour un second procès. Son mari s'était fait à nouveau pincer dans une histoire de stupéfiants. Avant de partir, Irène s'est demandé comment s'habiller pour ne pas ressembler à une « dilettante ».

Elle a été déçue, maître Prudent n'était plus là. Il avait quitté la région.

Irène l'a appris sur le chemin entre Marseille et Aix, dans la voiture, quand Nadia lui a dit être inquiète, parce que cette fois ce ne serait pas maître Prudent qui plaiderait la défense de son Jules mais un confrère.

— Mais pourquoi ? a demandé Irène comme une

enfant qui part en vacances et qui apprend qu'il n'y aura pas la mer.

Une histoire de divorce, il avait déménagé. Nadia n'en savait pas plus.

Les mois ont passé jusqu'au jour où une femme est entrée dans la roseraie d'Irène Fayolle pour commander une gerbe de roses blanches à faire livrer à Aix-en-Provence. En remplissant le récépissé de livraison, Irène a noté que les roses étaient à déposer au cimetière Saint-Pierre d'Aix pour Mme Martine Robin épouse Gabriel Prudent.

Pour la première fois, c'est Irène qui a fait la livraison le matin du 5 février 1984 à Aix-en-Provence où il avait gelé durant la nuit. Elle avait particulièrement soigné la gerbe de fleurs à livrer. Elle prenait toute la place arrière de son utilitaire Peugeot.

Au cimetière Saint-Pierre, un employé municipal l'a autorisée à emprunter les allées en voiture pour déposer les roses près de la sépulture de Martine Robin qui n'était pas encore en terre. Il n'était que 10 heures et l'enterrement n'aurait lieu que dans l'après-midi.

Dans le marbre était gravé : « Martine Robin épouse Prudent (1932-1984) ». Sous son nom, sa photo avait déjà été scellée : une belle femme brune qui souriait à l'objectif, cette photo avait dû être prise quand elle avait une trentaine d'années.

Irène est ressortie pour attendre. Elle voulait revoir Gabriel Prudent. Même de loin. Même cachée. Elle voulait savoir si c'était lui, le veuf, si c'était sa femme que l'on mettait en terre. Elle a cherché dans les avis de décès, mais n'a rien trouvé le concernant, lui.

> *« C'est avec une grande tristesse que nous vous annonçons le décès subit de Martine Robin survenu à Aix-en-Provence à l'âge de cinquante-deux ans. Martine était la fille de feu Gaston Robin et feu Micheline Bolduc. Elle laisse dans le deuil sa fille Marthe Dubreuil, ses frère et sœur Richard et Mauricette, sa tante Claudine Bolduc-Babé, sa belle-mère Louise, de nombreux cousins, neveux et nièces et ses amis proches, Nathalie, Stéphane, Mathias, Ninon ainsi que plusieurs autres. »*

Aucune trace de Gabriel Prudent. Comme s'il avait été rayé de la liste des préposés au chagrin.

Irène est ressortie du cimetière et a roulé jusqu'au premier bistrot situé à environ trois cents mètres. Un routier. Elle s'est fait cette réflexion : *C'est bizarre ce routier coincé entre le cimetière et la piscine municipale d'Aix. On dirait qu'il s'est perdu.*

Elle s'est garée et a failli rebrousser chemin parce que les vitres étaient sales et les rideaux qui pendaient aux fenêtres hors d'âge. Mais une ombre l'a retenue. À l'intérieur, une silhouette courbée. Elle l'a reconnu malgré les carreaux sales. Il était là. Vraiment là. Appuyé contre une fenêtre fermée, fumant une cigarette, le regard dans le vide.

L'espace de quelques secondes, elle a cru halluciner, confondre, prendre ses désirs pour la réalité, être dans un roman mais pas dans la vie, la vraie. Celle qui est moins drôle que les promesses que l'on s'est faites en classe de troisième. Et puis, elle ne l'avait vu qu'une seule fois, trois ans auparavant.

Il a levé la tête quand elle est entrée. Il y avait trois hommes accoudés au comptoir et seul Gabriel Prudent était attablé. Il lui a dit :

— Vous étiez à Aix pour le procès de Jean-Pierre Reyman et Jules Ramirès l'année où Mitterrand a été élu… Vous êtes la dilettante.

Elle n'a pas été surprise qu'il la reconnaisse. Comme si ça tombait sous le sens.

— Oui, bonjour, je suis une amie de Nadia Ramirès.

Il a secoué la tête, a allumé une nouvelle cigarette avec les dernières cendres de son mégot et a répondu :

— Je me souviens.

Et sans l'inviter à s'asseoir à sa table, comme si c'était un fait acquis, il a commandé deux cafés et deux calvas en pointant l'index vers le plafond puis en direction de la serveuse. Une nouvelle fois, Irène Fayolle, qui n'avait jamais bu de café de sa vie – que du thé – et encore moins de calvados à 10 heures du matin, a fixé les grandes mains de Gabriel et s'est assise en face de lui. Ses mains n'avaient toujours pas vieilli.

C'est d'abord lui qui a parlé, beaucoup. Il a dit

qu'il était revenu à Aix pour enterrer Martine, sa femme, enfin son ex-femme, qu'il ne supportait pas les bénitiers, les curetons et la culpabilité. Alors, il n'irait pas à la cérémonie religieuse, juste à la mise en terre, qu'il attendrait ici, qu'il vivait avec une autre femme à Mâcon depuis deux ans, qu'il n'avait jamais revu Martine, sa femme, enfin son ex-femme, depuis son départ, que comme il l'avait quittée parce qu'il avait rencontré quelqu'un d'autre, sa gosse – qui n'en était plus une – lui faisait la gueule, qu'il avait été anéanti par la nouvelle – Martine, morte ! –, mais que personne ne comprendrait, qu'il serait toujours le salaud de service qui avait abandonné une femme, la sienne. Et comme vengeance post mortem, Martine, sa femme, enfin son ex-femme, ou sa fille, il ne savait plus trop, avait fait graver son nom à lui sur la pierre tombale. Elle l'avait emmené avec lui dans son éternité.

— Et vous ? Vous auriez fait ça, vous ?

— Je ne sais pas.

— Vous habitez Aix ?

— Non, Marseille, j'ai livré des fleurs ce matin, au cimetière, pour votre femme, enfin votre ex-femme. Avant de repartir je voulais boire un thé, il fait froid, ce n'est pas tellement que le froid me dérange, au contraire, mais j'avais froid. Là, au moins, le calvados ça réchauffe, je crois que j'ai la tête qui tourne, enfin je ne crois pas, j'ai la tête qui tourne, je ne vais pas pouvoir reprendre la route tout de suite, c'est fort le calvados… Excusez-moi si je suis indiscrète, d'habitude je ne le suis pas, mais comment avez-vous rencontré votre nouvelle femme ?

— Oh, rien d'original, à cause d'un homme que j'ai défendu pendant des années : à force d'organiser sa défense, de l'expliquer à son épouse, à force de retourner en prison année après année, c'est nous qui avons fini par tomber amoureux l'un de l'autre. Et vous, ça vous est déjà arrivé ?

— Quoi ?

— De tomber amoureuse ?

— Oui, de mon mari, Paul Seul, nous avons un fils, Julien, qui a dix ans.

— Vous travaillez ?

— Je suis horticultrice, avant j'étais coiffeuse, mais je ne fais pas que vendre des fleurs, je les cultive aussi, je fais de l'hybridation.

— De quoi ?

— De l'hybridation. Je mélange des variétés de roses pour en créer de nouvelles.

— Pourquoi ?

— Parce que j'aime ça… Le métissage.

— Et ça donne quoi comme couleurs ? Deux autres cafés-calvas, s'il vous plaît !

— Carmin, framboise, grenadine ou encore cuisse de nymphe émue. Je fais des variétés de blanc, aussi.

— Quel genre de blanc ?

— Neige. J'adore la neige. Mes rosiers ont aussi cette particularité de ne pas craindre le froid.

— Et vous, vous ne portez jamais de couleurs sur vous ? Déjà à Aix pendant le procès, vous étiez toute beige.

— Je préfère les couleurs vives sur les fleurs et les jolies filles.

— Mais vous êtes pire que jolie. Votre visage a la vie devant lui. Pourquoi vous souriez ?

— Je ne souris pas. Je suis saoule.

Vers midi, ils ont commandé deux omelettes-salade et une assiette de frites pour deux. Et un thé pour elle. Il a dit : « Je ne suis pas sûr que le thé et l'omelette fassent bon ménage », à quoi elle a répondu : « Le thé ça va avec tout, c'est comme le noir et blanc, ça va avec tout. »

Pendant le repas, il a léché ses doigts, il a léché le sel des frites. Il a bu une pression. Pendant qu'elle mélangeait le thé anglais et un énième verre de calvados, il a dit : « La Normandie et l'Angleterre c'est comme le noir et blanc, ça va bien ensemble. »

Il s'est levé deux fois. Elle a regardé la poussière, l'électricité statique autour de lui, dans les rayons du soleil, ça faisait comme de la neige. Et ils ont recommandé des frites, du thé et du calva. D'habitude, dans un endroit aussi crado, Irène Fayolle aurait essuyé les verres avec le revers de sa veste, mais là non.

Quand le fourgon mortuaire est passé devant le routier, il était 15 h 10. Elle n'avait pas vu le temps passer. C'était comme si elle était entrée dans ce routier dix minutes auparavant. Cela faisait cinq heures qu'ils étaient ensemble.

Ils se sont levés dans l'urgence, il a payé dans l'urgence et Irène lui a dit de monter dans son utilitaire, elle allait l'emmener. Elle savait où se trouvait la tombe de Martine Robin.

Dans la voiture, il lui a demandé son prénom. Il a dit qu'il en avait assez de l'appeler « vous ».

— Irène.

— Moi, c'est Gabriel.

Ils sont arrivés à hauteur de la grille qui menait à Martine Robin. Il n'est pas descendu. Il a dit :

— On va attendre ici, Irène. Ce qui compte c'est que Martine sache que je suis là. Les autres, je m'en fous.

Il a demandé s'il pouvait fumer dans la voiture, elle a répondu bien sûr, il a baissé la vitre, il a posé sa tête contre le repose-tête, il a pris la main gauche d'Irène dans la sienne et a fermé les yeux. Ils ont attendu en silence. Ils ont regardé les gens aller et venir dans les allées. À un moment, il leur a semblé entendre de la musique.

Quand tout le monde est reparti, quand le fourgon mortuaire vide est passé à leur hauteur, Gabriel est descendu de la voiture. Il a demandé à Irène de venir avec lui, elle a hésité, il a dit : « S'il vous plaît. » Ils ont marché côte à côte.

— J'ai dit à Martine que je la quittais pour une autre femme, j'ai menti. À vous, Irène, je peux dire la vérité, j'ai quitté Martine à cause de Martine. Les autres, ceux pour qui on quitte quelqu'un, ce sont des prétextes, des alibis. On quitte les gens à cause des gens, faut pas chercher plus loin. Bien sûr, je ne lui dirai jamais. Et sûrement pas aujourd'hui.

Quand ils sont arrivés à hauteur de la tombe, Gabriel a embrassé la photo. Ses mains ont agrippé la croix qui dominait la stèle. Il a chuchoté des mots qu'Irène n'a pas entendus et qu'elle n'a pas cherché à entendre.

Ses roses blanches étaient au centre de la tombe. Il y avait de nombreuses fleurs, des mots d'amour et même un oiseau en granit.

*

— Mais qui vous a raconté tout ça ?

— Je l'ai lu dans le journal que tenait ma mère.

— Elle tenait un journal ?

— Oui. Je l'ai trouvé dans des cartons la semaine dernière, en rangeant ses affaires.

Julien Seul se lève.

— Il est 2 heures du matin, je vais rentrer. Je suis fatigué. Demain je reprends la route très tôt. Merci pour ce dîner, c'était délicieux. Merci. Ça fait longtemps que je n'avais pas aussi bien mangé. Ni passé un moment aussi délicieux. Je me répète, mais quand je me sens bien, je me répète.

— Mais… qu'est-ce qu'ils ont fait après l'enterrement ? Il faut que vous me racontiez la fin de cette histoire.

— Peut-être que cette histoire n'a pas de fin.

Il prend ma main et y dépose un baiser. Je ne connais rien de plus troublant qu'un homme galant.

— Vous sentez toujours bon.

— « Eau du ciel » d'Annick Goutal.

Il sourit.

— Eh bien ne changez jamais. Bonne nuit.

Il enfile son manteau et sort de la maison côté rue. Avant de refermer la porte derrière lui, il me dit :

— Je reviendrai pour vous raconter la fin. Si je vous la raconte maintenant, vous n'aurez plus envie de me voir.

En me couchant, je pense que je n'aimerais pas mourir au milieu de la lecture d'un roman que j'aime.

34

Dans nos cœurs à jamais tu demeures.

Trois ans après notre mariage, en juin 1992, la France ferroviaire s'est paralysée. À Malgrange, le train de 6 h 29 est devenu celui de 10 h 20 qui est devenu celui de 12 h 05 jusqu'à ce que le 13 h 30 s'arrête sur la voie à 16 heures et ne bouge plus pendant quarante-huit heures. Des grévistes ont érigé un barrage à deux cents mètres de notre barrière. Le train était bondé. Il avait fait particulièrement chaud ce jour-là. Les usagers ont dû très vite ouvrir les fenêtres et les portes du Nancy-Épinal.

Il n'y avait jamais eu autant de monde au Casino. Les réserves d'eau en bouteilles ont été écoulées en l'espace de quelques heures. En fin d'après-midi, Stéphanie ne passait plus les bouteilles en caisse mais les distribuait directement sur les marchepieds du train. Plus personne ne faisait de différence entre les premières et les secondes classes. Tout le monde était à l'extérieur, à l'ombre du train, autour des rails. Les contrôleurs et le chauffeur SNCF avaient disparu en même temps.

Quand les usagers ont compris que le train ne repartirait pas, des voitures ont commencé à arriver, des voisins, des amis. Certains voyageurs ont appelé de chez nous pour qu'on vienne les chercher. D'autres de la cabine téléphonique. En quelques heures, les rames et les alentours du train se sont vidés.

Toute la circulation dans Malgrange-sur-Nancy a été coupée. Les gens venaient jusqu'à la barrière fermée, récupéraient les usagers et rebroussaient chemin. À 21 heures, la Grand-Rue était silencieuse et le Casino fermait ses portes. Quand Stéphanie a baissé les grilles, elle était écarlate. Au loin, on n'entendait plus que les voix des grévistes. Ils allaient dormir sur place, derrière leur barrage.

Alors que la nuit était déjà tombée et que Philippe Toussaint était parti faire un tour depuis longtemps, je me suis aperçue qu'en rame de tête se trouvaient toujours deux passagers : une femme et une petite fille qui devait avoir l'âge de Léonine. J'ai demandé à la femme si quelqu'un pouvait venir la chercher, mais elle m'a répondu qu'elle habitait à sept cent vingt kilomètres de Malgrange, que c'était très compliqué, qu'elle arrivait d'Allemagne où elle venait de récupérer sa petite-fille et qu'elle se rendait à Paris. Elle n'était pas en mesure de prévenir qui que ce soit avant le lendemain et encore, ce n'était pas sûr.

Je l'ai invitée à venir dîner à la maison. Elle a refusé. J'ai insisté. J'ai pris leurs valises sans lui demander son avis et elles m'ont suivie.

Léo dormait déjà à poings fermés.

J'ai ouvert toutes les fenêtres, pour une fois, il pouvait faire chaud à l'intérieur de la maison.

J'ai fait dîner la petite Emmy qui était épuisée. Pendant le repas, elle a joué avec une des poupées de Léo, puis je l'ai allongée à côté d'elle. En les regardant dormir côte à côte, j'ai pensé que j'aimerais avoir un deuxième enfant. Mais Philippe Toussaint ne serait pas d'accord, je l'entendais déjà me dire que chez nous, c'était trop petit pour avoir un deuxième gosse. J'ai pensé que c'était notre amour qui était trop étriqué pour accueillir un nouvel enfant, pas la maison.

J'ai dit à la grand-mère d'Emmy, qui s'appelait Célia, qu'elle était obligée de dormir chez moi, que je ne la laisserais pas retourner dans un train vide, que c'était trop dangereux. Et je lui ai dit aussi que pour la première fois depuis des années, grâce à cette grève, j'étais en vacances, que j'avais une invitée et que j'espérais que cette ligne de chemin de fer serait coupée le plus longtemps possible, qu'enfin j'allais pouvoir dormir plus de huit heures d'affilée sans être dérangée par l'alarme de la barrière.

Célia m'a demandé si je vivais seule avec ma fille. Cela m'a fait sourire. Au lieu de répondre, j'ai ouvert une très bonne bouteille de vin rouge que je gardais

« pour l'occasion » sauf qu'elle ne s'était jamais présentée jusqu'à ce jour.

Nous avons commencé à boire. Après deux verres, Célia a accepté mon invitation à dormir chez moi. Je l'installerais dans notre chambre et nous dormirions sur le canapé-lit, mon mari et moi. Nous dormions sur le canapé-lit quand les parents de Philippe Toussaint nous rendaient visite – deux fois par an depuis notre mariage. Ils venaient chercher Léo pour l'emmener en vacances. Une semaine entre Noël et le Nouvel An, et dix jours l'été pour aller au bord de la mer.

Après le troisième verre, mon hôte a dit qu'elle acceptait mon invitation à condition que ce soit elle qui dorme sur le canapé-lit.

Célia avait une cinquantaine d'années. Elle avait de beaux yeux bleus, très doux. Elle parlait doucement, avait une voix rassurante et un bel accent du Midi.

J'ai dit : « D'accord pour le canapé-lit » et j'ai eu raison. Quand Philippe Toussaint a fini par rentrer, il est allé directement s'écrouler sur le lit de notre chambre. Il n'a pas eu un regard vers nous.

J'ai dit à Célia, en voyant passer Philippe Toussaint : « C'est mon mari. » Elle m'a souri sans répondre.

Célia et moi sommes restées dans le salon à parler jusqu'à 1 heure du matin. Les fenêtres étaient toujours ouvertes. C'était la première fois depuis notre arrivée qu'il faisait si chaud dans les pièces. Célia

faisait l'amour et je le lui rendais bien. On troquait nos peaux gorgées de soleil contre un bonheur feint. Nous retrouvions nos débuts mais sans l'amour. C'était juste pour le plaisir, jouir de tout. Tout était loin. Le ciel de l'Est et les autres.

Léo se débattait quand je la couvrais de crème solaire. Elle se débattait aussi quand je voulais la couvrir d'ombre. Elle avait décidé de vivre nue, dans l'eau. Elle avait décidé de se transformer en petite sirène. Comme dans les dessins animés.

Je crois qu'en dix jours, nous n'avons pas mis de chaussures. Voilà, j'ai compris que les vacances, c'était ça : ne plus mettre de chaussures.

Les vacances, c'est comme une récompense, un premier prix, une médaille d'or. Il faut les mériter. Et Célia avait décidé que j'avais plusieurs vies de mérite. Une par famille d'accueil, et celle avec Philippe Toussaint.

De temps en temps, Célia descendait nous voir. Elle faisait l'inspection de notre bonheur. Et comme un chef de chantier satisfait, elle repartait le sourire aux lèvres après avoir bu un café avec moi.

Je l'ai couverte de mercis comme d'autres couvrent leur femme de bijoux. Je lui ai fait des parures de mercis. Et j'étais loin d'avoir fini. Ce n'est pas moi qui ai fermé les volets du cabanon le jour où nous sommes repartis. J'ai demandé à Philippe Toussaint de le faire. Si j'avais refermé les volets moi-même, j'aurais eu le sentiment de m'enterrer vivante, de refermer mon tombeau. Comme le chante Jacques Brel, « je t'inventerai des mots insensés que tu comprendras ». C'est ce que j'ai fait pour que Léo ne pleure pas au moment du départ, qu'elle ne s'agrippe pas aux portes du cabanon en hurlant. Je lui ai inventé les mots insensés. Ceux de l'enfance, les plus simples.

— Mon amour, il faut repartir parce que dans cent vingt jours, c'est Noël et cent vingt jours, ça passe très vite. Alors, il va falloir commencer la liste pour le Père Noël tout de suite. Ici, il n'y a ni stylo, ni crayon de couleur, ni papier. Il n'y a que la mer. Donc il faut rentrer à la maison. Ensuite, il va falloir faire le sapin, mettre des boules de toutes les couleurs au bout des branches, et cette année, on va mettre des guirlandes en papier qu'on va fabriquer nous-mêmes, oui nous-mêmes ! C'est pour ça qu'il faut rentrer très vite, on n'a plus de temps à perdre. Et si tu es très sage, on repeindra les murs de ta chambre. En rose ? Si tu veux. Et puis avant Noël, qu'est-ce qu'il y a avant Noël ? Ton ANNIVERSAIRE ! Et ça, c'est dans presque pas de jours. On va gonfler des ballons, oh vite, vite, vite, il faut rentrer à la maison ! On a trop de choses drôles à faire, là. Remets tes chaussures, mon amour. Vite, vite, vite, on fait les valises ! On va revoir les trains – et peut-être même qu'ils vont s'arrêter ! Et que Célia sera dedans. Vite, vite, vite, on rentre à la maison ! Et puis de toute façon, on reviendra à Marseille l'année prochaine. Avec tous tes cadeaux.

36

Tous ceux qui t'ont connue
te regrettent et te pleurent.

Irène Fayolle et Gabriel Prudent ont quitté la tombe de Martine Robin épouse Prudent. Avant de partir, Gabriel Prudent a caressé son nom gravé sur la pierre. Il a dit à Irène : « C'est quand même bizarre de voir son propre nom marqué sur une tombe. »

Ils ont longé les allées du cimetière Saint-Pierre en s'arrêtant de temps en temps devant d'autres tombes, devant des inconnus. Pour regarder des photographies ou des dates. Irène a dit :

— Moi, je voudrais être incinérée.

Sur le parking, devant le cimetière, Gabriel a dit :

— Qu'est-ce que vous voulez faire ?

— Qu'est-ce qu'on peut bien faire, après ça ?

— L'amour. Je voudrais vous enlever votre beige et vous en faire voir de toutes les couleurs, Irène Fayolle.

Elle n'a pas répondu. Ils sont montés dans l'utilitaire, ont roulé comme ils ont pu, avec tout cet amour, cet alcool et ce chagrin dans le sang. Irène a roulé et déposé Gabriel devant la gare d'Aix.

— Vous ne voulez pas faire l'amour ?

— Une chambre d'hôtel comme deux voleurs… on mérite mieux que ça, non ? Et puis, qui est-ce qu'on volerait, à part nous ?

— Voulez-vous m'épouser ?

— Je suis déjà mariée.

— J'arrive trop tard, alors.

— Oui.

— Pourquoi vous ne portez pas le nom de votre mari ?

— Parce qu'il s'appelle Seul. Paul Seul. Si je portais son nom, je m'appellerais Irène Seul. Ça ferait une faute d'orthographe.

Ils se sont serrés dans les bras l'un de l'autre. Ne se sont pas embrassés. Ne se sont pas dit au revoir. Il est descendu de l'utilitaire, son costume de veuf était froissé. Elle a regardé ses mains une dernière fois. Elle s'est dit que c'était la dernière fois. Il lui a fait un signe avant de se retourner et de s'éloigner sur le quai.

Elle a repris la route pour Marseille. L'accès à l'autoroute n'était pas très loin de la gare. Le trafic était fluide. Dans une petite heure, elle se garerait devant la maison où Paul l'attendait. Et les années passeraient.

Irène verrait Gabriel à la télévision, il s'exprimerait autour d'une affaire criminelle, quelqu'un qu'il défendrait et dont il aurait la certitude de l'innocence. Il dirait : « Toute cette affaire est montée autour d'une injustice que je démonterai pièce par pièce. » Il dirait : « Je le prouverai ! » Il aurait l'air agité, l'innocence de l'autre le rongerait, ça se verrait. Elle le trouverait fatigué, cerné, vieilli peut-être.

À la radio, Irène entendrait une chanson de Nicole Croisille, « Il était gai comme un Italien quand il sait qu'il aura de l'amour et du vin ». Elle devrait alors s'asseoir. Ces paroles lui couperaient les jambes, la ramèneraient subitement dans le routier du 5 février 1984. Elle se rappellerait des morceaux de conversation entre les frites, les rideaux dégueulasses, la bière, l'enterrement, les roses blanches, les omelettes et le calvados.

— Qu'est-ce que vous aimez par-dessus tout ?

— La neige.

— La neige ?

— Oui, c'est beau. C'est silencieux. Quand il a neigé, le monde s'arrête. C'est comme un grand drap de poudre blanche qui le recouvre… Je trouve ça extraordinaire. C'est comme de la magie, vous comprenez ? Et vous ? Qu'est-ce que vous aimez par-dessus tout ?

— Vous. Enfin, je crois que je vous aime par-dessus tout. C'est étrange de rencontrer la femme de sa vie le jour de l'enterrement de sa femme. Elle est peut-être morte pour que je vous rencontre…

— C'est terrible ce que vous dites.

— Peut-être. Peut-être pas. J'ai toujours aimé la vie. J'aime bouffer, j'aime baiser. Je suis du côté du mouvement, de l'étonnement. Si vous avez envie de partager ma misérable existence pour l'illuminer, vous êtes la bienvenue.

Quand Irène Fayolle penserait à Gabriel Prudent, elle penserait *panache.*

Irène s'est dit qu'elle ne voulait pas vivre au conditionnel mais au présent. Elle a mis son clignotant. Elle a changé de direction. Elle a pris la sortie Luynes, a longé une zone commerciale et s'est mise à rouler très vite en direction d'Aix. Plus vite que les horaires de train.

Quand elle est arrivée devant la gare d'Aix, elle a garé son utilitaire sur une place réservée au personnel. Elle a couru jusqu'au quai. Le train pour Lyon était déjà parti mais Gabriel ne l'avait pas pris. Il fumait dans la brasserie Au départ, comme c'était interdit, la serveuse lui avait dit à deux reprises : « Monsieur, on ne fume pas ici. » Il avait répondu : « Je ne connais pas de *on.* »

Quand il l'a vue, il a souri et lui a dit :

— Je vais vous faire les poches, Irène Fayolle.

37

Je t'aimais, je t'aime et je t'aimerai.

Elvis chante « Don't Be Cruel » à Jeanne Ferney (1968-2017). Je l'entends de loin. Gaston est parti faire des courses. Il est 15 heures, le cimetière est vide, juste la chanson d'Elvis qui remplit les allées : *Don't be cruel to a heart that's true, I don't want no other love, baby, it's just you I'm thinking of…*

Ça lui arrive souvent de se prendre d'amitié pour un défunt fraîchement inhumé, comme s'il se devait de l'accompagner.

Il fait très beau. J'en profite pour planter mes semis de chrysanthèmes. Ils ont cinq mois pour pousser, cinq mois pour être colorés à la Toussaint.

Je ne l'entends pas entrer et refermer la porte derrière lui. Traverser la cuisine, monter jusqu'à ma chambre, s'allonger sur mon lit, redescendre, mettre des coups de pied dans mes poupées, sortir par le jardin derrière la maison, mon jardin privatif, là où je fais pousser les fleurs que je revends chaque jour pour subvenir à nos besoins, parce que lui, jamais il ne nous a protégées.

— *Baby, if I made you mad, for something I might have said, please, let's forget the past…*

Est-ce qu'il savait qu'aujourd'hui Nono ne serait pas là ? Est-ce qu'il savait que cette semaine les frères Lucchini ne viendraient pas ? Que personne n'était mort ? Qu'il serait seul avec moi ?

— *The future looks bright ahead…*

Je n'ai pas le temps de réagir, je me relève, les mains pleines de terre, les semis et l'arrosoir à mes pieds, je me retourne sur son ombre, immense, menaçante… je suis traversée par une épée de glace. Je me fige. Philippe Toussaint est là, son casque de moto sur la tête, la visière relevée, ses yeux dans les miens.

Je me dis qu'il est revenu pour me tuer, m'achever. Je me dis qu'il est revenu. Je me dis que je me suis fait la promesse de ne plus souffrir.

J'ai le temps de me dire tout cela. Je pense à Léo. Je ne veux pas qu'elle voie ça. Aucun son ne sort de ma bouche.

Cauchemar ou réalité ?

— *Don't be cruel to a heart that's true, I don't want no other love, baby, it's just you I'm thinking of…*

Son regard, je ne parviens pas à voir si c'est du mépris, de la peur ou de la haine. Je crois qu'il me jauge comme si j'étais encore moins que moins que rien. Comme si j'avais rapetissé avec le temps.

Comme ses parents me jaugeaient, surtout la mère. J'avais oublié qu'on m'avait regardée ainsi.

Il m'attrape par le bras et le serre très fort. Il me fait mal. Je ne me débats pas. Je ne peux pas crier. Je suis tétanisée. Je ne pensais pas qu'un jour il reposerait les mains sur moi.

— *Don't stop thinking of me, don't make me feel this way, come on over here and love me...*

C'est quand on vit ce que je suis en train de vivre qu'on sait que tout va bien, que rien n'est grave, que l'être humain a une faculté inouïe à se reconstruire, à cautériser, comme s'il avait plusieurs couches de peau les unes sur les autres. Des vies superposées. D'autres vies en magasin. Que le fonds de commerce de l'oubli n'a pas de limites.

— *You know what I want you to say, don't be cruel to a heart that's true...*

Je ferme les yeux. Je ne veux pas le voir. L'entendre sera bien assez. Le respirer est insupportable. Il me serre le bras de plus en plus fort et me glisse à l'oreille :

— J'ai reçu une lettre d'avocat, je te l'ai ramenée... Écoute-moi bien, écoute-moi bien, tu ne m'écris plus JAMAIS à cette adresse, tu entends ? Ni toi ni ton avocat, JAMAIS. Je ne veux plus lire ton nom quelque part, sinon je te... je te...

— *Why should we be apart ? I really love you, baby, cross my heart...*

Il fourre l'enveloppe dans ma poche de tablier et repart aussitôt. Je tombe à genoux. Je l'entends démarrer sa moto. Il est reparti. Il ne reviendra plus. Maintenant, j'en suis sûre, il ne reviendra pas. Il vient de me dire adieu. C'est fini, terminé.

Je consulte la lettre qu'il a froissée, l'avocat dépêché par maître Rouault s'appelle Gilles Legardinier, comme l'écrivain. La lettre informe Philippe Toussaint qu'une requête de divorce par consentement mutuel a été déposée de la part de Violette Trenet épouse Toussaint au greffe du tribunal de grande instance de Mâcon.

Je monte prendre une douche. Je gratte la terre sous mes ongles. Sa haine est passée de lui à moi. Il me l'a refilée comme un virus, une inflammation. Je ramasse mes poupées et mets mon dessus-de-lit dans un sac en plastique pour l'emporter au pressing. Comme si un crime avait eu lieu dans ma maison et que je voulais effacer les preuves.

Le crime, c'est lui. Ses pas dans les miens. Sa présence dans mes pièces. L'air qu'il a respiré et expiré entre mes murs. J'aère tout. Je vaporise une odeur de roses mélangées.

Dans le miroir de la salle de bains, je suis d'une pâleur à faire peur, à la limite de la transparence. On dirait que mon sang ne circule plus. Qu'il s'est concentré sur mon bras qui est bleu. Il a laissé les traces de ses doigts sur ma peau. Voilà ce qu'il me restera de lui : des ecchymoses. Je vais très vite remettre une nouvelle peau là-dessus. Comme je l'ai toujours fait.

Je demande à Elvis de me remplacer pendant une heure. Il me regarde comme s'il ne m'entendait pas.

— Tu m'entends, Elvis ?

— Tu es blanche, Violette. Très blanche.

Je pense à ces jeunes que j'ai effrayés il y a quelques années. Aujourd'hui je n'aurais pas besoin de déguisement pour les faire déguerpir.

38

Le souvenir des jours heureux apaise la douleur.

Alors nous sommes rentrés pour préparer les guirlandes du sapin de Noël en plein mois d'août, découper du papier cartonné. Nous avons tourné le dos à la mer, nous avons refait le chemin à l'envers.

Dans les trains qui nous ont ramenés à notre barrière de Malgrange-sur-Nancy, Léo et moi avons dessiné des bateaux sur une mer avec des feutres turquoise achetés à la gare, des soleils, des poissons et des cigales, tandis que Philippe Toussaint testait son bronzage sur les filles qu'il croisait, sur les quais où l'on s'arrêtait, au wagon-bar, de compartiment en compartiment. Il paraissait comblé par tous les regards qui s'attardaient sur lui.

Quand nous sommes arrivés, nos remplaçants nous attendaient sur le pas de la porte, ils nous ont à peine salués. Ils ne nous ont pas laissé le temps d'ouvrir nos valises. Ils nous ont dit que tout s'était bien passé, qu'il n'y avait rien à signaler et ils nous ont plantés là en laissant un foutoir invraisemblable derrière eux.

Heureusement, ils n'avaient pas mis les pieds dans la chambre de Léo. Elle s'est assise sur son petit lit et a fait deux listes : une pour son anniversaire et une autre pour le Père Noël.

J'ai commencé à ranger tandis que Philippe Toussaint partait faire un tour. Il avait du retard à rattraper. Celui qu'il avait perdu avec moi dans le lit du cabanon.

Le lendemain, j'avais tout nettoyé et la vie a repris son cours. J'ai ouvert et fermé la barrière au rythme des trains, Philippe Toussaint a continué à faire des tours et moi les courses.

Léo et moi avons repris des bains moussants ensemble et regardé nos photos de vacances cent fois. On les a accrochées un peu partout dans la maison. Pour ne pas oublier, pour y retourner de temps en temps, l'espace d'un regard.

En septembre, j'ai repeint ses murs en rose entre deux trains. Elle m'a aidée, elle a voulu faire les plinthes. J'ai dû repasser derrière sans qu'elle s'en aperçoive.

Léo est entrée au CE1 et très vite, on a remis nos gilets de laine.

Nous avons fabriqué nos guirlandes en papier et acheté un sapin de Noël en synthétique, comme ça il ferait tous nos Noëls à venir et ça éviterait d'en tuer un vrai chaque année.

Je me suis dit que c'était la dernière année qu'elle

croyait au Père Noël, l'année prochaine ce serait fichu. Il y aurait un grand pour lui dire qu'il n'existait pas. Toute notre vie, on rencontre des grands qui nous apprennent que le Père Noël n'existe pas, on trébuche sur des déceptions.

J'aurais pu ne pas supporter que Philippe Toussaint coure après tout ce qui portait jupon, mais cela m'arrangeait. Je n'avais plus envie qu'il me touche. J'avais besoin de sommeil. Je dormais peu entre le dernier train du soir et le premier du matin. J'avais besoin de calme. Et son corps sur le mien, c'était un raffut que j'avais aimé mais que je n'aimais plus du tout.

Parfois je rêvais d'un prince quand j'écoutais des chansons à la radio. Des voix d'hommes et de femmes pleines de mots doux, fous, rugueux. Des voix pleines de promesses. Ou quand je racontais des histoires à Léonine le soir. Sa chambre était mon refuge, un paradis terrestre où dormaient, mélangés, enchevêtrés, dans un bordel féerique, les poupées, les ours, les robes, les colliers de perles transparentes, les feutres et les livres.

J'aurais pu ne pas supporter de ne parler à personne à part ma fille et Stéphanie, la caissière du Casino. Stéphanie qui commentait mes achats, toujours les mêmes. Me conseillait un nouveau liquide vaisselle ou me disait : « Tu as vu la pub à la télé ? Tu pulvérises le produit sur la baignoire, tu attends pendant cinq bonnes minutes et toute la crasse s'en va avec un coup de douche. Eh ben ça marche, tu devrais essayer. »

Nous n'avions absolument rien à nous dire. Nous ne serions jamais amies. Nous resterions deux vies qui se frôlaient chaque jour. Parfois, elle passait boire un café chez moi pendant sa pause déjeuner. J'aimais bien quand elle venait, elle était douce. Elle m'offrait des échantillons de shampooing et de crème pour le corps. Elle me disait souvent : « Tu es une bonne mère, ben ça oui, vraiment gentille comme mère. » Et elle repartait avec sa blouse en direction de sa caisse et de ses rayons à remplir.

Chaque semaine, Célia m'écrivait une longue lettre. Je lisais son sourire à travers ses mots. Et quand nous n'avions pas le temps de nous écrire, nous nous téléphonions le samedi soir.

Philippe Toussaint dînait avec moi après que j'avais couché Léo qui s'endormait très tôt. Nous échangions quelques banalités sans jamais nous crier dessus. Nos rapports étaient à la fois cordiaux et inexistants. Nos rapports étaient muets mais jamais violents. Encore que. Les couples qui ne crient pas, ne sont jamais en colère, sont indifférents l'un à l'autre sont parfois dans la plus grande violence qui soit. Pas de vaisselle cassée chez nous. Ni de fenêtre à fermer pour ne pas déranger des voisins. Que du silence.

Après le dîner, quand il ne partait pas faire un tour, il allumait la télévision et moi j'ouvrais *L'Œuvre de Dieu, la part du Diable*. En dix ans de vie commune, Philippe Toussaint n'a jamais vu que je lisais toujours le même roman. Quand je ne lisais pas, nous regardions un film ensemble, mais il était très rare que le programme nous rapproche. Même la télévision, nous ne la partagions pas. Il s'endormait souvent devant.

Moi, j'attendais le dernier train, le Nancy-Strasbourg de 23 h 04, et j'allais me coucher jusqu'au Strasbourg-Nancy de 4 h 50. Quand je relevais la barrière du 4 h 50, j'allais dans la chambre de Léo pour la regarder dormir. C'était ma préférence. Certains s'offrent une vue mer, moi j'avais ma fille.

Pendant ces années, je n'en ai pas voulu à Philippe Toussaint de la solitude dans laquelle il me laissait parce que je ne la ressentais pas, je ne la vivais pas, elle glissait sur moi. Je crois que la solitude et l'ennui touchent le vide des gens. Moi, j'étais repue. J'avais plusieurs vies qui prenaient toute la place : ma fille, la lecture, la musique et l'imaginaire. Quand Léo était à l'école et que mon roman était fermé, jamais je ne faisais la lessive, le ménage, la cuisine sans écouter de la musique en rêvant. Je me suis inventé mille vies pendant cette vie-là, à Malgrange-sur-Nancy.

Léonine, c'était le rabiot du quotidien. Le rab de ma vie. Philippe Toussaint m'avait fait le plus beau des cadeaux. Et, cerise sur le gâteau, il lui avait donné sa beauté. Léo est de toute beauté, comme son père. Avec la grâce et la joie en plus. Elle, qu'elle soit à l'horizontale ou à la verticale, je la bouffais des yeux.

Philippe Toussaint avait le même rapport avec sa fille qu'avec moi. Je ne l'ai jamais entendu lever la voix sur elle. Mais Léo ne l'intéressait pas longtemps. Elle l'amusait cinq minutes, mais très vite, il passait à autre chose. Quand elle lui posait une question, c'est moi qui lui répondais. Je terminais les phrases que son père ne prenait pas le temps de finir. Il n'avait pas un rapport de père avec elle mais de copain. La seule chose qu'il aimait partager avec son enfant, c'était sa moto. Il la mettait à l'arrière de l'engin et faisait le tour du pâté de maisons tout doucement pour l'amuser dix minutes. Et puis dès qu'il accélérait un peu, elle avait peur, elle criait.

Il aurait peut-être trouvé le mode d'emploi plus facilement avec un garçon. Pour Philippe Toussaint, une gonzesse était une gonzesse. Qu'elle ait six ou trente ans. Et ça ne serait jamais mieux qu'un mec, un vrai. Un qui joue au foot et au camion supersonique. Un qui ne pleure pas quand il se ramasse, qui se salit les genoux et qui sait manier les manettes et les volants. Tout le contraire de Léonine, qui était une fillette rose bonbon à paillettes.

Elle était inscrite à la bibliothèque de Malgrange-sur-Nancy. C'était une salle attenante à la mairie qui ouvrait deux fois par semaine dont le mercredi après-midi. Chaque mercredi, entre le train de 13 h 27 et celui de 16 h 05, nous filions toutes les deux main dans la main faire le plein de la semaine pour Léo, et rendre les livres empruntés de la semaine précédente. En revenant de la bibliothèque, nous nous arrêtions au Casino où Stéphanie offrait une sucette à Léo tandis que nous achetions un Savane de Papy Brossard. Moi, je le trempais dans mon thé et elle dans une tisane à la fleur d'oranger, après que j'avais relevé la barrière du 16 h 05.

Dès qu'elle a eu trois ans, à chaque train qui s'annonçait, Léo sortait sur le palier pour saluer les passagers des trains qui passaient devant notre maison. Elle leur faisait un signe de la main. C'était devenu son jeu préféré. Et certains usagers attendaient ce moment. Ils savaient qu'ils verraient « la petite ».

Malgrange-sur-Nancy n'était qu'une barrière, les trains passaient sans s'arrêter, il fallait faire sept kilomètres pour rejoindre la première gare, celle de Brangy. Plusieurs fois, Stéphanie nous y a emmenées en voiture pour que nous fassions un aller-retour Brangy-Nancy toutes les deux. Léo voulait monter dans le train qu'elle voyait passer chaque jour, elle voulait monter dans ce manège-là.

La première fois que nous avons fait ce drôle de voyage pour rien, elle a poussé des cris de joie que je n'oublierai jamais. Encore aujourd'hui, il m'arrive d'en rêver. Elle aurait été moins heureuse de découvrir un parc d'attractions. Bien sûr, nous avons emprunté la ligne qui passait devant chez nous, où son père l'attendait depuis le perron de notre maison pour lui faire un signe. C'est drôle comme les enfants peuvent être heureux quand on inverse les rôles.

Nous avons fêté Noël 1992 tous les trois. Comme chaque année, Philippe Toussaint m'a donné un chèque pour que je m'achète « ce que tu veux mais quand même pas un truc cher ». Moi, je lui ai offert son parfum « Pour un homme » de Caron et de jolis vêtements.

Parfois, j'avais le sentiment de le parfumer et de l'habiller pour les autres, pour qu'il continue à plaire ailleurs. Et surtout qu'il continue à se plaire à lui. Parce que tant qu'il se plaisait, tant qu'il se contemplait dans les miroirs ou dans le regard des autres femmes, il ne faisait pas attention à moi. Et je voulais qu'il ne fasse pas attention à moi. On ne quitte pas une femme qu'on ne voit plus, qui ne fait pas de scènes, qui ne fait pas de bruit, qui ne claque pas les portes, c'est bien trop pratique.

Pour Philippe Toussaint, j'étais une femme idéale, celle qui ne dérange pas. Il ne m'aurait pas quittée par passion. Il n'était pas amoureux de ses conquêtes, je le sentais. Il avait leur odeur sur le bout des doigts, mais pas leur amour.

Je crois que j'ai toujours eu ce réflexe, celui de ne pas déranger. Enfant, dans mes familles d'accueil, je me disais : *Ne fais pas de bruit, comme ça cette fois tu resteras, ils te garderont.* Je savais bien que l'amour était passé chez nous il y a longtemps et qu'il était parti ailleurs, entre d'autres murs qui ne seraient plus jamais les nôtres. Le cabanon avait été une parenthèse de nos deux corps salés. Je m'occupais de Philippe Toussaint comme on s'occupe d'un colocataire qu'il faut choyer, par peur qu'un jour il disparaisse en emportant Léo.

Pour Noël, Léonine a eu tout ce qu'elle avait noté sur sa liste. Des livres rien qu'à *elle*, dont *Chien bleu* de Nadja. Une robe de princesse, des cassettes vidéo, une poupée aux cheveux roux et un nouveau kit de magicienne. Encore plus performant que celui de son Noël précédent. Avec deux nouvelles baguettes, des cartes à jouer magiques et des cartes mystiques. Léo a toujours adoré faire des tours de magie. Déjà toute petite, elle voulait devenir magicienne. Elle voulait tout faire disparaître dans des chapeaux.

Le lendemain, comme c'était un jour férié, il y a eu moins de trains. Juste un sur quatre. J'ai pu me reposer, jouer avec elle, elle a fait disparaître ses mains derrière des foulards multicolores.

Le soir, j'ai fait sa valise. Le 26 décembre au matin, comme les années précédentes, les parents de Philippe Toussaint sont venus chercher ma fille pour l'emmener une semaine dans les Alpes. Ils ne sont pas restés longtemps mais la mère et le fils ont eu le temps de s'enfermer dans la cuisine pour parler ensemble à voix basse. Elle a dû lui donner un chèque pour ses étrennes, et moi, comme chaque année, j'ai eu droit à des chocolats noirs avec une cerise à l'alcool à l'intérieur. Pas des Mon Chéri, une sous-marque dans un paquet rose qui s'appelait Mon Trésor.

Cette fois c'est moi qui suis sortie sur le perron pour faire des signes à Léo quand la voiture du père et de la mère Toussaint a démarré. Elle avait le sourire aux lèvres et son kit de magicienne sur les genoux. Elle a baissé la vitre et on s'est dit : « À dans une semaine. » Elle m'a envoyé des baisers. Je les ai gardés.

À chaque fois que je voyais leur grosse voiture emporter ma toute petite fille, j'avais peur qu'ils ne me la ramènent pas. J'essayais de ne pas y penser mais mon corps y pensait pour moi, je tombais malade, j'étais fébrile.

Comme à chaque fois que Léo partait, j'ai passé la semaine à ranger sa chambre. Être au milieu de ses poupées et de ses murs roses m'apaisait.

Le 31 décembre, Philippe Toussaint et moi avons réveillonné devant la télévision. Nous avons mangé tout ce qu'il adorait. Comme chaque année, Stéphanie nous avait offert des paniers garnis invendus. « Violette, il faut que tu les manges avant demain parce qu'après ce sera foutu, hein. »

Léonine nous a appelés le 1er janvier au matin.

— Bonne année, maman. Bonne année, papa. Bonne année, papa, maman. Je vais passer ma première étoile !

Elle est revenue le 3 janvier avec une mine resplendissante. Ma fièvre est tombée. Les parents

Toussaint sont restés une heure. Léo avait accroché sa première étoile sur son pull-over.

— Maman, j'ai eu ma première étoile !

— Bravo, mon amour.

— Je sais faire du slalom.

— Bravo, ma chérie.

— Maman, je peux aller en vacances avec Anaïs ?

— Qui est Anaïs ?

39

L'essentiel est invisible pour les yeux.

— Personne ne meurt en ce moment.

Le père Cédric, Nono, Elvis, Gaston, Pierre, Paul et Jacques sont en grande conversation dans ma cuisine. Les frères Lucchini tournent en rond, cela fait plus d'un mois que personne n'est entré dans leur magasin. Tous les hommes boivent un café autour de ma table. Je leur ai fait un marbré au chocolat qu'ils se partagent en papotant comme des fillettes autour d'un gâteau d'anniversaire.

Je finis de planter les semis de mes chrysanthèmes dans mon jardin. Les portes sont ouvertes. Leurs voix portent jusqu'à moi.

— C'est parce qu'il fait beau. On meurt moins quand il fait beau.

— J'ai la réunion parents-profs ce soir. J'ai horreur de ça. Toute façon, ils vont tous me dire que mon gosse y fout rien. Qu'y pense qu'à faire le con.

— Notre fonds de commerce, c'est l'humain. On

rencontre des vivants qui sont perdus, qui accordent une importance capitale à la cérémonie pour qu'elle se passe bien parce que ça va leur permettre de faire leur deuil, donc c'est un vrai métier de service, on n'a pas le droit à l'erreur.

— J'ai baptisé deux enfants dimanche dernier, des jumeaux, c'était très émouvant.

— Ce qui différencie notre métier de tous les autres, c'est qu'on est dans l'affectif et pas dans le rationnel.

— Ah, on a rigolé des sacrés coups !

— C'est-à-dire ?

— Qu'on n'a pas droit à l'erreur. Pour chaque famille, il va y avoir un point très important. Ce qui convient à une famille ne conviendra pas forcément à une autre. Tout est dans le détail. Par exemple, pour mon dernier défunt, il n'y avait qu'une seule chose qui importait, c'était que la montre soit au poignet droit.

— J'ai vu un beau film hier soir à la télé, avec l'acteur, là, celui qui est un peu blond, j'ai son nom au bout de la langue…

— On n'a pas droit non plus aux fautes d'orthographe dans les avis de décès, y aura toujours quelqu'un pour s'appeler Kristof avec un K ou Chrystine avec un Y.

— À quelle heure que ça ferme Bricomarché ? Faut que j'aille chercher une pièce pour la tondeuse.

— Et puis tout est question de relation au

défunt. Entre le mari et la femme, les enfants et les parents, bref, c'est qu'une histoire d'humain.

— Dis donc, j'ai croisé la petite dame, comment qu'elle s'appelle… Mme Degrange, son mari travaillait chez Toutagri.

— Gaston, fais gaffe, tu mets du café partout.

— Et puis on doit gérer les questions religieuses et tout l'aspect émotionnel.

— Y a le coiffeur aussi, le Jeannot, il m'a dit qu'il avait eu des soucis de santé avec sa femme.

— Paradoxalement très peu de gens pleurent quand ils poussent notre porte, ils pensent cercueil, église, cimetière.

— Et toi, ma vieille Éliane, qu'est-ce que t'en dis ? Tu veux un bout de gâteau ou une caresse ?

— Et quand on leur parle de choix de musique, de textes, de ce qu'on peut faire, d'hommage, de mémoire, parce qu'il y a plein de choses qu'on peut faire, ils nous laissent quand même un gros champ de liberté.

— Ça fait un moment qu'on n'a pas vu le commissaire de Violette.

— Moi, ça me fait toujours bizarre qu'on vienne me remercier pour me dire : « C'était très beau. » On parle quand même d'un enterrement.

— Moi, je dis que le poulet lui court après, t'as vu comment il la regarde notre Violette ?

— Ça fait cinq mille ans qu'on enterre des gens mais le marché est tout récent. Nous, on dépoussière le métier.

— Hier soir, Odile nous a fait un poulet au caramel.

— Nos rites funéraires ont changé, avant on allait systématiquement fleurir les tombes à la Toussaint, mais maintenant les gens ne vivent plus où vivent leurs parents et leurs grands-parents.

— Je me demande bien qui c'est qu'on va avoir comme prochain président… Tant que c'est pas la blonde.

— Maintenant la gestion de la mémoire est différente : on brûle les morts. Les habitudes changent, les coûts financiers aussi, on organise soi-même ses obsèques.

— C'est tout du pareil au même. Gauche, droite, ils pensent qu'à s'en mettre plein les fouilles… Ce qui compte, c'est ce qui nous reste à la fin du mois dans le porte-monnaie, et ça, ça changera jamais pour nous autres.

— Tu te rends compte qu'en 2040 vingt-cinq pour cent des Français prévoiront leurs obsèques ?

— Je ne suis pas d'accord, n'oubliez jamais que ce sont eux qui votent les lois.

— Mais ça, ça dépend des familles, il y a des familles où l'on ne parle pas de la mort. C'est comme le cul, c'est tabou.

— Mais pour toi, monsieur le curé, ça revient au même.

— On est les représentants de la mort sur terre. Donc pour les gens, on est forcément tristes.

— Une bonne salade de chèvre chaud avec des pignons et un peu de miel.

— On dit « chambre funéraire » si c'est privé et « chambre mortuaire » si c'est public.

— Moi ça y est, j'ai ressorti le barbecue.

— Toilette, habillage, soins de conservation complets. La loi ne l'oblige pas encore, mais ça ne devrait pas tarder pour des questions d'hygiène.

— Y vont ouvrir un nouveau magasin à la place de chez Carnat. Une boulangerie je crois bien.

— Projet de loi : plus le droit de garder les défunts à domicile.

— Y a tous les fusibles qu'ont sauté hier soir, je crois que c'est la machine à laver qui déconne et qui fait des courts-circuits.

— Moi je dis qu'il y a un lieu pour les vivants et un pour les morts. Quand tu gardes un mort à la maison, le risque c'est de pas réussir à faire son deuil.

— Qu'est-ce qu'elle est bien foutue, je l'aurais dans mon lit, j'irais pas coucher dans la baignoire.

— Pour moi, il n'y a qu'une règle : suivre son cœur.

— Tu pars un peu en vacances cet été ?

— Quand je me suis installé, je me suis dit : *Je ne vais pas faire de cercueils chers pour les crémations* – c'est une erreur de débutant. Mon père m'a dit : « Pourquoi, tu crois que trois mètres sous terre, ça a plus d'intérêt ? Une famille qui veut mettre une fortune dans un cercueil qui part au feu, bien sûr que c'est irrationnel, mais tu ne peux pas leur interdire de choisir un cercueil hors de prix. Tu ne connais pas la vie des gens, c'est pas à toi de décider. »

— Moi, je dis que la retraite, c'est le début de la fin.

— Avec le temps, à force de rencontrer des familles, je me rends compte que notre père avait raison… Il y a beaucoup de gens qui veulent mettre des sommes astronomiques dans le cercueil, pour quelles raisons ? Je ne sais pas…

— On part en Bretagne chez le beau-frère.

— C'est les gars de la ville qu'organisent ça, ce sera début juillet. Moi, j'aime bien pêcher, j'emmerde personne, à part les poissons, et encore, je les rejette dans la rivière.

— On a six jours pour enterrer quelqu'un, c'est la loi.

— Il donne des cours de piano. Ça doit faire trois ans qu'il est là. C'est un grand qu'est toujours un peu habillé comme s'il passait à la télé.

— On n'a pas le droit de séparer des cendres parce que c'est un corps au sens de la loi.

— Un peu d'oignon et tu fais revenir tes champignons dans la crème, c'est délicieux.

— La dispersion des cendres dans la mer, on ne voit ça qu'au cinéma, le bateau bouge, il y a du vent, et les cendres remontent à la surface. La vérité, c'est qu'on doit jeter les cendres dans une urne biodégradable à un kilomètre des côtes.

— T'as encore combien de gamins qui viennent

au catéchisme, monsieur le curé ? Ça doit pas peser bien lourd.

— Avec les contrats obsèques, les gens ne veulent plus dépenser des milliers d'euros dans un caveau de famille alors que les enfants vivent à Lyon ou à Marseille. Plein de gens nous disent : « On n'était pas pour la crémation mais après réflexion, on préfère que nos enfants profitent de l'argent de notre vivant. » Je leur dis qu'ils ont parfaitement raison.

— J'ai trois mariages programmés en juillet et deux en août.

— C'est quand même bizarre d'organiser son propre enterrement. De voir son nom sur un monument sans être encore dans la boîte.

— Moi, j'ai dit au maire que pour les voies de circulation à ce niveau-là, on devrait faire quelque chose. Y a un jour qui ne ressemblera pas à un autre.

— Les gens qui préparent leur enterrement, ils ne sont pas dans la douleur, y a pas la brutalité du départ. Du coup ils dépensent deux fois moins d'argent.

— C'est le vétérinaire qui va être content !

— Dans le funéraire il est interdit d'interdire. Mais je déconseille aux familles d'assister aux exhumations.

— Vous avez vu ? Le deuxième but, un chef-d'œuvre… En pleine lucarne.

— Il faut garder une belle image de quelqu'un

qu'on aimait. C'est déjà dur de perdre un proche, de l'enterrer… Heureusement la thanatopraxie a bien évolué, neuf fois sur dix les résultats sont vraiment très beaux, on a l'impression que la personne dort. Je maquille un peu, je redonne à la peau un aspect naturel, j'habille et je parfume avec le parfum habituel du défunt que je demande à la famille.

— Je sais pas, faut voir, le joint de culasse peut-être. Si c'est ça, ça va coûter bonbon.

— C'est grave, mais c'est pas très, très grave parce que grave je sais ce que c'est maintenant. Y a deux semaines, j'ai arraché l'aile du corbillard, j'ai cassé mon portable, j'ai eu des infiltrations d'eau à la maison, c'est chiant, mais c'est pas grave.

— L'autre jour, l'Elvis il pousse la porte du local technique, il tombe nez à nez avec le chef, le Darmonville, qui se tapait la mère Rémy. Pardon, monsieur le curé. L'Elvis a fait demi tour en courant.

— Dire aux gens qu'on les aime, profiter d'eux pendant qu'ils sont vivants. J'ai peut-être plus de joie de vivre qu'avant. Un recul sur les choses.

— *Love me tender…*

— Je dis pas qu'il faut devenir un animal à sang froid. Je comprends la douleur, mais je ne suis pas en deuil. Je ne connais pas les défunts.

— C'est plus dur quand on a des souvenirs du défunt. Quand on l'a connu personnellement.

40

Ma grand-mère m'a appris très tôt comment cueillir les étoiles : la nuit il suffit de poser une bassine d'eau au milieu de la cour pour les avoir à ses pieds.

Je suis allée chez maître Rouault pour lui demander de tout arrêter. Je lui ai dit qu'il avait sans doute raison, que Philippe Toussaint avait disparu, qu'on allait en rester là. Que je ne voulais plus remuer le passé.

Maître Rouault ne m'a pas posé de questions. Il a appelé maître Legardinier devant moi pour lui dire d'arrêter la procédure. De ne pas donner suite à ma requête. Qu'aujourd'hui je m'appelle Trenet ou Toussaint ça n'a pas d'importance. Les gens m'appellent Violette ou « mademoiselle Violette ». Le mot « mademoiselle » a peut-être été rayé de la langue française mais pas de mon cimetière.

En rentrant, je suis passée par la tombe de Gabriel Prudent. Un de mes pins faisait de l'ombre à l'urne d'Irène Fayolle. Éliane m'a rejointe, elle a grogné quelque chose puis s'est assise à mes pieds. Puis sont arrivés de je ne sais où Moody Blue et Florence qui se sont frottés contre moi avant de s'allonger de tout leur long sur la pierre tombale. Je me suis baissée pour les caresser. Leur ventre et le marbre étaient chauds.

Je me suis demandé si Gabriel et Irène se servaient des chats pour me faire un signe. Comme quand Léo sortait sur le perron pour saluer les passagers dans les trains. Je les ai imaginés tous les deux, quand Irène avait rejoint Gabriel en gare d'Aix. Je me suis demandé pourquoi elle n'avait pas quitté Paul Seul, pourquoi elle était retournée chez elle. Et ce que signifiaient ses dernières volontés, celles de reposer près de cet homme. S'imaginait-elle qu'ils n'auraient pas la vie mais l'éternité ? Julien Seul reviendrait-il pour me raconter la suite de cette histoire ? Ces pensées m'ont ramenée à Sasha, vers Sasha.

Nono est arrivé à ma hauteur.

— Tu rêves, Violette ?

— Si on veut…

— Ça y est, il y a un client chez les frères Lucchini.

— Qui ?

— Un accidenté de la route… en mauvais état, il paraît.

— C'est qui ? Tu le connaissais ?

— Personne sait qui c'est. Il n'avait pas de papiers sur lui.

— C'est bizarre.

— C'est les gars de la ville qui l'ont trouvé dans un fossé, apparemment il était là depuis trois jours.

— Trois jours ?

— Oui, un motard.

Dans la chambre funéraire, Pierre et Paul Lucchini m'expliquent qu'ils attendent la réquisition de police. Dans quelques heures, le corps du motard va partir à Mâcon. Le médecin légiste a mis un obstacle médico-légal pour qu'une autopsie soit réalisée.

Comme dans une mauvaise série, sous une mauvaise lumière, avec de mauvais acteurs, Paul me présente le corps de l'accidenté. Juste le corps, pas le visage. « Il n'y a plus de visage », dit Paul. Il dit aussi qu'il n'a pas le droit de me présenter le défunt.

— Mais pour toi, Violette, c'est pas pareil. On ne dira rien. Tu penses le connaître ?

— Non.

— Pourquoi tu veux le voir alors ?

— Pour en avoir le cœur net. Il ne portait pas de casque ?

— Si, mais il ne l'avait pas attaché.

L'homme est nu. Paul a posé un linge sur son sexe et sur sa tête. Le corps est couvert d'ecchymoses. C'est la première fois que je vois un mort.

D'habitude, quand j'ai affaire à eux, ils sont déjà « dans la boîte », comme dit Nono. Je me sens mal, mes jambes me lâchent, un voile noir passe devant mes yeux.

41

La terre te cache, mais mon cœur te voit toujours.

Le 3 janvier 1993, avant de repartir, la mère Toussaint m'a donné une brochure. Anaïs c'était l'amie de Catherine (ma belle-mère n'a jamais appelé Léonine par son prénom), c'était la fille de « gens très bien » avec lesquels ils avaient sympathisé durant leur séjour dans les Alpes. Le père était médecin, la mère radiologue. Quand la mère Toussaint prononçait les mots « médecin » ou « avocat », elle exultait. Comme moi quand je me baignais dans la Méditerranée avec un masque de plongée. C'était son panthéon du bonheur, de « fréquenter » des médecins et des avocats.

Anaïs faisait partie du groupe de ski de Léo. Elles avaient passé leur première étoile ensemble. La famille d'Anaïs habitait à Maxeville près de Nancy, un hasard heureux.

Chaque année, la petite Anaïs partait en vacances à La Clayette en Saône-et-Loire et ce serait bien que Léonine parte avec elle en juillet, les parents d'Anaïs s'étaient même proposés pour prendre Léonine au passage, et la mère Toussaint avait dit oui, sans nous consulter, parce que « la pauvre petite Catherine, passer tout un mois coincée le long d'une ligne de chemin de fer... » La mère Toussaint parlait toujours de Léo comme si elle en avait pitié. Comme s'il fallait qu'elle prenne les choses en main pour la sortir du grand malheur d'être ma fille.

Je n'ai pas répondu que la « pauvre petite » n'était pas malheureuse le long de la ligne de chemin de fer, quelle que soit la saison. Qu'entre chaque train on faisait beaucoup de choses l'été, qu'on gonflait une piscine dans le jardin, bien sûr elle était petite notre piscine, mais on s'y baignait quand même, et on s'y amusait vraiment. On riait dans notre piscine en plastique. Mais rire ne faisait pas partie du vocabulaire des parents de Philippe Toussaint.

J'ai seulement dit qu'en août on retournait à Sormiou, et que pourquoi pas en juillet, si ça faisait plaisir à Léo, elle pourrait partir avec une camarade.

Après le départ des parents Toussaint, j'ai ouvert la brochure de la colonie de vacances Notre-Dame-des-Prés à La Clayette. « Seul notre sérieux ne prend jamais de vacances. » Sous le slogan, il y avait les conditions générales d'inscription et sur les photos du ciel bleu. La pluie avait dû être proscrite par la personne qui avait rédigé le dépliant publicitaire. On y voyait la photo d'un très beau château et d'un grand lac en première page. À la page suivante, un réfectoire où des enfants d'une dizaine d'années mangeaient, un atelier où les mêmes enfants peignaient, la plage du lac où les mêmes enfants se baignaient, et enfin on y voyait, sur la plus grande des images, des prairies magnifiques où les mêmes enfants étaient sur des poneys.

Pourquoi est-ce que le rêve de toutes les petites filles est de monter sur un poney ?

Moi, je me méfiais des poneys depuis que j'avais vu le film *Autant en emporte le vent.* J'avais plus peur que Léo monte sur un poney qu'à l'arrière de la moto de Philippe Toussaint.

La mère Toussaint avait bourré le crâne de Léo : « Cet été, tu vas partir faire du poney à la campagne avec Anaïs. » La phrase magique, la phrase qui fait rêver toutes les petites filles de sept ans.

Les mois et les trains sont passés. Léonine a appris à faire la différence entre un conte, un journal, un dictionnaire, un poème et une rédaction. Elle a résolu des problèmes : « J'ai trente francs pour Noël, j'achète un pull à dix francs, un gâteau à deux francs, puis maman me donne cinq francs d'argent de poche, combien me reste-t-il à Pâques ? » Elle a étudié la France, sa situation sur une carte, ses grandes villes, sa place dans l'Europe, dans le monde. Elle a fait un point rouge sur Marseille. Elle a fait des tours de magie. Elle a tout fait disparaître, sauf le bordel dans sa chambre.

Puis, sur son carnet de notes, elle m'a montré, fièrement : « Passage en CE2 ».

Le 13 juillet 1993, les parents d'Anaïs sont venus chez nous pour emmener ma fille.

Ils étaient charmants. Ils ressemblaient à la brochure de la colonie de vacances. Il n'y avait que du ciel bleu dans leur regard. Léo s'est jetée dans les bras d'Anaïs. Les petites n'arrêtaient pas de rire. Même que je me suis dit : *Avec moi, Léo ne rit pas autant.*

— Je suis fatiguée, je voudrais me reposer…

Julien Seul est face à moi. Il a mauvaise mine. C'est peut-être la lumière blafarde des murs de la chambre d'hôpital. C'est Nono qui l'a appelé après que les pompiers m'ont ramassée par terre chez les frères Lucchini. Nono pense que nous sommes amants, que Julien Seul va prendre soin de moi. Nono se trompe, personne ne prendra soin de moi à part moi.

La seule chose que je suis capable de dire au commissaire qui semble inquiet pour moi c'est : « Je suis fatiguée, je voudrais me reposer. »

Si Irène Fayolle n'avait pas fait demi-tour entre Aix et Marseille pour retrouver Gabriel Prudent à la gare, Julien Seul ne serait jamais venu dans mon cimetière. Si Julien Seul n'avait pas vu ma robe rouge dépasser sous mon manteau le matin où je l'ai guidé jusqu'à la tombe de Gabriel Prudent, il ne se serait jamais mêlé de ma vie. Si Julien Seul ne s'était pas mêlé de ma vie, il n'aurait pas retrouvé Philippe Toussaint. Et si Philippe Toussaint n'avait pas reçu ma demande de divorce, il ne serait jamais revenu à Brancion. À quoi ça tient.

Je n'ai dit à personne que Philippe Toussaint était venu chez moi la semaine dernière, pas même à Nono.

La première chose que Julien Seul a vue en entrant dans ma chambre d'hôpital, ce sont mes bras. C'est un véritable chien de chasse. Il n'a rien dit, mais j'ai senti son regard insistant sur mes bleus.

Mais il y a plus fou : en ressortant de chez moi, Philippe Toussaint s'est tué exactement au même endroit que Reine Ducha (1961-1982), la jeune femme qui est morte accidentellement à trois cents mètres du cimetière et que certains disent voir apparaître au bord de la route les nuits d'été.

Philippe Toussaint fait-il partie de ceux qui l'ont vue ? Pourquoi n'avait-il pas attaché son casque alors qu'il ne l'avait pas enlevé pour entrer et ressortir de chez moi ? Pourquoi n'avait-il pas de papiers d'identité ?

Julien Seul se lève en me disant qu'il reviendra plus tard. Avant de quitter ma chambre, il me demande si j'ai besoin de quelque chose. Je fais non de la tête et je ferme les yeux. Et je me remémore, pour la millième fois, peut-être plus, peut-être moins.

Les parents d'Anaïs ne sont pas repartis tout de

suite. Ils ont voulu « faire connaissance ». Laisser du temps aux filles pour se retrouver. Nous sommes allés chez Gino, la pizzeria tenue par les Alsaciens qui n'ont jamais mis les pieds en Italie. Philippe Toussaint est resté à la maison pour gérer la barrière et les « trains de midi » : 12 h 14, 13 h 08 et 14 h 06. Ça l'arrangeait. Il détestait faire la conversation avec des inconnus, et pour lui, parler de vacances, d'enfants et de poneys, c'étaient des trucs de gonzesse.

Les filles ont mangé une pizza avec un œuf au plat posé dessus, en parlant de poneys, de maillots de bain, du CE2, de première étoile, de tours de magie et de crème solaire.

Les parents d'Anaïs, Armelle et Jean-Louis Caussin, ont pris le plat du jour. Je les ai imités en pensant que c'était moi qui devais régler l'addition. Que c'était la moindre des choses puisqu'ils offraient le voyage à Léonine. Comme je venais de finir de payer le séjour à la colonie, j'allais peut-être me retrouver à découvert.

J'ai pensé à ça pendant tout le repas, entre chaque bouchée, je me demandais comment j'allais gérer ce découvert à la banque, je n'avais pas d'autorisation. Je calculais mentalement : *Trois plats du jour plus deux menus enfant plus cinq boissons.* Je me souviens de m'être dit : *Heureusement qu'ils prennent la route, il n'y aura pas de vin à table.* Philippe Toussaint ne me donnait toujours rien. On vivait tous les trois sur mon salaire. J'étais au centime près.

Je me souviens aussi qu'ils m'ont dit : « Vous êtes

si jeune, à quel âge avez-vous eu Catherine ? » Ils ne savaient pas que Léonine s'appelait Léonine. Et je me souviens de Léo qui trempait sa pâte à pizza dans le jaune d'œuf. Elle disait : « Je te crève les œufs. » Et elle riait.

Et je me rappelle m'être dit : *Ça y est, elle est grande, elle a une véritable amie. Moi, ma première amie, il a fallu une grève de trains pour que je la rencontre à vingt-quatre ans.*

Je disais : « Oui… non… oh… ah… d'accord… c'est formidable » en fixant de temps en temps les beaux yeux bleus des Caussin, mais je ne les écoutais pas. J'avais du mal à lâcher Léo du regard. Et je comptais : *Trois plats du jour plus deux menus enfant plus cinq boissons.*

Léo ponctuait ses phrases de rires. Elle venait de perdre deux dents. Son sourire était comme un piano abandonné dans un grenier. Je lui avais fait deux nattes, ce serait plus pratique pour voyager.

Avant de quitter le restaurant, elle a fait disparaître les serviettes en papier. J'aurais adoré qu'elle fasse disparaître l'addition. J'ai payé par chèque en tremblant. En pensant que s'il était sans provision, je mourrais de honte. C'est drôle, j'imagine que tout Malgrange savait que mon mari me trompait, mais le regard des autres dans la Grand-Rue ne me troublait pas. En revanche, si *on* avait su que je faisais des chèques sans provision, je ne serais plus sortie.

Nous sommes repartis vers la barrière. Léo est montée dans la voiture des Caussin, à l'arrière, à côté d'Anaïs. Elle a failli oublier son doudou, elle l'avait caché dans mon sac à main pour qu'Anaïs ne sache pas qu'elle en aurait besoin pour le voyage. Je lui ai fait prendre de la Cocculine parce qu'elle était malade en voiture et qu'il y avait trois cent quarante-huit kilomètres à faire. J'ai glissé le tube dans sa poche pour le retour.

Ils arriveraient en fin d'après-midi, ils m'appelleraient aussitôt.

Dans l'après-midi, en rangeant les affaires de Léo, j'ai retrouvé la liste que j'avais faite quinze jours plus tôt pour ne rien oublier en faisant sa valise.

Argent de poche, 2 maillots de bain, 7 maillots de corps, 7 culottes, sandales, baskets (bottes équitation fournies), crème solaire, chapeau, lunettes soleil, 3 robes, 2 salopettes, 2 shorts, 3 pantalons, 5 tee-shirts (draps et serviettes fournis), 2 draps de bain, 3 bandes dessinées, shampooing doux + antipoux, brosse à dents, dentifrice fraise, 1 pull chaud et 1 gilet pour le soir + Kway + 1 stylo et cahier de brouillon.

Appareil photo jetable + kit de magicienne. Doudou.

Vers 21 heures, Léo m'a téléphoné, surexcitée, tout était TROP bien. En arrivant à la colo, elle avait vu les poneys trop mignons, elle leur avait donné du pain et des carottes, trop bien, il faisait trop beau, les chambres étaient trop belles, il y avait deux lits superposés par chambre, Anaïs dormirait dans le lit du bas, et elle dans celui du haut. Après manger, elle avait fait des tours de magie, ils avaient trop rigolé. Les monitrices étaient trop gentilles, il y en avait une qui me ressemblait trop. Non je ne pouvais pas lui passer papa, il était parti faire un tour. « Je t'aime, maman, bisous. Bisous à papa. »

Après avoir raccroché, je suis sortie dans mon petit bout de jardin. J'ai vu une Barbie nager sur le dos à l'intérieur de la piscine en plastique. L'eau avait verdi. Je l'ai vidée. L'eau a coulé le long des rosiers. Je la remplirais à nouveau la semaine suivante, quand Léo rentrerait.

42

L'amour, c'est quand on rencontre
quelqu'un qui vous donne de vos nouvelles.

Julien Seul est venu me chercher à l'hôpital. Nous avons roulé en silence. Il a repris la route pour Marseille tout de suite après m'avoir déposée devant chez moi. Le commissaire Seul m'a dit qu'il reviendrait vite. Il a pris ma main droite et a déposé un baiser dessus. C'était le deuxième depuis que nous nous connaissions.

Je suis rentrée dans mon cimetière avec une ordonnance de fortifiants et de vitamine D. Et des résultats d'examens qui étaient bons. Éliane m'attendait sur le perron. À la maison, Elvis, Gaston et Nono m'attendaient aussi. La femme de Gaston m'avait préparé un plat à faire réchauffer. Ils se sont gentiment moqués de moi parce que j'étais tombée dans les vapes en voyant un mort et que « pour une gardienne de cimetière, ça, c'est un comble ! ».

J'ai demandé des nouvelles du mort comme on demande des nouvelles d'un collègue parti en retraite. Le corps de l'« inconnu à la moto » avait été emmené à Mâcon. Personne ne savait de qui il s'agissait. Sa moto n'était pas immatriculée et c'était un modèle courant dont le numéro de série avait été effacé. Sans doute une moto volée. La police avait lancé un avis de recherche.

Nono m'a montré l'article dans le *Journal de Saône-et-Loire* titré : « Virage maudit ».

On parle d'un tragique accident à l'endroit où Reine Ducha a trouvé la mort en 1982. Le motard n'avait pas attaché son casque et roulait à vive allure. Il a été défiguré. C'est ce qui ne permet pas de faire de photographie pour l'identification mais un portrait-robot.

Je regarde le portrait-robot qui a été crayonné. Philippe Toussaint est méconnaissable. En légende, on peut lire : « Homme d'environ cinquante-cinq ans, peau claire, cheveux châtains, yeux bleus, 1,88 mètre, sans tatouage ni signe distinctif. Pas de bijou. Tee-shirt blanc. Jean de marque Levi's. Bottes noires et blouson en cuir noir de marque Furygan. Pour tout renseignement, se présenter au commissariat le plus proche ou composer le 17 (police secours et gendarmerie). »

Qui va le rechercher ? Françoise Pelletier, j'imagine. Avait-il des amis à part elle ? Quand nous vivions ensemble, il avait des maîtresses mais pas d'amis. Deux ou trois copains motards à Charleville et à Malgrange. Et ses parents. Mais ses parents sont morts à présent.

Je ne m'attarde pas sur les pages du journal. Je monte dans ma chambre pour me doucher et me changer. En ouvrant ma penderie été et hiver, je me demande si je mets ma robe rose sous mon imperméable, ou si j'enfile une robe noire. Je suis veuve et personne ne le sait.

Je l'ai reconnu dans la chambre mortuaire. J'ai reconnu son corps. Je crois qu'après l'effroi, c'est à cause du dégoût que je suis tombée par terre. Du dégoût de lui. La haine, quand il est venu me terroriser dans mon jardin, la haine de lui, il me l'a passée par mon bras qu'il a serré trop fort. Tellement fort que j'ai encore des marques.

J'ai toujours porté des couleurs sous mes vêtements sombres pour faire la nique à la mort. Comme les femmes qui se maquillent sous leur burqa. Aujourd'hui, j'ai envie de faire le contraire. J'ai envie d'enfiler une robe noire et de mettre un manteau rose par-dessus. Mais je ne le ferai jamais par respect pour les autres, pour ceux qui restent et qui arpentent les allées de mon cimetière. Et puis je n'ai jamais eu de manteau rose.

Je redescends à la cuisine en évitant des pieds mes poupées sous vide, je me verse une larme de porto au fond d'un verre et me souhaite une bonne santé.

Je pars faire le tour de mon cimetière. Éliane me suit. Je parcours les quatre ailes, Lauriers, Fusains, Cèdres et Ifs. Il est impeccable. Les coccinelles commencent à apparaître. La tombe de Juliette Montrachet (1898-1962) est toujours aussi belle.

De temps en temps, je ramasse des pots de fleurs qui se sont renversés. José-Luis Fernandez est là. Il arrose les fleurs de sa femme. Tutti Frutti lui tient compagnie. Mmes Pinto et Degrange aussi. Elles grattent chacune les abords de la tombe de leur mari en silence. Elles grattent une terre qui n'en peut plus d'être grattée. Cela fait belle lurette que les mauvaises herbes ont rendu les armes.

Je croise un couple que je connais de vue. La femme passe de temps en temps sur la tombe de sa sœur, Nadine Ribeau (1954-2007). Nous nous saluons.

Il ne pleut plus. Il fait bon. J'ai faim. La mort de Philippe Toussaint ne m'a pas coupé l'appétit. Je sens la soie de ma robe rose frotter mes cuisses. Je me dis que Léo n'aura pas à vivre ça. Enterrer son père. Moi non plus.

En choisissant de disparaître de ma vie, Philippe Toussaint a choisi de disparaître de sa mort. Je n'aurai pas à gratter les alentours de sa tombe, ni à lui acheter des fleurs. Je repense à l'amour qu'on faisait quand nous étions jeunes. Cela fait des années que je n'ai pas fait l'amour. Dans l'aile des Ifs, je me dirige vers le carré des enfants.

La plupart des tombes sont blanches. Il y a des anges partout, sur les plaques, dans les massifs de fleurs, sur les pierres tombales. Il y a des cœurs roses et des ours en peluche, beaucoup de bougies et des poèmes à foison.

Aujourd'hui, pas de parents. Quand ils viennent, c'est souvent après le travail, à partir de 17, 18 heures, souvent les mêmes. Au début, ils passent leur journée là. Hébétés. Abrutis de chagrin. Ivres morts. Morts vivants. Après quelques années, ils espacent leur visite, et c'est mieux comme ça, parce que la vie continue. Et la mort est ailleurs.

Et puis, dans ce carré, il y a des enfants qui auraient cent cinquante ans.

> *Et dans cent cinquante ans, on n'y pensera même plus À ce qu'on a aimé, à ce qu'on a perdu*
> *Allez vidons nos bières pour les voleurs des rues !*
> *Finir tous dans la terre, mon Dieu, quelle déconvenue ! Et regarde ces squelettes qui nous regardent de travers Et ne fais pas la tête, ne leur fais pas la guerre*
> *Il ne restera rien de nous, pas plus que d'eux*
> *J'en mettrais bien ma main à couper ou au feu*
> *Alors souris.*

Je m'accroupis devant les tombes de :

Anaïs Caussin (1986-1993)

Nadège Gardon (1985-1993)

Océane Degas (1984-1993)

Léonine Toussaint (1986-1993)

43

Comme une fleur brisée au souffle de l'orage,
la mort l'a ravie au printemps de son âge.

Ma fille, tu ne peux pas imaginer à quel point je m'en suis voulu de t'avoir offert ce kit de magicienne à Noël, tu as réussi ton tour, tu as vraiment disparu. Et tu as fait disparaître trois de tes camarades dont Anaïs.

Les autres chambres du château n'ont pas été touchées. Ou elles ont été évacuées à temps. Je ne sais plus, ça j'ai oublié.

Que la tienne. Que la vôtre. Votre chambre à vous, c'était celle qui était la plus proche des cuisines.

Un court-circuit. Ou une plaque chauffante mal éteinte.

Ou des aliments qui se seraient enflammés dans le four.

Ou une fuite de gaz.

Ou un mégot de cigarette.

Plus tard, je le saurais plus tard.

Pas de truc dans ton tour de magie. Pas de trappe dissimulée dans le sol, pas d'applaudissements, pas de réapparition tonitruante avec musique et salutations.

Le néant, des cendres, la fin du monde.

Quatre petites vies anéanties, tombées en poussière. À vous toutes, mises bout à bout, vous ne mesuriez même pas trois mètres, trente et une années de petites filles.

Après cette nuit-là, vous vous êtes envolées.

On se console comme on peut, vous n'avez pas souffert. Vous avez été asphyxiées dans votre sommeil. Quand les flammes ont commencé à vous mordre, vous étiez déjà parties. Vous étiez en train de rêver et vous y êtes restées.

J'espère que tu étais sur un poney, ma chérie, ou dans les calanques, à faire la sirène.

Après le train de 5 h 50, je m'étais allongée sur le canapé et je venais de me rendormir. Mon cœur s'est mis à battre dans le désordre quand le téléphone a sonné, j'ai cru que j'avais oublié le 7 h 04. J'ai décroché. Je venais de rêver que la mère Toussaint m'offrait un ours en peluche sans yeux et sans bouche et que je les dessinais avec un de tes feutres.

Un gendarme m'a parlé, m'a demandé de décliner mon identité, j'ai entendu ton prénom, « château Notre-Dame-des-Prés… La Clayette… quatre corps non identifiés ».

J'ai entendu les mots « drame », « incendie », « enfants ».

J'ai entendu : « Je suis désolé », encore ton prénom, « arrivé trop tard… pompiers rien pu faire ».

Je t'ai revue crever ton œuf avec la pâte à pizza et faire disparaître les serviettes pendant que je comptais : *Trois plats du jour plus deux menus enfant plus cinq boissons.*

J'aurais pu ne pas croire l'homme qui me parlait au téléphone. J'aurais pu lui dire : « Vous faites erreur, Léonine est magicienne, elle va réapparaître », j'aurais pu lui dire : « C'est un coup de la mère Toussaint, elle me l'a prise et l'a remplacée par une poupée de chiffon qui a brûlé au fond du lit », j'aurais pu demander des preuves, raccrocher, lui dire : « Votre plaisanterie est de très mauvais goût », j'aurais pu lui dire… Mais j'ai tout de suite su que ce qu'il me disait était vrai.

Depuis mon enfance, je n'avais jamais fait de bruit pour qu'on me garde, qu'on ne m'abandonne plus. J'ai quitté la tienne, ton enfance, en hurlant.

Philippe Toussaint est apparu, il a pris le téléphone, il a parlé encore un peu avec le gendarme, il s'est mis à hurler, lui aussi. Mais pas comme moi. Il l'a insulté. Tous les vilains mots qu'on t'interdisait de prononcer, ton père les a dits. Dans une seule phrase. Moi, ta mort m'a anéantie. Après ce cri, j'ai cessé de parler longtemps. Lui, ta mort l'a énervé.

Quand le 7 h 04 est passé, aucun de nous deux n'est sorti pour baisser la barrière.

Dieu, qui avait déserté le château de Notre-Dame-des-Prés cette nuit-là, a quand même daigné faire un tour du côté de notre barrière parce qu'un drame, sur la liste de nos vies, ça devait suffire. Aucune voiture n'est passée, aucune voiture n'est venue percuter le 7 h 04. À cette heure-ci, cette route était normalement très fréquentée.

Pour les barrières suivantes, Philippe Toussaint est allé prévenir quelqu'un, a demandé de l'aide. Je ne saurai jamais qui est venu.

Moi, je me suis allongée dans ta chambre et je n'ai plus bougé.

Le docteur Prudhomme est arrivé, je sais, tu ne l'aimes pas, tu l'appelais « sent mauvais » quand il a soigné tes angines, ta varicelle, tes otites.

Il m'a fait une piqûre.

Et puis une autre. Et encore une autre.

Mais pas le même jour.

Philippe Toussaint a appelé Célia à l'aide. Il ne savait pas quoi faire de ma douleur. Il l'a refilée à quelqu'un d'autre.

Il paraît que les parents de Philippe Toussaint sont arrivés. Ils ne sont pas venus me voir dans ta chambre. Ils ont bien fait. Pour la première et dernière fois, ils ont bien fait. Ils m'ont laissée toute seule. Ils ont pris la direction de La Clayette tous les trois. Ils sont partis vers toi, vers tes restes de rien du tout.

Célia est arrivée, après, plus tard, je ne sais pas, j'avais perdu toute notion du temps.

Je me souviens qu'il faisait nuit, qu'elle a poussé la porte. Elle a dit : « C'est moi, je suis là, je suis là, Violette. » Sa voix avait perdu tout son soleil. Oui, même dans la voix de Célia, il a fait nuit quand tu es morte.

Elle n'a pas osé me toucher. Moi, j'étais en tas, sur ton lit. Un tas de rien. Célia m'a doucement forcée à manger quelque chose. J'ai vomi. Elle m'a doucement forcée à boire quelque chose. J'ai vomi.

Philippe Toussaint a téléphoné pour dire à Célia qu'il ne restait rien des quatre corps. Que c'était la désolation. Que vous étiez en cendres. Qu'il ne serait pas possible de vous identifier les unes des autres. Qu'il allait porter plainte. Qu'on allait être dédommagés. Que tous les autres enfants étaient rentrés chez eux. Qu'à la place, il y avait des flics partout. Que vous alliez être inhumées ensemble, dans le carré des enfants, ensemble, avec notre permission. Il a redit ça, « inhumées ensemble ». Et que pour éviter les journalistes, la foule, le chaos, ça se ferait dans la plus stricte intimité, dans le petit cimetière de Brancion-en-Chalon situé à quelques kilomètres de La Clayette.

J'ai demandé à Célia de rappeler Philippe Toussaint pour qu'il récupère ta valise.

Célia m'a dit que la valise avait brûlé. Célia a répété : « Elles n'ont pas souffert, elles sont mortes en dormant. » J'ai répondu : « Nous souffrirons pour elles. » Célia m'a demandé si je voulais qu'on glisse un objet ou un vêtement à l'intérieur du cercueil. J'ai répondu : « Moi. »

Trois jours ont passé. Célia m'a dit que le lendemain on partirait tôt. Qu'il fallait qu'elle m'emmène à Brancion-en-Chalon pour la cérémonie funéraire. Célia m'a demandé ce que je voulais porter, si je voulais qu'elle aille m'acheter des vêtements. J'ai refusé les achats et j'ai refusé d'aller à l'enterrement. Célia m'a dit que ce n'était pas possible. Que c'était impensable. J'ai répondu que si, c'était possible, que je n'irais pas à l'enterrement de ma fille en cendres. Qu'elle était déjà loin, ailleurs. Célia m'a dit : « Pour faire ton deuil c'est indispensable, il faut que tu dises un dernier adieu à Léonine. » J'ai répondu que non, je n'irais pas, que je voulais aller à Sormiou, dans les calanques. C'est là-bas que je te dirais au revoir. La mer me relierait à toi, une dernière fois.

Je suis repartie avec Célia, dans sa voiture. Je ne me rappelle pas le voyage. J'étais dans les vapes, sous médicaments. Je ne dormais pas, je n'étais pas éveillée non plus. Je flottais dans une sorte de brume épaisse, un état second de cauchemar permanent où tous les sens sont anesthésiés, tout sauf la douleur. Comme ces gens qu'on immobilise pendant une opération mais qui ressentent tous les gestes du chirurgien. Le curseur du chagrin qui me broyait les os était poussé au maximum de l'insupportable. Respirer me faisait mal.

« Sur une échelle de 1 à 10, où placeriez-vous la douleur ? » Sur « indéterminée, infinie, perpétuité ».

J'avais le sentiment qu'on m'amputait toute la journée.

Je me disais : *Mon cœur va lâcher, il va lâcher, le plus vite possible*, j'espérais le plus vite possible. Mon seul espoir c'était mourir.

Je serrais deux vieilles bouteilles de prune contre moi. Des bouteilles que Philippe Toussaint avait déjà dans le studio. De temps en temps, j'en buvais une gorgée qui me brûlait l'intérieur, là où je t'avais portée.

Nous avons emprunté la route escarpée pour atteindre la calanque de Sormiou. Cette route s'appelle la « route du feu ». Je n'y avais pas prêté attention l'année précédente.

Je ne me suis pas déshabillée avant d'entrer dans la mer. Je me suis immergée, j'ai fermé les yeux et j'ai entendu le silence, et j'ai entendu nos dernières vacances, le bonheur, les larmes à l'envers.

Je t'ai tout de suite sentie, j'ai senti ta présence. Comme les caresses d'un dauphin qui aurait frôlé mon ventre, mes cuisses, mes épaules, mon visage. Quelque chose de doux qui allait et venait dans les courants d'eau autour de moi. J'ai senti que tu étais bien là où tu étais. J'ai senti que tu n'avais pas peur. J'ai senti que tu n'étais pas seule.

Avant que Célia me saisisse par les épaules et me remonte à la surface, j'ai clairement entendu ta voix. Tu avais la voix d'une femme, une voix que je n'entendrais jamais. Je pense avoir perçu : « Maman, il faut que tu saches ce qui s'est passé cette nuit-là. » Je n'ai pas eu le temps de te répondre. Célia a hurlé :

— Violette, Violette ! ! !

Des gens, des vacanciers en maillot de bain comme nous l'année passée, l'ont aidée à me ramener au bord, juste au bord.

44

Fauvette, si tu voles au-dessus de cette tombe,
chante-lui ta plus douce chanson.

Il fait un temps magnifique. Le soleil de mai caresse la terre que je bêche. Trois des vieux chats retrouvent leur jeunesse au milieu des feuilles de capucines et courent ensemble après des souris imaginaires. Quelques merles méfiants chantent un peu plus loin. Éliane dort sur le dos, les quatre pattes en l'air.

Accroupie dans mon jardin, je finis de planter mes semis de tomates en écoutant une émission sur Frédéric Chopin. J'ai posé ma petite radio à piles sur un banc en bois que j'ai chiné il y a quelques années dans un vide-grenier. Je le repeins en bleu ou en vert de temps en temps. Les années lui ont donné une jolie patine.

Nono, Gaston et Elvis sont partis déjeuner. Le cimetière paraît vide. Bien qu'il soit en contrebas par rapport à mon jardin, il y a certaines allées que je ne vois pas à cause du mur en pierres qui les sépare.

J'ai enlevé ma blouse en jersey gris pour libérer les fleurs de ma robe en coton. J'ai enfilé ma vieille paire de bottes.

J'aime donner la vie. Semer, arroser, récolter. Et recommencer chaque année. J'aime la vie telle qu'elle est aujourd'hui. Ensoleillée. J'aime être dans l'essentiel. C'est Sasha qui me l'a appris.

J'ai dressé la table dans mon jardin. J'ai fait une salade de tomates de toutes les couleurs et une salade de lentilles, j'ai acheté quelques fromages et une bonne baguette de pain. Et j'ai ouvert une bouteille de vin blanc que j'ai mise dans un seau à glace.

J'aime la vaisselle en porcelaine et les nappes en coton. J'aime les verres en cristal et les couverts en argent. J'aime la beauté des choses parce que je ne crois pas en la beauté des âmes. J'aime la vie telle qu'elle est aujourd'hui, mais rien ne vaut la vie si ce n'est pour la partager avec un ami. En arrosant mes semis, je pense au père Cédric qui en est un et que j'attends. Nous déjeunons ensemble chaque mardi. C'est notre rituel. Sauf s'il y a un enterrement.

Le père Cédric ne sait pas que ma fille repose dans mon cimetière. À part Nono, personne ne sait. Même le maire l'ignore.

Je parle souvent de Léonine aux autres parce que ne pas parler d'elle, ce serait la faire mourir à nouveau. Ne pas prononcer son prénom donnerait raison au silence. Je vis avec son souvenir, mais je ne dis à personne qu'elle est un souvenir. Je la fais vivre ailleurs.

Quand on me demande une photo d'elle, je la montre enfant, avec son sourire troué. On me dit qu'elle me ressemble. Non, Léonine ressemblait à Philippe Toussaint. Elle n'avait rien de moi.

— Bonjour, Violette.

Le père Cédric vient d'arriver. Il a un carton à pâtisseries dans les mains et me dit en souriant :

— La gourmandise est un vilain défaut, mais pas un péché.

Il a sur les vêtements l'odeur de l'encens de son église et moi celle des roses poudrées.

Nous ne nous serrons jamais la main ni ne nous embrassons, mais nous trinquons ensemble.

Je vais me laver les mains et je le rejoins. Il nous a servi un verre de vin. Nous nous asseyons face au potager et, comme d'habitude, nous parlons d'abord de Dieu comme d'un vieux copain commun perdu de vue, pour moi un voyou auquel je n'accorde aucun crédit et lui comme une personne extraordinaire, exemplaire et dévouée. Ensuite nous commentons l'actualité internationale et bourguignonne. Puis nous finissons toujours par le meilleur, les romans et la musique.

D'habitude, nous ne franchissons jamais la barrière de l'intime. Même après deux verres de vin. Je ne sais pas s'il a déjà eu un coup de cœur pour quelqu'un. Je ne sais pas s'il a déjà fait l'amour. Et il ne sait rien de ma vie privée.

Là pour la première fois, pendant qu'il caresse My Way, il ose me demander si Julien Seul est « juste un ami » ou s'il y a autre chose entre nous. Je lui réponds qu'il n'y a rien entre nous qu'une histoire qu'il a commencé à me raconter et dont j'attends la fin. Celle d'Irène Fayolle et Gabriel Prudent. Je ne prononce pas leurs noms. Je dis juste que j'attends que Julien Seul me raconte la fin d'une histoire.

— Vous voulez dire que quand il aura fini de vous raconter cette histoire, vous ne le verrez plus ?

— Oui, sans doute.

Je vais chercher les assiettes à dessert. L'air est doux. Le vin me tourne la tête.

— Vous avez toujours envie d'avoir un enfant ?

Il se ressert un verre de vin et pose My Way à ses pieds.

— Ça me réveille la nuit. Hier soir, j'ai vu *La Fille du puisatier* à la télévision, comme ça ne parle que de cela, au fond, que de paternité, d'amour et de filiation, j'ai pleuré toute la soirée.

— Mon père, vous êtes un très bel homme. Vous pourriez rencontrer quelqu'un et avoir un enfant.

— Et quitter Dieu ? Jamais.

Nous enfonçons le dos de notre fourchette à dessert dans le sucre fondant et la poudre d'amande qui recouvre un de nos gâteaux. Il entend ma désapprobation mais ne dit rien. Il se contente de sourire.

Souvent il me dit : « Violette, je ne sais pas ce que

vous vous êtes raconté avec Dieu ce matin au petit déjeuner, mais vous semblez très fâchée après lui. » Et moi je réponds toujours : « C'est parce qu'il ne s'essuie jamais les pieds avant d'entrer chez moi. »

— Je suis uni à Dieu. Je me suis engagé dans sa voie. Je suis sur terre pour le servir, mais vous, Violette, pourquoi ne pas refaire votre vie ?

— Parce qu'une vie ne se refait jamais. Prenez une feuille de papier et déchirez-la, vous aurez beau recoller chaque morceau, il restera toujours les déchirures, les pliures et le scotch.

— D'accord, mais quand les morceaux sont recollés, vous pouvez continuer à écrire sur cette feuille.

— Oui, si vous possédez un bon feutre.

Nous éclatons de rire.

— Qu'allez-vous faire de votre désir d'enfant ?

— L'oublier.

— Un désir ne s'oublie pas, surtout quand il est viscéral.

— Je vais vieillir, comme tout le monde, et ça passera.

— Et si ça ne passe pas ? Ce n'est pas parce qu'on vieillit qu'on oublie.

Le père Cédric se met à chanter :

— Avec le temps, avec le temps, va, tout s'en va. L'autre qu'on adorait, qu'on cherchait sous la pluie, l'autre qu'on devinait, au détour d'un regard…

— Vous avez déjà adoré quelqu'un ?

— Dieu.

— Quelqu'un ?

Il me répond, la bouche pleine de crème pâtissière :

— Dieu.

45

On croit que la mort est une absence
quand elle est une présence secrète.

Léonine a continué à faire disparaître ses affaires. Sa chambre s'est vidée peu à peu. Ses vêtements et ses jouets sont partis chez Emmaüs. À chaque fois que Paulo, c'est ainsi qu'il s'appelait, garait son camion à l'effigie de l'abbé Pierre devant chez moi, que je lui tendais des sacs remplis de rose, j'avais le sentiment de donner un des organes de Léo pour qu'une autre enfant en profite. Pour que la vie continue à travers ses poupées, ses jupes, ses chaussures, ses châteaux, ses perles, ses peluches, ses crayons de couleur.

Elle a fait disparaître Noël. Il n'y a plus jamais eu de sapin. Le fameux sapin synthétique pour ne pas dézinguer les vivants restera sans doute le plus mauvais investissement de mon existence. Pâques, le Nouvel An, la fête des Mères, la fête des Pères, les dates d'anniversaire… Je n'ai plus jamais soufflé une bougie sur un gâteau après sa mort.

Je vivais dans une sorte de coma éthylique permanent. Comme si mon corps, pour se protéger de la douleur, s'était mis en état d'ivresse sans que j'aie ingurgité la moindre goutte d'alcool. Enfin, pas toujours. Parfois je buvais comme un trou sans fond. C'est ce que j'étais, un trou sans fond. Je vivais dans du coton, mes gestes étaient gercés, au ralenti. Comme Tintin quand il était encore accroché au mur de la chambre de Léonine : j'ai marché sur la Lune.

J'ai fini la grenadine. J'ai fini les Prince, les Savane, les coquillettes, l'Advil en pipette. Entretemps je me suis levée, j'ai baissé la barrière, je me suis recouchée, je me suis relevée, j'ai fait à manger à Philippe Toussaint, j'ai monté la barrière, je me suis recouchée.

J'ai dit merci aux « Sincères condoléances » dans la Grand-Rue. J'ai répondu merci aux nombreux courriers. J'ai classé les innombrables dessins des camarades de classe dans une pochette que j'ai choisie bleue. Comme si Léo avait été un garçon. Comme si elle n'avait pas vraiment existé.

Le pire dans le pire, c'était de croiser le regard effaré de Stéphanie derrière sa caisse à chaque fois que je poussais la porte du Casino. Ça et les nuits, c'était ce que je redoutais le plus. Je me conditionnais pendant des heures pour réussir à sortir de chez moi, traverser la route et ouvrir la porte de la supérette. Je baissais les yeux en poussant mon petit caddie dans les allées étroites jusqu'à ce que le regard de Stéphanie croise le mien. Le chagrin, le désespoir qui se déposaient à la surface de ses yeux comme du brouillard dès qu'elle m'apercevait. C'était plus qu'un miroir, c'était la désolation. Elle ne mouftait pas quand elle voyait ce que je déposais sur le tapis de caisse. Les bouteilles d'alcool. Elle annonçait le total, suivi d'un « s'il te plaît ». Je tendais ma carte bleue, faisais mon code, au revoir, à demain.

Elle ne me proposait plus les nouveautés, les « produits top », comme elle disait. Tous ces trucs qu'elle avait essayés. Le produit vaisselle qui fait les mains douces, la lessive qui sent bon et qui lave bien même à trente degrés, même à froid, le délicieux couscous-légumes au rayon surgelés, le balai poussière magique, l'huile aux omégas 3. On ne propose plus rien à une mère qui a perdu son enfant. Ni les promotions ni les coupons de réduction. On la laisse acheter du whisky en baissant les yeux. Je sentais encore le regard de Stéphanie dans mon dos quand je poussais la porte de chez moi.

On a eu affaire à des assureurs, des avocats. Il y aurait un procès, la direction de Notre-Dame-des-Prés serait poursuivie, on ferait fermer l'établissement pour toujours. Bien sûr, nous allions être indemnisés.

Combien coûte une vie qui pèse sept ans et demi ?

Toutes les nuits, je réentendais la voix de Léo, sa voix de femme me dire : « Maman, il faut que tu saches ce qui s'est passé cette nuit-là, il faut que tu saches pourquoi ma chambre a brûlé. » Ce sont ces mots qui m'ont fait tenir. Mais il m'a fallu des années pour les mettre à exécution. Je n'en étais pas capable physiquement. Et la douleur était beaucoup trop forte pour que je parvienne à me réanimer.

Il me fallait du temps. Pas du temps pour aller mieux, je n'irais jamais mieux. Du temps pour pouvoir à nouveau bouger, être en mouvement.

Chaque année, du 3 au 16 août, la SNCF nous envoyait des remplaçants. Philippe Toussaint, qui refusait de me suivre dans mon « délire morbide », partait à moto retrouver des copains de Charleville, et moi à Sormiou. Célia venait me chercher gare Saint-Charles, me descendait jusqu'au cabanon, puis me laissait seule avec mes souvenirs. De temps en temps elle venait me rendre visite et nous buvions du vin de Cassis en regardant la mer.

Pour moi, la fête des morts c'était en août. Je m'immergeais, et je ressentais ma fille qui n'était plus là.

Je n'ai jamais rien reçu de la part d'Armelle et Jean-Louis Caussin, les parents d'Anaïs. Pas un appel, pas une lettre, pas un signe. Ils ont dû m'en vouloir de ne pas être allée à l'enterrement des cendres de nos enfants.

Les vieux Toussaint sont retournés plusieurs fois

au cimetière. À chaque fois, ils emmenaient leur fils avec eux. Eux non plus, je ne les ai jamais revus après la mort de Léonine. Ils ne rentraient plus chez moi. C'était comme un accord tacite entre nous.

La rage et la promesse de grosses indemnités ont fait tenir Philippe Toussaint. Son obsession, c'était que les auteurs de l'incendie payent. Mais on lui répétait qu'il n'y avait pas d'« auteurs », que c'était un accident. Ce qui le mettait encore plus en rage. Une rage silencieuse. Il voulait être dédommagé. Il pensait que les cendres de notre fille valaient leur pesant d'or.

Il a commencé à changer physiquement, ses traits se sont durcis et ses cheveux ont blanchi.

Quand deux fois par an il revenait du cimetière de Brancion-en-Chalon, que ses parents le déposaient devant la maison sans jamais entrer, il ne me disait rien. Quand il se levait le matin, il ne me disait rien. Quand il partait faire un tour, il ne me disait rien. Quand il revenait, des heures après, il ne me disait rien. À table, il ne me disait rien. Seuls les jeux vidéo qu'il activait avec ses manettes, assis devant la télévision, faisaient du boucan. Et de temps en temps, quand les gendarmes ou les avocats ou les assurances téléphonaient, il hurlait et demandait des comptes.

Nous dormions toujours ensemble, mais je ne dormais plus. J'étais terrorisée par mes cauchemars. La nuit, il se collait contre moi. Et j'imaginais que c'était ma fille, là, derrière moi.

Une ou deux fois il m'a dit : « On va refaire un gosse » et j'ai répondu oui, mais je prenais un contraceptif en plus des antidépresseurs et des anxiolytiques. Mon ventre était cassé. Porter la vie dans la mort de mon corps, jamais. Léo a fait disparaître ça aussi, la possibilité d'un autre enfant.

J'aurais pu partir, quitter Philippe Toussaint après la mort de notre enfant, mais je n'en ai eu ni la force ni le courage. Philippe Toussaint était la seule famille qu'il me restait. Demeurer près de cet homme, c'était aussi rester près de Léonine. Voir les traits de son père chaque jour, c'était voir ses traits à elle. Passer devant la porte de sa chambre, c'était frôler son univers, ses empreintes, son passage sur terre. Je serais définitivement une femme qui ne quitterait jamais mais qui serait quittée.

En septembre 1995, j'ai reçu un colis sans nom d'expéditeur. Il avait été posté de Brancion-en-Chalon. Au début, j'ai pensé qu'il ne pouvait venir que de ma chère Célia. Qu'elle était allée *là-bas*, au cimetière. Mais je n'ai pas reconnu son écriture.

Quand j'ai ouvert le colis, j'ai dû m'asseoir. J'avais dans les mains une plaque funéraire blanche, un très beau dauphin était gravé sur le côté, avec ces mots : « Ma chérie, tu es née le 3 septembre, décédée le 13 juillet, mais pour moi, tu seras toujours mon 15 août. »

J'aurais pu écrire ces quelques mots. Qui m'avait

envoyé cette plaque ? Quelqu'un voulait que j'aille la déposer sur la tombe de Léonine, mais qui ?

Je l'ai remise dans le colis et je l'ai rangée dans l'armoire de ma chambre, sous une pile de serviettes que nous n'utilisions jamais.

En repliant le linge, j'ai découvert une liste de noms et de fonctions, glissée entre deux draps :

Édith Croquevieille, directrice.
Swan Letellier, cuisinier.
Geneviève Magnan, dame de service.
Éloïse Petit et Lucie Lindon, monitrices.
Alain Fontanel, agent d'entretien.

La liste du personnel de Notre-Dame-des-Prés, griffonnée par Philippe Toussaint. Il avait dû noter leurs noms la semaine du procès. La liste avait été faite au dos d'une addition, un repas pour trois personnes au café du Palais, l'année du procès, à Mâcon. Trois personnes : Philippe Toussaint et sans doute ses parents.

J'ai pris cela pour un signe venant de Léonine. Le même jour, je recevais cette plaque et j'avais sous les yeux la liste des personnes qui l'avaient vue pour la dernière fois.

C'est à partir de ce jour-là que j'ai commencé à sortir de chez moi, à faire des signes aux passagers dans les trains depuis ma barrière. Et c'est à partir de ce jour-là que Philippe Toussaint a commencé à me regarder comme si j'avais perdu la raison. Mais il ne m'a pas comprise : je la retrouvais.

J'ai commencé par déchirer ma camisole chimique. J'ai arrêté les médicaments peu à peu. L'alcool complètement. Toutes les douleurs allaient s'en prendre à moi, s'acharner sans doute, mais je n'en mourrais plus.

Je suis sortie de chez moi, à travers la vitre j'ai croisé le regard de Stéphanie derrière sa caisse, qui m'a souri tristement. J'ai marché dix bonnes minutes en pensant qu'avant, quand je faisais ce chemin, que je longeais les maisons, j'avais la main de ma fille dans ma poche. Mes poches seraient toujours vides désormais, mais les mains de Léonine continueraient à me guider. J'ai poussé la porte de l'auto-école Bernard pour m'inscrire au code et au permis de conduire.

46

Tu n'es plus là où tu étais,
mais tu es partout là où je suis.

Je me réveille doucement en buvant mon thé brûlant à petites gorgées. Le soleil du matin fait entrer quelques rayons à travers les rideaux tirés de la cuisine. Un peu de poussière vole dans la pièce, je trouve ça beau, presque féerique. J'ai mis de la musique en sourdine, Georges Delerue, le thème de *La Nuit américaine*. Je tiens ma tasse dans la main droite, et ma main gauche caresse Éliane qui tend son cou en fermant les yeux. J'adore sentir sa chaleur sous mes doigts.

Nono frappe et entre. Comme le père Cédric, il ne m'embrasse jamais ni ne me serre la main. Juste bonjour ou bonsoir « ma Violette ». Avant de se servir un café, il pose le *Journal de Saône-et-Loire* sur la table pour que je puisse lire : « Brancion-en-Chalon : drame de la route, le motard identifié ». Je m'entends dire à Nono, d'une voix blanche :

— Tu peux me lire l'article s'il te plaît, je n'ai pas mes lunettes.

Éliane qui sent la nervosité de mes doigts se frotte brièvement contre Nono comme pour le saluer et demande à sortir en grattant à la porte. Nono la caresse, lui ouvre et revient vers moi. Il tire une chaise pour s'asseoir face à moi, il fouille dans sa poche, enfile ses lunettes remboursées à cent pour cent par la sécurité sociale et se met à lire, un peu comme un enfant à l'école primaire, en marquant chaque syllabe. Comme quand Léonine était bébé et que je lui lisais dans la méthode Boscher : « Si toutes les filles du monde voulaient se donner la main, tout autour de la mer, elles pourraient faire une ronde. » Mais les mots ne sont pas les mêmes que dans mon livre coloré.

« La victime de l'accident mortel à Brancion-en-Chalon aurait été identifiée par sa compagne. Il s'agirait d'un habitant de la région lyonnaise. L'homme avait été retrouvé sans vie le 23 avril dernier à Brancion-en-Chalon. Selon les premières constatations des gendarmes, sa moto, une imposante Hyosung Aquila noire de 650 cm³ – dont l'immatriculation avait été effacée –, avait mordu le bas-côté, entraînant la chute du pilote qui portait un casque non attaché. Le lendemain de sa disparition, sa compagne avait alerté les commissariats et les hôpitaux de la région, c'est ainsi que le lien a pu être établi. »

Nous sommes interrompus par les membres de la famille d'un défunt qui arrivent par grappes dans le cimetière. Certains d'entre eux jouent de la guitare sèche. Chacun tient un ballon de baudruche à la main.

Nono repose le journal et me dit :

— J'y vais.

— Moi aussi.

En enfilant mon pardessus noir, je me demande si je dois dire à la police que Philippe Toussaint sortait de chez moi.

« Seul le silence », disait souvent Sasha.

Est-ce que je n'ai pas déjà suffisamment donné ? Est-ce que je ne mérite pas la paix ?

Même mort, Philippe Toussaint me tourmente encore. Je me souviens de ses derniers mots et des bleus qu'il a laissés sur mes bras.

Je veux vivre en paix. Je veux vivre comme Sasha me l'a appris. Ici et maintenant. Je veux la Vie. Et ne pas ressasser un homme qui a été inutile à la mienne. Dont les parents m'ont enlevé mon seul soleil.

Le fourgon funéraire pénètre dans le cimetière et roule jusqu'au caveau de la famille Gambini. Aujourd'hui, on enterre un forain célèbre, Marcel Gambini, né un jour de 1942 sur la commune de Brancion-en-Chalon. Ses parents déportés avaient tout juste eu le temps de le cacher dans l'église du village.

J'en arriverais presque à souhaiter que des désespérés viennent cacher leurs enfants chez le père Cédric. La loterie de la vie est parfois mal fichue. J'aurais tellement voulu être élevée par un homme comme le père Cédric plutôt que de passer de famille en famille.

Il y a plus de trois cents personnes à l'enterrement de Marcel, dont des guitaristes, des violonistes et un bassiste qui jouent du Django Reinhardt autour de son cercueil. Leur musique contraste avec le chagrin, les larmes qui coulent, les regards sombres, les silhouettes perdues, courbées. Tout le monde fait silence lorsque la petite-fille de Marcel, Marie Gambini, une jeune fille de seize ans, prend la parole :

— Mon grand-père avait le goût de la barbe à papa, le croquant des pommes d'amour, l'odeur des crêpes et des gaufres, la douceur de la guimauve, du nougat et des churros. Des frites trempées dans le sel de la vie, les doigts crasseux des bonheurs simples. Il aura toujours le sourire de l'enfant qui tient, victorieux, son poisson rouge dans un sac de flotte. La canne à pêche dans une main, le ballon de baudruche dans l'autre, juché sur un cheval de bois. La bataille de sa vie, ça a été cela : nous offrir du tir à la carabine, des tigres en peluche qui envahissaient les couvre-lits, des heures à faire coucou à l'enfant dans l'avion, le camion de pompiers ou la voiture de course du manège. Mon grand-père, c'était le pompon qu'on décroche et les premiers émois, le premier baiser qu'on donnait dans une chenille, un château hanté, un labyrinthe. Ce baiser en sucre glace qui nous offrait à jamais un avant-goût des montagnes russes que l'avenir nous réservait. Mon grand-père, c'était aussi une voix, de la musique, le dieu des bohémiennes qui lisent dans les lignes de la main. Il avait le jazz manouche dans le sang et il est parti faire de nouveaux accords là où nous ne pouvons plus l'entendre. La ligne de sa main s'est cassée. Je ne te demande pas de reposer en paix, cher grand-père, parce que le repos, tu en es incapable. Je te dis juste : amuse-toi bien et à tout à l'heure.

Elle embrasse le cercueil. Le reste de la famille l'imite.

Pendant que Pierre et Jacques Lucchini font descendre le cercueil de Marcel Gambini à l'intérieur de son caveau à l'aide de cordes et de poulies, tous les musiciens rejouent « Minor Swing » de Django Reinhardt. Chacun lâche son ballon qui s'envole vers le ciel. Ensuite, chaque membre de la famille lance des tickets de loterie et des peluches sur le cercueil.

Ce soir, je ne fermerai pas les grilles de mon cimetière à 19 heures, la famille Gambini m'a demandé la permission de rester près de la tombe pour dîner. Je leur ai donné la permission de minuit. Pour me remercier, ils m'ont offert des dizaines de tickets de manèges à sensation pour la prochaine fête foraine qui a lieu à Mâcon dans quinze jours. Je n'ai pas osé refuser. Je les donnerai aux petits-enfants de Nono.

Je ne sais pas si on juge la vie d'un homme à la beauté de son enterrement, mais celui de Marcel Gambini est un des plus beaux auxquels il m'a été donné d'assister.

47

Il faut que le noir s'accentue pour que la première étoile apparaisse.

En janvier 1996, quatre mois après avoir reçu la plaque funéraire, je l'ai mise dans mon sac et j'ai dit à Philippe Toussaint que pour une fois, il allait devoir travailler, garder la barrière pendant deux jours. Je ne lui ai pas laissé le temps de me répondre, j'étais déjà partie au volant de la voiture de Stéphanie, une Fiat Panda rouge avec un tigre blanc en peluche accroché au rétroviseur pour me tenir compagnie.

Normalement, j'avais trois heures et demie de route à faire. J'en ai mis six. Plus rien ne serait normal. J'ai dû m'arrêter plusieurs fois. Pendant le trajet, j'ai écouté la radio. J'ai chanté pour Léonine que j'ai imaginée, deux ans et demi plus tôt, à l'arrière de la voiture des Caussin, sa Cocculine dans la poche, son doudou dans les mains.

— Comme l'abeille, comme l'oiseau, à tire-d'aile,

le rêve s'envole, comme un nuage, comme le vent, à pas de lune la nuit descend, le feu s'apaise dans les foyers, même la braise va se cacher, la fleur se ferme sur la rosée, seule la brume va se lever…

En regardant les maisons, les arbres, les chemins, les paysages, j'ai essayé d'imaginer ce qui avait retenu son attention. Est-ce qu'elle s'était assoupie ? Est-ce qu'elle avait fait des tours de magie ?

Les rares fois où nous étions montées en voiture toutes les deux, c'était dans celles de Célia et de Stéphanie. Sinon, nous prenions des trains. Nous n'avions pas de voiture, Philippe Toussaint n'avait que sa moto. Comme ça, il n'avait pas à nous emmener quelque part. De toute façon, où nous aurait-il emmenées ?

Je suis arrivée à Brancion-en-Chalon vers 16 heures. *L'heure du goûter*, j'ai pensé. La porte de la maison du garde-cimetière était entrouverte. Je n'ai vu personne. Je n'ai rien demandé. J'ai voulu trouver Léonine toute seule.

Ce cimetière, c'était comme une carte au trésor à l'envers. L'horreur à l'endroit.

Au bout d'une demi-heure à slalomer entre les tombes, la plaque blanche dans les mains, j'ai fini par repérer le carré des enfants, dans l'aile des Ifs. J'ai pensé : *Je devrais être en train de préparer l'entrée de Léonine en sixième, acheter des fournitures scolaires, remplir des formulaires d'inscription, lui interdire de se maquiller les yeux, et je suis là, comme une âme en peine, une âme errante, plus morte que les morts, à chercher son nom sur une tombe.*

Je me suis longtemps demandé ce que j'avais fait de mal pour mériter *ça*. Je me suis longtemps demandé de quoi *on* avait voulu me punir. J'ai revu toutes mes erreurs. Quand je n'avais pas su la comprendre, quand je m'étais énervée contre elle, quand je ne l'avais pas écoutée, quand je ne l'avais pas crue, quand je n'avais pas compris qu'elle avait froid ou chaud ou vraiment mal à la gorge.

J'ai embrassé son nom et son prénom gravés dans le marbre blanc. Je ne lui ai pas demandé pardon de ne pas être venue plus tôt. Je ne lui ai pas promis de revenir souvent. Je lui ai dit que je préférais la retrouver dans la Méditerranée en août, que ça lui ressemblait beaucoup plus que cet endroit de silence et de larmes. Je lui ai promis de savoir ce qu'il s'était passé cette nuit-là, pourquoi sa chambre avait brûlé.

Et j'ai posé ma plaque funéraire, « Ma chérie, tu es née le 3 septembre, décédée le 13 juillet, mais pour moi, tu seras toujours mon 15 août ». Parmi les fleurs, les poèmes, les cœurs et les anges. À côté d'une autre, sur laquelle était marqué : « Le soleil s'est couché trop tôt ».

Je ne saurais dire combien de temps je suis restée là, mais au moment de partir, les grilles du cimetière étaient fermées à clé.

J'ai dû frapper chez le gardien. Il y avait de la lumière à l'intérieur de la maison. Une lumière douce et diffuse. J'ai essayé de regarder à travers les carreaux mais les rideaux tirés m'ont empêchée de voir. J'ai dû frapper encore et encore, à la porte, aux carreaux, personne n'est venu. J'ai fini par pousser la porte de la maison qui était entrouverte. Je suis entrée en criant : « Y a quelqu'un ? » Personne ne m'a répondu.

J'ai entendu du bruit à l'étage, des pas au-dessus de ma tête, et de la musique aussi. Du Bach entrecoupé par la voix d'un animateur qui sortait d'un poste radio.

J'ai tout de suite aimé cette maison. Les murs et les odeurs. J'ai refermé la porte derrière moi et j'ai attendu, plantée là à regarder les meubles autour de moi. La cuisine avait été aménagée comme un magasin de thé. Sur les étagères, une cinquantaine de boîtes étaient étiquetées. Le nom avait été écrit à la main à l'encre. Des théières en terre, elles aussi étiquetées, correspondaient aux noms sur les boîtes. Des bougies parfumées avaient été allumées.

Une minute avant, j'étais face aux cendres de ma fille, et en poussant une porte, j'avais changé de continent.

Je pense avoir attendu longtemps avant d'entendre des pas dans les escaliers. J'ai vu des mules noires, un pantalon en lin noir et une chemise blanche. L'homme devait avoir environ soixante-cinq ans. Il était métissé, sans doute un mélange de Vietnam et de France. Il n'a pas été surpris de me voir plantée devant sa porte, il a juste dit :

— Excusez-moi, je prenais une douche, asseyez-vous, je vous en prie.

Il avait une voix qui ressemblait à celle de Jean-Louis Trintignant. Trouble, mélancolique, douce et sensuelle. Il a dit avec cette voix-là : « Excusez-moi, je prenais une douche, asseyez-vous, je vous en prie » comme si nous avions rendez-vous. J'ai pensé qu'il me prenait pour quelqu'un d'autre. Je n'ai pas pu lui répondre car il a enchaîné :

— Je vais vous faire un verre de lait de soja avec de la poudre d'amande et de la fleur d'oranger.

J'aurais préféré un shot de vodka mais je n'ai pas moufté. Je l'ai regardé verser le lait, la fleur d'oranger et la poudre dans un mixeur et remplir un grand verre de son breuvage dans lequel il a mis une paille multicolore, comme si nous étions à l'anniversaire d'un enfant, et il me l'a tendu. En faisant ce geste, il m'a souri comme jamais on ne m'avait souri, pas même Célia.

Tout en lui était long. Ses jambes, ses bras, ses mains, son cou, ses yeux, sa bouche. Ses membres et ses traits avaient été tracés avec un double mètre. De ceux qu'on trouve dans les écoles primaires pour mesurer le monde sur les cartes géographiques.

J'ai commencé à boire à la paille, j'ai trouvé ça délicieux – cela m'a rappelé l'enfance que je n'avais pas eue, puis celle de Léonine, ça m'a rappelé quelque chose d'une douceur infinie. J'ai fondu en larmes. C'était la première fois que je prenais du plaisir à avaler quelque chose. Depuis le 14 juillet 1993, j'avais perdu le goût. Léonine avait fait ça aussi, faire disparaître mon goût.

Je lui ai dit : « Excusez-moi, les grilles étaient fermées. » Il m'a répondu : « Il n'y a pas de mal. Asseyez-vous. » Il a pris une chaise et me l'a apportée.

Je ne pouvais pas rester. Je ne pouvais pas partir. Je ne pouvais pas parler. J'en étais incapable. La mort de Léo m'avait aussi enlevé les mots. Je lisais, mais je n'étais plus capable de dire. J'engrangeais, mais rien ne sortait. La vie de mes mots se résumait à : « Merci… bonjour… au revoir… c'est prêt… excusez-moi, je vais me coucher. » Même pour passer le code et le permis de conduire je n'avais pas eu besoin de parler, il m'avait suffi de cocher les bonnes cases et de faire un créneau.

J'étais toujours debout. Mes larmes coulaient au fond de mon verre de lait. Il a imbibé un mouchoir en tissu avec un parfum nommé « Rêve d'Ossian » et me l'a fait respirer. J'ai continué à pleurer comme si les vannes avaient lâché, mais les larmes que j'ai versées m'ont fait du bien. Elles m'ont vidée de vilaines choses, comme de la mauvaise transpiration, comme des toxines empoisonnées qui sortaient de moi. Je croyais que j'avais déjà tout pleuré, mais il en restait encore. Il restait les larmes sales, les boueuses. Comme de l'eau croupie, celle qui stagne au fond d'un trou après qu'il a cessé de pleuvoir depuis longtemps.

L'homme m'a fait asseoir et, quand ses mains m'ont touchée, j'ai ressenti une onde de choc. Il est passé derrière moi et a commencé à me masser les épaules, les trapèzes, la nuque et la tête. Il me touchait comme s'il me soignait, comme s'il posait des sparadraps de chaleur le long de mon dos et sur le haut de ma tête. Il a murmuré : « Votre dos est plus dur qu'un mur. En rappel, on pourrait l'escalader. »

Je n'avais jamais été touchée ainsi. Ses mains étaient très chaudes et dégageaient une énergie insensée qui me pénétrait, comme s'il promenait une légère brûlure sur ma peau. Je n'ai pas lutté. Je n'ai pas compris. J'étais dans une maison de cimetière, le cimetière où étaient enterrées les cendres de ma fille. Une maison qui me rappelait un voyage que je n'avais jamais fait. Plus tard, j'apprendrais qu'il était guérisseur. « Une sorte de rebouteux », comme il aimait le dire.

J'ai fermé les yeux sous la pression de ses mains et je me suis endormie. Un sommeil profond, noir, sans images douloureuses, sans draps mouillés, sans cauchemars, sans rats qui me dévorent, sans Léonine qui me souffle à l'oreille : « Maman, réveille-toi, je ne suis pas morte. »

Je me suis réveillée le lendemain matin, allongée sur le canapé, sous une couverture épaisse et douce. Quand j'ai ouvert les yeux, j'ai eu du mal à émerger, à savoir où j'étais. J'ai vu les boîtes de thé. Et la chaise sur laquelle je m'étais assise était toujours au milieu de la pièce.

La maison était vide. Une théière brûlante était posée sur une table basse en face du canapé. Je me suis servie et j'ai bu à petites gorgées le thé au jasmin qui était délicieux. À côté de la théière, dans une assiette en porcelaine, le propriétaire des lieux avait disposé des petits financiers que j'ai fait fondre dans ma tasse.

De jour, j'ai tout de suite vu que la maison du cimetière était aussi modeste que la mienne. Mais l'homme qui m'avait reçue la veille l'avait transformée en palais grâce à son sourire, sa bienveillance, son lait d'amande, ses bougies et ses parfums.

Il est arrivé de l'extérieur. Il a accroché son gros manteau à la patère et a soufflé dans ses mains. Il a tourné la tête vers moi et m'a souri.

— Bonjour.

— Je dois partir.

— Où ça ?

— Chez moi.

— Où est-ce ?

— Dans l'est de la France, à côté de Nancy.

— Vous êtes la mère de Léonine ?

— …

— Je vous ai vue sur sa tombe hier après-midi. Je connais les mères d'Anaïs, Nadège et Océane. Vous, c'est la première fois…

— Ma fille n'est pas dans votre cimetière. Ici, il n'y a que des cendres.

— Je ne suis pas le propriétaire de ce cimetière, je n'en suis que le gardien.

— Je ne sais pas comment vous faites pour faire

ça… Ce métier. Vous faites un drôle de métier, enfin, pas drôle. Du tout.

Il a souri à nouveau. Il n'y avait aucun jugement dans son regard. Plus tard, je découvrirais aussi qu'il se mettait toujours à la hauteur des gens auxquels il s'adressait.

— Et vous, vous faites quoi comme métier ?

— Je suis garde-barrière.

— Vous, vous empêchez les gens de passer de l'autre côté, moi, je les aide un peu à y aller.

J'ai tenté de lui rendre son sourire tant bien que mal. Sourire, je ne savais plus. Tout en lui était bonté, tout en moi était fracassé. J'étais en ruine.

— Vous allez revenir ?

— Oui. Il faut que je sache pourquoi la chambre des enfants a brûlé cette nuit-là… Vous les connaissez ?

J'ai sorti et je lui ai tendu la liste du personnel de Notre-Dame-des-Prés rédigée au dos d'une addition par Philippe Toussaint.

« Édith Croquevieille, directrice ; Swan Letellier, cuisinier ; Geneviève Magnan, dame de service ; Éloïse Petit et Lucie Lindon, monitrices ; Alain Fontanel, agent d'entretien. »

Il a lu les noms attentivement. Puis il m'a regardée à nouveau.

— Sur la tombe de Léonine, vous allez revenir ?

— Je ne sais pas.

Huit jours après notre rencontre, j'ai reçu un courrier de lui :

« Madame Violette Toussaint,

Veuillez trouver la liste de noms que vous avez oubliée sur ma table. De plus, je vous ai préparé un sachet de thé mélangé, du thé vert à l'amande, pétales de jasmin et roses. Si je ne suis pas présent, prenez-le, la porte est toujours ouverte, je l'ai déposé sur l'étagère jaune, à droite des théières en fonte, il y a votre nom dessus : "Thé pour Violette".

Votre fidèle serviteur,
Sasha H. »

Cet homme m'a semblé tout droit sorti d'un roman ou d'un asile. Ce qui revient au même. Que faisait-il dans un cimetière ? Je ne savais même pas que le métier de gardien de cimetière existait. Pour moi, le commerce de la mort se résumait à être croque-mort, à avoir le teint cireux et des habits noirs avec un corbeau posé sur l'épaule quand ce n'était pas un cercueil.

Mais il y avait beaucoup plus troublant. J'ai reconnu son écriture sur l'enveloppe et le mot. C'est lui qui m'avait envoyé la plaque « Ma chérie, tu es née le 3 septembre, décédée le 13 juillet, mais pour moi tu seras toujours mon 15 août » à déposer sur la tombe de ma petite Léo.

Comment connaissait-il mon existence ? Comment connaissait-il ces dates, surtout celle du bonheur ? Était-il déjà là quand les enfants avaient été enterrées ? Pourquoi s'intéressait-il à elles ? À moi ? Pourquoi m'avait-il attirée jusqu'au cimetière ? De quoi se mêlait-il ? J'en arrivais à me demander s'il ne m'avait pas sciemment enfermée dans le cimetière pour que je rentre chez lui.

Ma vie était un champ de ruines, au milieu desquelles un soldat inconnu m'avait envoyé une plaque funéraire et une lettre.

Oui, la guerre touchait à sa fin. Je le sentais. Je ne me remettrais jamais de la mort de ma fille, mais les bombardements avaient cessé. J'allais vivre l'après-guerre. Le plus long, le plus difficile, le plus pernicieux… Tu te relèves et tu tombes nez à nez avec une fille de son âge. Quand l'ennemi est parti et qu'il ne reste rien que ceux qui restent. De la désolation. Des armoires vides. Des photos qui la figent dans l'enfance. Tous les autres qui grandissent, même les arbres, même les fleurs, sans elle.

À partir de janvier 1996, j'ai annoncé à Philippe Toussaint que désormais, je me rendrais au cimetière de Brancion-en-Chalon deux dimanches par mois, je partirais le matin et reviendrais le soir.

Il a soufflé. Il a levé les yeux au ciel d'un air de dire : « Il va falloir que je travaille deux jours par mois. » Il a ajouté qu'il ne comprenait pas, que je n'étais pas allée à l'enterrement et que là, d'un coup, j'étais prise d'une lubie. Je n'ai pas répondu. Que répondre à cela ? Au mot « lubie » ? D'après lui, aller me recueillir sur la tombe de ma fille était un caprice, une fantaisie.

Christian Bobin a dit : « Les mots tus s'en vont hurler au fond de nous. »

Il ne l'a pas dit exactement comme ça. Mais moi, j'étais pleine de silences qui hurlaient au fond de moi. Qui me réveillaient la nuit. Qui m'ont fait grossir, maigrir, vieillir, pleurer, dormir toute la journée, boire comme un trou, me cogner la tête contre les portes et les murs. Mais j'ai survécu.

Prosper Crébillon a dit : « Plus le malheur est grand, plus il est grand de vivre. » En mourant, Léonine avait tout fait disparaître autour de moi, sauf moi.

48

Comme un vol d'hirondelles lorsque l'hiver approche, ton âme s'est envolée sans espoir de retour.

Julien Seul se tient debout sur le pas de ma porte. Celle qui donne sur mon jardin potager, à l'arrière de la maison.

— C'est la première fois que je vous vois en tee-shirt. Vous avez l'air d'un jeune homme.

— Et vous, c'est la première fois que je vous vois en couleur.

— C'est parce que je suis chez moi, dans mon jardin. Derrière ce mur personne ne me croise. Vous restez longtemps ?

— Jusqu'à demain matin. Comment allez-vous ?

— Comme une gardienne de cimetière.

Il me sourit.

— Il est beau votre jardin.

— C'est à cause des engrais. Près des cimetières, tout pousse très vite.

— Je ne vous connaissais pas si caustique.

— C'est parce que vous ne me connaissez pas.
— Peut-être que je vous connais mieux que vous ne le pensez.
— Ce n'est pas parce qu'on fouille dans la vie des gens qu'on les connaît, monsieur le commissaire.
— Je peux vous inviter à dîner ?
— À condition que vous me racontiez la fin de l'histoire.
— Laquelle ?
— Celle de Gabriel Prudent et votre mère.
— Je passe vous chercher à 20 heures. Et surtout ne vous changez pas, restez en couleur.

49

Ces quelques fleurs en souvenir du temps passé.

Je suis entrée chez Sasha. J'ai ouvert le sachet de thé, j'ai fermé les yeux et j'ai respiré son contenu. Est-ce que j'allais revenir à la vie dans cette maison de cimetière ? C'était la deuxième fois que je pénétrais à l'intérieur, et déjà je sentais à nouveau cette odeur qui m'extirpait presque de force de la noirceur dans laquelle j'avais un semblant de vie depuis la mort de Léo.

Comme Sasha l'avait indiqué dans sa lettre, le sachet de thé était posé sur l'étagère jaune, à côté des théières en fonte. Il avait apposé une étiquette comme sur les cahiers d'enfant : Thé pour Violette. Mais ce qu'il n'avait pas écrit dans sa lettre, c'est que sous le sachet de thé il y avait aussi une enveloppe kraft à mon nom. Elle n'était pas cachetée. J'ai découvert qu'il avait glissé plusieurs feuilles à l'intérieur.

Dans un premier temps, j'ai cru que c'était la

liste des personnes récemment décédées et que le « Toussaint » écrit sur l'enveloppe pouvait correspondre à des tombes à fleurir pour la Toussaint. Ensuite, j'ai compris.

Sasha avait réuni les coordonnées de tout le personnel présent au château de Notre-Dame-des-Prés dans la nuit du 13 au 14 juillet 1993. La directrice, Édith Croquevieille ; le cuisinier, Swan Letellier ; la dame de service, Geneviève Magnan ; les deux monitrices, Éloïse Petit et Lucie Lindon ; l'homme d'entretien, Alain Fontanel.

À part la directrice, c'était la première fois que je découvrais le visage de ceux qui avaient vu ma fille pour la dernière fois.

On avait parlé du drame au journal télévisé de 20 heures. Sur toutes les chaînes. On avait montré une photo du château de Notre-Dame-des-Prés, du lac, des poneys. Et on avait rabâché les mêmes mots clés : drame, incendie accidentel, quatre enfants qui avaient trouvé la mort, colonie de vacances. Les enfants avaient fait la une du *Journal de Saône-et-Loire* pendant plusieurs jours. J'avais survolé les articles que Philippe Toussaint m'avait rapportés le lendemain de l'enterrement. Des portraits des enfants, des sourires pleins de trous, des dents que la petite souris avait emportées, la chanceuse. Nous, les parents, nous n'avions plus rien. J'aurais donné ma vie pour savoir où était son terrier, récupérer les quenottes de Léo, récupérer un peu de son sourire.

Mais dans ces articles, aucune photo du personnel de l'établissement.

La directrice, Édith Croquevieille, avait des cheveux gris ramenés en chignon, elle portait des lunettes et souriait sagement à l'objectif. On sentait que le photographe lui avait donné ces indications : « Souriez mais pas trop, il faut qu'on vous trouve sympathique, en confiance et rassurante. » Je connaissais ce cliché, il était au dos de la brochure publicitaire que m'avait tendue la mère Toussaint des années plus tôt. Cette brochure remplie de ciels bleus. Un peu comme dans celles des pompes funèbres générales.

« Seul notre sérieux ne prend jamais de vacances. » Combien de fois m'en suis-je voulu de ne pas avoir su lire entre ces lignes ?

Sous le portrait d'Édith Croquevieille, son adresse était indiquée.

La photo de Swan Letellier était un Photomaton. Comment Sasha l'avait-il récupéré ? Comme pour la directrice, Sasha avait noté l'adresse du cuisinier. Mais ça ne semblait pas être son adresse personnelle. Le nom d'un restaurant à Mâcon, Le Terroir des souches. Swan devait avoir environ trente-cinq ans, il semblait maigre, les yeux en amande, beau et inquiétant à la fois, une drôle de tête, des lèvres fines, un regard sournois.

La photo de Geneviève Magnan, la dame de service, avait dû être prise au cours d'un mariage. Elle portait un chapeau ridicule comme en portent parfois les parents des mariés. Elle s'était trop et mal maquillée. Geneviève Magnan devait avoir une cinquantaine d'années. C'est sans doute cette petite bonne femme boulotte, engoncée dans son tailleur à fleurs bleues, qui avait servi son dernier repas à Léo. Je suis sûre que Léo lui avait dit merci parce qu'elle était bien élevée. J'avais appris ça à Léo, cela avait été ma priorité, toujours dire bonjour, au revoir, merci.

Les deux monitrices, Éloïse Petit et Lucie Lindon, posaient ensemble devant leur lycée. Sur la photographie, elles devaient avoir seize ans. Deux jeunes filles malicieuses et insouciantes. Avaient-elles dîné à la même table que les enfants ? Au téléphone, Léo m'avait dit qu'une des monitrices me ressemblait « trop ». Pourtant, ni Éloïse ni Lucie, blondes aux yeux bleus, ne me ressemblaient.

Le visage de l'homme d'entretien, Alain Fontanel, avait été découpé dans un journal. Il portait un maillot de footballeur. Il devait poser, accroupi parmi d'autres joueurs, devant un ballon. Il avait un faux air d'Eddy Mitchell.

Toujours une adresse griffonnée à l'encre bleue sous chaque portrait. Celles de Geneviève Magnan et Alain Fontanel étaient identiques. Et toujours la même écriture que sur l'enveloppe du colis contenant la plaque funéraire, sur la lettre et les étiquettes des boîtes de thé.

Mais qui était ce gardien de cimetière qui m'avait attirée jusqu'ici ? Et pourquoi ?

Je l'ai attendu, il n'est pas rentré. J'ai mis le thé dans mon sac ainsi que l'enveloppe contenant les portraits et les noms de ceux qui avaient été présents *ce soir-là*. Et j'ai fait le tour du cimetière pour trouver Sasha. J'ai croisé des inconnus qui arrosaient des plantes, des promeneurs. Je me suis demandé qui était enterré ici pour eux. J'ai essayé de deviner en regardant leur visage. Une mère ? Un cousin ? Un frère ? Un mari ?

Au bout d'une heure à arpenter les allées à la recherche de Sasha, je me suis retrouvée dans le carré des enfants. J'ai longé les anges et je suis allée jusqu'à la tombe de Léo. J'ai revu le prénom de ma fille sur la stèle – ce nom que j'avais cousu à l'intérieur du col de ses vêtements avant de les ranger dans la valise. C'était dans le règlement, sinon la direction de la colonie déclinait toute responsabilité en cas de vol ou de disparition. Un peu de mousse commençait à apparaître sur le marbre depuis la dernière fois, dans un carré d'ombre. Je me suis agenouillée pour frotter les résidus du revers de ma manche.

50

Pour moi voici des ans, voici toujours que ton sourire éblouissant prolonge la même rose avec son bel été.

Irène Fayolle et Gabriel Prudent sont rentrés dans le premier hôtel qu'ils ont vu, à quelques kilomètres de la gare d'Aix. L'hôtel du Passage. Ils ont choisi la chambre bleue. Comme le titre du roman de Georges Simenon. Il y en avait d'autres : la chambre Joséphine, la chambre Amadeus, la chambre Renoir.

À la réception, Gabriel Prudent a commandé des pâtes et du vin rouge pour quatre personnes à faire servir en chambre. Il a pensé que faire l'amour leur donnerait faim. Irène Fayolle lui a demandé :

— Pourquoi quatre personnes ? Nous ne sommes que deux.

— Vous, vous allez forcément penser à votre mari, moi à ma femme, alors autant les inviter à bouffer tout de suite. Ça évitera les non-dits, les larmoyances et tout et tout.

— Que sont les « larmoyances » ?

— C'est un mot que j'ai inventé pour réunir la mélancolie, la culpabilité, les regrets, les marches avant et les marches arrière. Tout ce qui nous emmerde dans la vie, quoi. Ce qui nous empêche d'avancer.

Ils se sont embrassés. Ils se sont déshabillés, elle a voulu faire l'amour dans le noir, il a dit que ce n'était pas la peine, que depuis le tribunal il l'avait déshabillée plusieurs fois du regard, que ses courbes, son corps, il les connaissait déjà.

Elle a insisté. Elle a dit :

— Vous êtes un beau parleur.

Il a répondu :

— Évidemment.

Il a tiré les rideaux bleus de la chambre bleue.

On a frappé à la porte, room-service. Ils ont mangé, bu, fait l'amour, mangé, bu, fait l'amour, mangé, bu, fait l'amour. Ils ont joui l'un de l'autre, le vin les a fait rire, ils ont joui, ri, pleuré.

Ils ont décidé d'un commun accord de ne plus jamais sortir de cette chambre. Ils se sont dit que mourir ensemble, là, maintenant, ça pourrait être ça LA solution. Ils ont envisagé la fuite, la disparition, une voiture volée, un train, un avion. Ils ont vu du pays.

Ils ont décidé qu'ils partiraient vivre en Argentine. Comme les criminels de guerre. Elle s'est endormie. Lui est resté éveillé, il a fumé des cigarettes, il a commandé une deuxième bouteille de vin blanc et cinq desserts.

Elle a ouvert les yeux, lui a demandé qui était le troisième invité en dehors de son mari et de sa femme, il a répondu : « Notre amour. »

Ils sont allés aux toilettes. En revenant vers le lit, ils ont décidé de danser. Ils ont allumé le radio-réveil, ont appris que Klaus Barbie allait être extradé vers la France pour être jugé. Gabriel Prudent a prononcé ces mots : « Enfin, justice, il faut fêter ça. » Il a commandé du champagne. Elle a dit : « Je vous connais depuis vingt-quatre heures et je n'ai pas dessaoulé. Ça serait peut-être bien qu'on se revoie à jeun. »

Ils ont dansé sur « Je reviens te chercher » de Gilbert Bécaud.

Elle s'est endormie vers 4 heures et a rouvert les yeux vers 6 heures. Il venait juste de s'endormir.

Ça sentait le tabac et l'alcool froids dans la chambre. Elle a entendu les oiseaux chanter. Elle les a détestés.

« Retiens la nuit. » Ce sont ces mots qui lui sont venus. Johnny Hallyday à 6 heures du matin dans la chambre bleue. Elle a essayé de se souvenir des paroles : « Retiens la nuit, aujourd'hui, jusqu'à la fin du monde, retiens la nuit… » Et elle ne s'est pas souvenue de la suite.

Il lui tournait le dos, elle l'a caressé, elle l'a respiré. Ça l'a réveillé, ils ont fait l'amour. Se sont rendormis.

On les a appelés à 10 heures pour savoir s'ils gardaient la chambre ou s'ils la rendaient. S'ils la rendaient, il fallait la libérer pour midi.

51

Chaque jour qui passe tisse
le fil invisible de ton souvenir.

Au rez-de-chaussée de l'aile gauche, un couloir principal, trois chambres adjacentes de deux lits superposés avec toilettes et lavabos pour les pensionnaires et une chambre réservée au personnel. Au premier étage, trois chambres adjacentes de deux lits superposés avec toilettes et lavabos pour les pensionnaires et cinq chambres réservées au personnel.

Dans la nuit du 13 au 14 juillet 1993, toutes les chambres étaient occupées.

Les chambres d'Édith Croquevieille (directrice et encadrante), Swan Letellier (service), Geneviève Magnan (service et encadrante), Alain Fontanel (service), Éloïse Petit (encadrante) se trouvaient au premier étage. La chambre de Lucie Lindon (encadrante) se trouvait au rez-de-chaussée.

Anaïs Caussin (sept ans), Léonine Toussaint

(sept ans), Nadège Gardon (huit ans) et Océane Degas (neuf ans) occupaient la chambre 1 située au rez-de-chaussée. Elles sont sorties de leur chambre sans autorisation et sans faire de bruit pour ne pas réveiller leur monitrice (Lucie Lindon) qui dormait dans une des chambres attenantes à la leur. Elles se sont dirigées vers les cuisines situées à cinq mètres de leur chambre, au bout du couloir principal. Elles ont ouvert un des frigidaires et ont fait couler du lait dans une casserole de deux litres en inox pour le porter à ébullition. Elles ont utilisé une gazinière huit feux (deux électriques, six gaz). Elles ont allumé un des feux à gaz à l'aide d'allumettes ménagères. Elles ont fouillé dans la réserve située à l'arrière de la cuisine pour trouver du chocolat en poudre et dans le vaisselier pour prendre quatre bols dans lesquels elles ont versé le lait chaud.

Elles ont chacune emporté leur bol de lait chaud dans leur chambre. (Les quatre bols ont été retrouvés dans la chambre 1 – céramique ininflammable.)

Les quatre victimes ont reposé la casserole en inox sur le feu à gaz qui, par mégarde, n'a pas été éteint mais réduit au minimum.

Le manche en plastique de la casserole en inox a commencé à fondre, puis à prendre feu. (Casserole retrouvée, inox ininflammable.)

Dix minutes après (temps approximatif estimé) les flammes dégagées par le manche en plastique ont commencé à toucher les éléments de cuisine situés au-dessus à droite de la gazinière.

Le revêtement plastifié qui recouvrait ces éléments

de cuisine s'est révélé hautement toxique. Des composés organiques (laques et vernis) très volatils.

Il a aussi été constaté que les quatre enfants n'avaient pas refermé les portes des cuisines ni celle de leur chambre.

Entre le moment où les quatre victimes ont quitté les cuisines et le moment où les gaz toxiques ont envahi la cuisine, le couloir et leur chambre, il s'est écoulé entre vingt-cinq et trente minutes.

Comme vu précédemment, la chambre 1 était située à environ cinq mètres des cuisines. Les émanations de gaz toxiques produites par la combustion des éléments de cuisine ont dû rapidement plonger les quatre enfants dans le coma, et provoquer leur décès par asphyxie et empoisonnement.

Les corps des quatre victimes ont été retrouvés calcinés dans leur lit. Elles étaient endormies quand elles ont inhalé les gaz toxiques, ce qui leur a été fatal.

La chambre 1 s'est embrasée quand une des fenêtres de cette même chambre a explosé sous la chaleur et provoqué un appel d'air.

Sous la déflagration et la température extrême, toutes les vitres de la chambre ont explosé, ce qui a permis aux gaz toxiques de s'échapper en partie vers l'extérieur. Les autres chambres (dont toutes les portes étaient closes) du rez-de-chaussée n'ont pas été touchées.

La monitrice (Lucie Lindon) qui occupait la chambre attenante à celle des quatre victimes a aussitôt fait évacuer les deux chambres du rez-de-chaussée où dormaient huit enfants (indemnes) qui n'ont pas été touchées par l'incendie.

Lucie Lindon n'a pas eu la possibilité d'entrer dans la chambre 1.

Après s'être assurée que tous les occupants du premier étage (douze enfants et cinq adultes) étaient sains et saufs, Lucie Lindon a alerté les pompiers.

Il a été plus difficile que d'usage de les joindre, ces derniers ayant été réquisitionnés pour assurer la sécurité de la population alors que des feux d'artifice étaient tirés à dix kilomètres du lieu-dit La Clayette.

Alain Fontanel et Swan Letellier ont tenté d'entrer à nouveau dans la chambre 1 par tous les moyens mais en vain. La chaleur et la hauteur des flammes étaient trop importantes.

Entre l'alerte téléphonique de Lucie Lindon et l'arrivée des pompiers, il s'est écoulé vingt-cinq minutes. L'appel a été donné à 23 h 25 et les pompiers sont arrivés sur les lieux de l'incendie à 23 h 50.

Une grande partie de l'aile gauche avait déjà été ravagée par les flammes.

Trois heures ont été nécessaires pour neutraliser l'incendie.

Étant donné le jeune âge des quatre victimes et l'état avancé de calcination des corps, il n'a pas pu être fait d'identification à l'aide des empreintes dentaires.

Voilà ce que l'enquête a révélé.

C'est approximativement ce qui a été écrit dans le

rapport de gendarmerie rédigé à l'intention du procureur de la République.

C'est ce qui a été dit au cours du procès (auquel je n'ai pas assisté) et qui m'a été répété par Philippe Toussaint.

C'est ce qui a été écrit dans les journaux (que je n'ai pas lus).

Des mots détachés, sans pathos, précis. « Sans drame, sans larme, pauvres et dérisoires armes, parce qu'il est des douleurs qui ne pleurent qu'à l'intérieur. »

Édith Croquevieille a écopé de deux ans de prison dont un ferme parce que l'accès aux cuisines n'avait pas été verrouillé et que les revêtements des sols, murs, plafonds de Notre-Dame-des-Prés étaient vétustes. Il n'a pas été explicitement dit ou écrit que les enfants étaient responsables. On n'accuse pas quatre petites victimes de sept, huit et neuf ans. Mais pour moi, c'était un fait sous-entendu dans la peine de la directrice.

Le problème que j'ai tout de suite vu dans ces comptes rendus d'experts, c'est que Léonine ne buvait pas de lait, elle l'avait en horreur. Une seule gorgée suffisait à la faire vomir.

52

Ici repose la plus belle fleur de mon jardin.

En observant les poissons colorés de l'immense aquarium qui recouvre tout un mur du restaurant chinois Le Phénix, je repense à la calanque de Sormiou. Au soleil, à la beauté dans la lumière.

— Vous vous baignez souvent à Marseille ?

— Quand j'étais gosse, oui.

Julien Seul me ressert un verre de vin.

— L'hôtel du Passage, la chambre bleue, le vin, les pâtes, l'amour avec Gabriel Prudent, tout ça c'est écrit dans le journal de votre mère ?

— Oui.

Il sort un carnet de sa poche intérieure. Avec sa couverture rigide bleu marine, il ressemble au prix Goncourt 1990, *Les Champs d'honneur*, que m'a offert Célia.

— Je l'ai apporté pour vous. J'ai glissé des feuilles de couleur entre les pages qui vous concernent.

— Comment ça ?

— Ma mère parle de vous dans son journal. Elle vous a vue, à plusieurs reprises.

J'ouvre le carnet au hasard, regarde furtivement son écriture à l'encre bleue.

— Gardez-le. Vous me le rendrez plus tard.

Je le range au fond de mon sac à main.

— J'en prendrai soin... Qu'est-ce que ça vous fait de découvrir l'autre vie de votre mère dans son journal ?

— C'est comme si je lisais l'histoire de quelqu'un d'autre, une inconnue. Et puis mon père est mort il y a longtemps. « Il y a prescription », comme on dit.

— Ça ne vous ennuie pas qu'elle ne repose pas avec votre père ?

— Au début, j'ai eu du mal. Maintenant ça va. Et puis je ne vous aurais jamais connue.

— Encore une fois, je ne suis pas sûre qu'on se connaisse. On s'est rencontrés, c'est tout.

— Alors faisons connaissance.

— Je crois que j'ai besoin de boire.

J'avale d'un trait le verre qu'il vient de me servir.

— D'habitude, je bois en petite quantité mais là, c'est impossible. Et puis, cette façon que vous avez de me regarder. Je ne sais jamais si vous voulez me coller en garde à vue ou m'épouser.

Il éclate de rire.

— Épouser ou mettre en garde à vue, ça revient au même, non ?

— Vous êtes marié ?

— Divorcé.
— Vous avez des enfants ?
— Un fils.
— Il a quel âge ?
— Sept ans.
Un ange passe.
— Vous voulez qu'on fasse connaissance à l'hôtel ?
Il a l'air surpris par ma question. Il caresse la nappe en coton du bout des doigts. Il me sourit à nouveau.
— L'hôtel vous et moi, c'était un de mes projets à moyen ou à long terme… Mais, puisque vous le proposez, on peut réduire l'échéance.
— L'hôtel, c'est le début du voyage.
— Non, l'hôtel, c'est déjà le voyage.

53

Ne pleurez pas ma mort. Célébrez ma vie.

La deuxième fois que j'ai vu Sasha, il était dans son potager. Je suis entrée dans sa maison en désordre. Les casseroles débordaient de l'évier, des tasses traînaient partout, des théières vides aussi. De nombreux papiers étaient éparpillés sur la table basse. Les boîtes de thé étaient recouvertes de poussière. Mais les murs sentaient toujours aussi bon.

J'ai entendu du bruit à l'arrière de la maison. De la musique classique qui provenait de l'extérieur. La porte qui donnait sur le jardin potager était grand ouverte au fond de la cuisine. J'ai vu la lumière du soleil.

Sasha était en haut d'une échelle posée contre un mirabellier. Il recueillait les fruits sucrés à l'intérieur d'un sac de pommes de terre en jute. Quand il m'a vue, il m'a souri de son sourire inégalable. Et je me suis demandé comment il était possible d'avoir l'air aussi heureux dans un lieu aussi triste.

Je l'ai tout de suite remercié pour le sachet de thé et la liste du personnel de Notre-Dame-des-Prés. Il m'a répondu : « Oh, de rien. »

— Comment avez-vous fait pour trouver la photo et l'adresse de ces gens ?

— Oh, pas difficile.

— Édith Croquevieille et les autres, vous les connaissez ?

— Je connais tout le monde.

J'ai eu envie de lui poser des questions sur *ces gens-là*. Mais je n'ai pas pu.

En descendant de son échelle, il m'a dit :

— Vous ressemblez à un moineau, un oisillon tombé du nid, vous faites peine à voir. Approchez, je vais vous dire quelque chose.

— Comment avez-vous eu mon adresse ? Pourquoi m'avez-vous envoyé la plaque funéraire ?

— C'est votre amie Célia qui me l'a donnée.

— Vous connaissez Célia ?

— Il y a quelques mois, elle est venue au cimetière pour déposer une plaque sur la tombe de votre petite. Elle m'a demandé l'emplacement, je l'ai accompagnée. Elle m'a dit qu'elle avait imaginé les mots que vous auriez gravés si vous étiez venue, ici, en personne. Elle avait choisi les mots à votre place. Elle n'arrivait pas à comprendre pourquoi vous n'aviez jamais mis les pieds au cimetière. Elle disait que ça vous ferait sans doute du bien. Elle m'a longtemps parlé de vous. Elle m'a dit que vous étiez mal en point. Alors j'ai eu cette idée. Je lui ai demandé la permission de vous envoyer la plaque afin que vous veniez la déposer vous-même. Elle a longtemps hésité et puis elle m'a donné son accord.

Il a saisi un thermos posé au bout d'une des allées de son jardin et il m'a versé du thé dans un verre de cuisine en murmurant : « Jasmin et miel. »

— J'ai eu mon premier jardin à neuf ans. Un mètre carré de fleurs. C'est ma mère qui m'a appris à semer, arroser, récolter. J'ai senti que j'aimais ça. Elle me disait toujours : « Ne juge pas chaque jour à la récolte que tu fais, mais aux graines que tu sèmes. »

Il s'est tu quelques instants, m'a saisie par les bras et m'a regardée dans les yeux.

— Vous voyez ce jardin ? Ça fait vingt ans que je l'ai. Vous voyez comme il est beau ? Vous voyez tous ces légumes ? Ces couleurs ? Ce jardin, il fait sept cents mètres carrés, c'est sept cents mètres carrés de joie, d'amour, de sueur, de courage, de volonté et de patience. Je vais vous apprendre à vous en occuper, et quand vous saurez, je vous le confierai.

J'ai répondu que je ne comprenais pas. Il a ôté ses gants et m'a montré l'alliance qu'il avait autour du doigt.

— Vous voyez cette alliance ? Je l'ai trouvée dans mon premier jardin potager.

Il m'a entraînée sous une tonnelle de lierre grimpant et m'a fait asseoir sur une vieille chaise. Il s'est assis face à moi.

— C'était un dimanche, je devais avoir une

vingtaine d'années, je promenais mon petit chien pas loin des HLM où j'habitais dans la banlieue de Lyon. Je me suis éloigné des parkings et j'ai pris un chemin au hasard. Il y avait une fausse campagne un peu plus haut, quelques prés échoués au milieu du béton, des prés très secs, pas très jolis, et un îlot de vieux arbres. Au bout de ce chemin, je suis tombé sur un groupe de gens assis sous un chêne qui étaient en train de nettoyer des haricots sur une vieille table recouverte d'une toile cirée. Ce qui m'a frappé, c'est qu'ils avaient l'air heureux. C'étaient des voisins, des habitants des HLM que je connaissais de vue, des gens qui ne souriaient pas comme ça quand je les croisais dans les cages d'escalier. Autour d'eux, j'ai vu leurs jardins faits de bric et de broc. Ils faisaient pousser des fruits et des légumes. J'ai compris que c'étaient ces petits morceaux de terre et le puits qui leur donnaient ce sourire-là. Je leur ai demandé si moi aussi je pourrais avoir un jardin comme eux. Ils m'ont dit de téléphoner à la mairie, qu'ils louaient les parcelles pour une bouchée de pain, qu'il en restait quelques-unes là-bas derrière.

«J'ai fièrement bêché ma parcelle en octobre et je l'ai recouverte de fumier. L'hiver suivant, j'ai fait mes semis dans des pots de yaourt vides. Potimarrons, basilic, poivrons, aubergines, tomates, courgettes. Je voyais grand. J'avais de l'ambition pour mes légumes. Je les ai plantés au printemps. J'ai fait comme c'était indiqué dans les manuels de jardinage, j'ai jardiné avec ma tête, pas avec mon cœur. Sans faire attention aux lunes, au gel, à la pluie, au soleil. J'ai aussi semé des carottes et des patates à même la terre. J'ai attendu que ça pousse. Je passais arroser de temps en temps. Je comptais sur la pluie.

« Bien sûr, rien n'a poussé. Je n'avais pas compris qu'il fallait passer ses journées au jardin pour que la magie opère. Je n'avais pas compris que les herbes sauvages, celles qui poussent autour des légumes, si on ne les enlève pas tous les jours, elles boivent toute l'eau, elles prennent la vie.

Il s'est levé pour aller dans sa cuisine et il est revenu avec des financiers aux amandes dans une assiette en porcelaine.

— Mangez, vous êtes toute maigre.

J'ai dit que je n'avais pas faim, il a répondu : « Ça m'est égal. » Nous avons dégusté ses gâteaux en nous souriant, puis il a repris le cours de son histoire :

— Comme si mon jardin s'était moqué de moi, en septembre, seule une carotte avait poussé. Une seule ! J'ai vu la fane jaunie, isolée, au milieu de la terre sèche et mal aérée. Une terre à laquelle je n'avais rien compris. Je l'ai retirée, mort de honte, prêt à jeter la carotte aux poules, quand j'ai vu une alliance en argent qui encerclait mon pauvre légume déformé. Une véritable alliance en argent que quelqu'un avait dû perdre des années plus tôt dans la terre de mon jardin. J'ai rincé ma carotte, je l'ai croquée, et j'ai retiré l'alliance. J'ai pris ça pour un signe. C'était comme si j'avais raté ma première année de mariage parce que je n'avais rien compris à ma femme, mais qu'il m'en restait des dizaines d'autres à vivre pour la rendre heureuse.

54

Elle cachait ses larmes mais partageait ses sourires.

Laver son linge avec une lessive en poudre, le faire sécher, sauf les pull-overs, le plier encore chaud, le ranger, par couleur, sur ses étagères. Faire les courses, le dentifrice au fluor, le magazine *Automoto*, les lames de rasoir Gillette, le shampooing antipelliculaire à la camomille, la mousse à raser pour poils durs, l'adoucissant, le cirage pour les cuirs, le savon Dove, les packs de bière blonde, le chocolat au lait, les yaourts à la vanille.

Les choses qu'il aime. Les marques qu'il préfère.

Dans la salle de bains, la brosse à cheveux et les peignes propres. Une pince à épiler et un coupe-ongles prêts à servir.

La baguette, croustillante. Tous les arômes à la cerise. La viande à découper sans respirer par le nez. La faire dorer et mijoter au fond d'une cocotte en fonte. Soulever le couvercle et surveiller les morceaux d'animaux morts, verser de la farine, les poser dans l'assiette, les feuilles de laurier qui trempent dans la sauce aux oignons.

Servir.

Ne manger que les légumes, que les pâtes, que la purée. Ne manger que les accompagnements. Ce que je suis. Un accompagnement.

Desservir.

Laver les sols, la cuisine. Passer l'aspirateur. Aérer. Faire la poussière. Changer tout de suite de chaîne à la télé quand il n'aime pas le programme. Arrêter la musique. Jamais de musique quand il est là : mes chanteurs « à la con », ça lui fait mal à la tête.

Lui qui part faire un tour, moi qui reste. Se coucher. Lui qui rentre tard. Il me réveille parce qu'il fait du bruit, ne fait pas attention à l'eau qui coule dans le lavabo, le jet de pisse au fond de la cuvette, les portes qui claquent. Il se colle derrière moi. Il a l'odeur d'une autre. Faire semblant de dormir. Mais parfois, il me veut quand même. Malgré l'autre, celle qu'il vient de quitter. Il se glisse en moi, force, grogne, je ferme les yeux. Je pense à ailleurs, je pars nager dans la Méditerranée.

Je n'ai connu que cela. Que cette odeur-là. Que cette voix-là, que ses mots et ses habitudes à lui. Les dernières années de ma vie avec lui ont pris plus de place dans les souvenirs que les premières, celles qui ont passé vite, les années courtes, légères et insouciantes de l'amour. Quand nos jeunesses s'entremêlaient.

Philippe Toussaint m'a fait vieillir. Être aimé, c'est rester jeune.

C'est la première fois que je fais l'amour avec un homme qui est délicat. Avant Philippe Toussaint, quelques jeunes du foyer et de Charleville. Que de la maladresse, des vies de cognés qui s'entrechoquent. Qui font du bruit, des casseroles qui ne savent pas caresser. Qui ont mal appris le français dans les manuels d'école, mal appris l'amour.

Julien Seul sait aimer.

Il dort. J'entends sa respiration, c'est un nouveau souffle. J'écoute sa peau, je respire ses gestes, ses mains sur moi, une sur mon épaule gauche, l'autre autour de ma hanche droite. Il est partout contre moi. En dehors de moi. Mais pas en moi. Il dort. Combien de vies me faudrait-il pour me rendormir contre quelqu'un ? Être suffisamment en confiance pour fermer les yeux et rendre les âmes qui me hantent ? Je suis nue sous des draps. Mon corps n'a pas été nu sous des draps depuis la nuit des temps.

J'ai adoré ce moment d'amour, cette poussée de vie.

Maintenant je voudrais rentrer chez moi. Je voudrais retrouver Éliane, la solitude de mon lit. J'aimerais partir de cette chambre d'hôtel sans le réveiller, m'enfuir en fait.

Dire au revoir demain matin me paraît insurmontable. Un tête-à-tête presque aussi insoutenable que croiser le regard de Stéphanie quand j'ai perdu Léonine.

Qu'est-ce que je lui dirais ?

Nous avons vidé une bouteille de champagne pour nous donner du courage, pour finir par nous toucher. Nous étions terrorisés l'un par l'autre. Comme les gens qui se plaisent vraiment. Comme Irène Fayolle et Gabriel Prudent.

Je ne veux pas d'une histoire d'amour. J'ai passé l'âge. J'ai raté le coche. Ma maigre vie amoureuse est une vieille paire de chaussettes rangée au fond d'un placard. Dont je ne me suis jamais débarrassée mais que je n'enfilerai plus. Ce n'est pas grave. Rien n'est grave à part la mort d'un enfant.

J'ai la vie devant moi, mais pas l'amour d'un homme. Quand on a pris l'habitude de vivre seul, on ne peut plus vivre à deux. De ça, je suis sûre.

Nous sommes à vingt kilomètres de Brancion-en-Chalon, juste à côté de Cluny, à l'hôtel Armance. Je ne vais pas rentrer à pied. Je vais prendre un taxi. Descendre à la réception et appeler un taxi.

Cette pensée me donne une impulsion. Je me glisse hors du lit le plus doucement possible. Comme quand je dormais avec Philippe Toussaint et que je ne voulais pas le réveiller.

J'enfile ma robe, j'attrape mon sac et je sors de la chambre mes chaussures à la main. Je sais qu'il me regarde partir. Il a l'élégance de ne rien dire et moi l'inélégance de ne pas me retourner.

Irrévérencieuse, voilà ce que je pense de moi.

Dans le taxi, j'essaie de lire des pages du journal d'Irène Fayolle au hasard, mais je n'y parviens pas.

Il fait trop sombre. Quand nous traversons un pâté de maisons, la lumière des réverbères éclaire un mot sur dix.

« Gabriel… mains… lumière… cigarette… roses… »

55

Sa vie est un beau souvenir.
Son absence une douleur silencieuse.

Quand j'ai quitté le cimetière de Sasha, il était 18 heures. J'ai roulé en direction de Mâcon au volant de la Fiat Panda pour récupérer l'autoroute. Le tigre blanc accroché au rétroviseur m'observait du coin de l'œil en se balançant nonchalamment.

J'ai repensé à Sasha, à son jardin, à son sourire, à ses mots. J'ai pensé qu'une grève m'avait envoyé Célia et la mort de ma fille ce jardinier au chapeau de paille. Un Wilbur Larch personnel. Un homme entre la vie et les morts, sa terre et son cimetière. *L'Œuvre de Dieu, la part du Diable.*

J'ai repensé au personnel de la colonie. De braves gens sans doute, eux aussi. J'ai revu les visages de la directrice, Édith Croquevieille, du cuisinier, Swan Letellier, de la dame de service, Geneviève Magnan, des deux jeunes monitrices, Éloïse Petit et Lucie Lindon, de l'homme d'entretien, Alain Fontanel. Leurs visages se sont juxtaposés.

Qu'est-ce que j'allais faire de leurs adresses ? Est-ce que j'allais aller les voir les uns après les autres ?

En roulant, je me suis souvenue que le cuisinier Swan Letellier travaillait au Terroir des souches à Mâcon. J'avais vu sur un plan que le restaurant était en centre-ville, rue de l'Héritan.

Je n'ai pas pris l'autoroute, je suis entrée dans Mâcon, je me suis garée sur un parking situé à deux cents mètres du restaurant, près de l'hôtel de ville. Une serveuse m'a gentiment accueillie. Deux couples étaient déjà attablés.

La dernière fois que j'avais mis les pieds dans un restaurant, c'était chez Gino, le jour où j'avais déjeuné avec les parents d'Anaïs, le jour où Léonine avait crevé les œufs en éclatant de rire. Cette journée, je l'ai revécue des milliers de fois, le repas, la robe qu'elle portait, ses nattes, son sourire, la magie, le montant de l'addition, le moment où elle était montée dans la voiture des Caussin, où elle m'avait fait au revoir de la main, son doudou caché sous les genoux, un lapin gris dont l'œil droit menaçait de tomber et que j'avais tellement passé en machine qu'il en avait perdu une oreille. Il y a des heures que l'on devrait très vite oublier. Mais les événements en décident autrement.

Je n'ai pas vu Swan Letellier. Il devait être en cuisine. Il n'y avait que des filles qui s'agitaient au service. *Quatre filles comme dans la tombe*, j'ai pensé.

J'ai bu une demi-bouteille de vin et presque rien avalé. La serveuse m'a demandé si ça ne me convenait pas. J'ai répondu que si, mais que je n'avais pas très faim. Elle m'a souri avec condescendance. J'ai regardé les gens entrer et sortir. Je n'avais pas bu depuis plusieurs mois, mais je me sentais trop seule à cette table pour boire de l'eau.

Vers 21 heures, le restaurant affichait complet. Quand je suis ressortie en titubant, je me suis assise sur un banc un peu plus loin et j'ai attendu Swan Letellier, les yeux dans la pénombre.

Tout près, j'entendais la Saône couler. J'ai eu envie de me jeter dedans. Rejoindre Léo. Est-ce que je la retrouverais ? Ne valait-il pas mieux se jeter dans la mer ? Est-ce qu'elle était encore là ? Sous quelle forme ? Et moi, est-ce que j'étais encore là ? À quoi rimait ma vie ? À quoi avait-elle servi ? À qui ? Pourquoi m'avait-on posée sur un radiateur le jour de ma naissance ? Ce radiateur était foutu depuis le 14 juillet 1993.

Qu'est-ce que j'allais dire à ce pauvre Swan Letellier ? Qu'est-ce que je voulais savoir, au juste ? La chambre avait brûlé, à quoi bon questionner le présent. Remuer la merde.

Je n'avais pas le courage de remonter dans la Panda de Stéphanie, rentrer à la barrière, rouler dans la nuit.

Au moment où j'ai voulu me lever, enjamber le mur derrière moi, sauter dans l'eau noire, un chat siamois est venu se frotter contre mes jambes en ronronnant. Il m'a fixée de ses beaux yeux bleus. Je me suis penchée pour le toucher. Son pelage était doux, chaud, magnifique. Il est monté sur mes genoux, j'ai sursauté. Je n'ai pas osé bouger. Il s'est allongé sur moi de tout son long. Comme un poids mort sur mes cuisses, un garde-fou. J'allais pencher vers le vide et il m'en a empêchée. Je crois que ce soir-là, ce chat m'a sauvé la vie, du moins le peu qu'il en restait.

Quand les derniers clients sont sortis, que les lumières de la salle du restaurant se sont éteintes, Swan Letellier est apparu en premier.

Je n'ai pas bougé du banc sur lequel j'étais assise.

Il portait un blouson noir dont le tissu brillait sous les réverbères, un jean et des baskets, la démarche chaloupée.

Je l'ai appelé. Je n'ai pas reconnu ma voix. Comme si c'était une autre femme qui l'apostrophait. Une inconnue que j'hébergeais. Sans doute l'effet de l'alcool. Tout me semblait abstrait.

— Swan Letellier !

Le chat a sauté par terre et s'est assis à mes pieds. Swan Letellier a tourné la tête vers moi, m'a observée quelques secondes avant de répondre, pas très rassuré :

— Oui ?

— Je suis la mère de Léonine Toussaint.

Il s'est figé. Il avait le même regard que les jeunes que j'ai terrorisés le soir où je me suis transformée en dame blanche. J'ai senti son regard effrayé fouiller le mien. Alors que j'étais plongée dans l'obscurité, je distinguais parfaitement ses traits là où il était.

Une des quatre serveuses est sortie du Terroir des souches. Elle s'est approchée de lui et s'est lovée dans son dos. Il lui a dit, assez sèchement :

— Avance, je te rejoins.

Elle a tout de suite vu qu'il regardait dans ma direction. Elle m'a reconnue et lui a glissé quelque chose à l'oreille. Sans doute que je venais de siffler une demi-bouteille de vin à moi toute seule. La fille m'a toisée puis elle est partie, en criant presque à Swan :

— Je t'attends chez Titi !

Swan Letellier s'est approché de moi. Quand il est arrivé à ma hauteur, il a attendu que je parle :

— Vous savez pourquoi je suis là ?

Il a fait non de la tête.

— Vous savez qui je suis ?

Il a répondu froidement :

— Vous avez dit : la mère de Léonine Toussaint.

— Vous savez qui est Léonine Toussaint ?

Il a hésité avant de répondre :

— Vous êtes pas venue à l'enterrement, ni au procès.

Je ne m'attendais pas du tout à ce qu'il me dise ça. C'est comme s'il m'avait giflée. J'ai serré les poings jusqu'à m'enfoncer les ongles dans la peau. Le siamois était toujours près de moi. Assis à mes pieds, il me fixait.

— Je n'ai jamais cru que les enfants étaient allées dans les cuisines cette nuit-là.

Il m'a répondu, sur la défensive :

— Pourquoi ?

— Une intuition. Qu'est-ce que vous avez vu, vous ?

Sa voix s'est voilée :

— On a essayé d'entrer dans la chambre, mais toute façon c'était trop tard.

— Vous vous entendiez bien avec le reste du personnel ?

Il a eu l'air d'avoir du mal à respirer. Il a sorti un tube de Ventoline de sa poche et l'a inhalé sèchement par la bouche.

— Faut que j'y aille, on m'attend.

J'ai décelé sa peur. Les gens qui ont peur reniflent plus facilement celle des autres. Ce soir-là, assise sur ce banc, face à ce jeune homme inquiet et inquiétant, j'avais peur. J'ai senti que le feu qui consumait mon enfant la consumerait toujours si je ne découvrais pas la vérité.

— J'ai pas envie de repenser à ça. Vous devriez faire comme moi. C'est malheureux mais c'est la vie. Parfois, elle peut être moche. Je suis désolé.

Il m'a tourné le dos et s'est mis à marcher très vite. Presque à courir. Sa réaction n'a fait que me conforter dans l'idée que rien n'était vrai dans le rapport adressé au procureur de la République.

J'ai baissé les yeux, le chat siamois était parti sans que je m'en aperçoive.

56

Doux sont les souvenirs qui jamais ne se fanent.

Quand Jean-Louis et Armelle Caussin viennent se recueillir sur la tombe d'Anaïs, ils ne savent pas qui je suis. Ils ne font pas le lien entre la jeune femme timide et mal fagotée avec laquelle ils ont déjeuné le 13 juillet 1993 à Malgrange et l'employée municipale soignée qui arpente les allées du cimetière de Brancion d'un pas décidé. Ils m'ont déjà acheté des fleurs sans me reconnaître.

Après la mort de ma fille, j'ai perdu quinze kilos, mon visage s'est à la fois creusé et bouffi. J'ai pris cent ans. J'avais le visage et le corps d'une enfant dans une enveloppe froissée.

Une vieille petite fille.

J'avais sept ans et des poussières.

Sasha disait de moi : « Un vieil oisillon tombé du nid et qui a pris la pluie. »

Après ma rencontre avec Sasha, j'ai mué. J'ai fait

pousser mes cheveux et j'ai changé de vêtements. J'ai perdu le goût des jeans et des sweat-shirts.

Quand j'ai retrouvé mon corps, quand je l'ai vu dans une vitrine de magasin, c'était celui d'une femme. Je l'ai mis dans des robes, des jupes et des chemisiers. Les traits de mon visage ont changé. Si j'avais été un tableau, je serais passée des ovales anguleux de Bernard Buffet à ceux, presque éthérés, d'Auguste Renoir.

Sasha m'a fait changer de siècle, revenir en arrière pour continuer à avancer.

La dernière fois que j'ai vu Paulo dans son camion Emmaüs, je lui ai donné les dernières affaires de Léonine, ma poupée Caroline, mes pantalons et mes écrase-merde. J'ai limé mes ongles, dessiné un trait de crayon sur mes paupières et acheté des escarpins.

Stéphanie, qui m'avait toujours connue en jean et le visage au naturel, m'observait d'un œil soupçonneux quand je posais de la poudre et du rose à joues sur son tapis de caisse. Encore plus qu'à l'époque où je posais des bouteilles d'alcool en tout genre sous son nez.

Les gens sont drôles. Ils ne supportent pas de regarder une mère qui a perdu son enfant dans les yeux, mais ils s'étonnent encore plus de la voir se relever, s'habiller, se pomponner.

J'ai appris la crème de jour, la crème de nuit, les roses poudrées comme d'autres apprennent à faire la cuisine.

La femme qui s'occupe du cimetière a l'air triste, mais elle sourit toujours aux passants. Avoir l'air triste, je suppose que c'est le métier qui veut ça. Elle ressemble à une actrice dont j'ai oublié le nom. Elle est jolie mais sans âge. J'ai remarqué qu'elle était toujours bien habillée. Hier je lui ai acheté des fleurs pour Gabriel. Je n'avais pas envie de lui offrir mes roses. La femme qui s'occupe du cimetière m'a vendu une très jolie bruyère mauve. Nous avons parlé de fleurs ensemble, elle semble passionnée par les jardins. Quand je lui ai dit que je possédais une roseraie, elle s'est illuminée. Ce n'était plus la même.

C'est ce qu'a écrit Irène Fayolle à mon sujet dans son journal en 2009. Un mois après l'enterrement de Gabriel Prudent. Des années après la disparition de Philippe Toussaint.

Si Irène Fayolle avait su qu'un jour, la « dame qui s'occupe du cimetière » passerait une nuit d'amour avec son fils.

Je n'ai pas de nouvelles de Julien Seul. J'imagine qu'il va arriver un matin, en silence, comme à son habitude. Comme moi quand j'ai quitté l'hôtel Armance.

Je pense à notre nuit d'amour devant le cercueil de Marie Gaillard (1924-2017) que l'on met en terre. Il paraît que Marie Gaillard était méchante comme une teigne. Son employée de maison vient de me glisser à l'oreille qu'elle est venue à l'enterrement de la « vieille » pour être sûre qu'elle était bien morte. Je me suis violemment pincé l'intérieur de la main pour ne pas rire. Il n'y a pas un chat autour de la tombe, pas même ceux du cimetière. Pas une fleur, pas une plaque. Marie Gaillard est enterrée dans le caveau familial. J'espère qu'elle ne sera pas trop odieuse avec ceux qu'elle va retrouver.

Il n'est pas rare de voir des promeneurs cracher sur des tombes. Je l'ai même vu plus souvent que je ne l'aurais cru. Quand j'ai débuté, je pensais que les hostilités mouraient avec l'être détesté. Mais les pierres tombales n'enferment pas la haine. J'ai assisté à des enterrements sans larmes. J'ai même assisté à des enterrements heureux. Il y a des morts qui arrangent tout le monde.

Après l'inhumation de Marie Gaillard, l'employée de maison murmure que « la mauvaiseté c'est comme le fumier, l'odeur s'accroche au vent très longtemps même après qu'on l'a enlevé ».

*

À partir de janvier 1996, je suis retournée voir Sasha un dimanche sur deux. Comme celui qui n'a pas la garde de son enfant le retrouve un week-end sur deux. J'empruntais toujours la Fiat Panda rouge de Stéphanie, qui me la prêtait sans rechigner. Je partais le matin à 6 heures et revenais dans la soirée. Je sentais que cela ne pourrait pas durer. Que très vite Philippe Toussaint me poserait des questions, m'empêcherait de partir. Il était très méfiant.

Au fil de mes visites au cimetière de Brancion, je changeais physiquement. Comme une femme qui a un amant. Mon seul amant a été le fumier que Sasha m'a appris à faire avec du crottin de cheval. Il m'a appris à bêcher en octobre, recommencer au printemps en fonction du temps. Faire attention aux vers de terre, ne pas les écorcher pour qu'ils puissent « faire leur boulot ».

Il m'a appris à regarder le ciel et décider s'il fallait planter en janvier ou plus tard, si je voulais récolter en septembre.

Il m'a expliqué que la nature prenait son temps, que des aubergines plantées en janvier ne sortiraient pas avant septembre, et que dans les plantations industrielles ils aspergeaient en grosse quantité les légumes avec des engrais chimiques pour qu'ils poussent vite. Un rendement inutile au potager du cimetière de Brancion. Personne n'attendait ces légumes à part lui, le gardien, et moi, son « vieil oisillon tombé du nid ». À n'utiliser que la nature pour faire pousser la nature. Jamais d'engrais autre que brut. Il m'a appris à faire du purin d'ortie et de l'infusion de sauge pour traiter les légumes et les fleurs. Jamais de pesticides. Il me disait :

— Violette, le naturel, c'est beaucoup plus de travail, mais le temps, tant qu'on est vivant, on le trouve, il pousse comme les champignons dans la rosée du matin.

Il m'a vite tutoyée, moi jamais.

Quand il me voyait, il commençait par m'engueuler :

— Tu as vu comme tu es fagotée ! Tu ne peux pas t'habiller pour la belle femme que tu es ? Au fait, pourquoi tu as les cheveux courts ? Tu as des poux ?

Il me disait cela comme s'il s'adressait à un de ses chats, des chats qu'il adorait.

J'arrivais le dimanche matin vers 10 heures. J'entrais dans le cimetière, j'allais sur la tombe de Léonine. Je savais qu'elle n'était plus *là*. Que sous ce marbre, il n'y avait que du vide. Comme un terrain vague, un no man's land. J'allais lire son prénom et son nom. Et les embrasser. Je ne posais pas de fleurs, Léonine se fichait des fleurs. À sept ans, on préfère les jouets et les baguettes magiques.

Quand je poussais la porte de la maison de Sasha, il y avait toujours cette odeur, ce mélange de cuisine simple, d'oignons qu'on fait revenir dans une poêle, de thés et de « Rêve d'Ossian » qu'il aspergeait sur des mouchoirs éparpillés au hasard dans la pièce. Et moi, dès que j'entrais, je respirais mieux. J'étais en vacances.

Nous déjeunions face à face, c'était toujours bon, coloré, épicé, parfumé, goûteux et sans viande. Il savait que je l'avais en horreur.

Il me posait des questions sur mes semaines, mon quotidien, la vie à Malgrange-sur-Nancy, mon travail, mes lectures, la musique que j'écoutais, les trains qui passaient. Il ne me parlait jamais de Philippe Toussaint ou, quand il l'évoquait, il disait « lui ».

Très vite, nous sortions dans son jardin pour travailler ensemble. Qu'il gèle ou qu'il fasse beau, il y avait toujours quelque chose à faire.

Planter, faire des semis, repiquer, poser des tuteurs, biner, désherber, bouturer, entretenir les allées, tous les deux penchés vers la terre, les mains dans la terre, tout le temps. Les beaux jours, son grand jeu était de me viser avec le tuyau d'arrosage. Sasha avait un regard d'enfant et les jeux qui allaient avec.

Il était le gardien de ce cimetière depuis des années, il ne parlait jamais de sa vie privée. La seule alliance qu'il portait était celle retrouvée dans son premier jardin potager autour de la carotte.

Parfois, il sortait *Regain*, le roman de Jean Giono, de sa poche et m'en lisait des passages. Je lui récitais les extraits de *L'Œuvre de Dieu, la part du Diable* que je connaissais par cœur.

Parfois, nous étions interrompus par une urgence, quelqu'un qui avait des douleurs lombaires ou une cheville foulée. Sasha me disait : « Continue, je reviens. » Il disparaissait une demi-heure pour s'occuper de son patient et revenait toujours avec une tasse de thé, le sourire aux lèvres et la même question : « Alors, où en es-tu avec notre terre ? »

Que j'ai aimé cette première fois. Les mains dans la terre, le nez au ciel, pour faire le lien entre ces deux-là. Apprendre que l'un n'allait pas sans l'autre. Revenir deux semaines après les premières plantations et voir la transformation, compter les saisons autrement, la force de la vie.

Entre ces dimanches-là, j'avais l'impression d'une attente interminable. Le dimanche où je n'allais pas à Brancion était un désert où seul le futur comptait, la ligne d'horizon du dimanche suivant.

J'occupais mon temps en lisant les notes que j'avais prises, ce que j'avais planté, comment j'avais fait telle ou telle bouture, mes semis. Sasha m'avait confié des magazines de jardinage que je dévorais comme j'avais dévoré *L'Œuvre de Dieu, la part du Diable*.

Au bout de dix jours, je me faisais l'effet d'une prisonnière qui compte les dernières heures qui lui restent avant sa libération. Dès le jeudi soir, je commençais à trépigner. Le vendredi et le samedi, n'y tenant plus, je partais marcher entre chaque passage de train. J'en avais besoin pour canaliser mon énergie sans que Philippe Toussaint s'en aperçoive. Je prenais des chemins de traverse qu'il n'empruntait pas avec sa moto. Si par hasard il était là, je lui racontais que je partais faire une course en vitesse. Le samedi en fin d'après-midi, je passais prendre la Panda de Stéphanie qui était garée devant chez elle.

Jamais personne au monde n'a aimé une voiture comme j'aimais la Fiat Panda de Stéphanie. Aucun collectionneur, aucun chauffeur de Ferrari ou autre Aston Martin n'a ressenti ce que je ressentais en posant mes mains tremblantes sur le volant. En tournant la clé, en passant la première, en appuyant sur l'accélérateur.

Je parlais au tigre blanc. J'imaginais ce que j'allais retrouver, les plants qui avaient poussé, les semis à repiquer, la couleur des feuilles, l'état de la terre, meuble, sèche ou grasse, l'écorce des arbres fruitiers, l'avancement des bourgeons, des légumes, des fleurs, la peur du gel. J'imaginais ce que Sasha m'avait préparé pour le déjeuner, le thé que nous boirions, l'odeur de sa maison, sa voix. Retrouver mon Wilbur Larch. Mon médecin personnel.

Stéphanie pensait que j'étais impatiente de retrouver ma fille, mais j'étais impatiente de retrouver la vie après ma fille. D'autres vies que la mienne. La principale s'étant éteinte, le volcan était mort. Mais je sentais des ramifications, des contre-allées pousser à l'intérieur de moi. Ce que je semais, je le ressentais. Je m'ensemençais. Pourtant, la terre désertique dont j'étais constituée était bien plus pauvre que celle du potager du cimetière. Une terre de caillasse. Mais un brin d'herbe peut pousser n'importe où, et j'étais faite de ce n'importe où. Oui, une racine peut prendre vie dans du goudron. Il suffit d'une micro-fissure pour que la vie pénètre à l'intérieur de l'impossible. Un peu de pluie, de soleil et des souches venues d'on ne sait où, du vent peut-être, apparaissent.

Le jour où je me suis accroupie pour cueillir les premières tomates que j'avais plantées six mois plus tôt, Léonine recouvrait depuis longtemps le jardin de sa présence, comme si elle avait amené la Méditerranée jusqu'au petit potager du cimetière où elle était enterrée. Ce jour-là, j'ai su qu'elle était à l'intérieur de chaque petit miracle que la terre produisait.

57

Le destin a fait son chemin mais
il n'a jamais séparé nos cœurs.

Juin 1996, Geneviève Magnan.

Je suis tellement sensible que quand je lis ou j'entends le mot « acide », j'ai mal à la langue et mes yeux me piquent. J'ai tout qui brûle. C'est ce que je me dis quand je vois une pub pour des bonbons acidulés à la télé. « T'as trop de sensiblerie », me crachait ma mère entre deux torgnoles.

Ça doit être une histoire de vases communicants : comme mon âme est foutue, bonne à jeter aux chiens des rues, mon corps rattrape le coup.

Je change de chaîne. Si seulement je pouvais changer de vie en appuyant sur ma télécommande. Depuis que je suis au chômage, je suis vautrée dans mon vieux fauteuil à ne pas savoir quoi faire. À me dire que rien n'est grave. Que c'est fini. Qu'on ne peut pas revenir là-dessus. Que l'affaire est classée. Mortes. Enterrées.

Je dormais quand Swan Letellier a téléphoné. Il m'a laissé un message que je n'ai pas compris, ses mots étaient confus, il paniquait sec, y a tout qui se mélangeait dans sa cervelle de moineau. J'ai dû le réécouter plusieurs fois pour remettre ses mots à l'endroit : la mère de Léonine Toussaint l'attendait devant le restaurant où il bosse comme cuistot, elle a l'air cinglée, elle ne croit pas que les filles soient allées dans les cuisines pour se faire du chocolat cette nuit-là.

Après le procès, je pensais que je n'entendrais plus jamais parler de Léonine. Comme je n'entendrais plus jamais parler d'Anaïs, d'Océane ni de Nadège. Heureusement, c'est l'autre, la dirlo, qui a tout pris. Deux ans de taule. Faut bien que les nantis mangent un peu de merde, faut bien que justice se fasse de temps en temps. Jamais pu la blairer celle-là, avec ses airs de sainte nitouche.

La mère de Léonine Toussaint… Les familles n'étaient pas du coin. Y a que les bourgeois qui envoient leurs mômes se tremper le cul dans le lac d'un château. Je pensais que les parents ne passaient que par la case cimetière quand ils venaient par chez nous, et qu'ils repartaient fissa dans leurs pénates après avoir déposé des fleurs et des crucifix sur la tombe de leur gosse.

Qu'est-ce qu'elle cherche ? Qu'est-ce qu'elle veut ? Est-ce qu'elle va venir chez moi ? Est-ce qu'elle va faire le tour des popotes ? Letellier panique, mais moi, ça fait belle lurette que j'ai plus peur de personne.

Nous étions six au château. Letellier, Croquevieille, Lindon, Fontanel, Petit et moi.

De repenser à tout ça, ça me rappelle la première fois que je l'ai vu. Pas la dernière, la première. D'habitude, je repense à la dernière. Et j'ai la haine qui me pique le sang comme des rivières de bonbons acidulés.

La première fois, c'était à une fête de fin d'année pour les écoles maternelles de la région. J'avais du vomi sur la chemise, du lait caillé, celui du petit dernier qui avait été malade à cause de la chaleur. Je l'avais un peu ouverte pour pas que les gens voient l'auréole. Il ne m'a pas regardée, il a juste jeté un œil dans mon soutien-gorge d'allaitement. J'ai frissonné. Un regard de chien chaud. Il m'a collé l'envie. Violente.

Lui ne m'a pas vue, mais moi, « je n'ai eu d'yeux que pour lui », comme on dit chez les riches.

Les deux mois de vacances scolaires m'ont paru rabat-joie.

Puis j'ai été embauchée comme agent de service dans les écoles maternelles. Le premier jour, je l'ai attendu comme un clebs. Quand je l'ai vu entrer dans la cour de l'école pour récupérer sa progéniture, ma peau s'est durcie comme le cuir de son blouson. J'aurais voulu être la bestiole qu'on avait dépecée pour lui tenir chaud.

Il venait rarement. C'était toujours la mère qui emmenait et récupérait l'élève.

Il a mis des mois à m'adresser la parole. Sûrement qu'il n'avait rien d'autre à foutre ce jour-là. Pas d'autres filles à foutre. C'était un chaud lapin et diable qu'il était beau. Il sentait le bon coup à cent mètres avec ses tee-shirts et ses jeans moulants. D'un regard bleu glacé, il déshabillait tout ce qui portait jupe, celles des mères qui allaient et venaient dans les couloirs puant l'ammoniaque.

Les vitres que je nettoyais à l'Ajax après la classe… Les chiards que j'accompagnais aux toilettes…

Un jour je l'ai arrêté pour lui raconter n'importe quoi. Une histoire de lunettes que j'avais soi-disant trouvées dans le casier d'un des élèves. Est-ce qu'elles lui appartenaient ? Il a été aussi froid que le congélateur de la remise de l'école. Il a dit : « Non, elles sont pas à moi. » Il avait l'habitude que les femelles l'abordent, ça se voyait, ça se respirait. Il avait une tête de prince maudit, de traître, de salaud, les beaux, ceux des anciens films.

À la fin de l'année scolaire, à force de me voir plantée au milieu des couloirs pour le croiser, le coincer, il a fini par me donner rendez-vous. Pas un rendez-vous pour se conter fleurette, non, en me donnant l'heure et l'endroit, il m'avait déjà désapée.

Il m'a accostée : « Un soir et vite fait. » Parce qu'il était marié et moi aussi. Il ne voulait pas d'emmerdes ni de lit d'hôtel. Il baisait dans les chiottes de boîtes de nuit, contre les arbres ou sur les sièges arrière des voitures.

J'ai mis des heures à me préparer. Enlever mes poils de jambes, me tartiner de crème Nivea, poser un masque à l'argile sur ma figure, mon gros pif, parfumer mes dessous de bras, déposer les gosses chez une copine qui la fermerait. Une qui couchait à gauche et à droite et que j'avais déjà couverte. Une que l'adultère empêcherait de causer.

On devait se retrouver vers la « petite roche », c'est comme ça que les gens du coin appelaient un gros caillou posé à la sortie de la ville, un genre de menhir brisé, un coin sombre où des gosses avaient cassé les réverbères depuis belle lurette.

Il est arrivé à moto. Il a posé son casque sur l'assise. Comme quelqu'un qui ne reste pas longtemps. Il ne m'a pas dit bonjour, bonsoir, comment ça va. Je crois que je lui ai à peine souri. Mon cœur tapait fort. À m'en faire péter la gorge. Mes chaussures neuves s'enfonçaient dans la boue, elles m'ont fait des ampoules.

Il m'a retournée. Sans me regarder. Il a baissé ma culotte et mes collants, il a écarté mes cuisses. Pas de caresses, pas de mots doux ou durs. Pas de mots du tout. Il m'a fait jouir si fort que j'ai failli en crever. Je me suis mise à trembler comme une feuille morte dont l'arbre veut se débarrasser au plus vite.

Après, quand il est parti, mes ampoules et mes yeux se sont mis à couler en même temps. L'amour, ma mère m'avait toujours dit que c'étaient des trucs de riches. « Pas pour une bonne à rien. »

Toutes les fois que je l'ai retrouvé à la petite roche, il m'a baisée par-derrière sans me regarder. Il allait et venait en moi en me faisant pousser des cris de truie qu'on égorge. Il n'a jamais su que mes cris, c'était le paradis et l'enfer, le bien et le mal, le plaisir et la douleur, le début de la fin.

Je sentais son souffle sur ma nuque et j'adorais ça. J'en redemandais. Pendant qu'il refermait sa fermeture éclair, je lui disais : « On se retrouve la semaine prochaine ? Même heure ? » Il répondait : « Ok. »

La semaine suivante, j'étais là. J'étais toujours là. Et lui, pas toujours, pas tout le temps. Parfois, il ne venait pas. Il baisait ailleurs. Moi, j'attendais, le dos contre la petite roche glacée. J'attendais la lumière de ses phares. Ça a duré des mois.

La dernière fois que je l'ai vu, il est venu en voiture. Il n'était pas seul. Il y avait un homme sur le siège passager. J'ai paniqué, j'ai voulu partir mais il m'a attrapée par le bras, m'a pincée violemment et a sifflé entre ses dents : « Tu restes là, tu ne bouges pas, tu es à moi. » Il m'a retournée, il m'a salie comme à son habitude et j'ai laissé faire en couinant. Je me suis entendue gueuler. J'ai entendu la portière de la voiture claquer. J'ai entendu ma mère me dire : « L'amour, c'est pour les riches. » Je l'ai entendu dire au passager de la voiture qui était tout près de nous : « Elle est à toi, sers-toi. » J'ai dit non. Mais j'ai laissé faire.

Ils sont repartis tous les deux. J'étais toujours retournée, la culotte en bas des jambes. Un pantin désarticulé. J'avais la bouche contre la petite roche. Le goût de la pierre dans la bouche, un peu de mousse, j'ai cru que c'était du sang.

Après, j'ai déménagé, flanquée des deux gosses. Je ne l'ai jamais revu.

On frappe à ma porte, ça doit être elle. Elle n'était pas à l'enterrement. Elle n'était pas au procès. Fallait bien qu'elle finisse par aller quelque part.

58

Ce sont les mots qu'ils n'ont pas dits
qui font les morts si lourds dans leurs cercueils.

Juin 1996 – cela faisait six mois que j'allais chez Sasha un dimanche sur deux. Je venais de le quitter, j'avais encore de la terre sous les ongles. J'ai posé leur adresse sur mon tableau de bord. Un lieu-dit appelé La Biche-aux-Chailles, juste après Mâcon. J'ai roulé une trentaine de minutes, je me suis perdue dans des chemins, j'ai fait des marches avant et des marches arrière, j'ai pleuré de rage. J'ai fini par trouver. Une petite maison au crépi fatigué et noirci, coincée entre deux autres, plus grandes et plus imposantes. On aurait dit une petite fille pauvre entre ses deux parents vêtus d'apparats.

Il y avait leurs deux noms sur la boîte aux lettres accrochée à la porte : « G. Magnan. A. Fontanel ».

Mon cœur s'est mis à paniquer. J'ai été prise de nausées.

Il était déjà tard. J'ai pensé que j'allais être obligée de rouler de nuit pour rentrer à Malgrange et que j'avais horreur de ça. Le trac au ventre, j'ai frappé plusieurs fois. J'ai dû frapper fort. Je me suis fait mal aux doigts. J'ai vu la terre sous mes ongles. Ma peau était sèche.

C'est elle qui a ouvert la porte, je n'ai pas tout de suite fait le rapprochement entre la femme qui se tenait devant moi et celle qui posait avec un chapeau ridicule le jour d'un mariage sur la photo que Sasha avait glissée dans l'enveloppe. Elle avait beaucoup vieilli et grossi depuis que le cliché avait été pris. Sur la photo elle était mal maquillée mais elle était maquillée. Dans la lumière de cette fin de jour, sa peau était marquée par les années. Le dessous de ses yeux était violacé et une couperose courait le long de ses joues.

— Bonjour, je m'appelle Violette Toussaint. Je suis la mère de Léonine. Léonine Toussaint.

Prononcer le prénom et le nom de ma fille devant cette femme m'a glacé le sang. J'ai pensé : *C'est sans doute elle qui lui a servi son dernier repas.* J'ai pensé, pour la millième fois : *Comment j'ai pu laisser ma fille de sept ans partir* là-bas ?

Geneviève Magnan n'a pas répondu. Elle est restée de marbre et m'a laissée continuer sans ouvrir la bouche. Tout en elle était fermé à double tour. Pas de sourire, pas d'expression, juste ses yeux poisseux et injectés de sang posés sur moi.

— Je veux savoir ce que vous avez vu cette nuit-là, la nuit de l'incendie.

— Pour quoi faire ?

Sa question m'a stupéfiée. Et sans réfléchir, j'ai répondu :

— Je ne crois pas que ma fille soit allée, à sept ans, dans une cuisine pour se faire chauffer du lait.

— Il fallait le dire au procès, ça.

J'ai senti mes jambes trembler.

— Et vous, madame Magnan, qu'est-ce que vous avez dit au procès ?

— J'avais rien à dire.

Elle m'a soufflé au revoir, et m'a claqué la porte au nez. Je crois que je suis restée longtemps comme ça, la respiration coupée, devant sa porte, à regarder la peinture écaillée et leurs noms écrits sur un ruban en plastique : « G. Magnan. A. Fontanel ».

Je suis remontée dans la Fiat Panda de Stéphanie. Mes mains tremblaient encore. J'avais senti en parlant avec Swan Letellier que quelque chose n'était pas clair sur le déroulement des faits de *cette nuit-là*, et ma « rencontre » avec Geneviève Magnan ne faisait que le confirmer. Pourquoi est-ce que ces gens paraissaient tous aussi ambigus les uns que les autres ? Est-ce que c'est moi qui me faisais des idées ? Est-ce que j'étais en train de devenir folle ? Encore plus folle ?

Pendant le voyage du retour, je suis passée de la lumière aux ténèbres. J'ai pensé à Sasha et au personnel du château de Notre-Dame-des-Prés. J'ai pensé que la prochaine fois, dans deux dimanches, j'irais au château. Je n'avais jamais eu le courage de passer devant. Pourtant, il n'était situé qu'à cinq kilomètres du cimetière de Brancion. Et puis je retournerais chez Magnan et Fontanel, et je donnerais des coups de pied dans leur porte jusqu'à ce qu'ils finissent par parler.

Je suis arrivée vers 22 h 37 devant la maison. J'ai juste eu le temps de me garer avant de fermer la barrière du 22 h 40. Quand j'ai poussé la porte, j'ai vu Philippe Toussaint qui s'était endormi sur le canapé. Je l'ai regardé sans le réveiller en pensant que je l'avais aimé, il y avait longtemps. Que si j'avais eu dix-huit ans et les cheveux courts, je me serais jetée sur lui en lui disant : « On va faire l'amour ? » Mais j'avais onze ans de plus et mes cheveux avaient poussé.

Je suis allée m'allonger sur mon lit. J'ai fermé les yeux sans trouver le sommeil. Philippe Toussaint est venu se glisser dans le lit au milieu de la nuit. Il a maugréé : « Tiens, t'es rentrée. » J'ai pensé : *Heureusement, sinon qui aurait baissé la barrière du 22 h 40 ?* J'ai fait semblant de dormir, de ne pas l'entendre. J'ai senti qu'il me reniflait, qu'il cherchait l'odeur de quelqu'un d'autre dans mes cheveux. La seule odeur qu'il a dû trouver, c'était celle du parfum de synthèse de la Fiat Panda. Il a très vite ronflé.

J'ai pensé à une histoire de graines que Sasha m'avait racontée. Il avait essayé de planter des melons dans son potager, ils n'avaient jamais poussé. Il avait essayé deux années de suite, impossible, les melons refusaient de pousser. L'année suivante, il avait jeté le reste des graines de melons aux oiseaux. Plus loin, à l'arrière du potager, là où s'amoncelaient des pots, des râteaux, des arrosoirs et des lessiveuses. L'un de ces oiseaux, étourdi ou espiègle, avait dû rapporter une des graines dans son bec et l'avait fait tomber au milieu d'une allée du jardin. Quelques mois plus tard, une belle plante avait poussé et Sasha ne l'avait pas arrachée, juste contournée. Elle avait donné deux beaux melons. Bien gros, bien sucrés. Et chaque année, elle en avait redonné un, deux, trois, quatre, cinq. Sasha m'avait dit : « Tu vois, ce sont des melons qui viennent du ciel, c'est ça la nature, c'est elle qui décide. »

Je me suis endormie sur ces mots.

J'ai rêvé d'un souvenir. J'emmenais Léonine à l'école. C'était le jour de la rentrée au CP. Nous longions les couloirs. Sa main dans la mienne. Puis elle l'avait lâchée parce qu'elle était « grande maintenant ».

Je me suis réveillée en hurlant :

— Je la connais ! Je l'ai déjà vue !

Philippe Toussaint a allumé la lampe de chevet.

— Quoi ? Qu'est-ce qui y a ?

Il s'est frotté les yeux, m'a regardée comme si j'étais possédée.

— Je la connais ! Elle travaillait à l'école. Pas dans la classe de Léonine, dans celle d'à côté.

— De quoi ?

— Je l'ai vue. Après le cimetière, je suis passée chez Geneviève Magnan.

Philippe Toussaint s'est décomposé.

— Quoi ?

J'ai baissé les yeux.

— J'ai besoin de comprendre. De rencontrer les gens qui étaient au château de Notre-Dame-des-Prés cette nuit-là.

Il s'est levé, a fait le tour du lit, m'a attrapée par le col, j'ai manqué d'air quand il m'a soulevée de terre et s'est mis à hurler :

— Tu commences à nous faire chier ! Si ça continue, je te fais enfermer ! Tu m'entends ? ! Et je te préviens, tu retournes plus là-bas ! Tu m'entends ? ! Plus JAMAIS tu ne refous les pieds là-bas !

Avec les années, il m'avait laissée plonger dans une solitude sans fond, un puits noir. J'aurais pu être quelqu'un d'autre, me faire remplacer, engager une intérimaire pour baisser et lever la barrière, faire les courses, le déjeuner et le dîner, laver son linge et dormir du côté gauche du lit, il n'aurait rien senti, rien vu.

Jamais il ne m'avait bousculée ni menacée. En faisant cela, il me ramenait à moi. Je redevenais moi.

*

Le lendemain matin, je suis passée chez Stéphanie pour lui rendre les clés de la Panda. Le lundi, le Casino était fermé. Elle vivait seule dans la Grand-Rue, au premier étage d'une maison. Elle m'a fait entrer et servi un café dans un mazagran. Elle portait un long tee-shirt à l'effigie de Claudia Schiffer et m'a dit : « Lundi, à la maison, c'est jour de ménage. » Ça m'a fait drôle de voir sa tête à elle au-dessus de celle du top-modèle, pourtant c'est sa tête à elle qui m'a émue aux larmes, sa bouille ronde, ses bonnes joues rouges, ses cheveux filasse.

— Je t'ai fait le plein.

— Ah ben merci.

— On dirait qu'il va faire beau.

— Ah ben oui.

— Il est bon ton café… Mon mari ne veut plus que j'aille au cimetière de Brancion.

— Ah bon ben, quand même, hein. C'est quand même pour aller voir ta gosse, hein.

— Oui, je sais. En tout cas merci pour tout.

— Oh ben c'est rien, hein.

— Si, Stéphanie, c'est tout.

Je l'ai serrée dans mes bras. Elle n'a pas osé bouger. Comme si jamais personne ne lui avait témoigné la moindre marque d'affection. Ses yeux et sa bouche se sont arrondis encore plus que d'habitude. Trois soucoupes volantes. Stéphanie resterait toujours une énigme, l'extraterrestre du Casino. Je l'ai abandonnée, les bras ballants, au milieu de son salon.

Ensuite, j'ai repris la Grand-Rue et je me suis dirigée vers l'école primaire. Comme dans la chanson « Du côté de chez Swann », j'ai refait le chemin à l'envers. Celui que j'empruntais chaque matin avec Léo. Dans son cartable, la boîte Tupperware prenait plus de place que ses livres et ses cahiers. J'avais cette obsession de lui faire des goûters gargantuesques, pour qu'elle ne manque de rien. Parce que j'avais ce vide qui me restait des familles d'accueil. Quand nous partions en autocar avec l'école, que les autres avaient des chips, des barres de chocolat, des sandwichs au pain de campagne, des bonbons et des boissons pétillantes dans leur sac à dos. Moi, je ne manquais de rien, mais il n'y avait aucune fantaisie dans mon sac en plastique. « Les filles de l'Assistance se contentent de peu. » Ce n'était pas le fait d'avoir moins qui me chagrinait, c'était de ne pas pouvoir partager mon déjeuner frugal. D'avoir juste le compte. Je voulais donner à Léonine la chance de partager avec les autres.

Ce ne sont pas les enfants qui m'ont troublée quand je suis entrée sous le préau, mais les odeurs, celles de la cantine, un bâtiment attenant à l'école, et les couloirs bondés. C'était l'heure du déjeuner. Je venais chercher Léonine à l'heure du déjeuner. Et elle me disait souvent : « T'as vu, ça sent pas très bon la cantine, maman, je suis contente de rentrer chez nous. »

Sur l'échelle de la douleur, si cette saloperie d'échelle existe, pénétrer dans l'école de Léonine a été plus difficile que d'entrer dans le cimetière. À Brancion, ma fille était morte parmi les morts. Dans l'enceinte de son école, elle était morte parmi les vivants.

Les enfants qui avaient été les camarades de Léonine n'étaient plus là. Ils venaient de rentrer au collège. Je n'aurais pas supporté de les croiser, de les reconnaître sans les reconnaître vraiment. Les mêmes silhouettes avec l'option « vie » en plus. Des jambes de sauterelle, les traits moins poupins, des appareils en ferraille dans la bouche, les pieds dans des baskets de géant.

Les poches vides, j'ai longé les couloirs. J'ai pensé que Léonine n'aurait plus voulu que je lui tienne la main pour aller jusqu'à sa classe. Une maman m'avait dit qu'une fois qu'ils entraient au collège, on les perdait un peu plus chaque année. Oui, et quand ils partaient en colonie de vacances, on pouvait les perdre d'une traite.

Léonine appelait sa maîtresse de CP/CE1 « mademoiselle Claire ». Quand la douce Claire Berthier, penchée sur des cahiers, a relevé la tête et m'a vue pénétrer dans sa classe, elle a pâli. Nous ne nous étions pas revues depuis la disparition de ma fille. Ma présence l'a mise mal à l'aise, si elle avait pu se cacher dans un trou de souris, elle l'aurait fait.

La mort d'un enfant encombre les grands, les adultes, les autres, les voisins, les commerçants. Ils baissent les yeux, vous évitent, changent de trottoir. Quand un enfant meurt, pour beaucoup, les parents meurent avec.

Nous avons échangé un bonjour courtois. Je ne

lui ai pas laissé le temps de parler. J'ai tout de suite sorti la photo de Geneviève Magnan, celle où elle portait son chapeau ridicule.

— Vous la connaissez ?

Surprise par ma question, l'institutrice a froncé les sourcils et fixé la photo en me répondant que ça ne lui disait rien. J'ai insisté :

— Je crois qu'elle a travaillé ici.

— Ici ? Vous voulez dire à l'école ?

— Oui, dans une classe voisine.

Claire Berthier a reposé ses beaux yeux verts sur la photo et a détaillé le visage de Geneviève Magnan plus longtemps.

— Ah… je crois que je me souviens, elle était dans la classe de Mme Piolet, avec les grandes sections de maternelle… Elle est arrivée en cours d'année. Elle n'est pas restée très longtemps ici.

— Merci.

— Pourquoi me montrez-vous cette photo ? Vous recherchez cette dame ?

— Non, non, je sais où elle habite.

Claire m'a souri comme on sourit à une folle, une malade, une veuve, une orpheline, une alcoolique, une inculte, une mère-qui-a-perdu-son-enfant.

— Au revoir, merci.

59

C'est quand l'arbre se couche
que l'on mesure sa grandeur.

J'ai rangé le journal d'Irène Fayolle dans le tiroir de ma table de nuit. Je lis les passages qui me concernent au hasard, jamais dans l'ordre chronologique. Elle est venue épisodiquement de 2009 à 2015 dans mon cimetière pour se recueillir sur la tombe de Gabriel. Des années pendant lesquelles elle a pris des notes sur la météo, Gabriel, les tombes d'à côté, les pots de fleurs et moi.

Julien a glissé des papiers colorés aux pages où sa mère parle de la « dame du cimetière » dans son journal. Comme des fleurs posées sur les lignes où elle parle de moi. Cela m'a tout de suite rappelé la *Lettre d'une inconnue* de Stefan Zweig.

3 janvier 2010

Aujourd'hui j'ai remarqué que la dame du cimetière avait pleuré…

6 octobre 2009

En quittant le cimetière, j'ai croisé la dame qui s'en occupe, elle souriait, elle était accompagnée d'un fossoyeur, d'un chien et de deux chats…

6 juillet 2013

La dame du cimetière nettoie souvent les tombes, elle n'est pas obligée…

28 septembre 2015

J'ai croisé la dame du cimetière, elle m'a souri mais elle semblait penser à autre chose…

7 avril 2011

Je viens d'apprendre que le mari de la dame du cimetière a disparu…

3 septembre 2012

La maison de la dame du cimetière était fermée à clé et les volets clos. J'ai demandé pourquoi à un fossoyeur, il m'a dit que le jour de Noël et le 3 septembre, la gardienne ne voulait voir personne. Ce sont les seuls jours de l'année où elle se fait remplacer en dehors des vacances d'été…

7 juin 2014

Il paraît que la dame du cimetière consigne les discours qui sont faits pour les défunts dans des cahiers…

10 août 2013
En achetant des fleurs, j'ai appris que la dame du cimetière était partie en vacances à Marseille. Je l'ai peut-être croisée…

Quand je sors des lignes qui me concernent, quand j'ouvre le journal aux endroits où il n'y a pas les marque-pages de couleur glissés par Julien, j'ai le sentiment d'entrer dans la chambre d'Irène et de fouiller sous son matelas. Comme son fils lorsqu'il s'est mis à rechercher Philippe Toussaint. Moi, c'est Gabriel Prudent que je recherche quand je sors des clous.

Il y a certains mots que je ne comprends pas, Irène écrivait aussi mal que les médecins le nom des médicaments sur les ordonnances. Elle faisait de minuscules pattes de mouche avec son stylo bille.

Après leur nuit d'amour dans la chambre bleue, Gabriel Prudent et Irène Fayolle n'ont pas quitté l'hôtel ensemble.

Ils devaient rendre la chambre à midi. Gabriel a appelé la réception pour dire qu'il resterait encore vingt-quatre heures. Il a caressé Irène du bout des doigts en murmurant, entre deux taffes :

— Il faut que je dessaoule de tout cet alcool, et surtout il faut que je dessaoule de vous avant de sortir d'ici.

Elle l'a mal pris. C'était comme s'il lui disait : « Il

faut que je me débarrasse de vous avant de sortir d'ici. »

Elle s'est levée, a pris une douche et s'est rhabillée. Depuis qu'elle était mariée, elle n'avait jamais découché. Quand elle est ressortie de la salle de bains, Gabriel s'était endormi. Dans le cendrier, une fumée crasse émanait d'un mégot mal écrasé.

Elle a ouvert le minibar pour trouver une bouteille d'eau. Gabriel a rouvert les yeux et l'a regardée boire à la bouteille. Elle avait déjà enfilé son manteau.

— Restez encore un peu.

Elle a porté le revers de sa main à sa bouche pour s'essuyer. Il a adoré ce geste. Sa peau, son regard, ses cheveux ramenés dans un élastique noir.

— Je suis partie depuis hier matin. J'étais censée livrer des fleurs à Aix et revenir tout de suite après… Je suis sûre que mon mari a déjà signalé ma disparition.

— Ça ne vous tente pas de disparaître ?

— Non.

— Venez vivre avec moi.

— Je suis mariée et j'ai un fils.

— Divorcez et emmenez votre fils avec vous. Je m'entends plutôt bien avec les enfants.

— On ne divorce pas comme ça, d'un coup de baguette magique. Avec vous, on dirait que tout est simple.

— Mais tout est simple.

— Je ne veux pas aller à l'enterrement de mon

mari. Vous avez abandonné votre femme et elle en est morte.

— Vous devenez désagréable.

Elle a cherché son sac à main. A vérifié que ses clés de voiture étaient à l'intérieur.

— Non, réaliste. On n'abandonne pas les gens comme ça. Si c'est facile pour vous de tout plaquer et reconstruire ailleurs, sans se soucier des autres, de leur chagrin, eh bien… tant mieux.

— Chacun sa vie.

— Non. La vie des autres ça compte aussi.

— Je sais, je passe la mienne à la défendre dans les tribunaux.

— C'est celle des autres que vous défendez. Celle de gens que vous ne connaissez pas. Pas la vôtre. Pas celle des vôtres. C'est presque… facile.

— On en est déjà aux reproches. Après une seule nuit d'amour. On va peut-être un petit peu trop vite, là.

— Il n'y a que la vérité qui blesse.

Il a levé la voix :

— J'exècre la vérité ! Ça n'existe pas, la vérité ! C'est comme Dieu… C'est une invention des hommes !

Elle a haussé les épaules, d'un air de dire ce qu'elle a dit :

— Ça ne m'étonne pas.

Il l'a regardée tristement.

— Déjà… Je ne vous étonne plus.

Elle a acquiescé. Lui a fait un léger sourire et a claqué la porte sans dire au revoir.

Elle a descendu les escaliers, trois étages, cherché son utilitaire. Elle ne se souvenait pas où elle l'avait garé la veille. En le cherchant dans les rues adjacentes à l'hôtel, devant les vitrines où les derniers soldes d'hiver étaient annoncés, elle a failli remonter dans la chambre, se jeter dans ses bras. Au moment où elle allait rebrousser chemin, elle a vu son véhicule garé au fond d'une impasse, à cheval sur un trottoir, un peu n'importe comment.

Au fond d'une impasse. N'importe comment. C'était n'importe quoi. Il fallait rentrer, retrouver Paul et Julien.

Dans l'utilitaire, il y avait une odeur de tabac froid. Elle a ouvert les fenêtres en grand malgré l'hiver. Elle a roulé jusqu'à Marseille. Elle n'est pas passée par la roseraie. Elle est rentrée directement chez elle.

Paul l'attendait. Quand elle a ouvert la porte, il a presque crié : « C'est toi ? » Il était fou d'inquiétude mais n'avait pas signalé sa disparition. Il savait que sa femme pourrait disparaître du jour au lendemain. Il l'avait toujours su. Trop belle, trop taiseuse, trop secrète.

Elle lui a demandé pardon. Lui a dit qu'elle avait fait une rencontre inattendue au cimetière, un veuf abandonné par sa famille, enfin bref, une drôle d'histoire, elle avait dû s'occuper de tout.

— Comment ça, tout ?

— Tout.

Paul ne posait jamais de questions. Pour lui, les questions appartenaient au passé. Paul vivait au présent.

— La prochaine fois, appelle-moi.

— Tu as mangé ?

— Non.

— Où est Julien ?

— À l'école.

— Tu as faim ?

— Oui.

— Je vais faire des pâtes.

— D'accord.

Elle a souri, est allée dans la cuisine, a sorti une casserole, a fait couler de l'eau dedans, l'a mise à chauffer en y versant du sel et des herbes. Elle a repensé aux pâtes qu'elle avait mangées la veille avec Gabriel, à l'amour qu'ils avaient fait.

Paul est entré dans la cuisine, s'est collé dans son dos, l'a embrassée dans la nuque.

Elle a fermé les yeux.

60

Un souvenir ne meurt jamais, il s'endort simplement.

Juin 1996, Geneviève Magnan..

Les Parisiennes sont arrivées dans un minibus, des valises, des couettes, des nattes, des robes à fleurs, des sacs à vomi, des cris de joie. Ça caquetait, ça piaillait : entre six et neuf ans. Il y en a que je connaissais, je les avais déjà vues l'année d'avant. Que des fillettes. Il y en a quatre qui arriveraient en voiture, plus tard. Deux gamines de Calais, deux autres de Nancy.

J'ai jamais aimé les pisseuses, ça me rappelle mes sœurs. Je ne pouvais pas les blairer. Heureusement, je n'ai eu que deux garçons, des robustes. Ça piaille pas les garçons, ça se castagne, mais ça piaille pas.

J'ai jamais été bonne en maths. Ni dans les autres matières d'ailleurs. Mais je sais ce que c'est que le taux de probabilité, ma saloperie de vie me l'a parfaitement appris, tiens que je t'enfonce ça dans la caboche. Plus le nombre est grand, plus la chance que l'événement arrive est grand. Mais là, le nombre, il était minuscule. Un bled paumé de trois cents âmes où j'avais fait un remplacement de deux ans.

Quand je l'ai vue descendre de la bagnole, toute pâlotte, j'ai d'abord pensé à une ressemblance, pas au taux de probabilité. Je me suis dit : *Ma vieille, tu es siphonnée. Tu vois* le mal *partout.*

Je suis repartie en cuisine pour faire des crêpes à tout ce petit monde. Je les ai retrouvées dans le réfectoire autour des pichets d'eau et des bouteilles de sirop à la grenadine pour leur servir un tas de crêpes au sucre qu'elles ont dévorées.

Quand la dirlo a fait l'appel et que la petite a répondu : « Présente », en entendant son nom, j'ai failli tourner de l'œil. Un nom de fête des morts.

Une des monitrices m'a donné un verre d'eau fraîche. Elle a dit : « Geneviève, vous ne vous sentez pas bien à cause de la chaleur ? » J'ai répondu : « Ça doit être ça. »

À ce moment-là, j'ai compris que le diable existait. Dieu, j'ai toujours su que c'était une invention de gogo, mais pas le diable. Ce jour-là, je lui aurais presque tiré mon chapeau, un chapeau que j'ai jamais eu. Chez nous, on n'a presque jamais porté de chapeaux.

« Les chapeaux, c'est fait pour les bourgeois », disait ma mère entre deux torgnoles.

La gosse ressemblait à son père comme deux

gouttes d'eau. Je l'ai regardée avaler ses crêpes en repensant à la dernière fois, le goût du sang dans ma bouche. Ça faisait trois ans que je ne l'avais pas vu et j'y pensais tout le temps. Parfois, la nuit, je me réveillais en nage, je rêvais du manque de lui, de cette envie de me venger aussi, de lui faire la peau comme il s'était fait la mienne.

Après le goûter, les mômes sont sorties se dégourdir les jambes. J'ai débarrassé les tables, il faisait beau, j'ai ouvert les fenêtres. Je l'ai vue jouer, courir avec les autres en poussant des cris de joie. Je me suis dit que je ne pourrais pas tenir la semaine. Sept jours à le voir à travers elle, aux services du matin, du midi et du soir. Fallait que je me fasse porter pâle. Mais ce boulot, j'en avais besoin. L'entretien du château me faisait vivre à l'année. Et je ne pouvais pas me débiner en pleine saison. La dirlo nous avait tous prévenus : en juillet et en août aucune absence tolérée à moins d'être mourant. Une belle peau de vache celle-là avec ses airs de sainte nitouche.

J'ai pensé faire un croche-pied à la gosse pour qu'elle se casse une patte dans les escaliers et qu'on la renvoie chez son père fissa. Ni vu ni connu, retour à l'expéditeur. Avec un mot accroché à sa robe : « Avec mes pires souvenirs ».

J'ai préparé la bouffe. De la salade de tomates, du poisson pané, du riz pilaf et des crèmes dessert. J'ai mis la table, vingt-neuf couverts, Fontanel m'a donné un coup de main.

— T'as pas l'air dans ton assiette, ma grosse. Je lui ai demandé de la fermer. Ça l'a fait rire.

Il s'est penché à la fenêtre pour mater les deux monitrices pendant que les mômes jouaient à un, deux, trois, soleil.

Un, deux, trois, soleil…

61

Nous savons que tu serais avec nous
aujourd'hui si le ciel n'était pas si loin.

Quand nous avons emménagé au cimetière en août 1997, Sasha avait déjà quitté la maison. Comme d'habitude, la porte était ouverte. Il nous avait laissé un mot et les clés sur la table. Il nous souhaitait la bienvenue, nous expliquait où se trouvaient le ballon d'eau chaude, le compteur électrique, les arrivées d'eau, les ampoules et les fusibles de rechange.

Les boîtes de thé avaient disparu. La maison était propre. Sans lui, elle était triste, elle avait perdu son âme. Comme une fille abandonnée par son amour de jeunesse. J'ai découvert le premier étage, la chambre vide.

Le potager avait été arrosé la veille.

Le chef des services techniques de la ville nous a retrouvés dans la soirée pour vérifier que nous étions bien installés.

Au début, des gens venaient chez nous pour

faire soigner leurs tendinites et leurs douleurs chroniques, ils ignoraient que Sasha était parti. Il n'avait dit au revoir à personne.

*

Les cloches de l'église sonnent. Jamais d'enterrement le dimanche, juste la messe pour rappeler les vivants à l'ordre.

En général, le dimanche midi, c'est Elvis qui vient déjeuner avec moi. Il m'apporte des religieuses à la vanille et moi, je lui fais des penne aux champignons. J'ajoute un peu de persil frais dessus. Un délice. Selon la saison, je cueille ce qu'il y a au potager et nous mangeons des tomates, des radis ou une salade de haricots verts.

Elvis parle très peu. Ça ne me dérange pas, avec lui pas la peine de faire la conversation. Elvis est comme moi, il n'a pas de parents. Il est resté dans un foyer mâconnais jusqu'à ses douze ans, ensuite il a été placé comme garçon de ferme à Brancion-en-Chalon. La ferme se situe à l'entrée du village, c'est une ruine à présent.

Tous les membres de cette famille sont morts et enterrés dans mon cimetière depuis longtemps. Elvis ne passe jamais près de leur caveau. Il a peur du père, Émilien Fourrier (1909-1983), une brute qui frappait tout ce qui bougeait. Autour de leur caveau, les allées ne sont pas ratissées. Il m'a toujours dit qu'il ne voulait pas être enterré avec eux.

Il m'a fait promettre d'y veiller. Il faudrait pour cela que je meure après lui. Alors je lui ai fait prendre un contrat obsèques chez les frères Lucchini pour qu'il ait sa concession à lui, rien qu'à lui, avec la photo d'Elvis Presley scellée dessus et les mots *Always in my mind* en lettres d'or. Bien qu'Elvis ait l'air d'un enfant, comme souvent les garçons qui n'ont pas connu les caresses d'une mère, il sera bientôt à la retraite.

C'est Nono et moi qui lui faisons ses comptes et remplissons ses papiers administratifs. Son vrai nom, c'est Éric Delpierre, mais je n'ai jamais entendu personne l'appeler ainsi. Je pense que tous les habitants de Brancion ignorent sa véritable identité. Il vit avec son nom de scène depuis toujours. Il est tombé amoureux d'Elvis Presley quand il avait huit ans. Il y en a qui entrent en religion, lui, il est entré en Elvis, ou bien il a laissé Elvis entrer en lui. Ses chansons l'ont traversé et sont restées, comme des prières. Le père Cédric récite le « Notre-Père », et Elvis « Love Me Tender ». Je ne lui ai jamais connu d'amoureuse, Nono non plus.

En cherchant des feuilles de laurier séchées dans mon placard à condiments, je tombe sur une lettre de Sasha, glissée entre l'huile d'olive et le vinaigre balsamique. Je sème les lettres de Sasha un peu partout dans la maison pour les oublier et finir par tomber dessus par hasard. Celle-ci date de mars 1997.

« Chère Violette,

Mon jardin est devenu plus triste que mon cimetière. Les jours se suivent et ressemblent à de petits enterrements.

Comment faire pour te revoir ? Est-ce que tu veux que j'organise ton enlèvement, là-bas, du côté des trains ?

Deux dimanches par mois, ce n'était pourtant pas bien lourd. Pas la mer à boire.

Mais pourquoi donc lui obéis-tu ? Sais-tu que, parfois, il faut être insoumis ? Et puis qui va s'occuper de mes nouveaux plants de tomates ?

Hier, Mme Gordon est venue pour que je lui soigne son zona. Elle est repartie avec le sourire. Quand elle m'a demandé : "Qu'est-ce que je peux faire pour vous remercier ?" j'ai failli lui répondre : "Allez me chercher Violette."

Je suis en train de faire mes semis de carottes. J'ai mis les graines dans des tasses en terre. J'ai étalé mes semis dans mon salon, à côté des boîtes à thé, juste derrière les vitres. Comme ça quand le soleil tape, c'est directement dessus. Quand c'est chaud, ça pousse bien. Rien ne vaut la chaleur. L'idéal serait de les mettre devant une cheminée, mais ma petite maison n'en possède pas. C'est pour ça que le Père Noël ne passe jamais chez moi. Ensuite, quand ils auront bien poussé, je les mettrai sous la verrière. Les oignons, les échalotes et les haricots, tu peux les mettre directement en terre. Mais pas les carottes. N'oublie jamais les saints de glace, les 11, 12 et 13 mai de chaque année. C'est là que tout se décide, c'est là qu'il faut repiquer. En théorie. Si tu veux protéger tes jeunes pousses, tu poses des pots dessus durant la nuit ou un film léger.

Reviens vite. Ne fais pas comme le Père Noël. Avec toute mon amitié,

Sasha »

Elvis frappe à la porte et entre avec ses religieuses à la vanille emballées dans du papier blanc. Je replie la lettre de Sasha et la remets à sa place, pour l'oublier, et tomber dessus, une autre fois, par hasard.

— Tout va bien, Elvis ?

— Violette, y a quelqu'un qui te cherche. Elle a dit : « Je cherche la femme de Philippe Toussaint. »

Mon sang se glace. Une ombre suit Elvis. Elle entre. Elle me fixe sans dire un mot. Ensuite, elle balaye l'intérieur de la maison du regard puis revient à moi. Je vois qu'elle a beaucoup pleuré, j'ai l'habitude de voir des gens qui ont beaucoup pleuré, même si ça remonte à plusieurs jours.

Elvis appelle Éliane en claquant ses deux cuisses et l'emmène avec lui à l'extérieur, comme s'il voulait la protéger. La chienne le suit joyeusement. Elle a l'habitude de partir en balade avec lui.

Il n'y a plus qu'elle et moi dans la maison.

— Vous savez qui je suis ?

— Oui. Françoise Pelletier.

— Vous savez pourquoi je suis là ?

— Non.

Elle prend une grande inspiration pour retenir ses larmes.

— Vous avez vu Philippe, ce jour-là ?

— Oui.

Elle encaisse le coup.

— Qu'est-ce qu'il est venu faire ici ?

— Me rendre une lettre.

Elle ne se sent pas bien, elle change de couleur, des gouttes de sueur perlent à son front. Elle ne bouge pas d'un pouce, pourtant je vois passer des cyclones dans son regard bleu nuit. Ses mains sont crispées. Ses ongles enfoncés dans la peau.

— Asseyez-vous.

Elle esquisse un sourire de remerciement et tire une chaise à elle. Je lui sers un grand verre d'eau.

— Quelle lettre ?

— Je lui avais fait envoyer une demande de divorce chez vous, à Bron.

Ma réponse semble la soulager.

— Il ne voulait plus entendre parler de vous.

— Moi non plus.

— Il disait qu'il était devenu cinglé à cause de vous. Il détestait cet endroit, ce cimetière.

— …

— Pourquoi vous êtes restée ici quand il est parti ? Pourquoi ne pas avoir déménagé ? Refait votre vie ?

— …

— Vous êtes une jolie femme.

— …

Françoise Pelletier boit son verre d'eau d'un trait. Elle tremble beaucoup. La mort de l'autre ralentit les gestes de celui ou celle qui reste. Chacun de ses gestes semble être retenu par la lenteur. Je la ressers. Elle me sourit péniblement.

— La première fois que j'ai vu Philippe, c'était à Charleville-Mézières en 1970, le jour de sa communion solennelle. Il avait douze ans et moi dix-neuf. Il portait une aube et une croix de bois autour du cou. Je n'ai jamais vu quelqu'un si mal porter un vêtement. Je me souviens m'être dit : *On n'y croit pas à ce môme habillé en enfant de chœur.* Du genre à boire le vin de messe et fumer des clopes en douce. Je venais de me fiancer à Luc Pelletier, le frère de Chantal Toussaint, la mère de Philippe. Luc avait insisté pour qu'on aille à la messe le matin et qu'on déjeune avec eux. Il ne s'entendait pas du tout avec sa sœur et son beau-frère, il les appelait les « balais dans le cul », mais il adorait son neveu. On a passé une journée assez ennuyeuse. On a attendu que Philippe déballe ses cadeaux et à 15 heures, on était déjà repartis. La mère de Philippe m'a regardée de travers toute la journée, on a senti que ça l'exaspérait que son frère s'envoie une jeunesse. J'avais trente ans de moins que Luc.

« La même année, nous nous sommes mariés à Lyon, Luc et moi, Philippe et ses parents sont venus à notre mariage, engoncés de ressentiments. Philippe s'est saoulé en buvant tous les fonds de verres des adultes. Il était tellement bourré qu'à l'ouverture du bal, il m'a embrassée sur la bouche en beuglant : “Je t'aime, tata.” Il a fait rire tous les invités. Il a passé le reste de la soirée à vomir dans les toilettes pendant que sa mère gardait la porte en disant : “Le pauvre petit, ça fait une semaine qu'il traîne une indigestion.” Elle le défendait tout le temps, coûte que coûte. Philippe m'amusait beaucoup, j'adorais sa belle frimousse.

« Après notre mariage, Luc et moi avons ouvert un garage à Bron. D'abord on a fait les réparations de base, les vidanges, l'entretien, la peinture, ensuite nous sommes devenus concessionnaires. Les affaires ont toujours été fructueuses. On travaillait dur mais on n'a jamais galéré. Jamais. Deux années ont passé et Luc a invité le “petit Philippe” comme il l'appelait à venir chez nous pendant les vacances d'été. Nous habitions une maison de campagne située à vingt minutes de notre garage. Philippe a fêté ses quatorze ans avec nous, et comme cadeau, Luc lui a offert une moto, une 50 cm^3. Philippe en a pleuré de joie. À ce moment-là, Luc et sa sœur se sont brouillés. Chantal a insulté son frère au téléphone, le traitant de tous les noms d'oiseaux, de quel droit se permettait-il d'offrir une moto à son fils, c'était trop dangereux, il voulait que Philippe se tue, lui, le bon à rien qui n'avait jamais pu avoir d'enfants. Ce qui était vrai. Il n'en a jamais eu. Ni avec sa première femme ni avec moi.

« Ce jour-là, Chantal a touché le point sensible.

Luc n'a plus jamais reparlé à sa sœur. Mais malgré la désapprobation de ses parents, Philippe est revenu à la maison chaque été. Et il ne voulait jamais repartir. Il disait qu'il voulait vivre avec nous toute l'année. Il nous suppliait de le garder, mais Luc lui expliquait que ce n'était pas possible, que s'il faisait ça, ce serait son arrêt de mort, sa sœur le tuerait. C'était un gamin gentil, bordélique mais gentil. Ça faisait plaisir à Luc de le voir, il avait reporté son affection sur son neveu. Philippe a longtemps été son fils de substitution. Je m'entendais bien avec lui. Je lui parlais comme à un enfant, il me le reprochait souvent, il me disait : "Je suis pas un gosse."

« L'été de ses dix-sept ans, il est parti en vacances avec nous à Biot, près de Cannes. On avait loué une villa avec vue sur la mer. À la mer, on y allait chaque jour. On partait le matin, on déjeunait dans une paillote et on rentrait le soir. Philippe sortait avec des filles, une différente chaque jour. Parfois l'une d'entre elles nous rejoignait sur la plage dans la journée. Il les embrassait sur sa serviette, je le trouvais d'une maturité déconcertante et d'une nonchalance déroutante. Il avait toujours l'air de se foutre de tout. Il allait danser chaque soir, il rentrait dans la nuit. Avant de partir, il monopolisait la salle de bains et laissait traîner ses bouchons de parfums. Il piquait les rasoirs de son oncle, laissait toujours de la mousse à raser sur le rebord du lavabo et ne refermait jamais le tube de dentifrice, abandonnait les serviettes de bain par terre. Tout cela avait le don d'agacer Luc. Ça l'agaçait, mais ça l'amusait aussi. Et moi je ramassais et nettoyais le linge du gosse que nous n'aurions jamais ensemble avec Luc. On aimait recevoir Philippe, il nous apportait de la jeunesse, de l'insouciance. Philippe et moi n'avions que sept ans d'écart. Ça compte les vingt premières années, on vit sur deux planètes différentes, mais avec le temps, cette différence s'estompe, les planètes se rapprochent : goût pour les mêmes films, les mêmes séries, la même musique. On finit par rire des mêmes choses.

« Pendant ce séjour à Biot, j'ai eu une liaison avec un barman, rien d'original ni de très dangereux. Luc et moi nous nous aimions. Nous nous sommes toujours aimés à la folie. Luc me disait souvent : "Je suis un vieux con, si tu veux t'amuser avec des hommes plus jeunes, vas-y, du moment que je ne le sais pas. Et surtout, que tu ne tombes pas amoureuse, ça, je ne le supporterais pas." Avec le recul, je suis sûre et certaine qu'en me poussant un peu dans les bras d'autres hommes, il espérait que je me retrouverais enceinte. C'était inconscient bien sûr, mais je crois qu'il a longtemps espéré que je rentrerais un jour avec un polichinelle dans le tiroir. Un petit qu'il aurait estampillé de son nom. Bref, pendant ces vacances d'été, on faisait une fête à la villa, une vingtaine de personnes étaient là, on avait tous pas mal picolé, et Philippe m'a surprise avec mon bel amant dans la piscine. Je n'oublierai jamais le regard qu'il a posé sur moi. Dans ses yeux, j'ai vu un mélange de stupeur et de jouissance, une sorte de contentement. Je pense que cette nuit-là, il m'a vue comme une femme pour la première fois. Une femme, donc une proie. Philippe était un redoutable prédateur. D'une beauté à damner un saint. Ce n'est pas à vous que je vais apprendre ça…

« Bien sûr, il n'a rien dit à Luc, ne m'a pas balancée, mais quand je le croisais dans la villa, il me souriait d'un sourire entendu. Un sourire qui signifiait : "Nous sommes complices." Et je détestais ça. Je lui aurais mis des gifles à longueur de journée. Il est devenu d'une suffisance insupportable. Nous qui riions ensemble, nous avons cessé de rire du jour au lendemain. Je me suis mise à ne plus supporter sa présence, l'odeur de son parfum, le bordel qu'il laissait partout, le bruit qu'il faisait en rentrant à 5 heures du matin. Quand je l'envoyais promener, Luc me disait : "Parle gentiment au petit, il a assez de sa mère pour lui prendre la tête." À table, dès que Luc avait le dos tourné, Philippe me fixait en souriant légèrement. Je baissais les yeux mais je sentais son regard brûlant d'arrogance sur moi.

« Le dernier soir, il est rentré plus tôt que d'habitude et sans fille. J'étais sur la terrasse, seule, allongée sur un transat, je m'étais assoupie. Il a posé ses lèvres sur les miennes, je me suis réveillée et je l'ai giflé, je lui ai dit : "Écoute-moi bien, morveux, tu refais ça, tu ne remets plus jamais les pieds chez nous." Il est parti se coucher sans moufter. Le lendemain, nous quittions la villa. Nous l'avons accompagné jusqu'à la gare. Il a pris un train pour Charleville-Mézières. Sur le quai, il nous a embrassés en nous serrant, Luc et moi, chacun dans un bras. Je n'avais pas envie de ses effusions mais pas le choix. Luc ne supportait pas que je ne puisse plus souffrir son neveu. Ça le rendait très malheureux. J'étais coincée. Philippe nous a remerciés cent fois. Pendant qu'il nous enlaçait, il a glissé une main le long de mon dos et m'a mis une main aux fesses en me tenant fermement contre sa cuisse. Je n'ai pas pu réagir, Luc était contre nous. Le geste de Philippe m'a glacée. Je me suis dit qu'il avait un toupet monstrueux et les gestes d'un homme tellement sûr de lui. Il a fini par nous lâcher, "au revoir, tata, au revoir, tonton". Il est monté dans le train en jetant son sac par-dessus son épaule, nous a fait un signe de la main avec son sourire d'ange. Et tandis que mes yeux le mitraillaient, lui, il souriait, d'un air de dire : "Je t'ai eue."

« Nous sommes rentrés à Bron et nous avons repris le travail. Au printemps suivant, Philippe nous a téléphoné pour nous dire qu'il ne viendrait pas chez nous l'été suivant, il partait fêter ses dix-huit ans en Espagne avec des copains. J'avoue que ça m'a soulagée. Je n'aurais pas à le croiser ni à éviter ses regards et gestes déplacés. Luc a été très déçu, mais en raccrochant il a dit : "C'est normal, c'est de son âge." Nous sommes repartis à Biot, nous avons passé un mois avec des amis retrouvés là-bas, mais la présence de Philippe manquait à Luc. Souvent, il me disait : “La maison est trop bien rangée, y a pas assez de bruit ici.” Ce n’est pas Philippe à proprement parler qui lui manquait, même si Luc y était très attaché, mais un enfant à nous. Je me souviens qu’en rentrant de ces vacances, sur le chemin du retour, je lui ai proposé d’adopter un enfant. Il a répondu non. Sans doute parce qu’il y avait longuement réfléchi. Il m’a juste dit qu’on était bien tous les deux, tellement bien.

« Au mois de janvier suivant, la mère de Luc et Chantal est décédée. Nous sommes allés à l’enterrement, et malgré les circonstances, Luc et sa sœur ne se sont pas adressé la parole. Philippe était là. Nous ne l’avions pas vu depuis un an et demi. Il avait beaucoup changé. Luc l’a serré longtemps dans ses bras en lui disant qu’à présent, Philippe le dépassait d’une tête. Philippe a fait semblant de ne pas me voir durant toute la cérémonie. Juste avant de remonter dans la voiture, tandis que Luc était parti saluer de la famille, il m’a coincée contre la portière du haut de son mètre quatre-vingt-huit en me disant : “Tiens, tata, tu étais là, je ne t’avais pas vue.” Et il m’a embrassée sur la bouche sans que j’aie le temps de réagir, puis il m’a soufflé : “À l’été prochain.”

« Et l’été suivant est arrivé. L’été de ses vingt ans. Avant même qu’il ne mette un pied dans sa chambre à la villa, je l’ai chopé par le colbac. Il a écarquillé les yeux, amusé, je pense que c’était drôle à voir. Moi qui mesure 1,60 mètre sur la pointe des pieds, et lui, immense, collé contre un mur du couloir, mes petites mains tremblantes le serrant de toutes leurs forces. “Je te préviens, je lui ai dit, si tu veux passer de bonnes vacances, tu arrêtes ton cinéma. Tu ne m’approches pas, tu ne me regardes pas, tu ne fais aucune allusion et tout se passera bien.” Il m’a répondu, ironique : “D’accord, tata, promis, je me tiendrai à carreau.”

« À partir de cet instant, il a fait comme si je n’existais pas. Il restait poli, bonjour, bonne nuit, merci, à tout à l’heure, mais nos échanges étaient restreints à ces quatre formules de politesse. Nous partions ensemble à la plage le matin, lui sur le siège arrière, nous deux à l’avant. Il sortait toujours tard, semait ses affaires un peu partout dans la maison. Des filles le retrouvaient dans la nuit ou sur sa serviette de plage dans l’après-midi, il partait parfois en sauter une derrière un rocher, c’était un va-et-vient de nichons permanent. Et ça gloussait partout où on mettait les pieds. Ça rendait Luc hilare. Philippe était si beau avec sa gueule d’ange, ses boucles blondes et son teint hâlé. Il avait un corps d’homme, fin et musclé, sur la plage toutes les filles louchaient sur lui, les femmes aussi, même les autres hommes l’enviaient. Ça lui donnait tellement d’assurance, tous ces regards tournés vers lui. Parfois Luc me soufflait à l’oreille : “Ma sœur a dû tromper le père Toussaint, c’est pas possible que ces deux affreux aient fait un gosse aussi beau.” Ça me faisait tellement rire. Luc me faisait toujours rire.

J'avais vraiment une belle vie avec lui. J'étais gâtée d'amour. Nous étions les meilleurs amis du monde, je n'aurais pas survécu à une séparation. Il était un ami, un père, un frère. Il ne se passait plus grand-chose dans notre lit, mais je me rattrapais ailleurs, de temps en temps.

« Je sais ce que vous pensez : *Quand est-ce que Philippe a fini par l'avoir ?*

S'ensuit un très long silence avant que Françoise ne reprenne son monologue. Elle ôte une tache imaginaire sur son jean du revers de la main. Le temps s'est arrêté. Nous sommes seules, face à face. C'est comme si Philippe avait changé de parfum. Comme si Françoise faisait entrer un étranger dans ma cuisine.

« Le soir de ses vingt ans, Luc et moi avons organisé une fête pour Philippe à la villa. Ses jeunes amis sont venus. Il y avait de la musique, de l'alcool et un buffet dressé au bord de la petite piscine. Il faisait bon, on dansait tous ensemble, je ne sais pas ce qui m'a pris, mais j'ai commencé à draguer un ami de Philippe, un dénommé Roland, un jeune crétin avec qui Philippe passait ses journées. Nous nous sommes un peu isolés pour nous bécoter. Nous avons fini par rejoindre les autres au moment du gâteau d'anniversaire et des cadeaux. Quand nous sommes réapparus, Philippe m'a fusillée du regard. J'ai cru qu'il allait m'en mettre une. Il a soufflé ses vingt bougies, les yeux pleins de rage. Au même moment, Luc a fait rouler le cadeau qu'il avait fait entourer d'un ruban rouge vers son neveu : une Honda CB100 grise, avec un chèque de mille francs dans une enveloppe accrochée au casque intégral. Il y a eu des embrassades, des coupes de champagne levées au ciel, des cris de joie et de stupeur. J'ai vu que Philippe faisait semblant de se détendre, de sourire à tout le monde, de frimer comme à son habitude, mais ses mâchoires ne se desserraient pas. Il était terriblement contrarié. Quand la musique a repris, qu'on s'est tous mis à danser, Roland est revenu se coller à moi, alors Philippe l'a attrapé par l'épaule, lui a glissé quelque chose à l'oreille, Roland lui a répondu : "T'es sérieux, mec ?" Et les coups sont partis. Luc, qui s'était couché, s'est relevé en entendant le raffut, il a fichu Roland à la porte à grands coups de pompe dans le cul. Quand il s'agissait de son neveu, Luc réagissait comme sa sœur : rien n'était de sa faute. Luc a demandé à Philippe ce qu'il s'était passé, Philippe a répondu, déjà pas mal éméché : "Roland chasse sur mes terres... mes terres c'est mes terres ! ! !"

« La fête a repris son cours comme si de rien n'était. Cette nuit-là, je n'ai pas dormi. Philippe a déshabillé et collé une de ses copines sur le rebord de la fenêtre de notre chambre. Je devinais leurs silhouettes s'agiter dans tous les sens. J'entendais la fille gémir et Philippe lui dire tout un tas de saloperies salaces qui m'étaient bien évidemment destinées. Il parlait fort pour que je l'entende mais pas suffisamment pour réveiller Luc. Il savait que son oncle prenait des somnifères pour dormir. Il savait aussi que j'étais *là*, proche d'eux, les yeux grands ouverts, la tête posée sur mon oreiller, et que j'entendais *tout*. Il se vengeait. Les jours suivants, on l'a entraperçu. Il partait faire de la moto du matin jusqu'au soir. Même la journée, il ne nous rejoignait plus à la plage. Sa serviette restait sèche et vide. Parfois je m'assoupissais et je rêvais qu'il se tenait debout près de moi, et qu'il s'allongeait de tout son long sur mon dos. Je me réveillais en suffoquant.

« Une dizaine de jours après son anniversaire, il a refait une apparition à la plage. J'étais partie nager loin du bord. Je l'ai vu s'approcher de Luc, juste un point. Sa blondeur et son allure. Il l'a embrassé chaleureusement, et s'est assis près de lui. Luc a fini par me montrer du doigt. Philippe m'a repérée et s'est déshabillé. Il est entré dans l'eau pour me rejoindre. Il est venu me retrouver en nageant le crawl. Je ne pouvais pas fuir. J'étais coincée, faite comme un rat. Tandis qu'il s'approchait de moi, j'ai commencé à paniquer, je ne pouvais plus nager, je faisais du surplace. Je ne sais pas pourquoi, mais je me suis dit qu'il s'approchait de moi pour me noyer, pour me faire du mal. J'ai tellement paniqué que je me suis mise à sangloter. J'ai commencé à crier. Mais de là où j'étais, personne ne m'entendait. J'avais dépassé les bouées de navigation depuis un moment. En quelques minutes, il est arrivé à ma hauteur. Il a tout de suite vu que je ne me sentais pas bien. Je continuais à appeler au secours mais sans le regarder. Il a voulu m'aider, mais je l'ai frappé en hurlant : "Ne me touche pas !" Et j'ai bu une tasse. Il m'a hissée de force sur son dos et m'a ramenée tant bien que mal jusqu'à une bouée flottante. Pendant qu'il nageait, je lui donnais des coups et il me les rendait pour que je me calme. On a fini par y arriver. Je me suis agrippée à la bouée. Lui aussi était épuisé. Nous avons repris notre souffle. Il a dit : "Maintenant tu te calmes ! Tu respires et on retourne vers la plage !" J'ai hurlé : "Tu ne me touches pas ! – Je ne te touche pas, mais tous mes potes peuvent te sauter, c'est ça ?! – Toi, tu es mon neveu ! – Non, je suis le neveu de Luc. – Tu n'es qu'un enfant gâté ! – Je t'aime ! – Arrête ça tout de suite ! – Non, j'arrêterai jamais !" J'ai commencé à avoir froid, à grelotter. J'ai regardé la plage, elle m'a semblé très loin. J'ai vu Luc. J'ai eu envie de ses bras lourds, protecteurs, rassurants. J'ai demandé à Philippe de me ramener au bord. Il m'a de nouveau hissée sur son dos, j'ai mis mes mains autour de son cou, il s'est mis à nager la brasse, et je me suis laissé porter. Je sentais ses muscles sous mon corps, mais je n'éprouvais rien d'autre que de la peur et de l'aversion.

« Je n'ai pas revu Philippe les deux étés suivants. Luc et moi sommes partis au Maroc. Il nous téléphonait de temps en temps pour nous donner des nouvelles. Il est venu nous voir en mai, presque trois ans après l'épisode de la plage. L'année de ses vingt-trois ans. Il est venu avec la Honda que Luc lui avait offerte, et une petite amie à l'arrière. Quand il a enlevé son casque, que j'ai vu son visage, son sourire, son regard, je me souviendrai jusqu'à ma mort m'être dit: *Je l'aime.* Il faisait bon ce jour-là. Nous avons dîné tous les quatre dans le jardin. Nous sommes restés longtemps à parler de tout et de rien. La petite amie, dont j'ai oublié le prénom, était très jeune. Elle était très intimidée. Luc était enchanté de retrouver son neveu. Philippe avait quitté l'école depuis longtemps, il passait de petit boulot en petit boulot. Mon sang n'a fait qu'un tour quand Luc lui a proposé de l'embaucher au garage. Il lui a dit qu'il le formerait et que si ça se passait bien, il l'embaucherait. Je n'ai jamais cru en Dieu. Je n'ai pas fait de catéchisme et j'ai rarement mis les pieds dans une église, mais ce soir-là, j'ai prié: *Mon Dieu, faites que Philippe ne travaille jamais avec nous.* J'ai aussitôt senti le regard de Philippe sur moi. Il a répondu à son oncle: "Laisse-moi voir avec mon père, faudrait pas qu'il en fasse toute une histoire." Nous sommes partis nous coucher. Je n'ai pas dormi de la nuit. Le lendemain, c'était un jour férié. Philippe et sa petite amie se sont levés tard. On a traîné jusqu'à l'heure du déjeuner. L'après-midi, Luc a fait une sieste et je suis restée devant la télévision avec l'amie de Philippe pendant qu'il était parti faire un tour de moto.

« Depuis qu'ils étaient arrivés, j'avais tout fait pour ne pas me retrouver seule à seul avec lui. Et puis c'est arrivé à l'heure de l'apéritif. Je suis descendue à la cave pour sortir une bouteille de champagne, j'ai senti son parfum dans mon dos. Il n'a pas perdu de temps. Il m'a dit : "Je ne vais pas venir travailler dans votre garage, mais ce soir, à minuit, tu sors dans le jardin, tu t'assieds sur le muret et tu attends." Avant même que j'ouvre la bouche, il m'a coupée : "Je ne te toucherai pas." Il est remonté aussitôt. J'ai pris la bouteille et j'ai retrouvé Luc et la jeune fille qui m'attendaient à table. Philippe est arrivé cinq minutes après, comme s'il revenait de l'extérieur. Je me suis demandé ce qu'il attendait de moi. Au fond du jardin, il y avait une baraque à bois et derrière un vieux muret. Un vieux muret sur lequel Philippe s'amusait avec une planche à roulettes quand il était adolescent. D'ailleurs, Luc l'appelait le "mur de Philippe" : "On devrait mettre des jardinières sur le mur de Philippe", "Faudrait donner un coup de pinceau sur le mur de Philippe", "J'ai vu un beau chat angora l'autre jour sur le mur de Philippe..."

« La soirée a passé comme dans du brouillard, j'ai bu comme un trou. À 23 heures, tout le monde s'est levé pour aller se coucher. Philippe m'a regardée, puis il s'est adressé à Luc : "Tonton, je crois pas que je vais pouvoir venir travailler chez toi, j'ai parlé aux parents aujourd'hui, ils en ont fait tout un drame." Luc a rétorqué : "C'est pas grave, mon garçon."

« J'ai ouvert un livre dans mon lit, Luc s'est endormi contre moi. Plus l'heure avançait, plus mon cœur s'affolait. Il n'y avait aucun bruit dans la maison. À 23 h 55 j'ai enfilé un manteau et je suis allée m'asseoir sur le muret. J'étais dans le noir complet.

Le jardin donnait sur l'arrière de la maison, aucun réverbère ne l'éclairait. Je me souviens avoir sursauté au moindre bruit. Et puis j'avais peur que Luc se réveille, qu'il me cherche partout. Je ne sais pas combien de temps je suis restée assise comme ça, sans bouger. J'étais paralysée par la trouille. Il ne se passait rien. Que du silence autour de moi. Mais je n'osais pas bouger, je pensais : *Si je bouge, Philippe changera d'avis, il viendra travailler chez nous.* Si ça avait été le cas, je serais partie. J'aurais divorcé sans rien dire à Luc. Ça l'aurait tué de savoir que son neveu adoré *me voulait.* Ça l'aurait tué de savoir que *je l'aimais.*

« Philippe et sa petite amie ont fini par arriver. Il lui a dit : "Ne dis rien, laisse-toi faire." Philippe la tenait par la main, elle marchait à l'aveugle, elle avait les yeux bandés. Dans l'autre main, il avait une lampe torche qu'il a dirigée dans ma direction. Il m'a éclairée. J'ai eu mal aux yeux. D'eux, je ne distinguais que les silhouettes. Il a mis la fille dos à un arbre. Lui me faisait face. Il a posé la lampe à ses pieds, toujours tournée dans ma direction. J'étais comme prise au piège dans les phares d'une voiture. Il a dit : "Je veux voir ton visage." La fille a pensé que c'est à elle qu'il s'adressait. Il lui a donné tout un tas de directives et elle s'est exécutée sous mes yeux, sans savoir que j'étais là, tout près. "Comme c'est interdit, je veux au moins baiser ton visage." Il a fait l'amour à la fille. Je ne le voyais pas, j'étais aveuglée, mais je le sentais me fixer. À un moment, il a dit : “Viens, viens, viens.” Jusqu’à ce que je me lève et m’approche d’eux. Elle était toujours de dos, Philippe était contre elle, face à elle, face à moi. J’étais si près d’eux que je sentais l’odeur de leurs corps. “Oui, c’est ça, regarde comme je t’aime.” Ses yeux dans les miens, jamais je n’oublierai. Son sourire malheureux non plus. Comment il la tenait, ses va-et-vient, ses yeux dans les miens, sa jouissance, sa victoire sur moi.

« Je suis retournée dans ma chambre, tremblante, je me suis endormie contre Luc. Cette nuit-là j’ai rêvé de Philippe. Et les nuits d’après aussi. Le lendemain, Philippe et la fille sont rentrés chez eux. Je ne les ai pas vus partir. J’ai prétexté des maux de tête pour rester au lit. Quand j’ai entendu sa moto démarrer et le bruit du moteur disparaître, je me suis levée en me promettant de ne plus jamais le voir. Mais je pensais à lui. Souvent. L’été suivant, je me suis arrangée pour partir aux Seychelles avec Luc, en amoureux, en lui disant que j’avais envie de revivre une lune de miel avec lui.

« J’ai revu Philippe l’été de ses vingt-cinq ans. Il a débarqué à la villa sans prévenir. Luc était au courant, ils voulaient me faire une surprise. J’ai fait semblant d’être heureuse, j’ai eu envie de vomir, trop d’émotions, aversion, attirance. Le soir même, il faisait l’amour à une fille sous mes fenêtres en murmurant : “Viens, viens, viens, regarde comme je t’aime.” Ça a duré un mois. Je tentais de l’éviter toute la journée. Quand je le croisais au petit déjeuner, il me disait, faussement léger: “Bonjour, tata, bien dormi?” Mais il ne souriait plus. Il avait l’air malheureux. Quelque chose avait changé. Pourtant, chaque nuit il recommençait avec une fille différente. Moi non plus je ne souriais plus. Moi aussi j’étais malheureuse. Il avait réussi à me contaminer d’un amour malsain. J’étais plus malade de lui qu’amoureuse.

«Le dernier jour des vacances, c’est moi qui l’ai accompagné à la gare. Je lui ai dit que je ne voulais plus jamais le voir. Il m’a répondu: “Viens, on part ensemble. Je sens qu’avec toi tout est possible, avec toi j’ai tous les courages. Si tu refuses, je vais devenir un pauvre type, un bon à rien.” Il m’a déchiré le cœur. Je lui ai fait comprendre en douceur que jamais je ne quitterais Luc. Jamais. Il m’a demandé s’il pouvait m’embrasser une dernière fois, j’ai répondu non… Si je l’avais laissé m’embrasser, je serais partie avec lui.

«Le 30 août 1983, quand son train a disparu, j’ai su que je ne le reverrais pas. Je l’ai senti. En tout cas, pas dans cette vie-là. Vous savez, il y a plusieurs vies dans une vie.

«On a perdu Philippe de vue. Au début, il a continué à nous téléphoner et puis, peu à peu, avec les années, plus rien. Luc a pensé qu’il avait fini par obéir à ses parents. Qu’il avait pris leur parti. Nous avons repris nos habitudes, notre vie. Une vie paisible et sereine. Un an après, nous avons su que Philippe avait rencontré quelqu’un, vous, qu’il avait eu un enfant, qu'il s'était marié. Qu'il avait déménagé. Mais jamais il ne nous a appelés pour nous le dire. Moi, je savais que c'était à cause de moi. Mais Luc a beaucoup souffert de ne plus avoir de ses nouvelles.

« Je pense qu'il aurait aimé vous rencontrer, rencontrer votre… Peut-être que les choses auraient été différentes. Plus faciles. Et puis, il y a eu ce drame. Nous l'avons presque appris par hasard. La colonie de vacances. Épouvantable. Luc a voulu joindre Philippe. Il a téléphoné à sa sœur pour avoir vos coordonnées, elle lui a raccroché au nez. Il n'a pas insisté. Il a mis ça sur le compte du chagrin. Luc m'a dit : "Et puis, qu'est-ce qu'on leur dirait ? Pauvre Philippe."

« En octobre 1996, Luc est mort dans mes bras, crise cardiaque. Il faisait pourtant beau ce jour-là. On avait ri ensemble au petit déjeuner. En fin de matinée, il a cessé de respirer. J'ai hurlé pour qu'il ouvre les yeux, j'ai hurlé pour que son cœur reparte, mais ça n'a servi à rien. Luc ne m'entendait plus. J'ai culpabilisé. Je me suis longtemps dit que c'était à cause de Philippe. De ce drôle d'amour caché. Pas drôle du tout.

« Je l'ai fait enterrer dans la plus stricte intimité. Je n'ai pas prévenu les parents de Philippe. Pour quoi faire ? Luc n'aurait pas supporté de les voir à son enterrement. Il aurait été capable de ressusciter cinq minutes pour leur coller une mandale et leur demander de dégager. Je n'ai pas prévenu Philippe non plus. Pour quoi faire ? J'ai décidé de garder le garage, mais je l'ai mis en gérance, je suis partie plusieurs mois loin de Bron. J'avais besoin de réfléchir, de "faire mon deuil", comme on dit.

« M'éloigner ne m'a pas aidée. Au contraire. J'ai frôlé la mort à mon tour. J'ai fait une dépression. Je me suis retrouvée en hôpital psychiatrique sous médocs. Je ne savais même plus compter jusqu'à dix. La mort de Luc a failli me coûter la vie à moi aussi. En perdant mon homme, j'ai perdu tous mes repères. Je l'avais rencontré si jeune. Quand j'ai commencé à refaire surface, j'ai décidé de reprendre les affaires en main. Ce garage, c'était toute notre vie et surtout la mienne. J'ai vendu notre maison à la campagne pour en acheter une en ville, à cinq minutes du garage. Le jour de la vente, quand j'ai donné les clés aux nouveaux propriétaires, un merle était posé sur le mur de Philippe, il chantait à tue-tête.

« En 1998, j'étais en train de faire un devis pour le véhicule d'un client quand je l'ai vu entrer dans le garage. J'étais dans mon bureau, je l'ai vu arriver en moto à travers la baie vitrée. Il n'avait pas encore enlevé son casque que je savais déjà que c'était lui. Quinze ans que je ne l'avais pas vu. Son corps avait changé, mais l'allure était toujours là. J'ai cru que j'allais crever. Comme mon homme, j'ai cru que mon cœur allait s'arrêter. Je ne pensais pas le revoir un jour. Je pensais rarement à lui. Il faisait partie de mes nuits. J'en rêvais souvent, mais la journée, je pensais rarement à lui. Il appartenait à mes souvenirs. Il a enlevé son casque. Et il s'est mis à appartenir au présent. Sale tête. Mauvaise mine. Un choc. J'avais laissé un gosse de vingt-cinq ans sur un quai de gare et je découvrais un homme sombre. Je l'ai trouvé extrêmement beau. Cerné, mais beau. J'ai eu envie de courir dans ses bras, comme dans les films de Lelouch. Je me suis souvenue de ses derniers mots : "Viens, on part ensemble. Je sens qu'avec toi tout est possible, avec toi j'ai tous les courages. Sinon, je vais devenir un pauvre type, un bon à rien."

« Je me suis avancée vers lui. Et moi ? Moi aussi, j'avais changé. J'allais avoir quarante-sept ans. J'étais décharnée. Ma peau accusait le coup. J'avais trop bu et trop fumé. Je crois qu'il n'en a rien eu à foutre, quand il m'a vue il s'est jeté dans mes bras. "Tombé dans mes bras" serait plus juste. Il s'est mis à sangloter. Longtemps. Au milieu du garage. Je l'ai ramené chez moi. Chez nous. Et il m'a tout raconté.

*

Françoise Pelletier est repartie depuis une heure. Sa voix résonne entre mes murs. J'ai cru qu'elle était venue jusqu'à moi pour me blesser alors qu'elle m'a fait cadeau de la vérité.

62

Je ne rêve plus, je ne fume plus, je n'ai même plus d'histoire, je suis sale sans toi, je suis laid sans toi, je suis comme un orphelin dans un dortoir.

Gabriel Prudent a écrasé son mégot de cigarette et est entré dans la roseraie cinq minutes avant la fermeture. Irène Fayolle avait déjà éteint les lumières du magasin et l'accès aux jardins était clos. Elle avait baissé les lourdes grilles de fer. Elle se trouvait dans la réserve quand elle l'a vu devant le comptoir. Il attendait comme un client abandonné, laissé pour compte.

Ils se sont vus au même moment, elle dans la lumière blanche d'une lampe halogène, lui juste éclairé par un néon rouge accroché au-dessus de la porte d'entrée.

Elle est toujours aussi belle. Qu'est-ce qu'il fait là ? J'espère que c'est une bonne surprise. Est-ce qu'il est venu me dire quelque chose ? Elle n'a pas changé. Il n'a pas changé. Ça fait combien de temps ? Trois ans.

La dernière fois, un peu fâchée. Il a l'air perdu. Partie sans dire au revoir. J'espère qu'il ne m'en veut pas. Non, sinon il ne serait pas là. Est-ce qu'elle est toujours avec son mari ? Est-ce qu'il a refait sa vie ? On dirait qu'elle a changé la couleur de ses cheveux, ils sont plus clairs. Toujours son vieux manteau marine. Toujours toute beige. Il avait l'air plus jeune à la télévision, la dernière fois. Qu'est-ce qu'elle a fait depuis tout ce temps ? Qu'est-ce qu'il a vu, défendu, connu, mangé, vécu ? Des années. L'eau qui coule sous les ponts. Est-ce qu'elle va accepter de boire un verre avec moi ? Pourquoi vient-il si tard ? Est-ce qu'elle se souvient de moi ? Il ne m'a pas oubliée. C'est bien qu'elle soit là. On a de la chance, d'habitude le jeudi soir Paul vient me chercher. Je pourrais repartir sans rien dire. Est-ce qu'il va m'embrasser ? Elle va avoir du temps pour moi ? Il y a la réunion parents-profs ce soir. J'aurais peut-être dû la suivre dans la rue. Est-ce qu'il m'a suivie ? Faire semblant de la croiser sur un trottoir par hasard. Paul et Julien m'attendent devant le collège à 19 h 30. La prof de français veut nous parler. Le premier pas, j'aimerais qu'elle fasse le premier pas. C'est une chanson, ça. Et vivre, chacun de son côté. Est-ce qu'on va aller à l'hôtel ? Est-ce qu'il va me faire boire comme la dernière fois ? Elle a sûrement des choses à me dire. Il y a le prof d'anglais, aussi. Il faut que je lui donne son cadeau, je ne peux pas repartir sans lui donner son cadeau. Qu'est-ce que je fais là ? Sa peau, l'hôtel. Son souffle. Il ne fume plus.

Impossible, il n'arrêtera jamais de fumer. Là, c'est juste qu'il n'ose pas. Ses mains…

Journal d'Irène Fayolle

2 juin 1987

Je suis sortie de la réserve, Gabriel m'a suivie en souriant timidement, lui le grand avocat, lui qui avait tellement de charisme, le verbe haut, il ne savait plus parler, un tout petit enfant. Lui qui défendait les criminels et les innocents, il n'a rien pu dire pour défendre notre amour.

On s'est retrouvés dans la rue. Gabriel ne m'avait toujours pas donné mon cadeau et nous ne nous étions pas dit un seul mot. J'ai fermé le magasin à clé et nous avons marché jusqu'à ma voiture. Comme trois ans auparavant, il s'est assis près de moi, a appuyé sa nuque contre le repose-tête et j'ai roulé au hasard. Je n'avais plus envie de m'arrêter, de me garer. Je ne voulais pas qu'il descende de ma voiture. Je me suis retrouvée sur l'autoroute, j'ai pris la direction de Toulon, puis j'ai longé la côte jusqu'au Cap d'Antibes. Il était 22 heures quand, la jauge vide, je me suis garée au bord de la mer, à côté d'un hôtel, La Baie dorée. Nous avons marché jusqu'aux cartes qui affichaient les prix des chambres et des menus du restaurant. Une femme blonde nous a accueillis avec un beau sourire. Gabriel a demandé s'il n'était pas trop tard pour dîner.

C'était la première fois que j'entendais le son de sa

voix depuis qu'il avait pénétré dans la roseraie. Dans la voiture, il n'avait pas dit un mot. Il avait juste cherché de la musique à la radio.

La femme de l'accueil a répondu qu'en cette saison, le restaurant était fermé en semaine. Elle allait nous faire monter deux salades et des club sandwichs en chambre.

Nous n'avions pas demandé de chambre.

Sans attendre de réponse, elle nous a tendu une clé, celle de la chambre 7, et nous a demandé si nous préférions du vin blanc, rouge ou rosé pour accompagner notre dîner. J'ai regardé Gabriel : l'alcool, c'était lui qui choisissait.

Enfin, la dame de l'accueil nous a demandé combien de nuits nous allions rester, et là, c'est moi qui ai répondu : « Nous ne savons pas encore. » Elle nous a accompagnés jusqu'à la chambre 7 pour nous montrer comment fonctionnaient les lumières et la télévision.

Dans l'escalier, Gabriel m'a glissé à l'oreille : « Nous devons avoir l'air amoureux pour qu'elle nous propose une chambre. »

La chambre 7 était jaune pâle. Elle avait les couleurs du Midi. Avant de s'éclipser, la dame de l'accueil a ouvert une baie vitrée qui donnait sur une terrasse, la mer était noire et le vent doux. Gabriel a posé son manteau marine sur le dossier d'une chaise et en a sorti quelque chose qu'il m'a tendu. Un petit objet enveloppé dans du papier cadeau.

— J'étais venu pour vous l'offrir, je ne pensais pas

qu'en entrant dans votre roseraie, on se retrouverait ici, dans cet hôtel.

— Vous regrettez ?

— Jamais de la vie.

J'ai enlevé le papier cadeau. J'ai découvert une boule à neige. Je l'ai retournée plusieurs fois.

La dame de l'accueil a frappé puis poussé un plateau à roulettes qu'elle a abandonné au milieu de la chambre. Elle s'est excusée et a disparu aussi vite qu'elle était entrée.

Gabriel a pris mon visage entre ses mains puis m'a embrassée.

« Jamais de la vie » sont les derniers mots qu'il a prononcés ce soir-là. Nous n'avons touché ni à la nourriture ni au vin.

Le lendemain matin j'ai appelé Paul pour lui dire que je ne rentrerais pas tout de suite et j'ai raccroché. Puis j'ai prévenu mon employée, je lui ai demandé de s'occuper seule de la roseraie pendant quelques jours. Un peu paniquée, elle a dit : « Je dois gérer la caisse aussi ? » J'ai répondu oui. Et j'ai raccroché, sans dire au revoir.

Je pensais ne jamais rentrer. Disparaître une bonne fois pour toutes. Ne plus rien affronter, surtout pas le regard de Paul. Fuir lâchement. Retrouver Julien, mais plus tard, quand il serait grand, quand il comprendrait.

Ni Gabriel ni moi n'avions de vêtements de rechange. Le lendemain, nous sommes allés dans une boutique pour en acheter quelques-uns. Il a refusé que je choisisse du beige et il m'a offert des robes colorées, avec des dorures un peu partout. Et des nu-pieds aussi. J'ai toujours eu horreur des nu-pieds. Qu'on puisse voir mes orteils.

Pendant ces quelques jours, je me suis sentie déguisée. Quelqu'un d'autre dans d'autres vêtements. Ceux d'une autre femme.

Je me suis longtemps demandé si j'étais déguisée ou si c'était moi que j'avais retrouvée, découverte pour la première fois.

Une semaine après notre arrivée au Cap d'Antibes, Gabriel a dû se rendre au tribunal de Lyon pour défendre un homme accusé d'homicide. Gabriel était sûr de son innocence. Il m'a suppliée de l'accompagner. J'ai pensé : On peut peut-être abandonner des roses et sa famille, mais pas un homme accusé de meurtre.

Nous sommes retournés à Marseille pour récupérer la voiture de Gabriel qui était garée à quelques rues de ma roseraie. Je laisserais mon utilitaire et les clés cachées sur le pneu avant gauche comme je le faisais souvent, et nous descendrions ensemble à Lyon.

Quand j'ai vu la voiture de Gabriel, un cabriolet sport rouge, j'ai pensé que je ne connaissais pas cet homme. Que je ne savais rien de lui. Je venais de passer les plus beaux jours de ma vie, et après ?

Je ne sais pas pourquoi, ça m'a rappelé ces amours de vacances. Le bel inconnu sur la plage dont on tombe éperdument amoureuse et qu'on retrouve engoncé dans des vêtements à Paris, dans une rue grise en septembre, et qui a perdu tout le charme de l'été.

J'ai pensé à Paul. De Paul, je savais tout. Sa douceur, sa beauté, sa délicatesse, son amour, sa timidité, notre fils.

Au même instant, j'ai vu Paul au volant de sa voiture. Il devait sortir de la roseraie. Il devait me chercher partout. Il était très pâle, perdu dans ses pensées. Il ne m'a pas vue. J'aurais aimé que son regard croise le mien. En ne me voyant pas, il me laissait le choix. Revenir vers lui ou monter dans la voiture de Gabriel. Je me suis vue dans la vitrine d'un magasin. Dans ma robe vert et doré. J'ai vu l'autre femme.

J'ai dit à Gabriel, qui était déjà au volant de son cabriolet : « Attends-moi. » J'ai marché jusqu'à ma roseraie, je suis passée devant, il n'y avait personne. Mon employée devait être dans les jardins, derrière.

Je me suis mise à courir comme si j'étais poursuivie. Jamais je n'ai couru aussi vite. Je suis entrée dans le premier hôtel que j'ai trouvé et je me suis enfermée dans une chambre pour pleurer tranquillement.

Le lendemain j'ai repris mon travail à la roseraie, j'ai remis mes vêtements beiges, j'ai posé la boule à neige sur le comptoir et je suis rentrée chez moi.

Mon employée m'a raconté qu'un avocat très connu était venu la veille à la roseraie, qu'il m'avait cherchée partout, comme un fou. Qu'il était moins bien en vrai qu'à la télévision, plus petit.

Une semaine après, les journaux ont annoncé que maître Gabriel Prudent avait fait acquitter l'homme de Lyon.

63

L'absence d'un père renforce
le souvenir de sa présence.

Après Geneviève Magnan, au procès, une seule chose l'avait marqué, obsédé : la gueule de Fontanel. Son costume, ses gestes, son attitude. De toutes les personnes qui étaient venues témoigner, il ne se souvenait que de lui.

Alain Fontanel avait été appelé en dernier par l'avocat des parties civiles. Après le personnel encadrant, les pompiers, les experts, le cuisinier. Quand Fontanel avait répondu d'une voix assurée aux questions du juge, Philippe Toussaint avait vu les yeux de Geneviève Magnan se baisser. Lorsqu'il l'avait aperçue dans les couloirs du tribunal le premier jour du procès, qu'il avait appris qu'elle était à Notre-Dame-des-Prés cette nuit-là, il avait tout de suite pensé : *C'est elle qui a foutu le feu dans la chambre, elle s'est vengée.*

Pourtant, c'est quand Fontanel avait parlé

que Philippe Toussaint avait ressenti un profond malaise. Il s'était dit qu'il ne pouvait pas être le seul à ressentir ça, ce vertige face au mensonge. Il avait scruté les autres parents, regardé si Fontanel leur faisait le même effet qu'à lui, mais rien. Les autres parents étaient morts. Comme Violette, des morts. Comme la directrice dans le box des accusés, le regard vide, elle avait écouté Fontanel sans l'écouter.

Une fois de plus, Philippe Toussaint s'était dit: *Je suis le seul à être vivant*. Il avait culpabilisé. La mort de Léonine ne l'avait pas anéanti comme les autres. Comme si dans leur couple, Violette avait tout pris pour elle. Qu'elle n'avait pas partagé son chagrin. Mais il savait au fond de lui que c'était la colère qui l'avait soulevé de terre, l'avait maintenu au-dessus de la mêlée. Une colère sourde, lourde, violente, noire, dont il n'avait jamais parlé à personne parce que Françoise n'était plus là. La haine de ses parents, la haine de sa mère, la haine de ces gens qui n'avaient pas réagi quand le feu…

Il n'avait pas été un bon père. Un père absent, un père distant, un père semblant. Il était trop égoïste, trop tourné sur sa personne pour dispenser de l'amour. Il avait décidé qu'il ne s'intéresserait qu'à sa moto et aux femmes. Toutes les femmes qui attendaient d'être consommées comme des fruits mûrs sur l'étal du marchand. Avec les années, il s'était tellement servi chez les voisines qu'un copain lui avait proposé *l'adresse*, un lieu où s'amuser à plusieurs. Où les bonnes femmes ne tombaient pas amoureuses, ne prenaient pas la tête, ne faisaient pas la gueule et venaient chercher la même chose que les mecs.

Le verdict était tombé : deux ans de prison pour la directrice dont un ferme. Et des indemnités, beaucoup d'indemnités. Qu'il garderait pour lui. Une habitude que sa salope de mère lui avait donnée : « Garde tout pour toi, l'autre, elle est là pour te pomper tout ton argent. »

Quand il était sorti du tribunal, ses parents l'attendaient à l'extérieur, plus raides que la justice qu'il venait de vivre. Il avait eu envie de se sauver, de prendre une porte dérobée pour ne pas affronter leur regard. Il ne les supportait plus du tout depuis la mort de Léonine. Sa mère qui accusait Violette de tous les maux n'avait pas pu s'en prendre à elle après le drame. Elle avait bien essayé, mais c'est elle après tout qui avait insisté pour que Léonine aille en vacances dans cet endroit de malheur. Il était allé déjeuner avec eux, le dos courbé. Il n'avait rien pu avaler, rien pu dire. Au dos de l'addition, il avait griffonné, avec le stylo de son père qui avait servi à faire le chèque : « Édith Croquevieille, directrice ; Swan Letellier, cuisinier ; Geneviève Magnan, dame de service ; Éloïse Petit et Lucie Lindon, monitrices ; Alain Fontanel, agent d'entretien. »

Il était rentré chez lui, avec, comme seul bagage sur sa moto, le témoignage de Fontanel : « Moi, je dormais à l'étage. J'ai été réveillé par les cris de

Swan Letellier. Les femmes avaient déjà commencé à évacuer les autres enfants. La chambre du bas était en feu, impossible d'entrer, ça aurait pu être pire.»

Violette n'avait pas réagi quand il lui avait annoncé le verdict. Elle avait dit: «D'accord», et elle était sortie baisser la barrière. À ce moment-là, il avait repensé à Françoise, aux étés à Biot. Il y repensait souvent, il retournait en vacances dans ses souvenirs quand le présent le déprimait trop. Puis il avait saisi les manettes de sa Nintendo et avait joué jusqu'à s'abrutir, gueuler, s'énerver quand Mario ratait un obstacle, pédalait dans la semoule. Quand il avait éteint la télé, Violette dormait depuis longtemps dans leur chambre. Il ne l'avait pas rejointe. Il avait enfourché sa moto pour rouler jusqu'à *l'adresse*, baiser des femmes qui attendaient la même chose que lui, du sexe triste, de la jouissance, un isoloir. Mais les mots de Fontanel ne l'avaient pas lâché: «Moi, je dormais à l'étage. J'ai été réveillé par les cris de Swan Letellier. Les femmes avaient déjà commencé à évacuer les autres enfants. La chambre du bas était en feu, impossible d'entrer, ça aurait pu être pire.»

Qu'est-ce qui aurait pu être pire?

La mort de Léonine avait fait tomber son nombril. Ce nombril que sa mère lui avait appris à regarder coûte que coûte: «Ne pense pas aux autres, pense à toi.»

Parfois il disait à Violette: «On va refaire un petit.» Elle répondait oui pour se débarrasser de lui. Se débarrasser de celui qui l'avait abandonnée depuis des années, celui qui la trompait, non pas avec toutes les femmes qui l'entouraient mais avec Françoise, la seule qu'il ait jamais aimée. Il n'avait pas épousé Violette pour qu'elle soit heureuse, il l'avait épousée pour se libérer de sa mère qui le harcelait.

Il avait ressenti un immense chagrin pour Violette quand elle avait perdu leur enfant. Il avait plus souffert du chagrin de sa femme que de la perte de son enfant. Il avait souffert de ne rien avoir pu faire pour elle. De ne pas avoir à s'en occuper. De son silence, ne jamais réussir à lui parler d'autre chose que d'une marque de shampooing ou d'un programme télé. Ne pas avoir su dire à sa femme : « Comment tu te sens ? » Pour cela aussi il avait culpabilisé. Il n'avait même pas appris à souffrir. Au fond, il n'avait rien appris. Ni à aimer, ni à travailler, ni à donner. Un bon à rien.

Il avait craqué pour Violette la première fois qu'il l'avait vue derrière le bar. Il s'était senti attiré par tout le sucre dont elle semblait saupoudrée. Comme une sucette colorée dans un camion de fête foraine. Ça n'avait rien à voir avec ce qu'il avait ressenti et ressentirait toujours pour Françoise, mais il avait eu envie de cette fille-là. De sa voix, sa peau, son sourire, son poids plume. Son allure de garçonne, sa fragilité, sa façon de se donner sans retenue. C'est pour cela qu'il lui avait fait un enfant très vite, il voulait la garder pour lui, pour lui tout seul. Comme on s'offre une pâtisserie qu'on ne veut partager avec personne. Qu'on dévore dans son coin quitte à s'en mettre partout. Et sa mère l'avait pris la main dans le sac, lui, l'enfant roi, le pull-over plein de gras. Et un polichinelle dans le tiroir de la fille, en plus.

En août 1996, soit neuf mois après le procès qui avait envoyé Édith Croquevieille en prison, Violette était partie dix jours à Marseille au cabanon de Célia. Celle-là, il ne pouvait pas l'encadrer et il sentait que c'était réciproque. Lui, il avait dit que pendant ce temps il irait faire de la moto avec des copains de Charleville, des copains d'avant. Des copains, il n'en avait plus. Ni d'avant ni de maintenant.

Il était parti à Chalon-sur-Saône, seul. Alain Fontanel travaillait dans un hôpital là-bas. L'hôpital Sainte-Thérèse, construit en 1979, où il s'occupait de l'entretien électrique, de la plomberie et de la rénovation de peinture avec deux autres collègues depuis qu'il avait perdu son travail à Notre-Dame-des-Prés. Philippe Toussaint ignorait comment il allait s'y prendre pour l'aborder. Fallait-il lui parler gentiment ou bien le tabasser jusqu'à ce qu'il crache le morceau ? Fontanel avait une vingtaine d'années de plus que lui, pas difficile à neutraliser, lui faire une clé de bras. Il n'avait rien prévu, si ce n'est se retrouver seul à seul avec lui. Poser les questions que personne ne lui avait posées au cours du procès.

Philippe Toussaint était entré dans l'enceinte de

l'hôpital, avait demandé à parler à Alain Fontanel à l'accueil, on lui avait répondu : « Vous connaissez son numéro de chambre ? » Philippe Toussaint avait bredouillé : « Non, il travaille ici. »

— C'est un infirmier ? Un interne ?

— Non, il est à l'entretien.

— Je vais me renseigner.

Tandis que l'hôtesse décrochait son téléphone, Philippe Toussaint avait vu Fontanel pénétrer dans la cafétéria située au rez-de-chaussée, à environ cinquante mètres de lui. Il portait un gris de travail. Il avait ressenti le même malaise qu'au tribunal, il ne pouvait pas encaisser ce gars-là. Sans réfléchir, il avait marché très vite jusqu'à lui, jusqu'à arriver dans son dos. Fontanel tenait un plateau à la main et faisait la queue au self-service. Philippe Toussaint était resté derrière lui, avait pris un plateau à son tour et commandé le plat du jour. Fontanel s'était dirigé vers une fenêtre, seul. Philippe Toussaint l'avait rejoint et s'était assis face à lui sans lui en demander la permission.

— On se connaît ?

— On ne s'est jamais parlé mais on se connaît.

— Je peux vous aider ?

— Sûrement.

L'autre avait découpé sa viande comme si de rien n'était.

— Je n'arrête pas de penser à vous.

— D'habitude, je fais cet effet-là aux femmes.

Philippe Toussaint s'était violemment mordu la joue pour rester calme, ne pas s'emballer.

— Voilà, je pense que vous n'avez pas tout dit au procès… Votre témoignage, il tourne en rond dans ma tête, comme un fauve en cage.

Fontanel n'avait marqué aucune forme de surprise. Il avait regardé Philippe Toussaint durant une minute, sans doute pour se le rappeler au cours du procès, le resituer, puis il avait saucé son assiette avec un gros morceau de pain.

— Et vous croyez que je vais ajouter quelque chose, comme ça, pour votre belle gueule ?

— Ouais.

— Et pourquoi je ferais ça ?

— Parce que je pourrais être beaucoup moins gentil.

— Vous pouvez me buter, j'en ai rien à carrer. Je vais même vous dire, ça m'arrangerait. J'aime pas mon boulot, j'aime pas ma femme et j'aime pas mes gosses.

Philippe Toussaint avait serré les poings si fort que ses mains en étaient devenues blanches.

— J'en ai rien à foutre de votre vie, je veux savoir ce que vous avez vu cette nuit-là… Vous mentez comme vous respirez.

— La Magnan, vous la connaissez la Magnan ? C'est ma femme.

— …

— Au procès, elle se pissait dessus à chaque fois qu'elle posait les yeux sur vous.

Au moment où Fontanel avait prononcé son nom, il avait revu Geneviève Magnan dans les couloirs de l'école, les yeux chassieux, à lui courir après comme une chienne en chaleur. Il s'était revu la baisant toujours au même endroit, les pieds dans la boue, dans les phares de sa moto. Ça lui avait donné un haut-le-cœur. Fontanel, l'odeur de bouffe et d'hôpital mélangés… Est-ce qu'elle avait foutu le feu à la chambre pour se venger ? Cette question le torturait.

— Qu'est-ce qui s'est passé, nom de Dieu…

— C'était un accident. Rien de plus, rien de moins. Un putain d'accident. Cherchez pas, vous ne trouverez rien de plus, je vous le dis.

Philippe Toussaint avait sauté par-dessus la table, l'avait chopé et l'avait cogné comme s'il était devenu fou. Au visage, dans le ventre, il tapait partout, au hasard. Il avait eu le sentiment de cogner sur un matelas abandonné au coin d'une rue. Il avait cogné, ignorant les cris autour de lui. Fontanel ne s'était pas défendu. Il s'était laissé faire. Quelqu'un avait tiré Philippe par le bras, pour l'empêcher de continuer, avait tenté de l'immobiliser, de le mettre à terre, mais il s'était débattu, une force surhumaine, et il s'était sauvé en courant. Les poings brûlants et en sang tellement il avait frappé fort.

Comme il s'y attendait, Fontanel n'avait rien dit, pas porté plainte pour coups et blessures. Il avait déclaré ignorer l'identité de son agresseur.

64

Dors, papa, dors, mais que nos rires d'enfants,
tu les entendes encore au plus profond du firmament.

Cimetière de Bron, 2 juin 2017, ciel bleu, vingt-cinq degrés, 15 heures. Enterrement de Philippe Toussaint (1958-2017). Cercueil en chêne. Caveau en marbre gris. Pas de croix.

Trois couronnes – « De belles fleurs pour de beaux souvenirs qui ne s'estomperont jamais » –, des lys blancs – « Recevez ces fleurs en témoignage de ma profonde sympathie ».

Rubans mortuaires sur lesquels on peut lire : « À mon compagnon », « À notre collègue de travail », « À notre ami ». Sur une plaque funéraire, à côté d'une moto dorée : « Disparu mais jamais oublié ».

Une vingtaine de personnes sont présentes autour de la tombe. Des gens de l'autre vie de Philippe Toussaint.

En tant qu'épouse légitime, j'ai donné l'autorisation à Françoise Pelletier d'inhumer Philippe

Toussaint dans le caveau de Luc Pelletier. Afin qu'il retrouve cet oncle dont j'ignorais l'existence. Comme j'ignorais toute une partie de la vie de Philippe Toussaint.

J'attends que tout le monde soit parti pour m'approcher du caveau. Je dépose une plaque de la part de Léonine : « À mon père ».

65

Rien qu'un petit mot pour te dire que l'on t'aime.
Rien qu'un petit mot pour te demander de nous aider à surmonter les rudes épreuves d'ici-bas.

Août 1996, Geneviève Magnan.

Je l'ai attendu longtemps. Je savais qu'il finirait par venir. Je le savais depuis bien avant de voir la tronche de Fontanel. Défiguré quand il est rentré à la maison. Il marchait avec des béquilles. La figure rouge et bleu, deux dents pétées.

« Qu'est-ce t'as encore fait ? » j'ai demandé. Je pensais qu'il avait trop picolé, qu'il s'était encore battu avec d'autres poivrots. Il avait toujours eu la violence dans le sang, la rage. Lui aussi, il m'en avait foutu des roustes les soirs de cuite.

Mais il a répondu : « Va poser la question au type qui te sautait dans mon dos. »

Cette phrase, elle m'a fait bien plus mal que les coups de ma mère et de Fontanel. Leurs raclées, à côté de cette phrase-là, du pipi de chat. Des coups de couteau dans la bidoche.

C'est lui qui était défiguré, qui boitait, mais c'est moi qui morflais. À plus pouvoir bouger. Figée que j'étais. Terrorisée.

J'ai repensé au cochon qu'on avait tué la semaine d'avant chez le voisin. Comme il avait eu les jetons, comme il avait tremblé, comme il avait gueulé. De trouille et de douleur. L'horreur. Les hommes qui s'acharnaient, leurs rires. Après, nous les femmes, on avait été réquisitionnées pour faire le boudin. L'odeur de mort. Ce jour-là, j'ai eu envie de me pendre. C'était pas la première fois, cette envie d'« en finir » comme on dit chez les riches. Non, c'était pas la première fois. Mais là elle m'a tenue longtemps. Plus longtemps que d'habitude. J'ai même pris l'argent pour aller acheter la corde chez Bricorama. Puis je l'ai reposé en pensant aux garçons. Quatre et neuf ans. Qu'est-ce qu'ils feraient tout seuls avec Fontanel ?

J'ai su qu'un jour *il* viendrait me poser des questions quand j'ai vu son regard sur moi dans les couloirs du tribunal.

Quelqu'un a frappé, j'ai cru que c'était le facteur, j'attendais une livraison de La Redoute. Mais c'était pas le facteur, c'était lui, il était derrière la porte. Ses yeux étaient fatigués. J'ai vu sa tristesse. J'ai vu sa beauté. Puis le mépris. Il m'a regardée comme si j'étais un tas de merde.

J'ai voulu refermer la porte mais il a donné un coup de pied dedans, violemment. On aurait dit un fou. J'ai pensé appeler les flics, mais qu'est-ce que je leur aurais dit aux flics ? J'en avais peur depuis *cette nuit-là*. Il ne m'a pas touchée, je le dégoûtais trop. Je le sentais haineux et horrifié à la fois. J'ai pu dire qu'une seule chose : « C'était vraiment un accident, j'ai rien fait exprès, j'aurais jamais fait de mal à des gosses. »

Il m'a dévisagée, et là, il a fait un truc auquel je m'attendais pas. Il s'est assis à ma table de cuisine, il a posé sa tête sur ses bras et il s'est mis à chialer. Il sanglotait comme un gosse qu'avait perdu sa mère dans la foule.

— Vous voulez savoir ce qui s'est passé ?

Il a répondu non.

— Je vous jure que c'était un accident.

Il était à un mètre de moi. J'ai eu envie de le toucher, de le désaper, de me désaper, qu'il me prenne, me fasse gueuler comme avant, contre le rocher. Jamais personne s'est détesté autant que je me suis détestée à ce moment-là.

Lui, désespéré, perdu dans ma cuisine que j'avais pas nettoyée depuis des lustres. Depuis que je suis au chômage, j'en fous plus une rame. Moi qui suis responsable. Moi la coupable.

Il s'est levé et il est parti sans me regarder. Après son départ, j'ai pris sa place. Il restait son parfum.

Après l'école, je déposerai mes gosses chez ma sœur. Elle est bien plus gentille que moi, ma sœur. Je leur dirai d'être sages. De pas bouger. Je reprendrai l'argent de la dernière fois. En rentrant, j'achèterai une corde chez Bricorama.

66

La mort d'une mère est le premier chagrin qu'on pleure sans elle.

— Vous voulez goûter ?

— Avec plaisir.

Je décroche quelques tomates cerises et les fais croquer à maître Rouault.

— Délicieuses. Vous allez rester ici ?

— Où voulez-vous que j'aille ?

— Avec l'argent de votre héritage, vous pourriez arrêter de travailler.

— Ah non, non. J'aime ma maison, j'aime mon cimetière, j'aime mon travail, j'aime mes amis. Et puis, qui s'occuperait de mes animaux ?

— Mais enfin, tout de même, achetez-vous un petit bien, quelque chose, quelque part.

— Oh non. Après je serais toujours obligée d'y aller. Vous savez, les résidences secondaires, ça empêche tous les autres voyages, ceux qui se décident au dernier moment. Et puis vous m'imaginez avec une résidence secondaire, franchement ?

— Qu'est-ce que vous allez faire de tout cet argent, si ce n'est pas indiscret ?

— Ça fait combien cent divisé par trois ?

— 33,33333 à l'infini.

— Eh bien, je donnerai 33,33333 % et l'infini aux Restos du cœur, à Amnesty International et à la fondation Bardot. Ça me permettra de sauver un peu le monde depuis mon petit cimetière. Venez, maître, on va boire un coup.

Il attrape sa canne et me suit en souriant. On s'assied sous ma tonnelle pour déguster un merveilleux sauternes frais. Maître Rouault retire sa veste de costume et étire ses jambes en plongeant ses doigts dans des cacahuètes salées.

— Regardez comme il fait beau aujourd'hui, chaque jour je m'enivre de la beauté du monde. Bien sûr, il y a la mort, le chagrin, le mauvais temps, la Toussaint, mais la vie reprend toujours le dessus. Il y a toujours un matin où la lumière est belle, où l'herbe repousse sur les terres brûlées.

— Je devrais vous envoyer les fratries qui s'insultent dans mon étude, elles pourraient faire des stages de sagesse près de vous.

— Moi, je pense que l'héritage ne devrait pas exister. Je pense qu'on devrait tout donner aux gens qu'on aime de son vivant. Son temps et son argent. Les héritages, ça a été inventé par le diable, pour que les familles se déchirent. Je ne crois qu'en la donation de son vivant. Pas aux promesses de la mort.

— Vous saviez que votre mari était riche ?

— Mon mari n'était pas riche. Il était trop seul et trop malheureux. Heureusement, à la fin de sa vie, il a vécu avec la bonne personne.

— Quel âge avez-vous, chère Violette ?

— Aucune idée. Depuis juillet 1993, je ne fête plus mes anniversaires.

— Vous pourriez refaire votre vie.

— Elle est bien comme ça, ma vie.

67

Sur le sable mouvant où s'écoule la vie,
croît une douce fleur que mon cœur a choisie.

En août 1996, un an avant de m'installer au cimetière, j'ai quitté le cabanon de Sormiou plus tôt que d'habitude. J'ai pris un train jusqu'à Mâcon, puis un bus qui s'arrêtait à Brancion-en-Chalon sur son trajet vers Tournus. Mon bus est passé par La Clayette, j'ai vu le château de Notre-Dame-des-Prés, au loin, à travers la vitre, pour la première fois. Mon bus s'est arrêté quelques minutes après devant la mairie de Brancion-en-Chalon et quand je suis descendue, je tremblais de la tête aux pieds. Mes jambes ont eu du mal à me porter jusqu'au cimetière. Sous mes pas, je revoyais le château, les fenêtres, les murs blancs. J'avais entraperçu le lac, à l'arrière, brillant comme une mer de saphirs. Il faisait très chaud.

La porte de la maison de Sasha côté cimetière était entrouverte, je ne suis pas rentrée. Je suis allée directement vers la tombe de Léonine, en revoyant les murs du château. Devant la stèle où étaient gravés le nom de ma fille et ceux de ses amies, pour la première fois je m'en suis voulu de ne pas être allée à l'enterrement, de l'avoir laissée partir seule, de ne pas avoir déposé ne serait-ce qu'un caillou blanc sur sa sépulture. Pourtant, une fois de plus, ce jour-là j'ai su que Léonine était bien plus présente dans la Méditerranée d'où je revenais et dans les fleurs du jardin de Sasha que sous cette pierre tombale. J'ai marché jusqu'à la maison de Sasha la mort dans l'âme.

Il ne savait pas que j'étais là, je ne l'avais pas prévenu. Cela faisait plus de deux mois que je ne l'avais pas vu. Depuis que Philippe Toussaint me l'avait interdit. La maison était rangée. La porte qui menait à son jardin potager grande ouverte. Je ne l'ai pas appelé. Je suis sortie et je l'ai vu, allongé sur un banc, il faisait une sieste, un chapeau de paille posé sur son visage. Je me suis approchée de lui tout doucement, il s'est levé aussitôt et m'a serrée dans ses bras.

— Y a rien de plus beau que le ciel à travers un chapeau de paille. J'aime le regarder à travers les trous sans que le soleil me fasse mal. Mon moineau, quelle belle surprise… Tu restes pour la journée ?

— Un peu plus.

— C'est merveilleux ! Tu as mangé ?

— Je n'ai pas faim.

— Je vais te faire des pâtes.

— Mais je n'ai pas faim.

— Avec du beurre et du gruyère râpé, allez, viens, on a du boulot ! Tu as vu comme tout a poussé ? C'est une grande année pour le jardin ! Une grande année !

À ce moment-là, quand je l'ai vu s'agiter et sourire, j'ai ressenti quelque chose de chaud dans le ventre, un peu comme du bonheur. Pas quelque chose de feint, pas une de ces crises de vie qui ne duraient que quelques secondes, mais une plénitude, un sourire aux lèvres qui n'a pas été balayé aussitôt, l'envie, tout simplement. Je n'étais plus téléguidée mais habitée.

J'aurais voulu garder l'été et cet instant, le jardin et Sasha pour toujours.

Je suis restée quatre jours auprès de lui. Nous avons commencé par cueillir les tomates mûres pour en faire des conserves. D'abord, nous avons stérilisé les bocaux dans une lessiveuse remplie d'eau que Sasha a portée à ébullition sur du bois. Ensuite, nous avons découpé et épépiné les tomates avant de les mettre à l'intérieur avec des feuilles de basilic fraîchement cueillies. Sasha m'a appris l'importance des caoutchoucs neufs pour fermer les bocaux hermétiquement. On les a fait chauffer pendant quinze minutes.

— Maintenant, ces bocaux, on peut les garder au moins quatre ans. Mais tu vois, tous les gens qui reposent dans ce cimetière, ils ont mis des choses de côté, à quoi ça leur a servi ? Nous deux, on ne va rien attendre, et ce soir, on va s'en ouvrir un.

On a fait la même chose avec les haricots. On les a équeutés, on les a mis dans des bocaux avec un verre d'eau salée, on les a fermés et portés à ébullition.

— Cette année, mes haricots sont sortis en une nuit, il y a tout juste deux jours, ils ont dû sentir que tu arrivais… Ne sous-estime jamais le pouvoir de divination de ton jardin.

Le deuxième jour, il y a eu un enterrement. Sasha m'a priée de l'accompagner. Je n'aurais rien à faire, juste rester près de lui. C'était la première fois que j'assistais à un enterrement. J'ai vu les visages, le chagrin, la pâleur, les beaux habits sombres. J'ai vu les mains se serrer, les gens se prendre le bras, la tête baissée. Je me souviens encore du discours qui a été fait par le fils du défunt, ses larmes dans la voix :

— Papa, comme l'a dit André Malraux, la plus belle des sépultures, c'est la mémoire des hommes. Tu aimais la vie, les femmes, les grands crus et Mozart. À chaque fois que j'ouvrirai une bonne bouteille ou que je croiserai une belle femme, à chaque fois que je dégusterai un grand vin en compagnie d'une belle femme, je saurai que tu n'es pas loin. À chaque fois que les vignes changeront de couleur, qu'elles passeront du vert au rouge, que le ciel, en quelques heures, s'éclairera d'une douce lumière, je saurai que tu n'es pas loin. Quand j'écouterai un concerto pour clarinette, je saurai que tu es là. Repose-toi, papa, on s'occupe de tout.

Quand tout le monde est reparti, que nous sommes rentrés chez lui, j'ai demandé à Sasha s'il lui arrivait de garder les oraisons funèbres qu'il entendait. S'il les consignait quelque part.

— Pour quoi faire ?

— J'aimerais savoir ce qui a été dit le jour de l'enterrement de Léonine.

— Je ne garde rien. Les légumes ne repoussent pas d'une année sur l'autre. Chaque année, il faut tout recommencer. À part les tomates cerises : elles, elles poussent toutes seules, un peu en désordre, un peu n'importe où.

— Pourquoi vous me dites ça ?

— La vie c'est comme une course de relais, Violette. Tu la passes à quelqu'un qui la prend et qui la redonne à quelqu'un d'autre. À toi, je te l'ai redonnée et un jour tu la repasseras.

— Mais je suis seule au monde.

— Non, moi je suis là, et il y aura quelqu'un d'autre après moi. Si tu veux savoir ce qu'on a dit le jour de l'enterrement de Léonine, écris-le toi-même, écris-le tout à l'heure, avant d'aller te coucher.

Le troisième jour, j'ai lu son oraison funèbre à Léonine.

J'ai retrouvé Sasha dans une des allées du cimetière. Nous avons marché le long des tombes, il m'a parlé des morts, ceux qui l'étaient depuis longtemps, et puis des autres, ceux qui venaient d'emménager.

— Vous avez des enfants, Sasha ?

— Quand j'étais jeune, j'ai voulu faire comme tout le monde, je me suis marié. En voilà une belle connerie, une idée stupide : faire comme tout le monde. Les bonnes manières, les faux-semblants et les idées reçues sont des assassins. Ma femme s'appelait Verena, elle était très jolie, elle avait une voix douce, comme toi. D'ailleurs, tu lui ressembles un peu. Comme le jeune con prétentieux que j'étais, j'ai cru que sa beauté me ferait bander. Le jour du mariage, quand je l'ai vue dans sa dentelle blanche, timide et rougissante, quand j'ai soulevé le voile qui recouvrait son beau visage, j'ai su que je mentais à tout le monde, à commencer par moi-même. J'ai déposé un baiser froid sur sa bouche alors que les invités nous applaudissaient et que la seule chose qui m'intéressait était les muscles des hommes sous leur chemise. Je me suis enivré avant l'ouverture du bal. La nuit de noces a été cauchemardesque. J'y ai mis de la bonne volonté, j'ai pensé au frère de ma femme, un brun avec de grands yeux noirs. Mais ça n'a pas fonctionné, je n'ai pas réussi à lui faire l'amour. Verena a mis « ça » sur le compte de l'émotion et de l'ivresse. Avec les semaines, les nuits passées l'un contre l'autre, j'ai fini par y arriver. J'ai fini par prendre sa virginité. Je ne peux même pas te dire comme ça m'a rendu malheureux, ses yeux d'amour et de tendresse alors que j'avais réussi à la toucher grâce à mon imagination dégueulasse. Les nuits se sont succédé et tous les hommes de mon village y sont passés, je les ai tous touchés à travers elle.

« Puis nous avons déménagé. Deuxième connerie, c'est pas parce qu'on change d'adresse qu'on change de désir. Il se colle aux valises. Contrairement aux oiseaux migrateurs et aux mauvaises herbes, il n'a pas la faculté de s'adapter à tous les climats. J'ai changé de fenêtres et de paillasson, mais j'ai continué à regarder les hommes. J'ai trompé maintes fois ma femme dans des toilettes publiques. Quelle honte… À force de faire semblant, je suis tombé malade. Je ne faisais pas semblant d'aimer Verena, je l'aimais sincèrement. Je la dévorais du regard, mais du regard seulement. J'aimais ses gestes, sa peau, ses mouvements, mais je voyais la jolie mèche brune qui lui barrait le visage comme une interdiction qui m'était destinée. J'ai fini par choper un cancer du sang. Mes globules blancs se sont mis à manger mes globules rouges. Ces globules blancs, je les visualisais comme des femmes en robe de mariée qui se démultipliaient dans mes veines, l'infamie me dévorait. Ça va peut-être te paraître curieux, mais les séjours à l'hôpital m'ont soulagé. Ils m'ont délesté de cette obligation d'"honorer" Verena dans notre lit. "La déshonorer" serait plus juste. Sous les draps, je continuais à fermer les yeux et je caressais son corps en pensant à quelqu'un d'autre, n'importe qui. Même des présentateurs télé.

« Verena est tombée enceinte. J'ai vu de la lumière dans cette grossesse, comme la seule réponse positive à trois sombres années depuis notre union. J'ai vu son ventre s'arrondir, je me suis remis à jardiner. Je suis redevenu un homme presque heureux. Cet enfant, j'en rêvais. Et il est né. Un fils que nous avons baptisé Émile. Verena m'a moins regardé, moins désiré, elle était toute à son enfant et je me suis senti de mieux en mieux. J'avais des amants, une femme douce, mère de mon fils, je nageais presque dans le bonheur, un bonheur pollué mais un bonheur quand même. Je suis un père formidable, tu sais ? Et puis, c'est très pratique un gosse quand on ne veut plus toucher sa femme. Elle est fatiguée, vulnérable, elle a souvent mal à la tête, l'entend pleurer la nuit, trop chaud, trop froid, fait ses dents, un cauchemar, une otite. J'ai recouché une seule fois avec Verena après un Nouvel An arrosé et cela a suffi pour qu'elle retombe enceinte. Trois ans après la naissance d'Émile, Ninon est née. Une petite fille adorable.

« J'ai fait deux enfants à Verena. Deux enfants. J'ai donné la vie, la vraie, par deux fois. Comme quoi Dieu se rit de tout, même des pédés.

— Ils ont quel âge, maintenant ?

— Le même que celui de ma femme.

— Je ne comprends pas.

— Ils n'ont plus d'âge. Ils se sont tués en 1976 dans un accident de voiture. Sur l'autoroute du Soleil. Je devais les rejoindre trois jours après en train dans notre location au bord de la mer. Tu sais pourquoi ?

— Pourquoi quoi ?

— Pourquoi je devais les rejoindre trois jours après ?

— …

— J'ai dit à Verena que j'avais du travail à rattraper. En 76, j'étais ingénieur. La vérité, c'est que j'avais prévu trois jours de baise avec un collègue de travail. Quand j'ai appris leur mort, je suis devenu fou. On a dû m'interner, longtemps. C'est là-bas, entre les murs blancs, que j'ai appris à soigner les autres avec mes mains. Tu vois, ma Violette, toi et moi, on a eu notre lot de misère, pourtant on est là. À nous deux, on ressemble à tous les romans de Victor Hugo réunis. Un florilège de grands malheurs, de petits bonheurs et d'espoirs.

— Où est-ce qu'ils sont enterrés ?

— Près de Valence, dans le caveau familial de Verena.

— Mais comment vous vous êtes retrouvé ici, dans ce cimetière ?

— Après ma sortie de l'asile, j'étais un cas social. Le maire d'ici me connaît depuis toujours, il m'a embauché comme cantonnier. Le gars en bleu de travail qui parle tout seul en passant le balai à côté des poubelles municipales, ça a été moi. Quand j'ai repris du poil de la bête, j'ai demandé le poste de gardien de cimetière qui était vacant. Ma place était auprès des morts. Les morts des autres.

Sasha a pris mon bras. Nous avons croisé un homme et une femme qui lui ont demandé où se trouvait une tombe. Pendant qu'il donnait des indications sur la direction à prendre, les allées à emprunter, je l'ai observé. Au fur et à mesure qu'il m'avait parlé de sa famille disparue, il s'était un peu courbé. J'ai pensé que nous étions deux rescapés qui tenaient encore debout. Deux naufragés qu'un océan de malheurs n'était pas parvenu à noyer totalement.

Après que l'homme et la femme l'eurent remercié, j'ai mis ma main dans la sienne et nous avons continué à marcher.

— Au début le maire a hésité. Mais les miens étaient morts depuis longtemps, il y avait prescription. Ce n'est pas moi qui vais t'apprendre qu'entre la mort et le temps, il y a toujours prescription... Regarde, il fait un temps magnifique. Aujourd'hui, je vais t'enseigner l'art de faire des boutures de rosier. Sais-tu ce que sont les rameaux aoûtés ?

— Non.

— Ce sont des branches qui commencent à produire du bois à partir du mois d'août. Des taches brunes apparaissent sur le vert, les mêmes taches que tu vois sur mes mains. Ce sont des signes de vieillesse. On les appelle les « rameaux aoûtés ». Eh bien figure-toi que c'est avec ces vieilles branches que tu vas faire de jeunes pousses. N'est-ce pas incroyable ? Tu as envie de manger quoi ce soir ? Si je te faisais des avocats au citron ? C'est bon pour ta santé, ça, c'est plein de vitamines et d'acides gras.

Le quatrième jour, il m'a amenée jusqu'à la gare

de Mâcon dans sa vieille Peugeot. Il avait glissé des bocaux de tomates et de haricots dans ma valise. Elle était tellement lourde que j'ai eu du mal à la traîner jusqu'à Malgrange.

Sur le chemin du retour, entre le cimetière et le parking de la gare, il m'a dit qu'il voulait partir en retraite. Qu'il était fatigué, qu'il était temps qu'il passe la main à quelqu'un et que ce quelqu'un ne pouvait être que moi.

68

De leur amour plus bleu que le ciel autour.

Tu n'enterreras pas ta vie de jeune fille.

Tu ne fêteras pas les Catherinettes.

Tu ne danseras pas de slows.

Tu n'auras pas de sac à main ni de règles douloureuses.

Tu n'auras pas d'appareil dentaire.

Je ne te verrai pas grandir, grossir, souffrir, divorcer, faire des régimes, enfanter, allaiter, aimer.

Tu n'auras pas d'acné ni de stérilet.

Je ne t'entendrai pas mentir. Je n'aurai pas à te couvrir ni à te défendre.

Tu ne piqueras pas de sous dans mon porte-monnaie. Je n'ouvrirai pas de livret A pour te mettre à l'abri.

Tu ne prendras pas la pilule.

Je ne verrai pas tes rides et tes taches apparaître, ta peau d'orange, tes vergetures.

Je ne sentirai pas l'odeur du tabac sur tes vêtements, je ne te verrai pas fumer, puis arrêter de fumer.

Je ne te verrai jamais saoule ni défoncée.

Tu ne réviseras pas ton bac de français devant Roland-Garros, tu ne t'en prendras pas à Mme Bovary, « cette pauvre meuf », ni à Marguerite Duras, ni à tes profs.

Tu n'auras pas de scooter ni de chagrin d'amour.

Tu ne rouleras pas de pelles, tu ne jouiras pas.

On ne fêtera pas ton bac.

On ne trinquera jamais ensemble.

Tu ne mettras pas de déodorant, tu n'auras pas l'appendicite.

Je n'aurai pas peur que tu montes en voiture avec n'importe qui. Ça, tu l'as déjà fait.

Tu n'auras pas mal aux dents.

On n'ira pas aux urgences en pleine nuit.

Tu ne pointeras pas à l'ANPE.

Tu n'auras pas de compte en banque, ni de carte étudiante, ni de carte jeune, ni de numéro de sécurité sociale, ni de cartes de fidélité.

Je ne connaîtrai jamais tes goûts, tes attirances. Quels vêtements, quelle littérature, quelle musique, quel parfum.

Je ne te verrai pas faire la gueule, claquer les portes, faire le mur, attendre quelqu'un, prendre un avion.

Tu ne partiras pas. Tu ne changeras pas d'adresse.

Je ne saurai jamais si tu te ronges les ongles, si tu mets du vernis, de la poudre aux yeux, du rimmel.

Ni si tu es douée pour les langues étrangères.

Tu ne changeras jamais de couleur de cheveux.

Dans ton cœur, tu garderas Alexandre, ton amoureux du CE1.

Tu n'épouseras personne.

Tu seras toujours Léonine Toussaint. Mademoiselle.

Tu n'aimeras jamais que le pain perdu, les omelettes, les frites, les coquillettes, les crêpes, le poisson pané, les œufs à la neige et la chantilly.

Tu grandiras autrement, dans l'amour que je te porterai toujours. Tu grandiras ailleurs, dans les murmures du monde, dans la Méditerranée, dans le jardin de Sasha, dans le vol d'un oiseau, au lever du jour, à la tombée de la nuit, à travers une jeune fille que je croiserai par hasard, dans le feuillage d'un arbre, dans la prière d'une femme, dans les larmes d'un homme, dans la lumière d'une bougie, tu renaîtras plus tard, un jour, sous la forme d'une fleur ou d'un petit garçon, chez une autre maman, tu seras partout là où mes yeux se poseront. Là où mon cœur demeurera, le tien continuera de battre.

69

Rien ne peut la faner, rien ne peut la flétrir,
cette charmante fleur se nomme souvenir.

— Bonjour, madame.

— Bonjour, jeune homme.

Un adorable petit garçon tire sur sa paille pour récupérer les dernières gouttes de son jus de pomme au fond de sa canette. Il est assis à la table de ma cuisine, seul.

— Où sont tes parents ?

Il me montre le cimetière d'un signe de la tête.

— Mon père m'a dit de l'attendre ici parce qu'y pleut.

— Comment tu t'appelles ?

— Nathan.

— Tu veux un morceau de gâteau au chocolat, Nathan ?

Il ouvre de grands yeux gourmands.

— Oui, merci. C'est ta maison ici ?

— Oui.

— Tu travailles ici ?
— Oui.
Il cligne des yeux. Il a de grands cils noirs.
— C'est là que tu dors aussi ?
— Oui.
Il me regarde comme si j'étais son dessin animé préféré.
— T'as pas peur la nuit ?
— Non, pourquoi j'aurais peur ?
— À cause des zombies.
— C'est quoi un zombie ?
Il avale un énorme morceau de gâteau au chocolat.
— Des morts-vivants qui foutent la trouille. J'ai vu un film, ça fout la trouille.
— Tu n'es pas un peu jeune pour regarder ce genre de film ?
— C'était chez Antoine sur son ordinateur, on n'a pas tout vu, on avait trop la trouille. Mais j'ai sept ans quand même.
— Ah oui, quand même.
— T'as déjà vu des zombies ?
— Non, jamais.
Il a l'air terriblement déçu. Il fait une moue délicieuse. Tutti Frutti entre par la chatière. Ses poils sont trempés. Il retrouve Éliane dans son panier et cherche sa chaleur. La chienne ouvre un œil et se rendort aussitôt. Nathan quitte sa chaise pour aller les caresser. Il remonte son jean à deux mains et tire sur les manches de son sweat-shirt. Il porte des

baskets dont les semelles s'allument à chacun de ses pas. Ça me rappelle les images du clip « Billie Jean » de Michael Jackson.

— Il est à toi le chat ?

— Oui.

— Comment il s'appelle ?

— Tutti Frutti.

Il éclate de rire. Il a du chocolat plein les dents.

— C'est drôle comme nom.

Julien Seul frappe à ma porte côté cimetière et entre. Il est aussi trempé que le chat.

— Bonjour.

Il jette un coup d'œil en direction de l'enfant et me sourit tendrement. Je sens qu'il aimerait venir vers moi, me toucher, mais il ne bouge pas. Il se contente de le faire du regard. Je le sens me déshabiller. Enlever l'hiver pour voir l'été.

— Ça va, mon amour ?

Je me fige.

— Papa, tu sais comment il s'appelle le chat ?

Nathan est le fils de Julien. Mon cœur s'emballe comme un mustang au galop, comme si je venais de monter et descendre les escaliers plusieurs fois en courant.

Julien lui répond aussitôt :

— Tutti Frutti.

— Comment tu sais ?

— Je le connais. Ce n'est pas la première fois que je viens ici. Nathan, tu as dit bonjour à Violette ?

Nathan me dévisage.

— Tu t'appelles Violette ?
— Oui.
— Vous avez tous des drôles de noms, ici !
Il revient vers la table, s'assied et termine son gâteau. Son père l'observe en souriant.
— On va y aller, chéri.
Je me sens terriblement déçue à mon tour. Comme quand Nathan a appris que je n'avais jamais vu de zombie.
— Vous ne restez pas encore un peu ?
— Nous sommes attendus en Auvergne. Une cousine qui se marie cet après-midi.
Il me fixe. Puis s'adresse à son fils :
— Mon amour, va m'attendre dans la voiture, elle est ouverte.
— Mais il pleut comme vache qui pisse !
Nous sommes tellement surpris par la réponse de l'enfant que nous éclatons de rire ensemble.
— Le premier arrivé à la voiture aura le droit de mettre la musique qu'il veut.
Nathan vient promptement m'embrasser sur la joue.
— Si tu vois des zombies, t'appelles mon père, il est policier.
Il ressort en courant côté cimetière pour se diriger vers le parking.
— Il est absolument adorable.
— Il tient ça de sa mère… Vous avez lu le journal de la mienne ?

— Je ne l'ai pas terminé. Vous voulez emporter un café pour la route ?

Il fait non de la tête.

— Pour la route, je préférerais vous emmener, vous.

Cette fois, il s'approche de moi et me serre dans ses bras. Je le sens respirer mon cou. Je ferme les yeux. Quand je les rouvre il est déjà devant la porte. Il a mouillé mes vêtements.

— Violette, je n'ai absolument pas envie qu'un jour on vienne poser vos cendres sur ma tombe. Je m'en fous en fait. Je veux vivre avec vous maintenant, tout de suite. Pendant qu'on peut encore regarder le ciel ensemble… Même quand il flotte comme aujourd'hui.

— Vivre avec moi ?

— J'ai envie que cette histoire… cette rencontre entre ma mère et cet homme, ça serve à ça, à nous, en fait.

— Mais je ne suis pas apte.

— Apte ?

— Oui, apte.

— Mais je ne vous parle pas de service militaire.

— Je suis inadaptée, cassée. C'est impossible l'amour pour moi. Je suis invivable. Plus morte que les fantômes qui traînent dans mon cimetière. Vous n'avez donc pas compris ? C'est impossible.

— À l'impossible nul n'est tenu.

— Si.

Il me sourit tristement.

— Dommage.

Il referme la porte derrière lui et rentre sans frapper deux minutes après.

— On vous emmène avec nous.

— …

— Au mariage. C'est à deux heures de route.

— Mais je…

— Je vous donne dix minutes pour vous préparer.

— Mais je ne p…

— Je viens de téléphoner à Nono, il arrive dans cinq minutes pour vous remplacer.

70

Un jour nous viendrons nous asseoir
près de toi dans la maison de Dieu.

Août 1996.

Philippe était ressorti de chez Geneviève Magnan plus malheureux que les pierres – drôle d'expression que son oncle Luc employait souvent. Il avait roulé jusqu'au cimetière. Il y avait un enterrement ce jour-là. Les gens étaient regroupés sous la chaleur, par grappes, loin de la tombe de Léonine. Il n'avait pas apporté de fleurs. Il n'en avait jamais apporté. D'habitude, c'est sa mère qui s'en occupait.

C'était la première fois qu'il allait la voir seul. Il venait deux fois par an, toujours avec ses parents.

Son père et sa mère se garaient devant la barrière, ne rentraient plus de peur de croiser Violette, d'affronter son désespoir. Lui, en bon fils, s'asseyait à l'arrière de la voiture comme lorsqu'il était enfant et qu'ils partaient en vacances, que la banquette lui paraissait immense mais qu'au bout du voyage, il y avait la mer.

Philippe s'était toujours dit qu'il était fils unique parce que ses parents n'avaient fait l'amour qu'une fois, par accident. Philippe s'était toujours dit qu'il était un accident.

Son père, voûté par le chagrin et par des années de vie avec sa femme, conduisait mal. Freinait, on ne savait pas pourquoi, accélérait, on ne le savait pas davantage. Roulait à gauche puis trop à droite. Doublait quand il ne fallait pas, ne doublait pas dans les lignes droites. Se perdait trop souvent. Semblait ignorer les panneaux indicateurs.

La route entre la barrière et le cimetière paraissait interminable à Philippe. La première fois qu'ils l'avaient faite, il avait senti l'odeur de cramé alors qu'ils étaient encore à des kilomètres du château. L'air empestait comme après un énorme incendie.

Ils s'étaient d'abord arrêtés devant les grilles du château pour se garer. N'avaient pas osé entrer tout de suite, étaient restés prostrés tous les trois, comme ça, dans la voiture. Puis ils avaient marché deux cents mètres jusqu'à la bâtisse imposante, noircie et détruite sur l'aile gauche. Il y avait des pompiers, des policiers, des parents hébétés, des élus. Une confusion dans l'horreur. Beaucoup de silence, des gestes sonnés, comme gelés. Chaque chose au ralenti. Pas vraiment ressentie, vue de loin, enveloppée dans du coton, de la ouate. Comme quand le corps et l'esprit se séparent pour ne pas lâcher. Que la réciprocité est trop lourde à porter. Le poids de la douleur.

Philippe n'avait pas pu s'approcher de la chambre 1. Tout le périmètre avait été bouclé – une phrase de série américaine en Bourgogne et dans la vraie vie. Des lignes de plastique rouge pour délimiter l'horreur. Des experts scrutaient le sol et les murs, prenaient des photographies. Étudiaient le cheminement du feu, réécrivaient l'histoire en explorant des points explicites, des preuves, des indices, des marques. Il fallait un rapport précis pour le procureur, on ne badinait pas avec la mort de quatre enfants. On allait punir et condamner.

Il avait entendu beaucoup de « Je suis désolé, nous sommes désolés, toutes nos condoléances, elles n'ont pas souffert ». Il n'avait pas vu le personnel du château, ou bien peut-être, mais il avait oublié. Les autres enfants, les chanceuses, les épargnées, étaient déjà reparties. On les avait évacuées en urgence.

Il n'avait pas eu à identifier le corps de Léonine, il n'y en avait plus. Il n'avait pas eu à choisir de cercueil ni de textes pour la cérémonie, ses parents s'en étaient occupés. Il n'aurait donc rien à choisir. Il avait pensé : *Je n'ai jamais acheté une paire de chaussures, une robe, une barrette, des chaussettes pour ma fille. C'est Violette qui faisait ça, qui aimait faire ça.* Mais pour le cercueil, Violette ne serait pas là. Violette ne serait plus là. Il n'aurait donc à s'occuper de personne.

Le soir, depuis l'hôtel, il lui avait téléphoné.

C'est la Marseillaise qui avait répondu. C'est ainsi qu'il appelait Célia. Il s'était souvenu qu'il lui avait demandé de venir. Violette dormait. Le médecin était passé plusieurs fois pour lui administrer un calmant.

L'enterrement avait eu lieu le 18 juillet 1993.

Les autres, ils se tenaient par la main, par le bras, ils se soutenaient. Lui n'avait touché ni parlé à personne. Sa mère avait essayé, il avait eu un geste de recul comme quand elle voulait l'embrasser lorsqu'il avait quatorze ans.

Les autres, ils avaient pleuré, hurlé. Les autres, ils étaient tombés. Il avait fallu ramasser des femmes qui ployaient comme des roseaux les jours de grand vent. Pendant l'enterrement, on aurait pu croire que toute l'assemblée était ivre, plus personne ne tenait debout. Lui s'était tenu droit, sans larmes.

Et puis, dans la foule immense amassée autour de la tombe, il l'avait vue. Toute de noir vêtue. Très pâle. Les yeux dans le vague. Qu'est-ce que Geneviève Magnan foutait là ? Il avait éludé. Il n'avait plus le cœur à rien. Il avait eu le cœur pour Françoise. Il avait eu le cœur pour Violette et Léonine. C'était terminé.

La seule phrase qui l'avait traversé mille fois durant ces quatre jours en Bourgogne, c'était : *Je n'ai même pas su protéger ma fille.*

Après, les autres, ils partiraient en vacances. Après, les autres, ils resteraient là, dans ce cimetière de malheur. Et lui rentrerait dans la voiture de ses parents, sur la banquette immense, et au bout du voyage, il n'y aurait pas la mer, mais Violette et son chagrin incommensurable.

Une chambre vide. Une chambre rose qu'il avait toujours désertée. D'où sortaient les rires et les mots que Violette lisait chaque soir.

Trois ans après ce drame, seul devant la tombe de sa fille, il n'avait rien dit. Pas prononcé un mot, une prière pour elle. Pourtant, des prières, il en connaissait. Il avait été au catéchisme, il avait fait sa communion solennelle. C'est ce jour-là qu'il avait vu Françoise pour la première fois au bras de son oncle. Le jour où il avait récité en douce avec le grand frère d'un de ses copains en sirotant le vin de messe :

Notre père qui es si creux
Que ton nom soit empalé, que ton règne saigne
Que ta volonté soit faite sur les teignes comme aux peignes
Donne-nous aujourd'hui notre vin de secours
Pardonne-nous nos dépenses comme nous pardonnons aussi à ceux qui nous ont enculés
Et ne nous soumets pas à la pénétration mais délivre-nous du crâne. Emmène.

Ils avaient ri à en pleurer, surtout quand ils avaient enfilé leur aube par-dessus leur tee-shirt et leur jean. Qu'ils s'étaient moqués les uns des autres :

— T'as l'air d'un curé !

— Et toi d'une gonzesse !

Et puis il avait vu Françoise. Et il n'avait plus vu qu'elle.

On aurait dit la fille de son oncle. On aurait dit une grande sœur. On aurait dit une mère idéale. On aurait dit la perfection. On aurait dit un grand amour. On aurait dit son grand amour.

Il avait eu envie de la revoir et à force de la revoir, chaque année, il avait encore plus eu envie de la revoir.

Trois ans après le drame, devant la tombe de sa fille, il avait pensé qu'il ne reviendrait plus à Brancion-en-Chalon puisque aucun mot ne sortait. Puisqu'il était incapable de parler à Léonine. Il avait eu envie de reprendre sa moto et d'aller voir Françoise, de se jeter dans ses bras. Mais les années avaient passé et il fallait l'oublier.

Il fallait retourner vers Violette, se mettre à genoux devant elle, la supplier, lui demander pardon. La séduire comme il l'avait séduite au début. Avant la barrière et les trains. Essayer de s'occuper d'elle, de la faire rire. Lui refaire un enfant. Après tout, elle était encore si jeune, Violette. Lui dire qu'il allait trouver ce qui s'était réellement passé cette nuit-là au château, lui avouer qu'il avait cassé la gueule à Fontanel et baisé avec Magnan autrefois. Lui avouer qu'il était minable mais qu'il saurait la vérité. Oui, lui refaire un gosse et de ce gosse s'en occuper. Peut-être auraient-ils un garçon, un petit gars, son rêve. Et se tenir à carreau. Ne plus aller coucher à droite, à gauche. Déménager, peut-être. Changer de vie avec Violette. C'était possible de changer de vie, il avait vu ça à la télé.

D'abord, il fallait retourner voir Magnan. « J'aurais jamais fait de mal à des gosses. » Pourquoi avait-elle dit ça ? Il fallait y retourner pour lui faire cracher le morceau, elle avait failli parler tout à l'heure, mais il avait refusé. Pas prêt.

Il avait regardé la tombe de Léonine une dernière fois, n'avait définitivement pas été capable d'ouvrir la bouche, comme quand elle était vivante et qu'il ne lui disait déjà pas grand-chose. Qu'il ne répondait jamais à ses questions. « Papa, pourquoi la lune est allumée ? »

En quittant la tombe de Léonine, en marchant vers la sortie à pas rapides, il les avait vus. Violette et le vieux dans l'allée. Violette le tenait par le bras. Philippe avait vu le mensonge. Il avait entendu sa mère lui dire : « Ne fais confiance à personne, ne pense qu'à toi, à toi. »

Il la croyait à Marseille, dans le cabanon de Célia. Il la croyait en pèlerinage. Et elle était là, avec un autre homme. Elle souriait. Philippe n'avait pas vu Violette sourire une seule fois depuis la mort de Léonine.

Pendant six mois, Violette était venue un dimanche sur deux dans ce cimetière. C'était donc cela. Elle empruntait la voiture rouge de la bécasse du Casino pour faire croire à Philippe qu'elle allait sur la tombe de Léonine. Elle avait bien caché son jeu. Elle avait un amant ? Ce vieux ? Comment l'avait-elle rencontré ? Où ? Un amant, Violette, impossible.

Il s'était dissimulé derrière une grande croix de pierre et les avait observés un moment. Ils avaient marché bras dessus bras dessous jusqu'à la maison située à l'entrée du cimetière. Le vieux en était ressorti vers 19 heures pour fermer les grilles. C'était donc cela, c'était le gardien de cet endroit maudit. Sa femme couchait avec le gardien du cimetière où était enterrée leur fille. Philippe s'était entendu rire, un rire mauvais. Une envie violente de tuer, de frapper, de massacrer.

Violette était restée à l'intérieur. Il l'avait vue à travers une fenêtre mettre la table pour deux, comme elle le faisait chez eux, un torchon noué autour de la taille. Ça lui avait fait si mal qu'il s'en était mordu les doigts jusqu'au sang. Comme dans les westerns qu'il regardait enfant, quand le cowboy serre un morceau de bois entre ses dents pendant qu'on lui extrait la balle qu'il a dans le ventre. Violette avait une double vie et il ne s'était rendu compte de rien.

La nuit était tombée. Le vieux et Violette avaient éteint les lumières. Fermé les volets. Et elle était restée à l'intérieur. Elle avait dormi là. Plus aucun doute possible.

Deux mois auparavant, il avait interdit à Violette de retourner en Bourgogne. Quand elle lui avait parlé de la Magnan, qu'elle lui avait raconté qu'elle était allée la voir, il avait eu peur. Peur de se faire gauler. Peur que Violette sache qu'elle avait été la maîtresse de son mari, celle-là même qui faisait la cuisine dans le château.

Mais l'histoire était bien différente, elle avait un amant. C'est pour ça qu'elle semblait plus légère les veilles de départ. Un dimanche sur deux. Elle avait osé lui dire : « J'irai au cimetière un dimanche sur deux. » Et lui n'avait rien vu, à présent il comprenait pourquoi sa femme paraissait aller mieux de semaine en semaine.

Il avait escaladé un mur pour ressortir, il était tard. Il avait donné un grand coup de pied contre la porte côté rue, était remonté sur sa moto et parti comme un fou.

Il devait être environ 22 heures quand il s'était retrouvé dans la rue de la maison où habitait la Magnan. Il y avait des flics à l'intérieur, leur estafette était garée devant. Des voisines en robe de chambre parlaient sous les réverbères. Il s'était dit que Fontanel avait dû la cogner trop fort.

Philippe avait fait demi-tour et était rentré dans l'Est sans s'arrêter. En arrivant, il était allé directement à *l'adresse*, là où les corps étaient offerts.

71

Par la fenêtre ouverte, nous regardions ensemble la vie, l'amour, la joie. Nous écoutions le vent.

Journal d'Irène Fayolle

22 octobre 1992

Hier soir, j'ai entendu la voix de Gabriel au journal télévisé. Je l'ai entendu parler de « défendre une femme qui m'a quitté ». Bien sûr il n'a pas dit cela, mon esprit a déformé ses mots.

Paul m'aidait à préparer le dîner dans la cuisine, la télévision était allumée dans la pièce d'à côté. J'ai été tellement surprise de retrouver la tonalité de sa voix, celle de mes plus beaux souvenirs, que j'ai fait tomber la casserole d'eau bouillante que j'avais dans les mains. Elle s'est fracassée sur le carrelage et mes chevilles ont été touchées. Ça a fait un raffut du diable, Paul a paniqué. Il a cru que je tremblais à cause de mes brûlures.

Il m'a entraînée dans le salon et fait asseoir sur le

canapé en face de la télévision, en face de Gabriel. Il était là, à l'intérieur de ce rectangle que je ne regarde jamais. Pendant que Paul s'agitait dans tous les sens pour appliquer des gazes d'eau sur ma peau meurtrie, j'ai vu des images de Gabriel à l'intérieur d'un tribunal. Un journaliste a indiqué qu'il avait plaidé à Marseille durant la semaine. Qu'il avait fait acquitter trois des cinq hommes accusés de complicité d'évasion. Le procès s'était terminé la veille.

Gabriel était à Marseille, tout près de ma vie, et je ne le savais pas. De toute façon, qu'est-ce que j'aurais fait ? Je serais allée le voir ? Pour lui dire quoi ? « Il y a cinq ans, je me suis sauvée dans la rue parce que je n'ai pas voulu abandonner ma famille. Il y a cinq ans, j'ai eu peur de vous, peur de moi. Mais sachez que je n'ai jamais cessé de penser à vous » ?

Julien est sorti de sa chambre, il a dit à son père qu'il fallait m'emmener à l'hôpital. J'ai refusé. Pendant que mon mari et mon fils débattaient ensemble, avant de finir par trouver un tube de Biafine dans l'armoire à pharmacie, j'ai regardé Gabriel agiter ses belles mains devant les journalistes. J'ai vu la passion qu'il mettait à défendre les autres dans sa longue robe noire. J'ai eu envie qu'il sorte de l'écran, d'être Mia Farrow dans ce film de Woody Allen, La Rose pourpre du Caire.

Et moi ? M'aurait-il défendue ? M'aurait-il trouvé des circonstances atténuantes le jour où je l'avais planté ?

Combien de temps m'avait-il attendue au volant de sa voiture ? Quand avait-il fini par redémarrer ? À quel moment avait-il compris que je ne reviendrais pas ?

Des larmes ont commencé à couler sur mes joues. Elles ont coulé malgré moi.

Paul a éteint la télévision.

Je me suis effondrée devant l'écran noir.

Mon fils et mon mari ont pensé que c'était à cause de la douleur. Ils ont appelé le médecin de famille qui a inspecté mes brûlures et dit qu'elles étaient superficielles.

Je n'ai pas dormi de la nuit.

En revoyant Gabriel, en réentendant sa voix, j'ai compris qu'il m'avait trop manqué.

*

Le lendemain matin, Irène a cherché le numéro de téléphone de l'étude de Gabriel. Elle était toujours située en Saône-et-Loire à Mâcon. Elle a demandé un rendez-vous avec lui, on lui a répondu qu'il y avait plusieurs mois d'attente, que l'agenda de maître Prudent était très chargé, mais que ce serait plus rapide avec l'un de ses deux associés. Irène a dit qu'elle avait le temps, qu'elle attendrait maître Prudent. Elle a donné son nom et son numéro de téléphone, pas celui de la maison mais de la roseraie. On lui a demandé de quelle affaire il s'agissait, il y a eu un blanc, puis Irène a répondu : « Une affaire dont maître Prudent est déjà informé. » On lui a fixé une date, il faudrait attendre trois mois.

Gabriel lui a téléphoné deux jours après à la roseraie. Ce matin-là Irène était en train de remonter les grilles quand la sonnerie a retenti. Elle a pensé à une commande de fleurs, elle a couru pour répondre, essoufflée. Elle avait déjà saisi son bon de commande et un stylo dont le capuchon avait été mordillé par son employée. Il a dit : « C'est moi. » Et elle : « Bonjour. »

— Tu as appelé à mon étude ?

— Oui.

— Je plaide toute la semaine à Sedan. Tu veux venir ?

— Oui.

— À tout à l'heure.

Et il a raccroché.

Sur son bon de commande, Irène a gribouillé : « Sedan » dans la case « Message de l'expéditeur ».

Mille deux cents kilomètres à parcourir. Il fallait remonter toute la France. Tracer une longue ligne droite.

Elle a quitté Marseille vers 10 heures, a pris plusieurs trains, des correspondances. En gare de Lyon-Perrache, elle s'est poudré le visage et a posé un peu de brillant sur ses lèvres en se regardant dans le miroir des toilettes. On était en avril, elle portait un imperméable beige. Ça l'a fait sourire. Elle a ramené ses cheveux blonds dans un élastique noir. Elle a acheté un sandwich au pain de mie, une brosse à dents et du dentifrice au citron.

Elle est arrivée à Sedan vers 21 heures. Elle est

montée dans un taxi et a demandé au chauffeur de la déposer devant le tribunal. Elle savait qu'elle trouverait Gabriel dans le café ou le restaurant le plus proche. Irène savait que Gabriel n'était pas homme à rentrer de bonne heure à son hôtel. Ses dossiers, il les travaillait sur un coin de table. Entre un verre de bière et une assiette de frites. Entre un verre de vin et le plat du jour. Gabriel avait besoin de sentir la vie autour de lui. Il détestait le silence des chambres d'hôtel, les dessus-de-lit, les rideaux, la télé qu'on allume pour faire une présence.

Elle l'a aperçu à travers une fenêtre, attablé avec trois autres hommes. Gabriel parlait et fumait en même temps. Ils avaient sali la nappe et déboutonné leur col de chemise. Leur cravate était posée sur l'accoudoir de leur chaise.

Quand il l'a vue entrer, Gabriel a levé une main et l'a appelée :

— Irène ! Viens t'asseoir avec nous !

Il lui a dit ça comme si elle passait là par hasard en rentrant chez elle.

Irène a salué les trois autres hommes.

— Je te présente trois confrères, Laurent, Jean-Yves et David. Messieurs, je vous présente Irène, la femme de ma vie.

Les hommes ont souri. Comme si Gabriel plaisantait. Comme si Gabriel ne pouvait dire ce genre de chose que sur le ton de la plaisanterie. Qu'il y avait beaucoup de femmes de sa vie dans sa vie.

— Assieds-toi. Tu as faim ? Mais si, il faut manger. Mademoiselle Audrey, apportez-nous la carte, s'il vous plaît ! Qu'est-ce que tu veux boire ? Du thé ? Mais non, à Sedan on ne boit pas de thé ! Mademoiselle Audrey, remettez-nous la même bouteille, s'il vous plaît ! Un volnay 1987, tu vas voir… enfin boire une merveille. Viens t'asseoir à côté de moi.

Un des confrères de Gabriel s'est levé pour lui laisser la place. Gabriel a pris la main d'Irène et l'a embrassée en fermant les yeux. Irène a vu qu'il portait une alliance. Un cercle en or blanc.

— Je suis content que tu sois là.

Irène a commandé du poisson et écouté la conversation, de loin. Elle se faisait l'effet d'une groupie qui a traversé le pays pour passer la soirée avec une rock star pas pressée de se retrouver seule avec elle parce que c'est déjà acquis. La nuit d'amour gagnée après le concert.

Irène a eu envie de disparaître. Elle a regretté. Elle s'est demandé comment se lever, trouver une issue de secours, une porte à l'arrière pour courir jusqu'à la gare et rentrer à la maison, se glisser dans ses draps propres qu'elle parfumait à l'aloé vera. Elle a demandé discrètement un thé vert à la serveuse. De temps en temps, Gabriel revenait à elle, lui demandait si tout allait bien, si elle n'avait pas froid, pas soif, pas faim.

Gabriel et les hommes ont fini par se lever de table en même temps. Gabriel est allé régler l'addition au bar. Irène a suivi le mouvement en silence.

Dehors, il s'est mis à pleuvoir. Ou bien il pleuvait depuis longtemps, Irène n'avait pas fait attention. Elle était de plus en plus mal à l'aise. Elle a pensé qu'elle était partie sans affaires. Juste son sac à main, quelques billets et un chéquier. Elle a pensé qu'elle était folle et que tout cela ne lui ressemblait pas. Elle d'habitude si sage. Elle s'est trouvée pathétique, une groupie de pacotille.

Gabriel a emprunté un parapluie au restaurant, il a dit qu'il le rapporterait le lendemain. Il a pris Irène par le bras et a emboîté le pas aux trois autres. Ils ont marché dans la même direction. Gabriel a serré son bras très fort.

Dans le hall de l'hôtel des Ardennes, ils ont tous récupéré leur clé à la réception, ont tous pris l'ascenseur. Deux d'entre eux se sont arrêtés au deuxième étage. « Bonsoir, les gars, à demain. » Le troisième homme au quatrième étage. « Bonne nuit, David, à demain. »

— 7 h 30 à la salle des petits déjeuners ?

— Ok.

Entre le quatrième et le sixième étage, ils se sont retrouvés seuls, face à face. Gabriel ne l'a pas lâchée du regard.

La porte de l'ascenseur s'est ouverte sur un couloir sombre. Ils ont marché jusqu'à la chambre 61. Irène a senti le tabac froid dès qu'il a poussé la porte. Des murs orangés, une imitation de stucs marocains.

Il l'a précédée en lui disant : « Pardon », est allé

allumer chaque recoin de la pièce et a disparu dans la salle de bains.

Irène n'a pas su quoi faire de son imperméable ni de sa carcasse. Elle est restée figée à l'entrée de la chambre, comme une statue de marbre, un mannequin dans une vitrine. Elle a regardé la valise entrouverte de Gabriel, ses chemises impeccables. Ses pull-overs, ses paires de chaussettes. Elle s'est demandé qui avait repassé ses cols, plié son linge.

Gabriel est ressorti de la salle de bains en souriant.

— Entre, déshabille-toi.

Irène a dû faire une drôle de tête parce qu'il a éclaté de rire.

— Pas complètement. Enlève ton imperméable.

— …

— Je te trouve bien silencieuse.

— Pourquoi m'avez-vous demandé de venir ?

— Parce que j'en avais envie. Je voulais te voir. J'ai toujours envie de te voir.

— Et cette alliance, c'est quoi ?

Il s'est assis sur le lit. Elle a retiré son imperméable.

— On m'a demandé en mariage, je n'ai pas pu répondre non. C'est dur de dire non à une femme qui vous demande en mariage. Et puis c'est inconvenant. Et toi ? Toujours mariée ?

— Oui.

— Comme ça on est à égalité. Un partout.

— …

— Je rêve souvent de toi.

— Moi aussi.

— Tu me manques. Approche.

Irène s'est assise près de lui, mais pas contre lui. Elle a laissé un blanc entre eux, une ligne transversale.

— Vous avez déjà trompé votre femme ?

— Avec toi, je ne la tromperais pas, je la trahirais.

— Pourquoi vous êtes-vous remarié ?

— Je te l'ai dit, ma femme me l'a demandé.

— Vous l'aimez ?

— Pourquoi tu me poses cette question ? Tu quitterais ton mari pour moi ? Je n'ai pas à te répondre. Tu es une femme entravée, Irène, empêchée. Déshabille-toi. Complètement. Je veux te regarder.

— Éteignez la lumière.

— Non, je veux te voir. Pas de pudibonderie entre nous.

— Vous croyez que vos trois amis m'ont prise pour votre putain ?

— Ce ne sont pas mes amis, ce sont des confrères. Déshabille-toi.

— Déshabillez-vous en même temps que moi, alors.

— Entendu.

72

Ô Jésus, que ma joie demeure.
Que l'inventeur des oiseaux fasse de moi un héros.

Il pleut toujours. Les essuie-glaces balayent nos visages.

Sur la banquette arrière, Nathan s'est endormi. Je me retourne souvent pour le regarder. Cela fait longtemps que je n'ai pas regardé un enfant dormir. De temps en temps, on entend des chansons à la radio, puis elles se brouillent dans des virages. Entre deux refrains, Julien et moi parlons d'Irène et de Gabriel.

— Après l'épisode de Sedan, ils se sont souvent revus.

— Qu'est-ce que ça vous fait de savoir tout ça sur votre mère ?

— Franchement ? J'ai l'impression d'avoir lu l'histoire d'une étrangère. D'ailleurs, son journal, je vous le donne, je ne veux pas le récupérer. Vous le rangerez dans vos registres.

— Mais je…
— J'insiste. Gardez-le.
— Vous l'avez lu entièrement ?
— Oui, plusieurs fois. Surtout les passages où elle parle de vous. Pourquoi ne m'avez-vous pas dit que vous vous connaissiez ?
— On ne se connaissait pas vraiment.
— Vous avez une façon incroyable de déformer les choses, Violette, de jouer sur les mots… J'ai toujours envie de vous faire cracher le morceau. Vous êtes pire que tous mes gardés à vue… Franchement, je n'aimerais pas vous arrêter… Je deviendrais fou pendant votre interrogatoire.
J'éclate de rire.
— Vous me rappelez un ami.
— Un ami ?
— Il s'appelait Sasha. Il m'a sauvé la vie… En me faisant rire, comme vous.
— Je prends ça pour un compliment.
— C'en est un. Où allons-nous ?
— Aux Pardons.
— …
— C'est le nom d'une rue à La Bourboule. C'est là qu'est né mon père. Là qu'une partie de ma famille vit encore… Il leur arrive même de se marier, parfois.
— Ils vont se demander qui je suis.
— Je leur dirai que vous êtes ma femme.
— Vous êtes fou.
— Pas assez.

— Qu'est-ce qu'on va offrir aux jeunes mariés ?

— En fait, ils ne sont pas si jeunes. Ils ont pas mal vécu avant de se rencontrer. Ma cousine a soixante et un ans et son futur époux une cinquantaine d'années.

— Il y a une station-service à une vingtaine de kilomètres, on va leur trouver des cadeaux rigolos. Et puis, il faut que Nathan se change.

— Moi je suis déjà changée.

— Vous, vous êtes toujours changée. Vous vivez changée… Vous êtes toujours habillée pour aller à une cérémonie, que ce soit un mariage ou un enterrement.

J'éclate de rire pour la deuxième fois.

— Et vous ? Vous ne vous changez pas ?

— Non, moi jamais. C'est jean et pull-over l'hiver, jean et tee-shirt l'été.

Il me regarde et me sourit.

— Vous allez vraiment acheter vos cadeaux de mariage dans une station-service ?

— Vraiment.

Pendant que Julien fait le plein d'essence, j'accompagne Nathan vers la boutique de la station. Je lui tiens la main. Une ancienne habitude. Ces gestes qu'on n'oublie jamais. Qui font partie de nous sans réfléchir. Comme une couleur de cheveux, une odeur familière, une ressemblance. Cela fait si longtemps que je n'ai pas tenu la main d'un enfant. Je suis bouleversée de sentir ses petits doigts serrer les miens. Il fredonne un air que je ne connais pas.

Je me sens légère quand je pénètre à l'intérieur de la boutique. Nathan écarquille les yeux en voyant la multitude de barres chocolatées et de bonbons devant les caisses.

Je m'arrête devant la porte qui mène aux toilettes des hommes.

— Je n'ai pas le droit de rentrer, je t'attends devant.

— D'accord.

Nathan part s'enfermer avec le sac contenant ses affaires. Il ressort cinq minutes après en arborant fièrement un costume trois pièces en lin gris clair sur une chemisette blanche.

— Tu es très beau, Nathan.

— Tu as du gel ?

— Du gel ?

— Pour mes cheveux.

— Je vais voir s'ils en vendent ici.

Pendant que nous cherchons du gel dans les nombreux rayons, Julien achète deux romans, un livre de recettes, une boîte de gâteaux, un baromètre, des sets de table de toutes les couleurs, une carte de France, trois DVD, un best-of des plus belles musiques de films, une mappemonde, des bonbons à l'anis, un blouson de pluie pour homme, un chapeau de paille pour dame et une peluche. Il demande au caissier de tout emballer dans du papier cadeau. Le caissier n'en a pas. Il ajoute en souriant qu'ici on n'est pas aux Galeries Lafayette mais sur l'A89. Julien finit par trouver un grand cabas en tissu frappé du logo de WWF dans lequel il met le tout. Nathan lui demande d'acheter des gommettes de couleur qu'il collera sur le sac pour colorer le panda, dessiner des bambous et un ciel bleu autour. Julien lui répond : « Idée géniale, fiston. »

J'ai le sentiment d'être une autre femme, d'avoir changé de vie. D'être dans celle de quelqu'un d'autre. Comme Irène lorsqu'elle a troqué son beige contre des vêtements colorés et des nu-pieds au Cap d'Antibes.

Nathan et moi dénichons enfin le dernier pot de gel coiffant « fixation acier », échoué entre deux rasoirs, trois brosses à dents et un paquet de lingettes rafraîchissantes. Nous poussons un cri de victoire. J'éclate de rire pour la troisième fois.

Nathan exulte et repart se coiffer dans les toilettes. Il en ressort les cheveux hirsutes, il a dû se verser le pot sur la tête. Julien observe son fils d'un œil dubitatif mais ne dit rien.

— Vous me trouvez beau ?

Julien et moi répondons oui en même temps.

73

Aucun express ne m'emmènera vers la félicité, aucun tacot n'y accostera, aucun Concorde n'aura ton envergure, aucun navire n'ira, sinon toi.

Septembre 1996

Les journées de Philippe s'articulaient ainsi depuis toujours. Lever vers 9 heures. Petit déjeuner préparé par Violette. Café clair, pain grillé, beurre doux, confiture de cerises sans morceaux. Douche et rasage. Moto jusqu'à 13 heures. Prendre des chemins de campagne, frôler la mort chaque jour en accélérant là où il savait qu'il n'y avait jamais ni flic ni radar. Déjeuner avec Violette.

Mortal Kombat, son jeu vidéo, sur la Méga Drive jusqu'à 16, 17 heures. Tour de moto jusqu'à 19 heures. Dîner avec Violette. Ensuite, il partait à pied dans la Grand-Rue en prétextant avoir besoin de marcher, pour retrouver une maîtresse ou participer à une soirée libertine organisée à *l'adresse*. Il s'y rendait alors à moto et ne rentrait pas avant 1 ou 2 heures du matin. S'il n'avait rien envie de faire, à cause d'une météo pluvieuse ou d'une lassitude qui le submergeait, il regardait la télévision. Violette restait près de lui, lisant ou regardant le film qu'il avait choisi.

Depuis qu'il l'avait surprise avec le gardien du cimetière quinze jours auparavant, Philippe ne voyait plus Violette de la même manière, il l'observait du coin de l'œil. Il se demandait si elle pensait à ce vieux, si elle lui téléphonait durant ses absences, si elle lui écrivait.

Depuis une semaine, quand Philippe rentrait à la maison, il appuyait sur la touche « bis » du téléphone, mais tombait systématiquement sur la voix désagréable de sa mère qu'il avait appelée la veille ou l'avant-veille et lui raccrochait au nez.

Un jour sur deux, il *devait* lui téléphoner. C'était un rituel. Et les mots étaient toujours les mêmes : « Ça va, mon garçon ? Tu manges bien ? Tu dors suffisamment ? La santé ? Sois prudent sur la route. Ne t'abîme pas les yeux sur tes jeux vidéo. Et ta femme ? Le travail ça va ? La maison est propre ? Elle lave les draps toutes les semaines ? Je surveille tes comptes. Ne t'inquiète pas, tu ne manques de rien. Ton père a fait un virement sur ton assurance vie la semaine dernière. J'ai mes douleurs qui me reprennent. Tout de même, on n'a jamais eu de chance, ah non, vraiment. Les gens sont si décevants. Méfie-toi. Ton père est de moins en moins courageux. Heureusement que je suis là pour veiller sur vous. À bientôt, mon garçon. » À chaque fois qu'il raccrochait, Philippe se sentait mal. Sa mère était une lame de rasoir qui l'irritait de plus en plus. Parfois, il se demandait si elle avait des nouvelles de son frère, Luc. Son oncle lui manquait. Et l'absence de Françoise l'anéantissait. Mais sa mère lui répondait, agacée ou attristée si elle voulait le faire culpabiliser : « Ne me parle plus de ces gens, s'il te plaît. » Sa mère incluait Françoise et Luc dans le même sac poubelle.

À part ces conversations qui le hérissaient, Philippe avait, en apparence, une mécanique de vie parfaitement huilée. Il était resté celui que Françoise avait raccompagné pour la dernière fois à la gare d'Antibes en 1983 : un enfant capricieux. Un enfant malheureux.

Mais deux nouvelles, à cinq minutes d'intervalle, vinrent immobiliser ses jours enchaînés. La première arriva par courrier.

Alors qu'il croquait dans une de ses tartines chaudes et croustillantes comme il les aimait, Violette lui annonça que la barrière allait être automatisée en mai 1997. Ils avaient huit mois pour trouver un nouveau travail. Elle posa le courrier qui leur était adressé sur la table, entre le pot de confiture et le beurre fondu, et alla baisser la barrière du 9 h 07.

Je vais perdre Violette. C'est la première chose à laquelle Philippe pensa quand il lut la missive. Plus rien ne la retiendrait désormais. Leur toit et leur travail les liaient encore, il ne savait même pas pourquoi. Ils les liaient par un fil si fin qu'il en était presque invisible. À part la chambre de Léonine dont la porte était toujours fermée, il ne leur restait rien en commun. En perdant la barrière, elle partirait pour toujours avec le vieux du cimetière.

Il aperçut une femme parler à Violette à travers la fenêtre de la cuisine. Il ne la reconnut pas tout de suite. Il pensa d'abord à une de ses maîtresses venue le balancer mais l'idée l'effleura à peine, les femmes qu'il fréquentait n'étaient pas du genre à être jalouses. Il ne prenait aucun risque. Il se salissait, salissait Violette, mais ne prenait aucun risque.

Cependant, il vit que Violette pâlissait au fur et à mesure que cette femme lui parlait.

Il sortit aussitôt et se retrouva nez à nez avec l'institutrice de Léonine. Comment s'appelait-elle déjà ?

— Bonjour, monsieur Toussaint.

— Bonjour.

Elle était pâle, elle aussi. Elle semblait bouleversée. Elle lui tourna le dos et partit d'un pas rapide.

Le 9 h 07 passa. Philippe vit quelques visages aux fenêtres des compartiments et repensa à Léonine quand elle les saluait. Dans un automatisme silencieux, Violette remonta la barrière et dit à Philippe :

— Geneviève Magnan s'est suicidée.

Philippe se rappela la dernière fois qu'il était passé devant chez Magnan quinze jours auparavant. L'estafette des flics, les femmes en robe de chambre sous les réverbères. Elle s'était sans doute suicidée après l'avoir vu. Il avait pleuré devant elle. « Je n'aurais jamais fait de mal à des gosses. » Était-ce le poids de la culpabilité qui l'avait poussée vers la mort ?

Violette ajouta :

— S'il te plaît, fais en sorte qu'elle ne soit pas enterrée dans le même cimetière que Léonine.

Philippe promit. Quitte à la déterrer de ses propres mains, il promit à Violette.

Violette répéta plusieurs fois :

— Je ne veux pas qu'elle salisse la terre de mon cimetière.

Philippe ne prit pas de douche ce matin-là. Après s'être lavé les dents à la hâte, il enfourcha sa moto et partit. Laissant Violette derrière lui, hagarde, debout devant une barrière qu'elle n'aurait pas à baisser avant deux bonnes heures.

74

Tu verras mon stylo emplumé de soleil,
neiger sur le papier l'archange du réveil.

Pourquoi le temps qui passe
Nous dévisage et puis nous casse
Pourquoi tu restes pas avec moi
Pourquoi tu t'en vas
Pourquoi la vie et les bateaux
Qui vont sur l'eau ont-ils des ailes…

La salle des fêtes est vide. Seules deux serveuses finissent de débarrasser les tables, l'une retire les dernières nappes en papier, l'autre balaye des confettis blancs.

Julien et moi dansons seuls sur une piste improvisée. Les dernières lumières d'une boule à facettes dessinent de minuscules étoiles sur nos vêtements froissés.

Tout le monde est parti, même les mariés, même Nathan qui dort chez son cousin. Seule la voix de

Raphaël résonne dans les haut-parleurs. C'est la dernière chanson. Après, le DJ, un oncle par alliance légèrement bedonnant, pliera bagage.

J'ai envie de faire traîner la journée que je viens de passer. De l'étirer. Comme quand nous étions à Sormiou, que la nuit était tombée depuis longtemps et que nous ne parvenions pas à rentrer au cabanon. Que nos orteils ne savaient pas quitter les clapotis du bord de mer.

Je n'avais pas ri comme ça depuis. Depuis jamais. Je n'avais jamais ri comme aujourd'hui. Je riais avec Léonine, mais on ne rit pas avec son enfant comme on rit avec les autres. Ce sont des rires qui viennent d'autre part, d'ailleurs. Les rires, les larmes, l'effroi, la joie, se nichent dans des endroits différents à l'intérieur de notre corps.

Et un autre jour s'en va
Dans cette petite vie, il faudrait pas crever d'ennui…

La chanson est terminée. Au micro, le DJ nous souhaite une bonne soirée. Julien crie : « Bonne nuit, Dédé ! »

Je n'avais jamais assisté à un mariage à part le mien. S'ils sont tous aussi joyeux et drôles, je veux bien changer mes habitudes.

Pendant que j'enfile ma veste, Julien disparaît dans les cuisines et ressort avec une bouteille de champagne et deux flûtes en plastique.

— Vous ne pensez pas qu'on a déjà assez bu ?

— Non.

À l'extérieur, l'air est doux. Nous marchons côte à côte, Julien me tient par le bras.

— Où allons-nous ?

— Il est 3 heures du matin, où voulez-vous qu'on aille ? J'adorerais vous ramener chez moi, mais c'est à environ cinq cents bornes d'ici, alors on va rentrer à l'hôtel.

— Mais je n'ai pas l'intention de passer la nuit avec vous.

— Ah c'est très, très con parce que moi, si. Et cette fois, vous ne vous sauverez pas.

— Vous allez m'enfermer ?

— Oui, jusqu'à la fin de vos jours. N'oubliez pas que je suis flic, j'ai tous les pouvoirs.

— Julien, vous savez que je suis inapte à l'amour.

— Vous radotez, Violette. Vous m'épuisez.

Et voilà que ça revient. C'est comme des bulles de folie douce, des bulles de joie qui remontent jusqu'à ma gorge, caressent ma bouche, secouent mon ventre d'allégresse et me font exploser de rire. J'ignorais l'existence de ce son, de cette note-là à l'intérieur de moi. Je me sens comme un instrument de musique qui posséderait une touche en plus. Un défaut de fabrication salutaire.

Est-ce que c'est ça, la jeunesse ? Est-ce possible de faire connaissance avec elle à bientôt cinquante ans ? Moi qui n'en ai pas eu, l'aurais-je gardée précieusement sans le savoir ? Ne m'aurait-elle jamais quittée ? Apparaîtrait-elle aujourd'hui, un samedi ? À un mariage en Auvergne ? Dans une famille qui n'est pas la mienne ? Auprès d'un homme qui n'est pas le mien ?

Nous arrivons devant l'hôtel dont la porte est fermée à double tour. Julien se décompose.

— Violette, vous avez devant vous le roi des cons. Hier, j'ai eu la réceptionniste au téléphone qui m'a demandé de passer prendre les clés et les codes d'accès en arrivant cet après-midi… Et j'ai oublié.

C'est reparti. Je ne peux plus m'arrêter. Je ris tellement fort que mes éclats de rire semblent se faire mutuellement écho, comme si ma sono était poussée à fond. C'est tellement bon que j'en ai mal au ventre. Mon souffle se coupe et plus j'essaie de le reprendre, plus je ris.

Julien m'observe, amusé. J'essaie de lui dire : « Vous allez avoir du mal à m'enfermer jusqu'à la fin de mes jours », mais les mots ne veulent plus sortir, mes rires font barrage à tout. Je sens couler des larmes que Julien essuie avec ses pouces en riant de plus en plus fort.

Nous marchons jusqu'à sa voiture. Nous formons un drôle de couple, moi pliée en deux et lui, sa bouteille de champagne à la main, essayant de me faire avancer tant bien que mal, une coupe en plastique dans chacune de ses poches de pantalon.

Nous nous installons côte à côte à l'arrière de la voiture et Julien fait taire mes rires en m'embrassant. Une joie silencieuse prend racine en mon for intérieur.

J'ai le sentiment que Sasha n'est pas loin. Qu'il vient de donner des indications à Julien pour qu'il repique des rejets de moi-même dans chacun de mes organes vitaux.

75

Je suis un promeneur, je suis
atteint du syndrome de l'autre rive.

Aujourd'hui on a enterré Pierre Georges (1934-2017). Sa petite-fille avait peint le cercueil. Des dessins d'une naïveté bouleversante. Elle avait passé trois jours à dessiner une campagne et du ciel bleu sur le bois brut. Sans doute en pensant que son grand-père s'y promènerait dans l'au-delà.

Pierre s'appelait Elie Barouh, comme le chanteur, mais avant la guerre, ses parents, enterrés tous deux à Brancion, avaient dû changer son prénom et son nom. Une femme rabbin est venue de Paris pour lui rendre un dernier hommage. Elle est la troisième femme rabbin de France. Elle a chanté ses prières, c'était très beau. Elle a récité le kaddish quand le cercueil a été descendu dans le caveau familial où reposent depuis des décennies les parents de Pierre. Ensuite, chacun a jeté un peu de sable sur le cercueil. Après la campagne et le ciel bleu, en lançant du sable blanc, la famille et les amis de Pierre lui ont aussi offert un bord de mer.

Comme ce n'est pas son Dieu qui était convoqué, le père Cédric est resté dans ma cuisine pendant la cérémonie.

On dit qu'un homme a la famille qu'il mérite. À voir autour de la tombe de Pierre ses enfants et petits-enfants, tous unis autour du même au revoir, je me suis dit que Pierre devait être une belle personne.

Après, un verre était organisé dans la petite salle des fêtes de la mairie. La famille et les amis de Pierre s'y sont rassemblés pour lui chanter des chansons. Les portes étaient ouvertes, et depuis chez moi, j'ai entendu des voix et de la musique.

La femme rabbin, qui se prénomme Delphine, est venue boire un café à la maison. Cédric était toujours là. L'homme d'église et la femme de synagogue étaient beaux à voir, ensemble, dans ma cuisine. Ils ont mélangé leur foi, leurs rires et leur jeunesse. J'ai pensé que Sasha aurait adoré cela.

Comme il faisait beau, je suis allée travailler au jardin. Delphine et Cédric se sont installés sous ma tonnelle et sont restés plus de deux heures à parler et rire encore.

Delphine a paru fascinée par la beauté de mes plants et de mes arbres fruitiers. Cédric lui en a fait faire le tour comme s'il en était l'heureux propriétaire. Comme si c'était son Dieu à lui, dont la maison se trouvait à proximité, qui avait provoqué tous ces petits miracles.

En plantant mes aubergines, j'ai entendu une des chansons que la famille et les amis de Pierre Georges chantaient sur la place de la mairie. Ils avaient dû quitter la salle des fêtes pour s'installer sous les arbres.

Même Delphine et Cédric se sont tus pour l'écouter.

Non, je n'ai plus le goût de me flatter moi-même
En cherchant ardemment l'écho de mon je t'aime
Non, je n'ai plus le cœur à déchirer mon cœur
En parodiant des jeux que je connais par cœur…
Toi qui m'offres aujourd'hui le plus beau des
spectacles
Avec tant de beauté, tu pouvais faire obstacle…
Mais je ne vois plus rien de tout son beau mystère
J'ai peur qu'il ne soit rien que je craigne ou espère
Car malgré tout le rêve en mon âme enfermé
Je n'aurai plus jamais le courage d'aimer…

Penchée sur ma terre, je me suis demandé si c'était pour Pierre ou pour moi qu'ils la chantaient.

Vers 18 h 30, tout le monde est remonté dans sa voiture direction Paris. Une fois de plus, j'ai entendu ce bruit que je déteste tant, celui des portières qui claquent.

Mes trois hommes ont dîné avec moi, dehors. Je leur ai fait une salade improvisée, des pommes de terre sautées et des œufs au plat. Nous nous sommes régalés. Les chats nous ont rejoints comme pour écouter nos conversations décousues, inintéressantes mais heureuses. Nono a répété pendant tout le dîner : « On n'est pas bien, là, chez notre Violette ? » Et nous, en chœur, on lui a répondu : « Tellement bien. » Et Elvis a ajouté : « Donte live mi nao. »

Ils sont repartis vers 21 h 30. Les jours sont les plus longs en ce mois de juin. Je suis restée assise dans le jardin sur un banc pour écouter le silence. Écouter tout ce bruit que Léonine ne fera plus jamais, excepté une petite mélodie d'amour dans mon cœur, dont moi seule connais l'air.

Je repense à Nathan sur la banquette arrière. À notre retour dimanche matin tous les trois en voiture. Notre gueule de bois à Julien et moi, taillée dans une brindille, du bois vert, une jeune pousse, une feuille de rien du tout qui dépasse à peine de la terre, deux ou trois racines qui s'apparentent à des fils, si faciles à retirer. Un début d'amour enfantin à déraciner. Trois petits tours et puis s'en vont.

Dans les cheveux de Nathan, le gel avait formé des plaques blanches. Un peu comme de la neige. Julien lui a dit qu'en arrivant à Marseille, il faudrait qu'il se lave les cheveux plusieurs fois avant de retourner chez sa mère. Nathan a fait une grimace en cherchant mon regard pour que je lui vienne en aide.

Ils m'ont déposée devant chez moi, devant la

porte côté rue. Ils allaient repartir mais Nathan a voulu voir les animaux. Florence et My Way sont venus se frotter contre ses petites jambes. Nathan les a longuement caressés. Il m'a dit :

— T'as combien de chats en vrai ?

— Pour l'instant, onze.

J'ai récité leurs prénoms, on aurait dit un poème de Prévert.

Il a ri aux éclats. On a rempli les gamelles de croquettes, jeté les vieilles aux oiseaux. On leur a remis de l'eau fraîche. Pendant ce temps, Julien est allé sur la tombe de Gabriel pour voir l'urne de sa mère.

Quand il est revenu, Nathan l'a supplié de rester encore un peu. Et moi, j'ai eu envie de supplier son père qu'ils restent encore beaucoup. Mais je n'ai rien dit.

Ils ont pris un goûter dans mon jardin et sont repartis. Je les ai raccompagnés. Avant de monter en voiture, Julien a essayé de m'embrasser sur la bouche, j'ai reculé. Je n'avais pas envie d'un baiser devant Nathan.

Nathan a voulu monter devant, son père lui a dit : « Non, quand tu auras dix ans. » Nathan a râlé, puis il a déposé un baiser sur ma joue. « Au revoir, Violette. »

J'ai eu une furieuse envie de pleurer. En claquant, leurs portières ont fait plus de bruit que les autres. Pourtant, j'ai fait comme si ça m'était égal qu'ils repartent. Comme si j'étais soulagée. Comme si j'avais mille choses à faire.

Après avoir repensé à tout cela sur mon banc, je rentre à la maison et je ferme les deux portes, côté rue et côté cimetière. Éliane me suit jusqu'à ma chambre et s'étend de tout son long au pied du lit. J'ouvre les fenêtres pour que la douceur du soir pénètre à l'intérieur. J'applique mon soin à la rose, j'ouvre le tiroir de ma table de nuit et me replonge dans le journal d'Irène.

Avant de parcourir ses pages d'écriture, je me dis qu'elle a connu son petit-fils quelques années. Je me demande quel genre de grand-mère elle était. Comment elle a accueilli la naissance de Nathan. Je calcule qu'il est né un an après la mort de Gabriel.

L'amour d'Irène et Gabriel me rappelle le jeu du pendu, où il faut deviner un mot. Et je n'ai pas encore trouvé celui qui le définit.

En pénétrant chez moi, Julien est entré avec sa mère et Gabriel.

Comment nos rencontres se termineront-elles ?

76

La famille ne se détruit pas, elle se transforme.
Une part d'elle va dans l'invisible.

Septembre 1996

Ce matin-là, après avoir promis à Violette que Geneviève Magnan ne serait pas enterrée dans le cimetière de Brancion, Philippe avait d'abord pris la direction de Mâcon, puis, au dernier moment, il avait continué et était descendu jusqu'à Lyon, puis Bron. Il était arrivé en milieu d'après-midi devant le garage Pelletier. Il s'était garé suffisamment loin pour ne pas être vu. Le garage était comme dans ses souvenirs. Des murs blanc et jaune. Treize ans qu'il n'avait pas mis les pieds ici, et bien qu'il soit trop loin, il avait pu sentir les huiles de moteur mélangées. Cette odeur qu'il aimait tant.

Seuls les modèles et lignes des voitures exposées qu'il apercevait à travers sa visière avaient changé.

Il avait gardé son casque sur la tête pendant des heures. Il avait attendu longtemps pour *les* voir.

Vers 19 heures, en apercevant Françoise et Luc côte à côte dans leur Mercedes, elle au volant, lui à ses côtés, son cœur s'était déchaîné comme un boxeur fou. Il avait cogné jusque dans sa gorge. Les feux arrière du véhicule avaient disparu depuis un long moment quand Philippe s'était rappelé les plus beaux moments de sa vie avec eux. Ces moments où il s'était vraiment senti aimé et protégé. Ces moments où personne n'attendait rien de lui. Ces moments loin de ses parents. Il n'avait pas suivi la Mercedes. Il voulait juste les voir, être sûr qu'ils étaient encore là, vivants. Juste cela, vivants.

Puis il avait pris le chemin de La Biche-aux-Chailles. Ce lieu maudit où habitaient Geneviève Magnan et Alain Fontanel. Il avait roulé de nuit. Il aimait rouler à moto, la nuit, la poussière et les papillons dans les phares.

Il s'était garé devant chez eux. Une des pièces du rez-de-chaussée était éclairée. Malgré les circonstances, Philippe n'avait pas hésité à frapper à la porte. Alain Fontanel était seul, passablement éméché. Le coquard que Philippe lui avait fait deux semaines auparavant s'était presque résorbé.

— Geneviève s'est foutue en l'air. Tu pourras pas tirer ton coup ce soir.

Voilà ce que Fontanel avait dit quand il avait découvert Philippe dans l'embrasure de la porte. Ces mots lui avaient coupé les jambes et donné des haut-le-cœur. Philippe avait failli gerber. Comment avait-il pu tomber si bas ?

L'homme qui se tenait devant lui était de la pire espèce, mais lui l'était tout autant. C'est lui qui avait eu une liaison avec Magnan. Lui qui un soir l'avait « prêtée » à un pote sans aucun scrupule.

Philippe avait eu un vertige en y repensant. Il s'était appuyé contre le chambranle. Ce soir-là, devant cet homme saoul qui le toisait, Philippe avait compris combien Magnan avait souffert le martyre au contact des deux salauds qui l'avaient piétinée : lui et Fontanel. Et cette souffrance l'avait traversé comme un vent glacial. Comme si le fantôme de Geneviève Magnan l'avait transpercé avec la lame d'un long couteau. La nuit s'était abattue sur lui.

En le voyant défaillir, Fontanel avait eu un sourire mauvais et lui avait tourné le dos sans refermer la porte d'entrée. Philippe l'avait suivi dans un couloir sombre. À l'intérieur, cette odeur de renfermé, cette odeur de rance, de graisse et de poussière amalgamées, comme dans ces endroits où jamais on ne laisse l'air entrer. Où jamais ni chiffon ni serpillière ne sont passés. Philippe avait pensé à Violette qui aérait même en hiver. Violette. En suivant Fontanel, Philippe avait eu une violente envie de la serrer dans ses bras. La serrer comme jamais il ne l'avait fait. Mais comme l'avait sans doute fait le vieux du cimetière.

Les deux hommes s'étaient assis à la table de la salle à manger. Une salle à manger avec rien à manger, juste des dizaines de canettes de bière vides posées sur une toile cirée. Deux ou trois cadavres de bouteilles de vodka et autres alcools forts. Et comme si le diable s'était invité entre ces murs maudits pour leur tenir compagnie, ils s'étaient mis à boire en silence.

Ce n'est que bien plus tard que Fontanel avait parlé, lorsque Philippe avait posé ses yeux, sans pouvoir les en détacher, sur le portrait de deux jeunes garçons. Deux sourires encadrés à l'angle d'un buffet sans âge et dégueulasse. Un cliché d'école, quand après la photo de groupe on isole les fratries pour donner d'autres souvenirs aux parents.

— Les gosses sont chez la sœur de Geneviève. Ils sont bien mieux avec elle qu'avec moi. J'ai jamais été un bon père… Et toi ?

— …

— Pour la mort des petites, pour ta gosse, Geneviève, elle y était pour rien… Je veux dire, elle a rien fait exprès. Moi, j'ai que la fin de l'histoire, quand elle est venue me réveiller. Je roupillais, j'ai cru que je faisais un cauchemar. Elle m'a secoué, on aurait dit une dingue. Elle chialait et beuglait en même temps, je comprenais rien à ce qu'elle baragouinait… Elle m'a parlé de toi, m'a dit que ta fille était là, le remplacement à l'école de Malgrange, le destin, méchant comme une teigne… Elle m'a parlé de sa mère, j'ai cru qu'elle avait picolé. Elle m'a tiré par le bras en gueulant : « Viens ! Viens vite ! C'est effroyable… effroyable », elle avait jamais dit des choses comme ça, Geneviève. Quand j'suis arrivé dans la chambre du bas, y avait plus rien à faire…

Fontanel avait bu une canette cul sec, suivi d'un verre de vodka. Il avait reniflé un grand coup, puis craché ses mots en fixant une entaille dans la toile cirée, l'avait grattée du bout des ongles.

— La dirlo, la Croquevieille, elle me payait à coups de lance-pierre pour faire l'entretien. Électricité, plomberie, peinture, espaces verts… Espaces verts, je t'en foutrais des espaces verts. De l'herbe et de la caillasse. Geneviève, elle faisait les courses et la cuisine pendant l'été. La dirlo, elle rallongeait pour qu'on dorme tous les deux sur place quand les gosses débarquaient… Pour faire de la surveillance et de la présence en plus. Ce soir-là, Geneviève aurait pas dû bosser. Mais quand les mômes sont allées se coucher, Lucie Lindon a demandé à Geneviève de la remplacer deux heures pour surveiller les chambres du rez-de-chaussée. Lindon voulait monter à l'étage pour fumer un joint dans la chambre de Letellier. Geneviève a pas osé dire non… La Lindon lui donnait tout le temps des coups de main. Mais Geneviève est pas restée au château. Elle s'est tirée. Elle a laissé les petites toutes seules pour aller chez sa sœur, voir nos gosses parce que notre dernier était malade et qu'elle se faisait du mouron. L'été, ça la rendait barjo de devoir les laisser pendant que d'autres partaient sur des plages… Elle me le reprochait : « T'es qu'un bon à rien, même pas foutu de nous emmener sur une plage… »

Fontanel était parti pisser en sifflant : « Vie de merde. » En revenant dans la salle à manger, il s'était assis de l'autre côté de la table, à une autre place. Comme si la sienne avait été prise par quelqu'un pendant son absence.

— Geneviève a dû se tirer une heure à tout casser. Quand elle s'est ramenée, qu'elle a poussé la porte de la chambre 1, sa tête s'est mise à tourner, elle s'est cassé la gueule par terre... Déjà l'après-midi, elle avait à moitié tourné de l'œil. Elle a cru qu'elle était malade... Qu'elle avait chopé le virus de notre gosse. Elle a eu du mal à se relever... Elle a ouvert la fenêtre pour respirer un grand coup... C'est ce qui l'a sauvée. C'est cinq minutes après qu'elle s'est dit que quelque chose clochait... Que les petites dormaient trop bien. Geneviève a pas compris tout de suite... Le monoxyde de carbone, c'est un gaz qui sent pas... Dans chaque chambre, y avait un chauffe-eau individuel qui datait de Mathusalem... Une vieille carcasse qui fonctionnait plus du tout et qu'on n'avait pas le droit de toucher... Pourtant, quelqu'un l'avait fait. Geneviève s'en est tout de suite rendu compte parce que ces putain de bazars étaient planqués derrière un faux placard, et que celui-là avait été ouvert... La porte pendouillait dans le vide.

Alain Fontanel avait ouvert une autre canette avec un briquet qui traînait sur la table sans cesser de parler.

— On savait tous que les installations étaient

pourries dans le château... Une vraie bombe à retardement. J'ai rien pu faire. C'était trop tard. Asphyxiées... Intoxiquées au monoxyde de carbone. Les quatre.

Fontanel s'était tu. Sa voix avait trahi une émotion pour la première fois. Il avait allumé une cigarette en fermant les yeux.

— J'ai tout de suite coupé le chauffe-eau. J'ai même retrouvé l'allumette qu'avait servi à le redémarrer. Geneviève, elle a jamais su mentir... Quand tu te la tapais, je le savais. Elle avait des yeux d'amourachée. Une vraie tarée. Elle puait la cocotte, se mettait des trucs sur la figure, des grolles qui lui ravageaient les pattes... Ce soir-là, j'ai vu dans ses yeux que c'était pas elle qu'avait fait ça, qu'elle y était pour rien. J'ai vu sa trouille. Elle puait la mort... Et pis, fallait s'y connaître pour démarrer un vieux bazar comme celui-là. Elle en aurait pas été capable... Y avait interdiction formelle de toucher aux anciens chauffe-eau du château. Et tout le personnel était au jus. On nous le rabâchait suffisamment. C'était pas écrit dans le règlement, sinon la dirlo elle serait allée direct en taule mais nous, on savait... Elle aurait dû les faire retirer... Croque-vieille, pour faire raquer les parents, elle était là, mais quand il s'agissait de payer de la nouveauté, y avait plus personne. Les seuls ballons d'eau chaude qu'étaient neufs, c'étaient ceux des douches communes.

Quelqu'un avait frappé à la porte. Fontanel

n'avait pas ouvert. Il avait juste maugréé : « Putain de voisins » et s'était resservi à boire dans son verre de cuisine. Pendant que Fontanel racontait, Philippe n'avait pas bougé. Il avait bu de longues rasades de vodka pour brûler la douleur, noyer le chagrin, à intervalles réguliers.

— Geneviève a paniqué. Elle a dit qu'elle voulait pas aller en prison. Que si quelqu'un savait qu'elle était partie voir ses gosses, elle ramasserait pour tout le monde. Elle m'a supplié de l'aider. Au début, j'ai dit non. « Et pis comment veux-tu que j'taide ? j'ai fait. On dira la vérité, que c'est un accident… On trouvera le taré qu'a fait ça. » Elle est devenue folle, sa figure s'est déformée… Elle m'a injurié, menacé. Elle a dit qu'elle raconterait à toute la clique des flics que je matais les monitrices… qu'elle m'avait vu piquer leurs culottes dans le linge sale… qu'elle avait des preuves. Je lui ai mis une grande baffe pour qu'elle la ferme… Et puis j'ai repensé que quand j'étais à l'armée, une nuit, un troufion avait cramé une partie de la caserne en oubliant une casserole de bouffe sur un gaz mal éteint… C'est comme ça que j'ai eu l'idée… Avec le feu, y a tout qui disparaît. Quand tout brûle, personne va en taule… Surtout si c'est des petites gosses qui font une connerie en oubliant une casserole de lait sur le feu.

À cet instant, Philippe aurait voulu demander à Fontanel de se taire. Mais il était incapable d'ouvrir la bouche, de prononcer le moindre mot.

Il aurait voulu se lever, partir vite, fuir, se boucher les oreilles. Mais il restait figé, tétanisé, impuissant. Comme si deux mains glacées le maintenaient fermement cloué sur sa chaise.

— C'est moi qui ai foutu le feu aux cuisines… Geneviève qu'a mis les bols dans la chambre des petites… J'ai attendu au bout du couloir en laissant leur porte entrouverte. Geneviève est montée dans notre chambre… Depuis cette nuit-là, elle a plus jamais arrêté de chialer… Elle avait peur aussi… Elle disait que toi ou ta femme, vous finiriez par venir lui faire la peau…

Quelques tremblements avaient traversé Philippe. Comme s'il recevait des décharges électriques à travers des électrodes invisibles.

— Quand les flammes sont entrées dans la chambre, j'ai couru à l'étage pour donner des grands coups de pompe dans la porte de Letellier… Je me suis planqué avec Geneviève dans notre piaule. Lindon s'est réveillée, elle est redescendue au rez-de-chaussée, elle a hurlé quand elle a vu le feu, j'ai fait comme si je sortais du lit, comme si je comprenais rien à ce qui se passait… Letellier a voulu entrer dans la chambre mais c'était trop tard… Les flammes étaient trop hautes. On a fait évacuer tout le monde… Le temps que les pompiers arrivent, tout avait disparu… On aurait dit l'enfer, mais c'était bien pire… Lindon a jamais osé demander à Geneviève où elle était ce soir-là, pourquoi et comment les petites s'étaient relevées pour aller dans les cuisines sans que personne s'en rende compte, parce que tout ça, au fond, c'était sa faute. On a jamais su qui avait remis le chauffe-eau en route... Ni pourquoi... Ni à quel moment...Tu penses bien que j'ai regardé dans les autres chambres, personne y avait touché... Et j'ai jamais rien dit.

Philippe avait perdu connaissance. Il avait rouvert les yeux, la tête lourde, la bouche pâteuse, des braises dans le ventre.

Alain Fontanel était toujours assis à la même place, le regard dans le vide, les yeux injectés de sang, son verre de cuisine à la main. Il n'avait pas fumé la cigarette qu'il tenait encore entre les doigts, la cendre était tombée sur la toile cirée.

— Me regarde pas comme ça, je suis sûr et certain que c'est pas Geneviève qu'a fait ça. Me regarde pas comme ça, je te dis, je suis un sale type... on m'évite, quand les gens me croisent, ils changent de trottoir, mais j'ai jamais touché au cheveu d'un gosse.

*

Geneviève Magnan fut inhumée le 3 septembre 1996. Ironie du sort ou hasard malheureux, le jour où Léonine aurait dû fêter ses dix ans.

Quand on l'enterra dans le caveau familial du petit cimetière de La Biche-aux-Chailles à trois cents mètres de chez elle, Philippe était déjà rentré dans l'Est, au bord des trains.

Durant l'hiver 1996-1997, il n'alla pas à *l'adresse* et laissa sa moto dormir au garage.

Ses parents vinrent le chercher une fois, en janvier, pour se rendre au cimetière de Brancion, se recueillir sur la tombe de Léonine, il refusa de monter dans la voiture. Comme un enfant buté. Comme quand il partait en vacances chez Luc et Françoise malgré la réprobation de sa mère.

Il passa six mois à jouer sur sa Nintendo, à s'abrutir devant des jeux où il devait sauver une princesse. Il la sauva des centaines de fois à défaut de n'avoir pas su sauver la sienne, la vraie.

Un matin, entre le rituel des tartines chaudes et du déjeuner, Violette annonça à Philippe que la place de gardien de cimetière se libérait à Brancion-en-Chalon, et qu'elle voulait cette place plus que tout au monde. Elle lui dépeignit un certain bonheur. Elle lui décrivit le poste comme une place au soleil, des vacances cinq étoiles.

Il la regarda comme si elle avait perdu la raison. Pas à cause de sa proposition, mais parce qu'il comprit qu'elle lui offrait de continuer à vivre ensemble. Au début, par réflexe, il dit non parce qu'il pensait que c'était pour se rapprocher du vieux gardien de cimetière, mais ça ne tenait pas debout. Si elle avait voulu s'en rapprocher, elle aurait quitté Philippe et se serait installée chez lui. Il comprit qu'elle voulait continuer, qu'il faisait partie de ses projets, de son avenir.

L'idée de devenir gardien de cimetière lui fit horreur. Mais il n'aurait rien de plus à faire qu'à Malgrange. Violette gérerait tout. Et puis, qu'aurait-il pu faire d'autre ? Il avait eu un rendez-vous à l'Agence pour l'emploi la veille, on lui avait dit de mettre son curriculum vitae à jour. À jour de quoi ? À part bricoler des motos et séduire des femmes faciles, il ne savait rien faire. On lui avait proposé une formation en mécanique pour travailler dans un garage ou chez un concessionnaire, il présentait bien, il pourrait aussi se reconvertir dans la vente. La vision de lui en commercial commissionnant sur des bagnoles et les contrats d'entretien qui vont avec le dégoûtait. Le réveil qui sonne alors que pour lui il ne sonnait jamais, des horaires à respecter, le costume-cravate, les trente-neuf heures par semaine, autant mourir. Un cauchemar inenvisageable. Il n'avait jamais eu envie de travailler, sauf à dix-huit ans, dans le garage de Luc et Françoise.

En acceptant ce boulot de croque-mort, un salaire continuerait à tomber chaque mois, un salaire auquel il ne toucherait pas. Violette ferait les courses sur le sien, la cuisine, le ménage. Il garderait sa femme au chaud dans son lit, ses tartines grillées, les draps et la vaisselle propres, il n'aurait qu'à faire déménager ses habitudes, la marque de ses yaourts préférés. Et continuer sa vie d'éternel adolescent. Comme Violette l'avait dit, elle mettrait des rideaux aux fenêtres de leur maison et il n'aurait pas à assister aux enterrements. Il installerait sa Nintendo dans une pièce fermée et sauverait les princesses les unes après les autres, pour éviter d'être dérangé par un fossoyeur ou un visiteur perdu cherchant une tombe.

Enfin, ce serait l'occasion de savoir qui était le fils de pute qui avait réactivé le chauffe-eau dans la nuit du 13 au 14 juillet 1993 au château de Notre-Dame-des-Prés. Il serait sur place pour poser des questions, casser quelques dents, faire parler le silence. Il le ferait en secret, pour que jamais personne ne vienne reprendre ou réclamer l'argent de l'assurance qu'il avait touché, les dommages et intérêts versés suite au décès accidentel de Léonine.

Cette manie de tout mettre de côté, comme sa mère le lui avait appris, le révulsait mais c'était plus fort que lui. Une maladie génétique. Un virus, une bactérie mortelle. Cette pingrerie c'était comme une malformation congénitale. Un héritage maudit contre lequel il ne pouvait lutter. Mettre de côté pour aller où ? Pour quoi faire ? Il n'en avait aucune idée.

Ils déménagèrent en août 1997. Ils firent le trajet dans une camionnette d'à peine vingt mètres cubes, ils ne possédaient pas grand-chose.

Le vieux du cimetière n'était plus là. Il avait laissé un mot sur la table. Philippe fit semblant de ne pas s'apercevoir que Violette connaissait parfaitement chaque recoin de la maison. À peine débarquée, elle disparut dans le jardin. Elle l'appela, lui dit de venir voir : « Viens ! Viens vite ! » Philippe n'avait pas entendu ce sourire dans sa voix depuis des années. Quand il la découvrit accroupie au fond du potager, cueillant de grosses tomates rouges comme des joues de jeune fille, quand il la vit croquer dans l'une d'entre elles, cela lui rappela l'éclat qu'elle avait dans les yeux à la maternité, le jour de la naissance de Léonine. Elle lui dit : « Viens goûter. » Il eut d'abord un mouvement de recul. Puis il vit que le jardin était trop en amont pour que les eaux usées du cimetière s'y déversent. Cependant, il lui sourit péniblement, se força à croquer dans la tomate qu'elle lui tendait. Du jus coula sur ses mains, Violette les saisit et lécha ses doigts. Il comprit à cet instant qu'il n'avait jamais cessé de l'aimer, mais qu'il était trop tard. Qu'on ne revient pas en arrière.

Il sortit sa moto de la camionnette et dit à Violette : « Je vais faire un tour. »

77

Il vaut mieux te pleurer que ne pas t'avoir connu.

« 22 octobre 1996

Très précieuse Violette,

Déjà deux mois que ton mari t'a interdit de revenir. Tu me manques. Dis, quand reviendras-tu ?

Ce matin, j'ai écouté Barbara, c'est fou ce que sa voix s'accorde parfaitement avec l'automne, l'odeur de cette terre mouillée, pas de celle dans laquelle les racines repoussent, mais où elles s'endorment doucement pour mieux renaître, se préparent à puiser leurs forces dans l'hiver. L'automne est une berceuse pour la vie à revenir. Toutes ces feuilles qui changent de couleur, on dirait un défilé de haute couture, comme les notes dans la voix de Barbara. Moi, je la trouve drôle, Barbara. Quand on l'écoute vraiment, on entend qu'à ses yeux rien n'est vraiment grave malgré sa gravité. J'aurais pu tomber fou amoureux d'elle, surtout si elle avait été un homme. Que veux-tu, je n'ai pas la vertu des femmes de marin.

Comme cette fin de saison a été douce, et qu'il n'a pas encore gelé, je viens tout juste de récolter les dernières tomates, poivrons et courgettes. La Toussaint approche, c'est comme une barrière invisible : une fois qu'elle est passée, il n'y a plus de légumes d'été. Mes salades sont toujours aussi belles, dans un mois il ne restera que mes pains de sucre. Les choux sortent de terre. En attendant les premiers gels, j'ai déjà retourné certaines parcelles que j'ai recouvertes de fumier, là où on a arraché les pommes de terre et les oignons ensemble en août dernier. Mon ami paysan m'a apporté cinq cents kilos de merde que j'ai mis sous la bâche près de la cabane. Je la recouvre parce que s'il pleut, le meilleur du fumier part dans l'eau, ne reste que de la paille. Ça pue un peu mais pas trop (c'est toujours mieux que ces saloperies d'engrais chimiques). Je ne pense pas incommoder mes voisins de palier. À propos, on a enterré Édouard Chazel (1910-1996) il y a trois jours – mort dans son sommeil. Parfois je me demande ce que l'on peut voir la nuit pour avoir envie d'en mourir.

J'ai appris pour Geneviève Magnan, une fin bien triste. Je crois qu'il faut oublier, Violette. Je crois qu'il faut continuer et ne plus chercher à savoir comment, pourquoi, qui. Le passé n'est pas aussi fertile que la merde que je dépose sur le sol. Il s'apparente plus à de la chaux vive. Ce poison qui brûle les souches. Oui, Violette, le passé est le poison du maintenant. Ressasser, c'est mourir un peu.

Le mois dernier, j'ai commencé à tailler les vieux

rosiers. Il a fait trop beau pour les champignons. D'habitude, à la fin de l'été, s'il y a eu deux ou trois orages avec beaucoup de pluie, les girolles apparaissent sept jours plus tard. Hier je suis allé dans le sous-bois, ce coin secret où d'habitude je les ramasse à la pelle, je suis rentré comme un Parisien, presque bredouille. Seules trois girolles me narguaient au fond du panier. On aurait dit une portée d'asticots. Je les ai tout de même mangées en omelette. Bien fait pour elles ! La semaine dernière, j'ai vu M. le maire, je lui ai parlé de toi, je t'ai vivement recommandée. Il veut te rencontrer et n'est pas contre le fait que tu me remplaces. Je l'ai prévenu que tu ne serais pas seule, que tu avais un mari. Au début il a fait la grimace parce que ça fait un salaire en plus, mais comme avant il y avait quatre fossoyeurs et qu'ils ne sont plus que trois, votre couple devrait rentrer dans le budget. Donc, je serais toi, je ne tarderais pas. Avant qu'un quidam ne vienne le supplier – il y a toujours un neveu, une cousine, un voisin qui cherche une place de fonctionnaire. Je te l'accorde, les gens ne se bousculent pas au portillon pour devenir gardiens de cimetière, mais tout de même, restons vigilants ! Il est hors de question que je laisse mes chats et mon jardin à quelqu'un d'autre que toi !

Reviens pour que je t'arrange un rendez-vous avec le maire. En général, il faut se méfier des élus, mais lui, c'est quelqu'un d'à peu près bien. S'il te donne sa parole, tu n'auras pas besoin de signer une promesse d'embauche. Il y a donc urgence à trouver un men-

songe quelconque pour venir ici au plus vite. Est-ce que je t'ai déjà parlé de la vertu du mensonge ? Si j'ai oublié, fais un nœud à ton mouchoir.

Je t'embrasse bien tendrement, précieuse Violette.

Sasha »

— Philippe, il faut que j'aille à Marseille !

— Mais on n'est pas en août.

— Je ne vais pas au cabanon. Célia a besoin de moi quelques jours, chez elle. Trois ou quatre tout au plus… S'il n'y a pas de complications. Sans compter le voyage.

— Pourquoi ?

— Elle rentre à l'hôpital et n'a personne pour s'occuper d'Emmy.

— Quand ?

— Tout de suite, c'est une urgence.

— Tout de suite ? !

— Oui, c'est une urgence je te dis !

— Qu'est-ce qu'elle a ?

— L'appendicite.

— À son âge ?

— Il n'y a pas d'âge pour avoir l'appendicite… Stéphanie va m'amener à Nancy et je prendrai un train. Le temps que j'arrive, Emmy restera chez une voisine… Célia m'a suppliée, elle n'a que moi, je suis obligée d'y aller et de faire vite. Je t'ai laissé tous les horaires de train sur une feuille près du téléphone. J'ai fait les courses, tu n'auras plus qu'à réchauffer ta blanquette ou ton gratin au micro-ondes, il y a deux pizzas comme tu les aimes au congélateur, j'ai rempli le frigo de yaourts et de salades toutes prêtes. Le midi, Stéphanie te déposera une baguette fraîche. Je t'ai mis les paquets de biscuits dans le tiroir sous les couverts comme d'habitude. J'y vais, à dans quelques jours. Je te téléphone en arrivant chez Célia.

*

Pendant le trajet qui a duré environ vingt-cinq minutes, et pour le peu que je lui ai parlé, j'ai menti à Stéphanie. Je lui ai servi la même histoire qu'à Philippe Toussaint, Célia avait l'appendicite, il fallait que je fasse vite pour récupérer sa petite-fille, Emmy. Stéphanie ne savait pas mentir. Si je lui avais dit la vérité, elle aurait craché le morceau sans le faire exprès. Elle aurait rougi et bredouillé face à Philippe Toussaint quand elle l'aurait croisé.

Stéphanie s'était fait remplacer une heure à sa caisse pour m'amener à Nancy. Nous ne nous sommes pas dit grand-chose dans la voiture. Je crois qu'elle m'a parlé d'une nouvelle marque de biscottes bio. Depuis quelques mois, les produits biologiques faisaient leur apparition dans les rayons du Casino et Stéphanie m'en parlait comme du graal. Je ne l'écoutais pas. Je relisais la lettre de Sasha mentalement. J'étais déjà dans son jardin, dans sa maison, dans sa cuisine. J'avais hâte. En observant le tigre blanc accroché au rétroviseur de la Panda, je cherchais déjà les bons mots, les bons arguments pour que Philippe Toussaint accepte de déménager, accepte cet emploi de gardien de cimetière.

J'ai pris un train pour Lyon, un autre pour Mâcon, puis l'autocar qui passait devant le château. J'ai fermé les yeux quand je suis arrivée à sa hauteur.

J'ai poussé la porte de ma future maison en fin d'après-midi. Le jour était presque tombé, il faisait extrêmement froid. Mes lèvres avaient gercé. À l'intérieur l'air était doux. Sasha avait fait brûler des bougies et toujours cette délicieuse odeur, ces mouchoirs en tissu qu'il imbibait de « Rêve d'Ossian ». Quand il m'a vue, il a juste dit en souriant :

— Je rends grâce à la vertu du mensonge !

Il était en train d'éplucher des légumes. Ses mains qui tremblaient un peu tenaient l'économe comme une pierre précieuse.

Nous avons mangé un minestrone absolument délicieux. Nous avons parlé du jardin, de champignons, de chansons et de livres. Je lui ai demandé où il irait si nous nous installions ici. Il m'a répondu qu'il avait déjà tout prévu. Qu'il voyagerait et s'arrêterait où bon lui semble. Que sa retraite serait aussi maigre que lui, mais que pour le peu qu'il mangeait, cela suffirait. Qu'il se déplacerait à pied, en seconde classe et en auto-stop. C'étaient les seules promenades qu'il avait envie de vivre. Il voulait s'offrir l'inconnu. Avec ses amis comme points de chute. Il en avait peu mais de vrais. Aller les voir faisait partie de ses projets, aussi. S'occuper de leurs jardins. Et s'ils n'en avaient pas, leur en faire un.

L'Inde était le point de mire de Sasha. Son meilleur ami, Sany, était un Indien que Sasha avait rencontré lorsqu'il était enfant. Fils d'ambassadeur, Sany vivait dans le Kerala depuis les années 70. Sasha était allé lui rendre visite à maintes reprises, dont une fois avec Verena, sa femme. Sany était le parrain civil d'Émile et de Ninon, leurs enfants. Sasha voulait finir sa vie là-bas. Sasha ne disait jamais « finir ma vie » mais « aller jusqu'à ma mort ».

Pour le dessert, il a sorti du riz au lait qu'il avait préparé la veille dans des pots de yaourt en verre disparates. Je suis allée chercher le caramel tout au fond avec ma cuillère. En me regardant faire ce geste, la voix de Sasha a changé :

— En perdant les miens, j'ai aussi perdu un poids immense. Ce souci de les laisser seuls après ma mort, de les abandonner. Cette terreur d'imaginer qu'ils pourraient avoir froid, mal, faim et que je ne serais plus là pour les prendre dans mes bras, les protéger, les soutenir. Quand je mourrai, personne ne me pleurera. Il n'y aura pas de chagrin après moi. Et je partirai léger, délesté du poids de leurs vies. Il n'y a que les égoïstes qui tremblent pour leur propre mort. Les autres, ils tremblent pour ceux qu'ils laissent.

— Mais moi, je vous pleurerai, Sasha.

— Tu ne me pleureras pas comme m'auraient pleuré ma femme et mes deux enfants. Tu me pleureras comme quand on perd un ami. Tu ne pleureras plus jamais personne comme tu as pleuré Léonine. Tu le sais bien.

Il a fait bouillir de l'eau pour le thé. Il a dit qu'il était heureux que je sois là. Que parmi les vrais amis qu'il irait voir pendant sa retraite, j'en serais. Il a précisé : « Pendant les absences de ton mari. »

Il a mis de la musique, des sonates de Chopin. Et il m'a parlé des vivants et des morts. Des habitués. Des veuves. Le plus dur, ce seraient les inhumations d'enfants. Mais personne n'était obligé à rien. Il y avait une vraie solidarité entre le personnel du cimetière et les pompes funèbres. On pouvait se faire remplacer. Un fossoyeur pouvait remplacer un porteur qui pouvait remplacer un marbrier qui pouvait remplacer l'officier des pompes funèbres qui pouvait remplacer le gardien quand l'un d'eux se sentait incapable d'affronter un deuil difficile. Le seul qu'on ne pouvait pas remplacer, c'était le curé.

J'allais tout voir et tout entendre. La violence et la haine, le soulagement et la misère, le ressentiment et le remords, le chagrin et la joie, les regrets. Toute la société, toutes les origines et toutes les religions sur quelques hectares de terre.

Au quotidien, il y avait deux choses auxquelles il fallait prêter attention : ne pas enfermer de visiteurs – après une mort récente, certains perdaient toute notion de temps – et prendre garde aux vols – il n'était pas rare que les gens de passage se servent sur les tombes voisines en fleurs fraîches, et même en plaques funéraires (« À ma grand-mère », « À mon oncle » ou « À mon ami » s'adaptaient à toutes les familles).

Je verrais plus de vieux que de jeunes. Les jeunes, ils partaient loin pour les études, le travail. Les jeunes, ils venaient plus trop sur les tombes. Et s'ils venaient, c'était mauvais signe, c'était pour rendre visite à un copain.

Le lendemain, on serait le 1er novembre, le plus gros jour de l'année. Je verrais bien, il faudrait renseigner ceux qui n'avaient pas l'habitude de venir. Sasha m'a montré où étaient rangés les différents plans du cimetière, les fiches cartonnées aux noms des personnes décédées au cours des six derniers mois dans une remise-bureau à l'extérieur de la maison côté cimetière. Il m'a précisé que les autres, ceux qui étaient morts avant, étaient classés à la mairie.

J'ai pensé que Léonine était déjà classée. Si jeune et déjà classée.

Sur ces fiches étaient inscrits pour chaque tombe le nom et la date du décès ainsi que l'emplacement.

Les jours d'exhumation, qui restaient rares, il faudrait que je fasse attention à ce qu'on n'abîme pas les tombes d'à côté. Un des trois fossoyeurs était particulièrement maladroit.

Certains visiteurs avaient des dérogations pour entrer en voiture. Je les reconnaîtrais vite, rien qu'au bruit du moteur, surtout que pour la plupart c'étaient des petits vieux qui faisaient hurler l'embrayage de leur Citroën.

Tout le reste, je le découvrirais au fur et à mesure. Aucune journée ne se ressemblerait. Je pourrais en faire un roman ou écrire la mémoire des vivants et des morts, un jour, quand j'aurais fini de lire, pour la centième fois, *L'Œuvre de Dieu, la part du Diable.*

Sasha a fait une première liste sur un cahier vierge, un cahier d'écolier. Il a écrit le nom des chats qui vivaient au cimetière, leurs caractéristiques, ce qu'ils mangeaient, leurs habitudes. Il avait improvisé une chatterie avec des pull-overs et des couvertures, carré des Fusains au fond à gauche. Là où plus personne ne venait se recueillir, dix mètres carrés sans passage, où avec l'aide des fossoyeurs il avait érigé un abri. Un endroit sec et chaud pour l'hiver. Il a noté les coordonnées des vétérinaires de Tournus, père et fils, qui se déplaçaient jusqu'ici pour les vaccins, les stérilisations et les soins à moins cinquante pour cent. Des chiens pouvaient se retrouver là, à dormir sur les tombes de leurs maîtres, il faudrait que je m'en occupe.

Sur une autre page, il a noté les noms des fossoyeurs, leurs surnoms, leurs habitudes, leurs attributions. Ceux des frères Lucchini, leurs adresses et leurs fonctions. Et pour finir, le nom de la personne en charge des actes de décès à la mairie. Il a conclu par ces mots : « Ça fait deux cent cinquante ans qu'on met des gens en terre ici, et ce n'est pas fini. »

Le reste du cahier, il a mis deux jours à le remplir.

Cela concernait le jardin, les légumes, les fleurs, les arbres fruitiers, les saisons, les plantations.

Le lendemain, jour de la Toussaint, une fine couche de givre s'était déposée sur la terre du jardin. Avant l'ouverture des grilles du cimetière, j'ai aidé Sasha à ramasser les derniers légumes d'été dans la nuit. Nous étions tous les deux dans les allées gelées, une lampe de poche à la main, emmitouflés dans nos manteaux, quand Sasha m'a parlé de Geneviève Magnan. Il m'a demandé ce que j'avais ressenti quand j'avais appris son suicide.

— J'ai toujours pensé que les enfants n'avaient pas mis le feu aux cuisines. Que quelqu'un avait mal écrasé un mégot ou quelque chose comme ça. Je crois que Geneviève Magnan connaissait la vérité et qu'elle ne l'a pas supportée.

— Tu voudrais savoir ?

— Après la mort de Léonine, savoir, c'est ce qui m'a fait tenir. Aujourd'hui, ce qui compte pour elle, pour moi, c'est de faire pousser des fleurs.

Nous avons entendu les premiers visiteurs se garer devant le cimetière. Sasha est allé leur ouvrir les grilles. Je l'ai accompagné. Sasha m'a dit : « Tu verras, tu composeras avec les heures d'ouverture et de fermeture. En fait, tu composeras avec le chagrin des autres. Tu n'auras pas le cœur de faire attendre des visiteurs qui arriveront en avance, et ce sera pareil le soir. Parfois, tu n'auras pas le cœur de leur demander de partir. »

J'ai passé la journée à observer les visiteurs, les

bras chargés de chrysanthèmes, arpenter les allées. Je suis allée rendre visite aux chats qui se sont frottés contre moi. Je les ai caressés. Ils m'ont fait du bien. La veille, Sasha m'avait expliqué que de nombreux visiteurs faisaient des transferts sur les animaux du cimetière. Qu'ils s'imaginaient que leurs disparus se manifestaient à travers eux.

Vers 17 heures, je me suis approchée de Léonine, pas d'elle, mais de son nom écrit sur une tombe. Mon sang s'est glacé quand j'ai aperçu le père et la mère Toussaint déposer des chrysanthèmes jaunes. Je ne les avais pas revus depuis le drame. Quand ils venaient chercher leur fils deux fois par an et se garaient devant la maison, je ne les regardais pas à travers la fenêtre. J'entendais juste le bruit du moteur de leur voiture et Philippe me crier : « J'y vais ! » Ils avaient vieilli. Lui s'était voûté. Elle se tenait toujours très raide mais avait rapetissé. Le temps les avait tassés.

Il ne fallait pas qu'ils me voient, ils auraient immédiatement prévenu Philippe Toussaint qui me croyait à Marseille. Je les ai observés, cachée comme une voleuse. Comme si j'avais fait quelque chose de mal.

Sasha est arrivé derrière moi, j'ai sursauté. Il m'a prise par le bras sans me poser de questions et m'a dit : « Viens, on rentre. »

Le soir je lui ai parlé du père et de la mère Toussaint sur la tombe de Léonine. Je lui ai raconté la méchanceté de la mère. Le mépris qu'elle déposait sur moi dès qu'elle me regardait sans me voir. C'étaient eux les assassins, eux qui avaient envoyé ma fille dans le château du malheur. Eux qui avaient organisé sa mort. J'ai dit à Sasha que venir vivre à Brancion, travailler dans ce cimetière n'était peut-être pas une bonne idée. Croiser mes beaux-parents deux fois par an dans les allées, les voir déposer des pots de fleurs pour déculpabiliser était au-dessus de mes forces. Aujourd'hui, ils m'avaient ramenée à mon chagrin. Il n'y avait pas une minute, pas une seconde de ma vie où je ne pensais pas à Léonine, mais c'était différent à présent. J'avais transformé son absence : elle était ailleurs, mais de plus en plus près de moi. Et aujourd'hui, en voyant les Toussaint, je l'avais sentie s'éloigner.

Sasha m'a répondu que le jour où ils sauraient que mon mari et moi habitions ici, ils m'éviteraient et ne viendraient plus. Qu'être ici serait la meilleure manière de ne plus jamais les voir. De les éloigner pour toujours.

Le lendemain matin, j'ai rencontré le maire. J'avais à peine posé un pied dans son bureau qu'il m'a dit que Philippe Toussaint et moi serions embauchés à compter d'août 1997 comme gardes-cimetière. Que nous aurions un SMIC chacun, une maison de fonction et que notre consommation d'eau, d'électricité ainsi que nos taxes ménagères seraient à la charge de la mairie. Est-ce que j'avais d'autres questions ?

— Non.

J'ai vu Sasha sourire.

Avant de nous laisser partir, le maire nous a offert du thé à la vanille en sachet et des biscuits rassis qu'il a trempés dans sa tasse comme un enfant. Sasha n'a pas osé refuser bien qu'il déteste le thé en sachet. « Du plastique poreux accroché à une vulgaire ficelle, la honte de notre civilisation, Violette, et ils osent appeler ça le "progrès". » Entre deux biscuits, M. le maire m'a parlé en consultant son calendrier :

— Sasha a dû vous prévenir, vous allez en voir des vertes et des pas mûres. Il y a une vingtaine d'années, nous avons eu des rats dans notre cimetière, beaucoup de rats. Nous avons appelé le dératiseur qui a disposé de l'arsenic en poudre un peu partout entre les tombes, mais les rats ont continué à faire des ravages et plus personne n'osait mettre un pied au cimetière. On se serait cru dans *La Peste* de Camus. Le dératiseur a augmenté les doses de poison mais toujours rien. La troisième fois, il a posé les mêmes appâts, mais au lieu de partir, il s'est caché pour comprendre, voir comment les rats se comportaient. Eh bien, vous n'allez pas me croire, mais une petite vieille est arrivée avec une pelle et une balayette et elle a récupéré tout l'arsenic en poudre. Elle le revendait sous le manteau depuis des mois ! Le lendemain, on a eu droit aux gros titres dans le journal : « Trafic d'arsenic au cimetière de Brancion-en-Chalon » !

78

Il y a tant de belles choses que tu ignores,
la foi qui abat les montagnes, la source blanche
dans ton âme, penses-y quand tu t'endors,
l'amour est plus fort que la mort.

— Chaque tombe est une poubelle. Ce sont les restes qu'on enterre ici, les âmes sont ailleurs.

Après avoir murmuré ces mots, la comtesse de Darrieux avale son eau-de-vie d'un trait. On vient d'enterrer Odette Marois (1941-2017), la femme de son grand amour. Elle se remet de ses émotions assise à la table de ma cuisine.

La comtesse a assisté à la cérémonie de loin. Les enfants d'Odette savent qu'elle a été la maîtresse de leur père, la rivale de leur mère, ils lui battent froid.

Désormais, la comtesse pourra déposer ses fleurs de tournesol sur la tombe de son amant sans que je les retrouve, pétales arrachés, au fond d'une poubelle.

— C'est comme si j'avais perdu une vieille

copine… Pourtant, nous nous détestions. Mais bon, au fond, les vieilles copines se détestent toujours un peu. Et puis, je suis jalouse, c'est elle qui va rejoindre mon amant en premier. Elle aura vraiment eu la primeur toute sa vie, la garce.

— Vous allez continuer à fleurir leur tombe ?

— Non. Plus maintenant qu'elle est là-dessous avec lui. Ce serait trop indélicat de ma part.

— Comment avez-vous rencontré votre grand amour ?

— Il travaillait pour mon mari. Il s'occupait de ses écuries. Il était bel homme, si vous aviez vu son cul. Ses muscles, son corps, sa bouche, ses yeux ! J'en frissonne encore aujourd'hui. Nous sommes restés amants durant vingt-cinq ans.

— Pourquoi n'avez-vous pas quitté vos conjoints respectifs ?

— Odette lui a fait du chantage au suicide : « Si tu me quittes, je me tue. » Et puis, de vous à moi, Violette, ça m'a bien arrangée. Qu'est-ce que j'aurais fichu d'un grand amour vingt-quatre heures sur vingt-quatre ? C'est que c'est du boulot ! Je n'ai jamais rien su faire de mes dix doigts à part lire et jouer du piano, il se serait très vite lassé de moi. Alors que là, nous batifolions quand nous en avions envie, j'étais pomponnée, crémée, parfumée, bien roulée. Jamais mes doigts n'ont pué la cuisine ou le lait caillé, et ça, croyez-moi, les hommes, ils adorent. Avouez tout de même que c'était confortable. Des tours du monde au bras de mon mari, des palaces, des piscines et des baignades dans les mers du Sud. Je rentrais bronzée, disponible, reposée, je retrouvais mon grand amour, et nous nous aimions encore plus passionnément. J'avais le sentiment d'être Lady Chatterley. Bien sûr je lui ai toujours fait croire que le comte, de vingt ans mon aîné, ne me touchait plus, que nous faisions chambre à part. Et lui qu'Odette ne s'intéressait pas aux choses du sexe. Nous nous sommes menti par amour, pour ne pas nous abîmer. À chaque fois que j'écoute « La chanson des vieux amants », je verse ma petite larme... En parlant de larme, j'en veux bien une petite dernière de votre eau-de-vie, Violette. Aujourd'hui j'en ai fort besoin... À chaque fois que je croisais Odette, elle me toisait, j'adorais ça... Moi je lui souriais, exprès. Mon mari et mon amant sont morts à un mois d'intervalle. Tous les deux d'une crise cardiaque. Ça a été terrible. J'ai tout perdu du jour au lendemain. La terre et l'eau. Le feu et la glace. C'est comme si Dieu et Odette avaient uni leurs forces pour m'anéantir. Mais bon, j'ai eu de belles années, je ne me plains jamais... Maintenant, ma dernière volonté, c'est de me faire incinérer et qu'on jette mes cendres à la mer.

— Vous ne voulez pas être enterrée près du comte ?

— Près de mon mari pour l'éternité ? ! Jamais ! J'aurais trop peur de mourir d'ennui !

— Mais vous venez de me dire que ce sont les restes qu'on enterre ici.

— Même mes restes pourraient s'ennuyer près du comte. Il me fichait le bourdon.

Nono et Gaston entrent pour se faire un café. Ils ont l'air surpris de me voir rire aux éclats. Nono rougit. Il a le béguin pour la comtesse. À chaque fois qu'il la voit, il rougit comme un écolier.

Le père Cédric arrive quelques minutes après, il baise sa main.

— Alors, mon père, comment c'était ?

— C'était un enterrement, madame la comtesse.

— Ses enfants lui ont mis de la musique ?

— Non.

— Oh les cons, Odette adorait Julio Iglesias.

— Comment le savez-vous ?

— Une femme sait tout de sa rivale. Ses habitudes, son parfum, ses goûts. Quand un amant débarque chez sa maîtresse, il doit se sentir en vacances, pas à la baraque.

— Tout cela n'est pas très catholique, madame la comtesse.

— Mon père, il faut bien que les gens pèchent, sinon votre confessionnal serait vide. Le péché c'est votre fonds de commerce. Si les gens n'avaient plus rien à se reprocher, il n'y aurait personne sur les bancs de votre église.

La comtesse cherche Nono du regard.

— Norbert, auriez-vous l'amabilité de me raccompagner, s'il vous plaît ?

Nono se trouble et rougit de plus belle.

— Bien sûr, madame la comtesse.

À peine Nono et la comtesse passent ma porte que Gaston casse sa tasse. Comme je me baisse pour ramasser les éclats de porcelaine avec ma pelle et ma balayette, Gaston me glisse à l'oreille : « Je me demande si Nono se taperait pas la comtesse. »

79

Dans le temps qui lie ciel et terre
se cache le plus beau des mystères.

Journal d'Irène Fayolle

29 mai 1993

Paul est malade. D'après notre médecin de famille, il présente les symptômes d'une complication au foie, à l'estomac ou au pancréas. Paul souffre et ne se soigne pas. Curieusement, au lieu de faire des analyses, demander des avis médicaux à des spécialistes, en une semaine il a vu trois voyantes qui lui ont prédit une longue et belle vie. Paul n'a jamais manifesté le moindre intérêt pour les médiums ou ce genre de chose. Il me fait penser à ces athées qui se mettent à parler à Dieu quand leur bateau coule, et j'ai le sentiment qu'il est tombé malade à cause de moi. Que mes mensonges pour aller retrouver Gabriel dans une chambre d'hôtel ont fini par l'atteindre.

Lyon, Avignon, Châteauroux, Amiens, Épinal.

Depuis un an, Gabriel et moi écumons les lits comme d'autres des pays.

J'ai pris deux rendez-vous à Paul pour qu'il passe un scanner à l'institut Paoli-Calmettes, il n'y est pas allé. Quand chaque soir je lui dis qu'il y a urgence à se faire soigner, il me sourit et me répond : « Ne t'inquiète pas, tout va bien se passer. »

Je vois qu'il souffre, qu'il maigrit. La nuit, dans son sommeil, la douleur le fait gémir.

Je suis désespérée. Que cherche-t-il ? Est-il devenu fou ou suicidaire ?

Je ne peux pas le forcer à monter dans ma voiture pour l'emmener à l'hôpital. J'ai tout essayé, le sourire, les larmes, la colère, rien ne semble le toucher. Il se laisse mourir, il part à la dérive.

Je l'ai supplié de me parler, de m'expliquer pourquoi il fait cela. Pourquoi cet abandon. Il est allé se coucher.

Je suis perdue.

7 juin 1993

Ce matin Gabriel m'a téléphoné à la roseraie, il avait la voix heureuse, il plaide à Aix toute la semaine, il veut me voir, passer toutes ses nuits avec moi. Il me dit qu'il ne pense qu'à moi.

Je lui ai répondu que c'était impossible. Que je ne pouvais pas laisser Paul seul.

Gabriel m'a raccroché au nez.

J'ai pris la boule à neige posée sur le comptoir et je

l'ai brisée de toutes mes forces contre un mur en hurlant.

Même pas de la vraie neige, juste du polystyrène. Même pas du vrai amour, juste des nuits d'hôtel.

Nous sommes devenus fous.

3 septembre 1993

J'ai empoisonné la tisane de Paul. J'ai mis un puissant sédatif dedans afin qu'il perde connaissance et que je puisse appeler le SAMU.

Ils ont découvert Paul étendu au milieu du salon et l'ont emmené aux urgences où il a été examiné.

Paul a un cancer.

Il est tellement affaibli par la maladie et les médicaments que je lui ai fait avaler que les médecins ont décidé de l'hospitaliser pour une durée indéterminée.

Les examens toxicologiques de Paul ont démontré qu'il avait absorbé une dose massive de sédatif. Il a fait croire aux médecins que c'était lui qui les avait pris, qu'il voulait en finir avec la douleur. Il a dit ça pour que je ne sois pas inquiétée.

J'ai expliqué mon geste à Paul : je n'avais pas le choix, c'était la seule solution que j'avais trouvée pour qu'il soit enfin hospitalisé. Il m'a répondu que cela le bouleversait que je l'aime autant. Il croyait que je ne l'aimais plus.

Parfois, je voudrais disparaître avec Gabriel. Mais parfois seulement.

6 décembre 1993

J'ai téléphoné à Gabriel pour lui raconter l'opération, la chimiothérapie. Lui dire qu'on ne se verrait plus pour le moment.

Il a répondu : « Je comprends » et puis il a raccroché.

20 avril 1994

Ce matin, une jolie femme enceinte est entrée à la roseraie. Elle voulait acheter des roses anciennes et des pivoines à planter le jour de l'arrivée de son bébé. Nous avons parlé de choses et d'autres. Surtout de son jardin et de sa maison, de son exposition sud-ouest, la meilleure pour planter des rosiers et des pivoines. Elle m'a dit qu'elle attendait une fille, que c'était merveilleux, j'ai répondu que j'avais eu un fils et que c'était tout aussi merveilleux. Ça l'a fait rire.

Il est si rare que je fasse rire les autres. À part Gabriel. Et mon fils quand il était petit.

Au moment de payer, la cliente a fait un chèque, puis m'a tendu une carte d'identité en me disant :

— Excusez-moi, c'est celle de mon mari. Mais le nom de famille et l'adresse sont les mêmes.

Sur le chèque, j'ai vu qu'elle s'appelait Karine Prudent et qu'elle vivait au 19, chemin des Contamines à Mâcon. Puis j'ai découvert la pièce d'identité au nom de Gabriel. Sa photo, sa date de naissance, son lieu de naissance, la même adresse, 19, chemin des Contamines à Mâcon, son empreinte digitale. J'ai mis quelques secondes à comprendre. À faire les connexions. Je me suis sentie rougir, le feu aux joues. La femme de Gabriel m'a regardée fixement sans baisser les yeux, puis m'a repris la carte d'identité des mains pour la glisser dans la poche intérieure de sa veste, contre son cœur, au-dessus du futur bébé.

Elle est partie en emportant ses plantes dans un carton.

22 octobre 1995

Paul est en rémission. On est allés fêter ça avec Julien. Mon fils habite un appartement près de son école. Je suis seule à présent. Je me sens seule comme avant sa naissance. Les enfants remplissent nos vies puis laissent un grand vide, immense.

27 avril 1996

Trois années que je n'ai plus de nouvelles de Gabriel. À chacun de mes anniversaires, je pense qu'il va se manifester. Je pense, je crois ou j'espère ?

Il me manque.

Je l'imagine dans son jardin avec sa femme, sa fille, ses pivoines et ses roses. Je l'imagine s'ennuyant ferme, lui qui n'aime que les brasseries enfumées, les tribunaux, les causes perdues. Moi.

80

Parlez-moi comme vous l'avez toujours fait
N'employez pas un ton différent
Ne prenez pas un air solennel ou triste
Continuez à rire de ce qui nous faisait rire ensemble.

Septembre 1997

Quatre semaines que Philippe vivait à Brancion-en-Chalon. Chaque matin, dès qu'il ouvrait les yeux, le silence le terrassait. À Malgrange, il y avait de la circulation, des voitures et des camions qui passaient devant chez eux, qui s'arrêtaient quand Violette baissait la barrière, que la sonnerie retentissait, le bruit des trains qui filaient. Ici, dans cette morne campagne, le silence des morts le terrifiait. Même les visiteurs marchaient à pas de loup. Seule la cloche de l'église qui sonnait chaque heure lui rappelait, de son timbre lugubre, que le temps passait et qu'il ne se passait rien.

Quatre semaines qu'il était là et il avait déjà ce

lieu en horreur. Les tombes, la maison, le jardin, la région. Même les fossoyeurs. Quand leur camion passait les grilles, Philippe les évitait. Il les saluait de loin. Il ne voulait pas faire copain copain avec ces trois dégénérés. Un décérébré qui se faisait appeler Elvis Presley, un autre qui se marrait tout le temps et récupérait les chats esquintés et autres bestioles en tout genre pour les soigner, et le troisième qui se cassait la gueule dès qu'il faisait un pas de côté et qu'on aurait dit sorti tout droit d'un asile de fous.

Philippe s'était toujours méfié des hommes qui s'intéressaient aux animaux. C'était un truc de bonne femme de s'attendrir devant une boule de poils. Il savait que Violette rêvait d'avoir des chats et des chiens, mais Philippe refusait. Il lui avait fait croire qu'il y était allergique. La vérité, c'est qu'il en avait peur et qu'il trouvait ça dégueulasse. Les animaux lui répugnaient. Le problème c'est que des chats, il y en avait plein le cimetière parce que Violette et deux des trois dégénérés les nourrissaient.

Pour la première fois depuis leur emménagement, un enterrement était programmé à 15 heures ce jour-là. Il était parti tôt le matin pour faire un tour. D'habitude, il rentrait pour midi, mais il avait eu peur de croiser la famille endeuillée et le corbillard. Il avait roulé au hasard dans la campagne et était arrivé à Mâcon à l'heure du déjeuner.

Arrêté à un feu rouge, il avait vu des enfants sortir d'une école primaire. Parmi un groupe de fillettes, il avait cru reconnaître Léonine. Mêmes cheveux, même coiffure, même allure, même démarche, et surtout même robe. La rose et rouge à pois blancs. À cet instant, il avait pensé : *Et si Léonine n'était pas dans la chambre au moment où tout a brûlé ? Et si Léonine était toujours vivante, quelque part ? Qu'on nous l'avait volée ?* Des gens de la race de Magnan et Fontanel étaient capables de tout.

Il avait coupé le moteur de sa moto et s'était dirigé vers l'enfant. Puis, en s'approchant d'elle, il s'était rappelé que la dernière fois qu'il l'avait vue, elle avait sept ans. Et qu'aujourd'hui elle ne ferait plus partie d'un groupe d'enfants criants et sautillants, mais de collégiens. Qu'elle ne rentrerait plus dans sa robe rose et rouge à pois blancs.

En remontant sur sa moto, la haine était revenue. La haine de la mort de sa fille. Il vivait ici, dans cet endroit maudit, à cause d'*eux*.

Il était entré dans un routier, avait avalé un steak-frites et, une fois encore, au dos d'une nappe en papier, il avait noté :

Édith Croquevieille
Swan Letellier
Lucie Lindon
~~*Geneviève Magnan*~~
Éloïse Petit
~~*Alain Fontanel*~~

Qu'allait-il faire de ces noms ? Des noms de coupables d'avoir été là, coupables de négligence. Qui avait allumé ce foutu chauffe-eau ? Et pourquoi ? Fontanel lui avait-il raconté n'importe quoi ? Mais dans quel intérêt ? Maintenant que Geneviève Magnan était morte, il aurait pu tout simplement dire que c'était elle la coupable. Il aurait pu lui dire que le feu était accidentel. Maintenir la thèse de l'accident domestique. Il aurait pu ne rien dire du tout, aussi. Pour la première fois, Alain Fontanel avait eu l'air sincère quand il s'était mis à parler d'un trait, sans s'arrêter, sans réfléchir. Mais ses mots étaient imbibés d'alcool. Et la perception que Philippe en avait eue aussi. Ils étaient tous deux ivres dans la salle à manger du diable.

Philippe avait relu cette liste de noms qu'il notait trop souvent. Il fallait aller au bout. Rencontrer les autres protagonistes en tête à tête. Il était trop tard pour ne pas savoir.

*

18 novembre 1997

En invitant une patiente à entrer dans la salle d'attente, Lucie Lindon l'avait reconnu immédiatement. Elle se rappelait parfaitement le visage de chaque parent qu'elle avait vu au tribunal, ceux que l'on appelait la « partie civile ». Et lui, le père de Léonine Toussaint, elle l'avait repéré parce qu'il était seul et particulièrement beau. Seul, sans son épouse parmi les couples que formaient les parents d'Anaïs, Nadège et Océane.

Elle avait témoigné sous leurs yeux. Expliqué qu'elle n'avait rien pu faire cette nuit-là à part évacuer les autres chambres et donner l'alerte au reste du personnel. Qu'elle n'avait pas entendu les enfants se relever pour aller dans les cuisines.

Depuis la mort des fillettes, Lucie Lindon avait toujours froid. Comme si elle vivait en permanence en plein courant d'air. Elle avait beau se couvrir, elle était parcourue de frissons. Le drame l'avait plongée dans un désert glacé qui la consumait autant que le feu avait consumé les enfants. Une fine pellicule de givre s'était immiscée sous sa peau. En voyant le père de Léonine, elle croisa et posa ses mains sur ses bras en les frictionnant comme pour se réchauffer.

Qu'est-ce qu'il faisait là ? Aucune des familles ne vivait dans la région. Savait-il qui elle était ? Était-il là par hasard ou pour la voir, elle ? Avait-il rendez-vous ou voulait-il lui parler ?

Assis face à une fenêtre, il semblait attendre son tour, son casque de moto posé à ses pieds. Toussaint. Lucie Lindon chercha ce nom dans l'agenda des trois médecins présents ce matin-là au cabinet où elle était secrétaire médicale, mais ne vit son nom nulle part. Pendant plus de deux heures, les médecins vinrent ouvrir la porte de la salle d'attente mais jamais ils n'appelèrent M. Toussaint. À midi, il était toujours là, assis face à la fenêtre. Avec deux autres patients qui attendaient leur tour. Une demi-heure plus tard, quand la salle d'attente fut vide, Lucie Lindon entra et ferma la porte derrière elle. Il tourna la tête dans sa direction et la fixa. Blonde, fine, plutôt jolie. Dans d'autres circonstances, il l'aurait draguée. Bien qu'il n'ait jamais dragué, juste apostrophé avant de se servir.

— Bonjour, monsieur, vous avez rendez-vous ?

— Je veux vous parler.

— À moi ?

— Oui.

C'était la première fois qu'elle entendait le timbre de sa voix. Elle fut déçue. Elle laissait transparaître un accent un peu traînant, rural. Le ramage n'allait pas avec le plumage. Elle pensa cela pendant deux secondes, puis se mit à paniquer. Ses mains à trembler. Elle les posa à nouveau sur ses bras en les frottant nerveusement.

— Pourquoi moi ?

— Fontanel m'a dit que vous aviez demandé à Geneviève Magnan de surveiller les enfants à votre place ce soir-là… C'est vrai ?

Il avait dit cela sans y mettre la moindre intonation. Ni colère, ni haine, ni passion. Il avait dit cela sans se présenter, il savait que Lucie Lindon le connaissait, l'avait identifié. Qu'elle comprendrait la signification des mots « ce soir-là ».

Mentir ne servirait à rien. Lucie sentit qu'elle n'avait pas le choix. Fontanel, rien que ce nom lui faisait horreur. Un vieux chien libidineux aux yeux sournois. Elle n'avait jamais compris pourquoi il avait été engagé pour travailler au château auprès d'enfants.

— Oui. J'ai demandé à Geneviève de me remplacer. J'étais avec Swan Letellier à l'étage. Je me suis endormie. Quelqu'un a frappé à la porte, je suis descendue et j'ai vu… les flammes… Je n'ai rien pu faire, je suis désolée, rien…

Philippe se leva et partit sans la saluer. Jusque-là, Fontanel n'avait pas menti.

*

12 décembre 1997

— Est-ce que quelqu'un vous détestait ?

— Me détestait ?

— Avant l'incendie, est-ce que quelqu'un aurait pu vous en vouloir ?

— M'en vouloir ?

— Vous en vouloir au point de saboter du matériel.

— Je ne comprends pas, monsieur Toussaint.

— Est-ce que les chauffe-eau installés dans les chambres du rez-de-chaussée étaient défectueux ?

— Défectueux ?

Philippe attrapa Édith Croquevieille par le col. Il l'avait attendue dans le parking souterrain du supermarché Cora d'Épinal. Épinal, c'est là qu'elle s'était installée après sa sortie de prison, avec son mari.

Philippe avait patienté, attendant qu'elle revienne avec son caddie, qu'elle ouvre le coffre de sa voiture et qu'elle charge ses courses. Il fallait qu'elle soit seule.

Quand il s'était approché d'elle, menaçant, elle avait mis quelques secondes à le resituer. Puis elle s'était dit qu'il était là pour la tuer, pas pour lui poser des questions. Elle avait pensé : *Ça y est, c'est fini, je vis mes derniers instants.* Elle vivait avec l'idée qu'un jour ou l'autre un des parents l'assassinerait.

Depuis qu'il savait où elle résidait, Philippe l'avait observée deux jours durant. Elle ne se déplaçait jamais sans son mari. Il l'accompagnait partout, l'ombre de son ombre. Ce matin, pour la première fois, elle avait quitté son domicile toute seule au volant de sa voiture. À son tour, Philippe ne l'avait pas lâchée.

— Je n'ai jamais frappé une femme mais si vous continuez à répondre à mes questions par une question, je vais vous casser la gueule… Et croyez-moi, j'ai rien à perdre, ça, c'est déjà fait.

Il relâcha son étreinte. Édith Croquevieille vit que les yeux bleus de Philippe s'étaient assombris. Comme si ses pupilles s'étaient dilatées sous l'effet de la colère.

— Pour être plus clair, est-ce que c'est vrai que les enfants se lavaient les mains à l'eau froide dans leur chambre parce que les chauffe-eau étaient pourris ?

Elle réfléchit deux secondes et souffla un « Oui » à peine audible.

— Est-ce que tout le personnel savait qu'il ne fallait pas toucher à ces chauffe-eau ?

— Oui… Ça faisait des années qu'ils ne fonctionnaient plus.

— Est-ce qu'un enfant aurait pu en mettre un en marche ?

Elle tourna nerveusement la tête de gauche à droite avant de répondre :

— Non.

— Pourquoi non ?

— Ils étaient à plus de deux mètres du sol et dissimulés derrière une trappe de sécurité. Il n'y avait aucun risque.

— Qui aurait pu le faire malgré tout ?

— Faire quoi ?

— Mettre un des chauffe-eau en marche ?

— Mais personne. Personne.

— Magnan ?

— Geneviève ? Pourquoi elle aurait fait ça ? Pauvre Geneviève. Pourquoi vous me parlez des chauffe-eau ?

— Fontanel, vous vous entendiez bien avec lui ?

— Oui. Je n'ai jamais eu de problème avec mon personnel. Jamais.

— Et avec un voisin ? Un amant ?

Le visage d'Édith Croquevieille se décomposait

au fur et à mesure que Philippe la bombardait de questions. Elle ne comprenait pas où il voulait en venir.

— Monsieur Toussaint, jusqu'au 13 juillet 1993 ma vie était réglée comme du papier à musique.

Philippe détestait cette expression. Sa mère l'employait souvent. Philippe eut envie de la tuer. Mais ça aurait servi à quoi ? Cette femme était déjà morte. Il fallait la voir, engoncée dans un manteau triste. Triste mine, tristes yeux. Même les traits de son visage s'étaient pendus. Il lui tourna le dos et partit sans dire un mot. Édith Croquevieille cria :

— Monsieur Toussaint ?

Il se tourna vers elle sans conviction. Plus envie de la voir.

— Qu'est-ce que vous cherchez ?

Il ne lui répondit pas, remonta sur sa moto et prit la direction de Brancion-en-Chalon à contrecœur. Il avait froid, il était fatigué. Il était parti depuis trois jours sans donner de nouvelles à Violette. Il avait envie de retrouver des draps propres. Il avait envie de jouer avec ses manettes, de ne plus penser, de reprendre les vieilles habitudes, ne plus penser…

81

Je ne sais si tu es en moi ou si je suis en toi, ou si tu m'appartiens. Je pense que nous sommes tous les deux à l'intérieur d'un autre être que nous avons créé et qui s'appelle « nous ».

Gabriel Prudent n'aimait pas les choix de sa femme. Il s'endormait systématiquement devant les films qu'elle louait au Vidéo Futur, le temple des cassettes vidéo qui faisait l'angle de leur rue. Elle empruntait toujours des comédies romantiques. Gabriel préférait *L'aventure c'est l'aventure* de Claude Lelouch dont il connaissait les dialogues par cœur, ou Belmondo et Gabin dans *Un singe en hiver.*

À part Robert De Niro, dans l'ensemble, les Ricains ne l'emballaient guère. Mais il ne contrariait jamais Karine. Et puis il aimait ce rituel du dimanche soir, assis sur le canapé, collé contre son épouse, les yeux fermés dans sa chaleur, son parfum épicé. Les dialogues en anglais s'étouffaient peu à peu. En s'endormant, il imaginait de beaux acteurs au brushing impeccable se rencontrer, se déchirer, se séparer, se recroiser au coin d'une rue pour finir par s'embrasser et s'enlacer. Karine le réveillait doucement pendant le générique de fin, les yeux rougis par le mélo cinématographique, et lui disait, amusée et agacée à la fois : « Mon amour, tu t'es encore endormi. » Ils se levaient, passaient par la chambre de l'enfant qui grandissait trop vite, la regardaient, émerveillés, puis faisaient l'amour avant que lui ne reparte, le lundi matin, dans des tribunaux où l'attendaient des accusés qui clamaient leur innocence.

Ce soir de 1997, Gabriel ne s'endormit pas. Dès que Karine enfonça la cassette dans le magnétoscope, que les premières images apparurent, il fut happé par l'histoire. Comme dévoré. Il ne vit pas un homme et une femme extraordinaires jouer la comédie, mais vivre leur coup de foudre sous ses yeux. Comme si lui, Gabriel, en était le témoin privilégié. Comme devant tous ces inconnus qui défilaient à la barre, qu'il interrogeait à charge ou à décharge. Il sentit le regard silencieux de Karine se poser sur lui à maintes reprises, inquiète qu'il n'ait pas plongé dans un sommeil abyssal.

Et quand dans les dernières minutes du film l'héroïne, assise aux côtés de son mari, n'ouvrit pas la portière de sa voiture pour rejoindre celle où l'attendait son amant, que ce dernier mit son clignotant pour partir à jamais, Gabriel sentit peu à peu le barrage émotionnel qu'il avait érigé depuis quatre ans pour oublier Irène céder sous la pression d'une tempête, d'un cyclone, d'une catastrophe naturelle. Il sentit la pluie des dernières images du film couler sur lui. Il se revit, au retour du Cap d'Antibes, attendant Irène dans sa voiture. « Je reviens dans cinq minutes, le temps de déposer les clés de l'utilitaire. » Il l'avait attendue des heures, les mains crispées sur le volant. Les premières minutes, derrière son pare-brise, il avait imaginé ce que serait la vie aux côtés d'Irène. Il avait rêvé un avenir où il serait deux. Puis l'attente s'était éternisée.

Il avait fini par lâcher le volant. Il était descendu de sa voiture pour entrer dans la roseraie. Il était tombé sur une vendeuse qui n'avait pas vu Irène depuis quelques jours. Il l'avait cherchée dans les rues, au hasard, désespérément, refusant de comprendre qu'elle ne reviendrait pas, qu'elle avait fait le choix de rester dans sa vie, qu'elle n'en changerait pas pour lui. Sans doute par amour pour son mari et son fils. À son corps défendant – voilà une expression qu'il avait souvent entendue pendant les procès.

Il était remonté dans sa voiture, et devant son pare-brise, dans les phares, il avait vu la nuit et rien d'autre.

Et puis un matin, à l'étude, on lui avait dit qu'Irène Fayolle avait sollicité un rendez-vous. Il avait d'abord bêtement pensé à une homonyme. Et quand il avait vu le numéro de téléphone qu'il connaissait par cœur, le numéro de la roseraie qu'il n'avait jamais osé composer, il avait su que c'était elle.

Il y avait eu Sedan, d'autres hôtels, d'autres villes pendant un an, et puis la maladie de Paul et la naissance de Cloé. D'un côté la maladie, de l'autre l'espoir.

Sans nouvelles d'Irène depuis plus de quatre ans. Qu'était-elle devenue ? Comment allait-elle ? Paul s'en était-il sorti ? Vivait-elle toujours à Marseille ? Possédait-elle toujours sa roseraie ? Il se rappelait son sourire, son allure, son odeur, sa peau, ses taches de rousseur, son corps. Ses cheveux qu'il avait tant aimé décoiffer. Avec elle ça n'avait jamais été comme avec les autres, avec elle ça avait été mieux.

Devant la scène finale du film, quand les enfants dispersèrent les cendres de leur mère sur un pont, Gabriel pleura. Dans le monde de Gabriel, les hommes ne pleuraient pas. Même au moment des verdicts les plus fous, les plus inattendus, les plus improbables, les plus heureux, les plus désespérés. La dernière fois qu'il avait pleuré, il devait avoir huit ans. On lui avait recousu une blessure à la tête sans anesthésie, après une chute de vélo.

Karine, elle, ne pleura pas. En temps normal, devant un tel mélodrame, elle aurait dû tordre son mouchoir, mais l'attention que Gabriel avait portée au film l'empêcha de ressentir quoi que ce soit d'autre que la peur.

Elle se rappela Irène dans la roseraie. La finesse

de ses mains, la couleur de ses cheveux, sa peau claire, son parfum. Elle se rappela le matin où elle lui avait tendu la carte d'identité de Gabriel pour lui signifier qu'elle existait et qu'elle était enceinte.

Karine avait découvert l'existence d'Irène quand l'étude de Gabriel lui avait laissé un message : le concierge de l'hôtel des Loges à Lyon souhaitait lui retourner des affaires que Gabriel avait oubliées au cours de son récent passage. La semaine précédente, son avocat de mari avait plaidé aux assises de Lyon. Karine avait rappelé l'hôtel, parlé au concierge, lui avait donné son adresse personnelle et avait reçu, deux jours plus tard, un colis contenant deux chemisiers en soie blanche, un foulard Hermès et une brosse où quelques longs cheveux blonds s'étaient accrochés. Karine avait d'abord pensé qu'il s'agissait d'une erreur puis elle s'était rappelé Gabriel. Son air sombre quand il était rentré de Lyon alors qu'il avait gagné son procès en appel. Elle avait cru qu'il était malade, il avait mauvaise mine. Elle le lui avait fait remarquer, il avait balayé l'air d'un geste de la main et avait répondu d'un sourire las qu'il était juste très fatigué.

La nuit suivante, Gabriel avait appelé plusieurs fois quelqu'un dans son sommeil : Reine. Le lendemain matin, Karine le lui avait fait remarquer. « Qui est Reine ? » Gabriel avait rougi, le nez dans sa tasse de café.

— Reine ?

— Tu as prononcé ce prénom toute la nuit.

Gabriel avait ri de ce rire qu'elle aimait tant, un rire tonitruant, et avait répondu : « C'est la femme de l'accusé. Quand elle a compris que son mari était acquitté, elle est tombée dans les pommes. » Mauvaise pioche. Karine connaissait l'affaire. Il s'agissait de celle de Cédric Piolet dont la femme se prénommait Jeanne. Mais elle n'avait pas cillé, on peut changer de prénom ou en avoir deux.

Plusieurs nuits, Gabriel avait continué à appeler Reine dans son sommeil. Karine avait mis cela sur le compte du travail, de la pression. Son mari acceptait trop d'affaires.

Quand Karine avait rencontré Gabriel, il était veuf et séparé de sa dernière compagne. Quand elle lui avait demandé s'il y avait quelqu'un dans sa vie, il avait répondu : « De temps en temps. »

En tenant les deux chemisiers de soie qui sentaient « L'Heure bleue », elle s'était rappelé cela. Karine avait jeté les vêtements et le foulard parfumés de Guerlain ainsi que la brosse à cheveux à la poubelle. Ces choses n'appartenaient pas à une putain de passage, c'était beaucoup plus grave. Depuis plusieurs mois, Gabriel avait changé. Quand il rentrait à la maison, il avait l'air ailleurs. Il était absorbé par quelque chose, comme tourmenté. Karine avait remarqué qu'il buvait plus de vin à table. Quand elle le lui avait fait remarquer, Gabriel avait cité Audiard : « Si quelque chose devait me manquer, ce ne serait pas le vin, ce serait l'ivresse. » Il y avait une autre femme dans les mensonges de Gabriel.

Il n'avait pas été compliqué de retrouver le numéro qui apparaissait régulièrement sur les dernières factures détaillées de téléphone. Le même numéro sortant les semaines où Gabriel était présent, qu'il restait à l'étude ou travaillait depuis son bureau à la maison. Toujours autour de 9 heures du matin. Des conversations qui dépassaient rarement deux minutes. Comme pour se souhaiter une bonne journée et raccrocher. Karine l'avait composé à son tour. Une jeune fille avait répondu :

— La roseraie, j'écoute.

Karine avait raccroché. Elle avait rappelé la semaine suivante, était tombée sur la même personne :

— La roseraie, j'écoute.

— Oui, bonjour, mes rosiers sont malades, ils ont de drôles de taches jaunâtres à l'extrémité des pétales.

— Quelles variétés ?

— Je ne sais pas.

— Pouvez-vous passer à la roseraie avec une ou deux boutures ?

Karine avait rappelé une troisième fois. Toujours la même voix :

— La roseraie, j'écoute.

— Reine ?

— Ne quittez pas, je vous la passe. Qui la demande ?

— C'est personnel.

— Irène, on vous demande au téléphone !

Karine s'était trompée : ce n'était pas Reine que Gabriel appelait dans son sommeil, mais Irène. Quelqu'un était venu reprendre le combiné, et cette fois, Karine avait entendu une voix féminine, plus grave, sensuelle :

— Allô ?

— Irène ?

— Oui.

Karine avait raccroché. Ce jour-là, elle avait beaucoup pleuré. Les « De temps en temps » de Gabriel, c'était *elle.*

Pour finir, elle avait rappelé une quatrième et dernière fois.

— La roseraie, j'écoute.

— Bonjour, je pourrais avoir votre adresse, s'il vous plaît ?

— 69, chemin du Mauvais-Pas, dans le quartier de la Rose à Marseille 7.

Karine éjecta la cassette vidéo et la remit dans sa jaquette. Gabriel était toujours assis sur le canapé, honteux d'avoir pleuré. À son tour, il avait la tête du coupable qu'il passait sa vie à défendre.

En rangeant le film dans son sac à main pour ne pas l'oublier en partant au travail le lendemain matin, elle dit à Gabriel :

— Il y a quatre ans et demi, quand j'étais enceinte de Cloé, j'ai vu Irène.

Gabriel, pourtant habitué à être confronté en cour d'assises aux affaires les plus complexes et sordides, à toutes les couches de l'humanité, ne sut quoi répondre à sa femme. Il en resta bouche bée.

— Je suis allée à Marseille. Je lui ai acheté des roses et des pivoines blanches. Au moment de payer, je me suis présentée. Les fleurs, je ne les ai pas plantées dans notre jardin, je les ai jetées à la mer… Comme quand quelqu'un est mort.

Ce soir-là, ils ne passèrent pas par la chambre de l'enfant avant de rejoindre la leur et ne firent pas l'amour. Dans le lit, ils se tournèrent le dos. Elle ne dormit pas du tout. Elle imagina Gabriel, les yeux grands ouverts, ne trouvant pas le sommeil, se remémorant les scènes du film qu'il venait de voir et celles qu'il avait vécues avec Irène. Ils n'abordèrent plus jamais le sujet Irène. Ils se séparèrent quelques mois après ce dimanche-là. Karine regretta longtemps d'avoir loué *Sur la route de Madison.* Et contrairement à Gabriel, elle ne le revit jamais malgré les nombreuses rediffusions à la télévision.

*

Journal d'Irène Fayolle

20 avril 1997

Un an que je n'avais pas touché à ce journal. Mais je ne parviens pas à m'en séparer. Je le cache au fond d'un tiroir, sous ma lingerie, comme une midinette. Parfois je l'ouvre et je repars quelques heures. Au fond, les souvenirs sont de grandes vacances, des plages privées. On ne tient pas de journal quand on a dépassé un certain âge et je l'ai dépassé depuis longtemps, mon certain âge. Il faut croire que Gabriel me ramènera toujours à mes quinze ans.

Il a perdu beaucoup de cheveux. Il a un peu forci. Son regard est toujours aussi grave, beau, noir, profond. Sa voix caverneuse, unique. Une symphonie. Ma préférence.

J'ai retrouvé Gabriel dans un café près de la roseraie. Il m'a laissée commander du thé, sans faire de remarque du genre « C'est une boisson triste », et n'a pas versé de calvados dedans. Je l'ai trouvé plus calme, il paraissait moins tourmenté, moins en colère. Même s'il a toujours été charmant, Gabriel est un homme en colère. Sans doute à cause des accusations des autres qu'il passe sa vie à porter, à réfuter à leur place. Un soir, quand nous étions au Cap d'Antibes, il m'a dit que l'injustice de certains verdicts aurait sa peau. Que certaines condamnations le rongeaient jusqu'à l'os. Avant de commander café sur café pour me raconter ses dernières années, sa petite fille, sa grande fille, celle qui est mariée, sa dernière femme, son divorce, son travail, il m'a demandé des nouvelles de Paul et de Julien. Surtout Paul, son cancer, la rémission. Les jours qui ont suivi la maladie quand il a su qu'il était sauvé.

Gabriel m'a dit qu'il me comprenait, qu'il avait arrêté de fumer, qu'il avait vu un film qui l'avait bouleversé, qu'il avait peu de temps, on l'attendait aux assises de Lille le lendemain, il fallait qu'il prenne un avion, il avait rendez-vous avec ses confrères en fin d'après-midi. C'est la première fois qu'il ne m'a pas demandé de partir avec lui, de l'accompagner. Nous sommes restés une heure ensemble. Les dix dernières minutes il a pris mes mains dans les siennes, et avant de partir il a fermé les yeux, les a embrassées.

— J'aimerais qu'on repose ensemble au cimetière. Après cette vie ratée, j'aimerais qu'on réussisse au moins notre mort. Tu es d'accord pour passer l'éternité près de moi ?

J'ai répondu oui, sans réfléchir.

— Tu ne te défileras pas cette fois ?

— Non. Mais vous n'aurez que mes cendres.

— Même en cendres, je te veux près de moi pour l'éternité. Nos deux noms ensemble, Gabriel Prudent et Irène Fayolle, c'est aussi beau que Jacques Prévert et Alexandre Trauner. Tu savais que le poète et son décorateur étaient enterrés côte à côte ? Je trouve que c'est génial de se faire enterrer avec son décorateur. Toi au fond, tu as été ma décoratrice. Tu m'as offert les plus beaux paysages.

— Tu vas mourir, Gabriel ? Tu es malade ?

— C'est la première fois que tu me tutoies. Non, je ne vais pas mourir, enfin je ne pense pas, c'est pas prévu. C'est à cause du film dont je t'ai parlé tout à l'heure. Il m'a retourné. Il faut que j'y aille. Merci, à bientôt, Irène, je t'aime.

— Moi aussi, je vous aime, Gabriel.

— Ça nous fait au moins un point commun.

82

Ci-gît mon amour.

C'est arrivé un matin de janvier 1998. J'ai juste deviné leurs noms. Leurs noms de malheur. Magnan, Fontanel, Letellier, Lindon, Croquevieille, Petit. Ils étaient glissés dans la poche arrière d'un des jeans de Philippe Toussaint, presque illisibles. La liste était passée à la machine à laver, l'encre avait bavé comme si quelqu'un avait pleuré longtemps sur le papier dégorgé. J'avais mis à sécher son pantalon sur le radiateur de la salle de bains et quand je l'ai retiré, j'ai vu quelque chose dépasser. C'était un morceau de nappe en papier plié en quatre sur lequel, une fois de plus, Philippe Toussaint avait inscrit leurs noms.

— Pourquoi ?

Je me suis assise sur le rebord de la baignoire en prononçant ce mot, plusieurs fois : « Pourquoi ? »

Nous vivions à Brancion-en-Chalon depuis cinq mois. Philippe Toussaint s'échappait chaque jour de deux manières : les jours de pluie avec ses jeux vidéo, les jours sans pluie sur sa moto. Il avait repris les mêmes habitudes qu'à Malgrange mais ses absences étaient plus longues.

Il fuyait les passants du cimetière, les enterrements, l'ouverture et la fermeture des grilles. Il avait bien plus peur des morts que des trains. Des visiteurs endeuillés que des usagers de la SNCF. Il retrouvait des passionnés de moto comme lui pour faire des rallyes en campagne. De longs circuits qui, je pense, se terminaient en virées extraconjugales. En fin d'année 1997, il était parti quatre jours d'affilée. Il était rentré rompu de son escapade et, curieusement, j'avais tout de suite vu, compris, senti qu'il n'avait pas retrouvé une de ses maîtresses comme à son habitude.

En arrivant, il m'avait dit : « Excuse-moi, j'aurais dû t'appeler, on est partis plus loin que prévu avec les autres et sur notre itinéraire y avait pas de cabine téléphonique, c'était la cambrousse. » C'était la première fois que Philippe Toussaint se justifiait. La première fois qu'il s'excusait de ne pas avoir donné signe de vie.

Il était revenu le jour de l'exhumation d'Henri Ange, mort à vingt-deux ans au champ d'honneur en 1918 à Sancy dans l'Aisne. Sur la stèle blanche, on devinait encore les mots : « Regrets éternels ». L'éternité d'Henri Ange avait pris fin en janvier 1998, ses restes jetés dans l'ossuaire. Ma première exhumation. On n'avait rien pu faire avec les fossoyeurs pour épargner son repos. Sa tombe était trop délabrée et rongée par la mousse depuis des décennies.

Tandis que les fossoyeurs ouvraient le cercueil dévoré par le temps, l'humidité et la vermine, j'avais entendu la moto de Philippe Toussaint. Je les avais laissés derrière moi pour finir leur travail. Je m'étais dirigée vers la maison par habitude. Quand Philippe Toussaint rentrait, je le réceptionnais... Comme le personnel de maison quand monsieur rentre.

Il avait enlevé son casque lentement, il avait mauvaise mine, les yeux fatigués. Il s'était longuement douché puis avait déjeuné en silence. Ensuite, il était monté faire une sieste et avait dormi jusqu'au lendemain matin. Vers 23 heures je l'avais rejoint dans notre lit. Il s'était collé derrière moi.

Le lendemain matin, après avoir pris son petit déjeuner, il était reparti sur sa moto mais pour quelques heures seulement. Plus tard, il m'a avoué que durant ces quatre jours d'absence, il était parti à Épinal pour parler à Édith Croquevieille.

Cela faisait cinq mois que nous vivions ici et je n'étais pas retournée chez Geneviève Magnan pour questionner Fontanel ni au restaurant où travaillait Swan Letellier. Je n'avais pas cherché à savoir où vivaient les deux monitrices pour leur parler. La directrice devait être sortie de prison, elle n'avait pris qu'un an ferme. Je n'étais jamais repassée devant le château. Je n'entendais plus la voix de

Léonine me demander pourquoi tout avait brûlé cette nuit-là. Sasha ne s'était pas trompé : cet endroit me réparait.

J'avais tout de suite trouvé mes repères dans ce cimetière, dans la maison, dans le jardin. J'aimais la compagnie des fossoyeurs, des frères Lucchini et des chats qui venaient de plus en plus souvent boire un café pour les uns, une tasse de lait pour les autres, dans ma cuisine quand mon mari n'était pas là. Quand la moto de Philippe Toussaint était garée devant la porte côté rue, ils n'entraient jamais. Il n'y avait aucune inclination entre eux, juste bonjour-bonsoir. Les hommes du cimetière et Philippe Toussaint ne se portaient aucun intérêt. Quant aux chats, ils le fuyaient comme la peste.

Seul M. le maire, qui nous rendait visite une fois par mois, se fichait que Philippe Toussaint soit présent ou pas, c'est toujours à moi qu'il s'adressait. Il semblait satisfait de « notre » travail. Le 1er novembre 1997, après s'être recueilli sur le tombeau de sa famille et avoir vu les pins que j'avais plantés, il m'avait demandé de cultiver et de vendre quelques pots de fleurs au cimetière, ce serait un plus, et j'avais accepté.

Le premier enterrement auquel j'avais assisté en tant que gardienne de cimetière avait eu lieu en septembre 1997. J'avais, dès ce jour, commencé à consigner les mots, décrit les gens qui étaient présents, les fleurs, la couleur du cercueil, les hommages qu'ils avaient posés sur les plaques funéraires, la météo qu'il faisait, les poèmes ou les chansons choisis, si un chat ou un oiseau s'était approché de la tombe. J'avais tout de suite ressenti cette nécessité de laisser les traces du dernier instant, pour que rien ne s'efface. Pour tous ces gens qui ne pourraient pas assister à la cérémonie à cause de la douleur, du chagrin, d'un voyage, du rejet ou de l'exclusion, quelqu'un serait là pour dire, témoigner, raconter, rapporter. Comme j'aurais voulu qu'on le fasse pour l'enterrement de ma fille. Ma fille. Mon grand amour. T'avais-je abandonnée ?

Assise sur le rebord de la baignoire, le morceau de nappe en papier dans mes mains, leurs noms bavant sous mes yeux, j'ai ressenti l'envie irrépressible de faire comme Philippe Toussaint, partir quelques heures. Sortir d'ici. Marcher ailleurs. Voir d'autres rues, d'autres visages, des vitrines de vêtements et de livres. Retourner vers la vie, vers un cours d'eau. En dehors des courses que je faisais dans le petit centre-ville, je n'avais pas quitté le cimetière depuis cinq mois.

Je suis sortie dans les allées du cimetière, j'ai cherché Nono pour qu'il me dépose à Mâcon et revienne me chercher en fin d'après-midi. Il m'a demandé si j'avais mon permis de conduire.

— Oui.

Il m'a tendu les clés de l'utilitaire de la mairie.

— J'ai le droit de le conduire ?

— Tu es employée de la ville. J'ai fait le plein ce matin. Bonne journée.

J'ai pris la direction de Mâcon. Depuis la Fiat de Stéphanie, je n'avais plus touché un volant, à cette liberté-là. J'ai roulé en chantant : « Douce France, cher pays de mon enfance, bercée de tant d'insouciance, je t'ai gardée dans mon cœur. » Pourquoi j'ai chanté ça ? Les chansons de mon oncle imaginaire m'ont toujours traversée comme des souvenirs qui n'existent pas.

Je me suis garée dans le centre-ville. Il devait être 10 heures, les magasins étaient ouverts. J'ai d'abord bu un café dans un bistrot, regardé les vivants entrer et sortir, marcher sur les trottoirs, leurs voitures s'arrêter aux feux rouges. Des vivants qui n'étaient pas endeuillés.

J'ai traversé le pont Saint-Laurent, longé la Saône et marché dans des rues au hasard. C'est ce jour-là que sont nées ma penderie hiver et ma penderie été. Je me suis offert une robe grise et un sous-pull rose en solde.

À l'heure du déjeuner, j'ai voulu me rapprocher du quartier des restaurants pour acheter un sandwich. Il faisait froid mais le ciel était bleu. J'ai eu envie de déjeuner sur un banc au bord de l'eau, de jeter mes restes de pain aux canards. En repensant au chat siamois qui m'avait sauvé la vie le soir où j'avais attendu Swan Letellier, je me suis perdue. Je me suis retrouvée dans des rues que je ne connaissais pas. À un carrefour, j'ai cru me repérer mais au lieu de reprendre la bonne direction, je me suis éloignée du centre. Les rues étaient bordées de maisons et de résidences. J'ai regardé les clôtures, les balançoires vides, les salons de jardin dissimulés sous des bâches en plastique en ce mois de janvier.

C'est à ce moment-là que je l'ai vue, reposant sur sa béquille, une des roues accrochée à un antivol. La moto de Philippe Toussaint était garée à cent mètres de moi. Mon cœur s'est mis à battre comme celui d'une petite fille qui n'a pas la permission de ses parents pour sortir de chez elle. J'ai eu envie de faire demi-tour en courant mais quelque chose m'a retenue : je voulais savoir ce qu'il faisait là. Quand il partait vers 11 heures et revenait vers 16, j'imaginais qu'il allait très loin. Parfois, en rentrant, il me racontait ce qu'il avait vu. Il n'était pas rare qu'il fasse plus de quatre cents kilomètres dans la journée. En regardant sa Honda, j'ai pensé que je l'avais toujours vue garée devant chez nous. Philippe Toussaint ne m'avait jamais proposé de m'emmener quelque part. Il n'y avait jamais eu deux casques à la maison, juste le sien. Et quand il en changeait, il revendait l'ancien.

Un chien a aboyé derrière une palissade, j'ai sursauté. Au même moment, je l'ai entraperçu à travers la fenêtre d'une bâtisse flanquée d'une pelouse jaunie, de l'autre côté de la rue. Il a traversé une pièce au rez-de-chaussée et j'ai reconnu sa silhouette, sa dégaine, le blouson qu'il enfilait à vive allure, sa tête de fouine, sa maigreur : Swan Letellier. J'ai senti des fourmis dans mes mains, comme si j'étais restée dans la même position trop longtemps. Il se trouvait dans une petite résidence en béton de trois étages aux couleurs pastel passées. D'anciens balcons aux garde-fous usés portaient les stigmates du temps, quelques jardinières vides s'y accrochaient encore, elles semblaient avoir connu de nombreux printemps mais peu de fleurs.

Swan Letellier est apparu dans le hall, il a poussé une porte en aluminium et longé le trottoir d'en face. Je l'ai suivi jusqu'à ce qu'il entre dans le bar du coin. Il s'est dirigé vers le fond. Là où Philippe Toussaint l'attendait. Il s'est assis à sa table, en face de lui. Ils ont parlé calmement, comme deux vieilles connaissances.

Philippe Toussaint remontait le fil de l'histoire, mais laquelle ? Il recherchait quelqu'un, quelque chose. D'où cette liste, toujours la même, qu'il écrivait au dos d'une addition ou d'une nappe, comme pour résoudre une énigme.

À travers la vitre, je ne voyais que ses cheveux. Comme le premier soir au Tibourin quand il me tournait le dos. Quand, depuis le bar, je contemplais ses boucles blondes qui passaient du vert au rouge au bleu sous les projecteurs. Elles avaient un peu blanchi et l'arc-en-ciel de sa jeunesse s'était éteint. Le prisme de lumière à travers lequel je l'admirais, aussi. J'ai pensé que depuis des années, quand je posais mes yeux sur lui, il faisait toujours le même temps gris. Les jolies filles qui murmuraient des douceurs à son oreille tandis que je scrutais son profil parfait avaient disparu. Ne devaient rester que des femmes empâtées dans ses lits de fortune. Le parfum qu'elles laissaient sur sa peau avait changé, les fragrances raffinées étaient devenues des effluves bon marché.

Ils étaient seuls au fond de la salle du bistrot sombre. Ils ont parlé quinze minutes, puis Philippe Toussaint s'est levé brusquement pour sortir. J'ai tout juste eu le temps de me faufiler dans une impasse située sur le côté du bar. Il a redémarré sa moto et est parti.

Swan Letellier était toujours à l'intérieur. Il était en train de finir son café quand je me suis approchée de lui. J'ai vu qu'il ne me reconnaissait pas.

— Qu'est-ce qu'il voulait ?

— Pardon ?

— Pourquoi est-ce que vous parliez à Philippe Toussaint ?

Dès qu'il m'a identifiée, les traits de Letellier se sont durcis. Il m'a répondu d'un ton sec :

— Il dit que les gosses ont été asphyxiées par du monoxyde de carbone. Que quelqu'un aurait allumé un chauffe-eau ou je sais pas trop quoi. Votre mari cherche un coupable qu'existe pas. Si vous voulez mon avis, feriez mieux d'aller de l'avant tous les deux.

— Vous pouvez vous le carrer où je pense, votre avis.

Les yeux de Letellier se sont arrondis. Il n'a plus osé dire un mot. Je suis ressortie dans la rue et j'ai vomi ma bile sur le trottoir comme une ivrogne.

83

Les gens ont des étoiles qui ne sont pas les mêmes. Pour les uns qui voyagent, les étoiles sont des guides, pour d'autres, elles ne sont rien que de petites lumières.

— Parfois, je regrette d'avoir grondé Léonine quand elle avait désobéi ou fait un caprice. Je regrette de l'avoir tirée du lit pour aller à l'école quand elle aurait voulu dormir encore un peu. Je regrette de ne pas avoir su qu'elle ne ferait que passer... Je ne regrette jamais longtemps. Je préfère ramener les beaux souvenirs, continuer à vivre avec ce qu'elle m'a laissé d'heureux.

— Pourquoi n'avez-vous pas eu d'autres enfants ?

— Parce que je n'étais plus mère, juste orpheline. Parce que je n'avais pas le père qui allait avec mes autres enfants... Et puis, c'est difficile pour des enfants d'être « les autres », « ceux d'après ».

— Et maintenant ?

— Maintenant, je suis vieille.

Julien éclate de rire.

— Chut !

Je pose ma main sur sa bouche. Il attrape mes doigts et les embrasse. J'ai peur. Peur du bordel qu'il y a dans ma maison. Peur des portières qui vont claquer dans quelques heures. Peur d'aller droit dans le mur avec cette histoire qui n'en est pas une.

Nathan et son cousin Valentin dorment sur le canapé près de nous. On devine leurs petits corps tête-bêche sous les draps et couvertures emmêlés. Leurs cheveux noirs sur les deux oreillers blancs comme un morceau de campagne qui dépasse, un petit chemin qui sent la noisette. Mettre la main dans les cheveux d'un enfant, c'est comme marcher sur les feuilles mortes en forêt quand débute le printemps.

Julien, Nathan et Valentin sont arrivés d'Auvergne hier soir. Pendant son séjour aux Pardons, Nathan aurait harcelé son père : « On rentre pas à Marseille, on va chez Violette, on rentre pas à Marseille, on va chez Violette… » Jusqu'à ce que Julien cède et prenne la direction du cimetière. Ils sont arrivés vers 20 heures, après la fermeture des grilles. Ils ont frappé à la porte côté rue, mais je ne les ai pas entendus. J'étais dans mon jardin en train de repiquer mes derniers semis de salades. Les deux garçons ont débarqué derrière moi, sur la pointe des pieds : « On est des zombies ! » Éliane a aboyé et les chats se sont rapprochés comme s'ils se souvenaient de Nathan.

Hier soir, j'avais envie d'être seule, je me sentais fatiguée, j'avais envie de me coucher de bonne heure, de regarder une série dans mon lit. Ne pas parler. Surtout, ne plus parler. J'ai tout fait pour ne pas leur montrer que je n'avais pas envie de les voir. J'aurais voulu être heureuse de cette surprise. Mais je ne l'étais pas. J'ai pensé que Nathan parlait trop fort, j'ai pensé que Julien était trop jeune.

Julien nous attendait dans la cuisine. Embarrassé, il m'a dit : « Pardon de débarquer à l'improviste mais mon fils est amoureux de vous… On vous emmène dîner ?… J'ai réservé ma chambre chez Mme Bréant. »

Dès qu'il a ouvert la bouche, j'ai senti la solitude se détacher de moi comme une peau morte. Sa voix m'a fait l'effet d'une éclaircie, comme s'il avait allumé un lampadaire au-dessus de ma tête. Comme quand une journée s'annonce foutue, qu'un ciel de plomb s'entrouvre et que le soleil perce d'on ne sait où pour allumer certains points du paysage. J'ai eu envie de les garder, tous les trois.

Hors de question d'aller au restaurant, ils allaient dîner chez moi. Hors de question de dormir chez Mme Bréant, ils allaient dormir ici. Je leur ai fait des croque-monsieur au fromage, des coquillettes, des œufs sur le plat et une salade de tomates. Julien m'a aidée à mettre la table. Pour le dessert, j'avais des sorbets à la fraise dans le congélateur. Avoir des bonbons, de la glace, des gâteaux au chocolat dans mes tiroirs, des yaourts dans le frigidaire. La même vieille habitude que celle de prendre la main de Nathan dans la mienne.

J'ai fait boire beaucoup de vin blanc à Julien pour qu'il ne puisse pas changer d'avis, qu'il n'aille pas dormir chez Mme Bréant, mais reste chez moi, avec moi.

Après avoir débarrassé les assiettes sales, j'ai inventé un lit pour les deux enfants sur le grand canapé, celui où je dormais quand je rendais visite à Sasha. Les garçons ont poussé des cris et se sont mis à sauter sur les pauvres vieux ressorts qui grinçaient de joie.

Avant de se coucher, ils m'ont suppliée de les emmener dans les allées du cimetière pour « voir les fantômes ». Ils m'ont posé un tas de questions en lisant les noms sur les stèles. Ils m'ont demandé pourquoi certaines tombes étaient très fleuries et d'autres pas. Ils ont lu les dates, m'ont dit que la plupart des morts étaient vraiment très vieux.

Terriblement déçus de ne voir aucun fantôme, ils m'ont demandé des « histoires qui font peur ». Je leur ai raconté celles de Diane de Vigneron et Reine Ducha, qu'on aurait aperçues aux alentours du cimetière, sur le bord de la route ou dans les rues de Brancion-en-Chalon. Les enfants ont commencé à pâlir, alors pour les rassurer je leur ai affirmé qu'il s'agissait de légendes et que personnellement je ne les avais jamais vues.

Julien nous attendait sur un banc dans le jardin. Il fumait une cigarette à côté d'Éliane, il la caressait, perdu dans ses pensées. Il a souri quand les enfants lui ont raconté que nous n'avions vu aucun fantôme mais que des gens en avaient déjà croisé à l'intérieur et à côté du cimetière. Ils ont insisté pour que je leur montre les représentations de Diane en fantôme sur les anciennes cartes postales. Je leur ai fait croire que je les avais perdues.

Nous sommes rentrés tous les quatre. Les garçons ont vérifié trois fois que les portes étaient fermées à double tour. Je leur ai laissé le couloir qui mène à ma chambre allumé. Mais quand ils ont vu les poupées de Mme Pinto, ils m'ont demandé une veilleuse chacun.

Julien et moi nous sommes montés en évitant de renverser les poupées. Il m'a suivie. À un moment, je me suis arrêtée. J'ai senti son souffle dans ma nuque, il a caressé mes reins et a murmuré : « Dépêchez-vous. »

Nous avions à peine fermé la porte que les deux garçons la rouvraient pour venir se coucher dans mon lit. Nous nous sommes allongés de chaque côté le temps qu'ils s'endorment, nous leur avons caressé la tête, de temps en temps nos mains se rencontraient, se retrouvaient, jointes dans les cheveux de Nathan.

Puis nous sommes redescendus sur le canapé pour faire l'amour. Vers 4 heures, les garçons ont soulevé nos draps pour se coller à nous. Nous étions serrés comme des sardines. Je n'ai pas fermé l'œil, à l'écoute de leurs souffles. Je les auscultais comme les sonates de Chopin que Sasha mettait en boucle.

À 6 heures, Julien m'a prise par la main et nous sommes remontés dans ma chambre pour faire l'amour. Je ne pensais pas que je referais l'amour plusieurs fois avec le même homme. Seulement avec quelqu'un de passage. Un inconnu. Un visiteur. Un veuf. Un désespéré. Juste une fois pour tuer le temps.

À présent, nous chuchotons, le nez dans notre bol de café. Mes mains sentent la cannelle et le tabac. Mon corps sent l'amour, la rose et la transpiration. Mes cheveux sont emmêlés, mes lèvres gercées. J'ai peur. Tout à l'heure, quand Julien repartira, parce qu'il repartira, la solitude reviendra me tenir compagnie, fidèle et immortelle.

— Et vous, pourquoi n'avez-vous pas eu d'autres enfants après Nathan ?

— Idem. Pas rencontré la mère qui allait avec.

— Comment est la maman de Nathan ?

— Amoureuse d'un autre homme. Elle m'a quitté pour lui.

— C'est dur.

— Oh oui, très dur.

— Vous l'aimez toujours ?

— Je ne crois pas.

Il se lève et m'embrasse. Je retiens ma respiration. C'est tellement agréable de se faire embrasser aux beaux jours. Je me sens maladroite, une main gauche. J'ai oublié les gestes. On apprend à sauver des vies mais jamais à réanimer sa peau et celle d'un autre.

— Dès que les enfants seront réveillés, nous repartirons.

— …

— Si vous aviez vu votre tête hier soir quand on a débarqué… Putain, j'étais mal… Si Nathan n'avait pas été là, je me serais tiré fissa.

— C'est parce que je n'ai plus l'habitude…

— Je ne reviendrai pas, Violette.

— …

— Je n'ai pas envie de venir vous sauter une fois par mois dans votre cimetière.

— …

— Vous vivez avec des morts, des romans, des bougies et quelques gouttes de porto. Vous aviez raison, il n'y a pas de place pour un homme là-dedans. Et un homme qui a un gosse qui plus est.

— …

— Et puis je lis dans vos yeux que vous ne croyez pas à notre histoire.

— …

— Parlez, s'il vous plaît. Dites quelque chose.

— Vous savez bien que nous deux ça ne peut pas durer.

— Bien sûr que je le sais. Enfin, non, je sais rien. C'est vous qui savez. Donnez-moi des nouvelles de temps en temps. Mais pas trop souvent, sinon j'attendrai.

84

Nous voici aujourd'hui au bord du vide
puisque nous cherchons partout le visage
que nous avons perdu.

Journal d'Irène Fayolle

13 février 1999

Je ne sais pas comment Gabriel a su pour la mort de Paul. Je l'ai entraperçu ce matin au cimetière Saint-Pierre. En retrait, dissimulé derrière une autre tombe, comme un voleur.

On enterrait mon mari et moi, je n'avais d'yeux que pour Gabriel. Qui suis-je ? Quel monstre suis-je ?

J'ai baissé les yeux pour dire une prière silencieuse à Paul et quand je les ai relevés, Gabriel avait disparu. Mes yeux l'ont cherché désespérément, ont fouillé chaque recoin du cimetière, en vain.

Je me suis mise à pleurer comme une « veuve ».

Quand une femme perd son mari, on l'appelle une

veuve. Mais quand une femme perd son amant, comment l'appelle-t-on ? Une chanson ?

8 novembre 2000
Je vends la roseraie.

30 mars 2001
Ce matin Gabriel m'a téléphoné. Il m'appelle environ une fois par mois. À chaque fois que je décroche, il semble surpris d'entendre ma voix. Il me pose quelques questions : « Comment vas-tu ? Que fais-tu ? Comment es-tu habillée ? Tes cheveux sont attachés ? Que lis-tu en ce moment ? Tu es allée au cinéma dernièrement ? » Il semble s'assurer que j'existe vraiment. Ou que j'existe toujours.

27 avril 2001
Gabriel est venu déjeuner chez moi. Il a aimé mon nouvel appartement, m'a dit qu'il me ressemblait.
— Les pièces sont lumineuses et elles sentent bon, comme toi.
Ça l'a amusé que j'habite rue Paradis.
— Pourquoi ?
— Parce que tu es le mien.
— Je suis votre paradis par intermittence.
— Tu vois les courbes que dessinent les battements du cœur sur un électrocardiogramme ?
— Oui.
— Les courbes de mon cœur, c'est toi.
— Vous êtes un beau parleur.

— J'espère. On me paye une fortune pour ça.

Il m'a dit que je ne savais pas cuisiner, que j'étais plus douée pour faire pousser des fleurs que pour cuire un animal dans une cocotte.

Il m'a demandé si mon travail ne me manquait pas.

— Non. Pas vraiment. Les fleurs peut-être un peu.

Il m'a demandé s'il pouvait fumer dans la cuisine.

— Oui. Vous avez repris la cigarette ?

— Oui. C'est comme avec toi, j'arrive pas à arrêter.

Comme d'habitude il m'a parlé de ses affaires en cours, de sa grande fille dont il a très peu de nouvelles et de la petite dernière, Cloé. Il m'a dit qu'elle lui manquait trop, qu'il allait sans doute revivre avec sa mère.

— Oui, pour pouvoir revivre avec ma fille, il va falloir que je repasse par la case Karine. Et le repassage, c'est pas trop mon truc.

Il m'a demandé des nouvelles de Julien aussi.

Avant de partir, il a déposé un baiser sur mes lèvres. Comme si nous étions deux adolescents. « Amour » c'est masculin ou féminin ?

22 octobre 2002

C'est le jour Gabriel.

Maintenant, à chaque fois qu'il passe à Marseille, il vient déjeuner chez moi. Il commande deux plats du jour chez le traiteur d'en bas (parce que ma cuisine est dégueulasse : « Pas assez de beurre, pas assez de crème, pas assez de sauce, tu fais tout cuire à l'eau, je préfère que mes légumes mijotent dans le pinard »).

Il sonne à ma porte avec nos repas dans des barquettes en aluminium. Il finit toujours mon assiette. En règle générale, je mange peu. Et quand Gabriel est dans ma cuisine, je mange moins que peu.

Il vit à nouveau avec Karine, pour être près de Cloé. Ça, c'est ce qu'il dit. D'ailleurs, je lui fais remarquer : « Ça, c'est ce que vous dites. » Lui me répond : « Ne sois pas jalouse, tu n'as pas à être jalouse. De quiconque. »

— Je ne suis pas jalouse.

— Un peu quand même. Moi, je le suis. Tu vois quelqu'un ?

— Qui voulez-vous que je voie ?

— Je ne sais pas, moi, un amant, un homme, des hommes, tu es belle. Je sais qu'on te regarde quand tu entres quelque part. Je sais qu'on te désire partout où tu vas.

— Je vous vois, vous.

— Mais on ne couche pas ensemble.

— Vous voulez finir mon assiette ?

— Oui.

5 avril 2003

C'est un jour Gabriel. Il m'a téléphoné hier soir, il passera en fin d'après-midi chez moi, après le tribunal. Il faut que j'achète de la Suze, Gabriel adore la Suze.

Il y a les jours sans. Et les jours Gabriel.

25 novembre 2003

Hier soir, Gabriel est arrivé tard. Il a mangé un

reste de soupe, un yaourt et une pomme. Il a bu un verre de Suze aussi. J'ai vu que c'était pour me faire plaisir.

— Si je m'endors, demain matin, réveille-moi à 7 heures, s'il te plaît.

Il a dit ça comme s'il avait l'habitude de dormir chez moi alors que ça n'était jamais arrivé. Vingt minutes après, il s'est assoupi sur mon canapé. J'ai posé une couverture sur lui. Je n'ai pas réussi à fermer l'œil parce qu'il était dans la pièce d'à côté. L'homme d'à côté. Toute la nuit, j'ai pensé : Gabriel est mon homme d'à côté. *Je me suis rappelé un passage dans le film de Truffaut,* La Femme d'à côté, *quand Fanny Ardant sort de l'hôpital et dit à son mari, en pensant à son amant qu'elle s'apprête à tuer : « C'est bien, tu as pensé à m'apporter mon chemisier blanc, je l'adore (elle le respire) parce qu'il est blanc. »*

Ce matin, j'ai retrouvé Gabriel allongé sur le ventre, il avait ôté ses chaussures. Il y avait une odeur de tabac froid dans le salon, il s'était relevé dans la nuit pour fumer. Une fenêtre était entrouverte.

J'ai regretté qu'il ne soit pas venu me rejoindre dans mon lit. Il a pris une douche, avalé un café. Entre chaque gorgée, il m'a dit : « Tu es belle, Irène. » Comme à son habitude, avant de partir, il a déposé un baiser sur ma bouche. Quand il arrive, Gabriel prend une grande inspiration dans mon cou. Quand il repart, Gabriel dépose un baiser sur ma bouche.

22 juillet 2004

J'ai décidé de coucher avec Gabriel. À notre âge, il y a prescription. Et puis, ce n'est pas pendant l'éternité qu'on va s'envoyer en l'air. Dès que j'ai ouvert la porte de mon appartement, Gabriel a su, vu, lu, senti que j'avais envie de lui. Il a dit :

— Aïe, c'est le début des emmerdes.

— Ça ne sera pas la première fois.

— Non, ça ne sera pas la première…

Je ne lui ai pas laissé le temps de finir sa phrase.

85

Ne restez pas à pleurer autour de mon cercueil, je ne m'y trouve, je ne dors pas. Je suis un millier de vents qui soufflent.

Ma liste pour Nono est terminée. Cette année, comme les précédentes, c'est lui qui va me remplacer, lui qui va prendre le relais pour arroser les fleurs sur les tombes des familles parties en vacances. Elvis, lui, s'occupera d'Éliane et des chats. C'est le père Cédric qui veillera au potager et aux fleurs du jardin. Je lui ai confié la fiche écrite de la main de Sasha – il en a rédigé une par mois.

AOÛT

Priorité du mois : arrosage.
Il faut arroser le soir parce que tu as la fraîcheur toute la nuit, mais surtout pas trop tôt : sinon la terre est encore chaude et l'eau s'évapore tout de suite, alors arroser trop tôt ce serait comme pisser dans un violon.

Il faut arroser à la tombée de la nuit avec un arrosoir – utiliser l'eau du puits ou l'eau de pluie récupérée. L'arrosoir est plus doux que le jet, si tu arroses au jet, tu tasses la terre et elle ne respire plus. Il faut que la terre respire. C'est pour cela que de temps en temps, au pied des plants, précautionneusement, tu grattes avec un crochet pour l'aérer.

Ramasser les légumes mûrs.

Les tomates peuvent attendre quelques jours.

Les aubergines tous les trois jours, sinon elles grossissent et durcissent.

Les haricots tous les jours. Et à consommer de suite. Soit les faire en conserve, soit les congeler après les avoir équeutés, soit les donner autour de soi.

Idem pour le reste, n'oublie pas qu'on cultive pour partager, sinon aucun intérêt.

Le père Cédric ne sera pas tout seul pour s'occuper du potager. Depuis le démantèlement de la jungle de Calais, des familles soudanaises sont hébergées dans le château de Chardonnay. Il s'y rend trois fois par semaine pour aider les bénévoles. Un jeune couple, Kamal et Anita, âgés de dix-neuf ans, attend un bébé. Le père Cédric a obtenu une autorisation de la préfecture pour les accueillir chez lui. Il va essayer de les protéger le plus longtemps possible après la naissance de l'enfant. Le temps qu'ils reprennent des études, obtiennent un diplôme, et surtout un droit de séjour permanent. Cette situation est précaire, le père Cédric dit qu'il vit sur une poudrière, mais qu'il est dans une fragilité qu'il salue. Et que pour le temps que cela durera, il prendra cette joie-là, celle de partager son quotidien avec une famille d'adoption. Que cela dure un mois ou dix ans, il l'aura vécue.

— Tout est éphémère, Violette, nous sommes des passagers. Seul l'amour de Dieu reste fixé en toutes choses.

Depuis qu'ils vivent à la cure, Kamal et Anita passent par ma cuisine chaque jour et contrairement aux autres, eux restent plus longtemps. Anita est folle d'amour pour Éliane et Kamal pour mon potager. Il passe des heures à déchiffrer les fiches de Sasha et mes catalogues de chez Willem & Jardins quand il ne me donne pas un coup de main. Il est très doué. La première fois que je lui ai dit qu'il avait la main verte, il n'a pas compris et m'a répondu, désarçonné : « Mais, Violette, je suis noir. »

J'ai donné ma méthode d'apprentissage de la lecture Boscher *La Journée des tout-petits* à Anita. Elle me la lit à voix haute, et quand elle se trompe, bute sur un mot, je la reprends sans même regarder les pages puisque je le connais par cœur.

Quand Anita a ouvert le livre pour la première fois, elle m'a demandé s'il était à mon enfant, je lui ai répondu par une question : « Est-ce que je peux toucher ton ventre ? » Elle m'a répondu : « Oui, fais. » J'ai posé mes deux mains à plat sur le coton de sa robe. Anita s'est mise à rire parce que je la chatouillais. Le bébé m'a donné des coups de pied.

Anita m'a dit qu'il riait lui aussi. Nous avons donc ri tous les trois dans ma cuisine.

Si quelqu'un meurt, qu'il y a un enterrement à organiser, c'est Jacques Lucchini qui me remplacera. Comme il fallait que je donne quelque chose à faire à Gaston pendant mon absence, je lui ai demandé de ramasser mon courrier et de le ranger sur l'étagère qui se trouve à côté du téléphone. J'ai la quasi-certitude qu'il ne pourra pas casser une de mes lettres.

Depuis mon lit, j'observe ma valise encore ouverte qui est posée sur ma commode. Je la finirai demain. J'emporte toujours trop de choses à Marseille. Je ne porte presque rien quand je suis au cabanon. Il y a trop de « au cas où » dans mon bagage.

La première fois que j'ai vu cette valise, c'était en 1998. Philippe Toussaint était parti pour toujours mais je l'ignorais encore. Quatre jours plus tôt, il m'avait embrassée en soufflant : « À tout à l'heure. » Il devait questionner Éloïse Petit, la deuxième monitrice. La seule à laquelle il n'avait pas parlé. Il m'avait dit : « Après, j'arrête. Après, on change de vie. J'en peux plus de tout ça, les tombes. On ira vivre dans le Midi. »

Il a changé de vie tout seul.

Le jour d'Éloïse Petit, il a bifurqué. Au lieu d'aller la voir, il a pris la direction de Bron pour retrouver Françoise Pelletier.

Quatre jours que j'étais seule. J'étais agenouillée au fond du potager, le nez dans les feuilles de capucines que j'avais accrochées à des tuteurs en bambou. Comme à chaque fois que Philippe Toussaint était absent, les chats s'étaient rapprochés de la maison, ils jouaient à cache-cache autour de moi, ils piquaient des sprints ensemble, l'un d'entre eux a fini par renverser une bassine remplie d'eau, ils ont tous sursauté et se sont rentrés dedans dans la panique. J'ai été prise d'un fou rire. J'ai entendu une voix familière me dire depuis la porte de la maison : « C'est bon de t'entendre rire toute seule. »

J'ai cru que j'hallucinais. Que le vent dans les arbres me jouait un mauvais tour. J'ai levé les yeux et j'ai vu la valise posée sur la table sous la tonnelle. Elle était bleue comme la Méditerranée les jours de grand soleil. Sasha se tenait debout devant la porte. Je me suis approchée de lui et j'ai caressé son visage parce que je n'y croyais plus. Je pensais qu'il m'avait oubliée. Je le lui ai dit : « Je pensais que vous m'aviez abandonnée. »

— Jamais, tu m'entends, Violette ? Jamais je ne t'abandonnerai.

Il m'a raconté ses premiers mois de retraite en vrac. Il était allé chez Sany, son presque frère, dans le sud de l'Inde. À Chartres, à Besançon, en Sicile et à Toulouse, il avait visité des palais, des églises, des monastères, des rues, d'autres cimetières. Il avait nagé dans des lacs, des rivières et des mers. Soigné des dos en compote, des chevilles blessées et des brûlures superficielles. Il revenait de Marseille où il avait fait des jardinières de plantes aromatiques à Célia. Il voulait m'embrasser avant d'aller à Valence pour se recueillir sur les tombes de Verena, Émile et Ninon, sa femme et ses enfants en terre là-bas. Après, il repartirait en Inde auprès de Sany.

Il venait de déposer ses affaires chez Mme Bréant. Il allait rester deux ou trois nuits chez elle, le temps d'aller voir le maire, Nono, Elvis, les chats et les autres.

Cette valise bleue était pour moi. Elle était remplie de cadeaux. Thés, encens, foulards, tissus, bijoux, miels, huiles d'olive, savons de Marseille, bougies, amulettes, livres, 33 tours de Bach, graines de fleurs de tournesol. Partout où Sasha était passé, il m'avait acheté un souvenir.

— Je t'ai rapporté une empreinte par voyage.

— La valise aussi ?

— Bien sûr, toi aussi un jour tu partiras.

Il a fait le tour du jardin, les larmes aux yeux. Il a dit : « L'élève a dépassé le maître... J'étais sûr que tu y arriverais. »

Nous avons déjeuné ensemble. À chaque fois que j'entendais un moteur au loin, je pensais que c'était peut-être Philippe Toussaint qui revenait. Et puis non.

*

Dix-neuf ans après, c'est un autre homme que je me surprends à attendre. Le matin, quand j'ouvre les grilles, je cherche sa voiture sur le parking. Parfois, dans les allées, quand j'entends des pas derrière moi, je me retourne en pensant : *Il est là, il est revenu.*

Hier soir, j'ai cru que quelqu'un frappait à ma porte côté rue. Je suis descendue mais il n'y avait personne.

Pourtant, la dernière fois que Julien a fait claquer sa portière et qu'il m'a dit : « À un de ces jours » exactement comme s'il me disait adieu, je n'ai rien fait pour le retenir. Je lui ai souri et d'un air assuré j'ai répondu : « Oui, bon retour », exactement comme si je lui disais : « C'est mieux comme ça. » Quand Nathan et Valentin m'ont fait un signe de la main à l'arrière de la voiture, j'ai su que je ne les reverrais pas.

Depuis ce matin-là, Julien m'a envoyé un seul signe de vie. Une carte postale de Barcelone pour me dire que Nathan et lui passeraient les deux mois d'été là-bas. Et que la mère de Nathan les rejoindrait de temps en temps.

La rencontre entre Irène et Gabriel aura servi à Julien et à la mère de Nathan. J'ai été un pont, un passage entre eux. Il fallait que Julien passe par moi pour comprendre qu'il ne pouvait pas perdre la mère de son enfant. Et grâce à Julien, je sais que je peux encore faire l'amour. Que je peux être désirée. C'est déjà pas si mal.

86

Nous sommes venus ici chercher,
chercher quelque chose ou quelqu'un.
Chercher cet amour plus fort que la mort.

Janvier 1998

Le jour où Violette l'avait vu en tête à tête avec Swan Letellier à Mâcon, Philippe avait senti un regard posé sur sa nuque. Une présence familière derrière lui. Il n'y avait pas prêté attention. Pas vraiment. Pas suffisamment pour se retourner. Maintenant Swan Letellier lui faisait face. *Une face de rat.* Cette pensée lui avait déjà traversé l'esprit au tribunal. Petits yeux enfoncés, joues tranchées à la serpe, bouche fine.

Au téléphone, Letellier lui avait dit : « Retrouvez-moi au bar du coin, vers midi, c'est tranquille. »

À lui comme aux autres, Philippe avait posé les mêmes questions d'un ton glacial, une intonation et un regard lourds de menace : « Ne mens pas, je n'ai rien à perdre. » Il insistait toujours sur la dernière : qui aurait pu mettre en marche un vieux chauffe-eau déglingué ?

Letellier semblait ignorer ce qui s'était passé cette nuit-là. Il était devenu blanc comme un linge quand Philippe lui avait débité d'une traite les aveux d'Alain Fontanel : Geneviève Magnan partie embrasser leur fils malade, puis son retour au château et sa panique quand elle avait découvert les quatre corps asphyxiés par le monoxyde de carbone, l'idée du feu pour faire croire à un accident domestique, les coups de pied que Fontanel avait mis dans la porte de Letellier à l'étage pour le réveiller, réveiller tout le personnel.

Mais Letellier n'avait pas cru à cette histoire. Fontanel était un alcoolo, il avait dû raconter n'importe quoi à un père qui cherchait une explication à l'inexplicable.

Il s'était souvenu des bruits sourds contre la porte. Du réveil difficile parce qu'ils avaient fumé des joints avec la monitrice. De l'odeur, de la fumée, du feu. De l'inaccessibilité de la chambre 1, des flammes déjà trop hautes, de cette barrière impossible à franchir. De l'enfer qui s'invite. Ce moment où l'on se répète qu'il s'agit d'un cauchemar, que rien n'est réel. Il revoyait les fillettes dehors en chemise de nuit, pieds nus dans leurs chaussons ou chaussures mal lacées, et tout le personnel devenu fou. La mère Croquevieille qui suffoquait. Et les autres, choqués, tremblants et psalmodiant.

L'attente des pompiers. Compter et recompter le nombre d'enfants saines et sauves. Leurs yeux remplis de sommeil alors qu'eux, les adultes, ne dormiraient plus jamais sur leurs deux oreilles. Les petites, terrorisées par les flammes et le visage pâle des grandes personnes, qui réclamaient leurs parents. Il avait fallu les appeler, les prévenir, les uns après les autres. Il avait fallu leur mentir aussi, ne pas leur avouer qu'à l'intérieur, quatre des gamines avaient péri.

Aujourd'hui encore, avait ajouté Swan Letellier, il culpabilisait. Tout cela ne serait peut-être pas arrivé si la monitrice était restée au rez-de-chaussée.

Lucie Lindon et lui n'avaient rien dit aux autorités à propos de Geneviève Magnan parce qu'ils se sentaient fautifs. Lucie Lindon n'aurait pas dû demander à Geneviève Magnan de la remplacer. Mais Swan avait insisté lourdement. Ils avaient tous manqué à leur devoir.

Croquevieille qui tirait sur la corde pour ne pas dépenser un centime, le lino mal collé dans les pièces, l'amiante sous les toits, la laine de verre qui n'isolait plus rien, les peintures défraîchies, les évacuations en plomb, l'incendie qui s'était propagé trop vite, les fumées toxiques dégagées par des éléments de cuisine vétustes. Non, personne n'était clair, ni Magnan, ni Lindon, ni Fontanel, ni lui-même. Ils étaient tous mouillés jusqu'au cou, et c'était trop lourd à porter… La seule chose dont il était sûr, c'est que personne n'aurait mis en marche un des chauffe-eau du rez-de-chaussée intentionnellement. Tout le personnel savait qu'il ne fallait pas y toucher. D'ailleurs, ces vieux machins étaient dissimulés derrière des trappes en placoplâtre et inaccessibles pour les enfants. Il se souvenait très bien des mots d'Édith Croquevieille la veille de l'arrivée des premiers vacanciers qui devaient se succéder pendant deux mois : « Nous sommes en plein été, nos pensionnaires pourront se débarbouiller à l'eau froide et se laver à l'eau chaude dans la salle des douches communes toute neuve. » Swan Letellier s'en souvenait parce qu'il faisait la cuisine et la distribution des plats. Son domaine, c'étaient les friteuses et le réfectoire. Des salles de bains du château, il n'en avait rien à foutre.

Puis il s'était tu. Il avait bu quelques gorgées de café, le regard tourmenté, se repassant silencieusement ce que Philippe venait de lui dire. Fallait-il croire à cette version invraisemblable ? Fontanel qui aurait mis le feu aux cuisines ? Les enfants qui auraient inhalé un gaz toxique ? Letellier avait recommandé un expresso au serveur du bistrot d'un signe de la main. C'était visiblement un habitué des lieux. Les gens le tutoyaient.

Quand Letellier avait appris le suicide de Geneviève Magnan, il n'avait pas été surpris. Depuis cette nuit-là, elle n'était plus que l'ombre d'elle-même. Il suffisait de voir dans quel état elle était au procès. La dernière fois qu'il lui avait parlé, c'était le jour où la femme était venue l'attendre à la sortie du restaurant, là où il bossait. Il avait appelé Geneviève en panique pour lui dire qu'elle était venue lui poser des questions. Philippe s'était entendu demander, de manière brutale :

— Quelle femme ?

— La vôtre.

— Vous devez confondre avec quelqu'un d'autre.

— J'crois pas. Elle m'a dit : « J'suis la mère de Léonine Toussaint. »

— À quoi elle ressemblait ?

— Y faisait nuit, je m'en rappelle plus trop. Elle m'attendait devant le resto, sur un banc. Vous saviez pas ?

— C'était quand ?

— Environ deux ans.

Philippe en avait assez entendu. Ou assez dit. Il était là pour poser des questions, pas pour qu'on lui en pose. Il s'était levé en maugréant au revoir, et Letellier l'avait regardé partir sans comprendre. En se retournant, Philippe avait cru voir Violette sur le trottoir, derrière la vitre. *Je deviens cinglé.* Il était rentré directement à Brancion.

Pour la première fois, il avait trouvé la maison du cimetière vide. Pour la première fois, il avait fait le tour des allées pour la trouver, en vain.

Qui était réellement Violette ? Que faisait-elle quand il partait des journées entières ? Qui voyait-elle ? Que cherchait-elle ?

Violette était rentrée deux heures après lui. Elle

était très pâle quand elle avait poussé la porte. Elle l'avait fixé quelques secondes comme si elle était surprise de découvrir un étranger dans sa cuisine. Et puis, elle lui avait tendu un morceau de papier : « Léonine a été asphyxiée ? »

Sur le papier usé, il avait reconnu son écriture, les noms griffonnés au dos d'une nappe, presque disparus. L'encre avait coulé jusqu'à les rendre quasi illisibles.

La question de Violette lui avait fait l'effet d'un électrochoc. Il avait cherché un mensonge sans trouver, bafouillé comme si Violette venait de le prendre en faute dans les bras d'une de ses maîtresses :

— Je ne sais pas, peut-être, je cherche... Je ne suis pas sûr de savoir, de vouloir, je suis un peu paumé.

Elle s'était approchée de lui et avait caressé son visage avec une infinie tendresse. Puis elle était montée se coucher sans dire un mot. N'avait pas mis la table ni préparé le dîner. Quand il s'était allongé près d'elle, elle avait pris sa main et reposé la même question : « Léonine a été asphyxiée ? » S'il se taisait, elle poserait toujours la même question.

Alors Philippe avait tout raconté. Tout sauf sa liaison avec Geneviève Magnan. Il avait raconté ses conversations avec Alain Fontanel, dont la première, quand il lui avait cassé la gueule dans la cafétéria de l'hôpital où il travaillait, avec Lucie Lindon dans la salle d'attente d'un cabinet médical, avec

Édith Croquevieille à Épinal dans le sous-sol d'un supermarché et avec Swan Letellier aujourd'hui, dans un bistrot de Mâcon.

Violette l'avait écouté en silence, sa main dans la sienne. Il avait parlé pendant des heures dans l'obscurité de leur chambre, sans voir son visage. Il l'avait sentie attentive, suspendue à ses lèvres. Elle n'avait pas bougé. N'avait posé aucune autre question. Philippe avait fini par lui poser celle qui lui brûlait les lèvres :

— C'est vrai que tu es allée voir Letellier ?

Elle avait répondu sans réfléchir :

— Oui. Avant, j'avais besoin de savoir.

— Et maintenant ?

— Maintenant, j'ai mon jardin.

— Qui as-tu vu d'autre ?

— Geneviève Magnan, une fois. Mais ça, tu le sais déjà.

— Qui d'autre ?

— Personne. Juste Geneviève Magnan et Swan Letellier.

— Tu me le jures ?

— Oui.

87

Aucun remords. Aucun regret.
Une vie pleinement vécue.

Encore aujourd'hui, quand je regarde *Fanny*, *Marius* ou *César* à la télévision, j'ai les larmes aux yeux dès que j'entends les premières répliques, bien que je les connaisse par cœur. Ce sont des larmes d'enfance, de joie et d'admiration mêlées. J'aime le noir et blanc des visages de Raimu, Pierre Fresnay et Orane Demazis. J'aime chacun de leurs gestes, leurs regards. Le père, le fils, la jeune femme et l'amour. J'aurais voulu un père qui me regarde comme César regarde son fils, Marius. J'aurais voulu un amour de jeunesse comme celui de Fanny et Marius.

La première fois que j'ai vu *Marius*, le premier volet de la trilogie, je devais avoir une dizaine d'années. J'étais seule dans ma famille d'accueil. De mémoire, les autres enfants étaient partis en vacances ou en visite chez des parents. C'était l'été, il n'y avait pas d'école le lendemain. Ma famille recevait des amis, ils avaient fait un barbecue dans le jardin. Ils m'ont donné l'autorisation de quitter la table. Quand je suis arrivée dans la salle à manger, je suis tombée nez à nez avec la grande télévision allumée. C'est là que j'ai découvert cette histoire sans couleur. Le film était commencé depuis environ une demi-heure. Fanny pleurait sur la nappe à carreaux de la cuisine, face à sa mère qui découpait du pain. La première réplique que j'ai entendue était : « Allez, vaï, nigaude, mange ta soupe, et surtout ne pleure pas dedans, elle est déjà trop salée. »

J'ai tout de suite été fascinée par les visages et les dialogues, l'humour et la tendresse. Impossible de décrocher. Ce soir-là, je me suis couchée très tard parce que j'ai vu toute la trilogie.

J'aime encore la simplicité universelle et complexe de leurs sentiments. J'aime les mots qu'ils disent, si jolis, si justes. Cette musique dans leurs voix.

Je crois que j'ai adoré Marseille et les Marseillais avant de les rencontrer, comme un pressentiment, un rêve prémonitoire. Cette beauté à l'état brut, je la ressens à chaque fois que je retourne à Sormiou, quand je descends la petite route escarpée qui mène à la grande bleue. Je comprends Marcel Pagnol, je comprends que les personnages de sa trilogie viennent de là. De ces roches abruptes, blanchies par le soleil, la chaleur brûlante, de ces eaux turquoise et transparentes qui jouent à cache-cache avec un ciel vierge, de ces pins parasols que la nature a plantés sans faire de chichis. Ce paysage ne fait pas de manières, il est simple et majestueux. Il est juste évident. C'est le goût de la marine de Marius. C'est M. Panisse qui « fait des voiles pour que le vent emporte les enfants des autres », comme le dit César.

Quand j'ouvre les volets rouges du cabanon avec Célia, que je retrouve la vieille armoire dans la cuisine, la table en bois brut avec ses chaises jaunes et la paillasse au-dessus de l'évier, les petits bouquets de lavande séchée, le carrelage disparate et le lambris bleu ciel, j'ai une pensée pour César qui empêche Marius et Fanny de s'embrasser parce qu'elle est mariée à un autre homme : « Les enfants, non, ne faites pas ça, il est brave, Panisse, ne cherchez pas à le rendre ridicule devant les meubles de sa famille. »

C'est le grand-père maternel de Célia qui a construit ce cabanon en 1919. Avant de mourir, il lui a fait promettre de ne jamais s'en séparer. Parce que ce toit-là, il valait tous les palais du monde.

Cela fait maintenant vingt-quatre ans que je viens là. Et chaque été, Célia passe la veille de mon arrivée pour remplir le frigidaire et mettre des draps propres. Elle achète du café et des filtres, des citrons, des tomates et des pêches, du fromage de brebis, de la lessive et du vin de Cassis. J'ai beau la supplier, lui dire que je peux faire les courses moi-même, au moins la dédommager, elle ne veut rien entendre, et me répète à chaque fois : « Tu m'as accueillie chez toi alors que tu ne me connaissais pas. » J'ai essayé de laisser une enveloppe d'argent dans un tiroir. Une semaine après, Célia me la renvoyait par la poste.

Une fois que les volets sont ouverts, que mes vêtements sont rangés, je retrouve les quelques pêcheurs qui sont nés là, qui vivent en bas à l'année, dans la calanque. Ils me parlent de la mer qui perd de plus en plus de poissons comme les gens d'ici leur accent. Ils m'offrent des oursins, des supions et des desserts sucrés cuisinés par leur femme ou leur mère.

Tout à l'heure, Célia était au bout du quai. Le train est arrivé avec une heure de retard, elle sentait le café qu'elle avait bu en m'attendant. Un an que je ne l'avais pas vue. Nous nous sommes serrées dans les bras l'une de l'autre.

Elle m'a dit :

— Alors, ma Violette, quoi de neuf ?

— Philippe Toussaint est mort. Et après, Françoise Pelletier est venue me voir.

— Qui ?

88

Là d'où je suis, je souris car ma vie
fut belle et surtout, j'ai aimé.

Philippe Toussaint n'est jamais revenu et Sasha est resté chez Mme Bréant.

Avant de savoir, le jour où j'ai ouvert la valise bleue pleine de cadeaux, j'ai dit à Sasha que l'homme avec qui je partageais ma vie sans jamais l'avoir vraiment partagée était sans doute bien meilleur qu'il ne l'avait laissé paraître.

Avant de savoir, j'ai dit à Sasha que celui que je ne pensais qu'égoïste, que je n'écoutais et ne regardais plus, celui qui m'avait abandonnée, plongée dans une solitude abyssale, m'était apparu sous un autre jour quand je l'avais vu dans un bistrot mâconnais avec Swan Letellier.

Avant de savoir, j'ai dit à Sasha que ce soir-là, en revenant de Mâcon, Philippe Toussaint m'avait raconté qu'il cherchait la vérité sur le déroulement des événements. Qu'il avait interrogé, parfois persécuté le personnel du château. Au procès, il n'avait cru personne. À part Éloïse Petit – elle, il ne l'avait pas encore retrouvée.

Mon mari m'avait raconté Alain Fontanel et les autres. Je lui avais pris la main de peur de tomber alors que nous étions allongés côte à côte dans notre lit. J'avais imaginé les mots et les visages de ceux qui pour la dernière fois avaient vu ma fille vivante. Ceux qui n'avaient pas su prendre soin d'elle, de son sourire. Ceux qui avaient fait preuve de négligence.

Les petites restées seules pendant que la monitrice et le cuisinier étaient à l'étage en train de forniquer et fumer des pétards. Geneviève Magnan partie, laissant les enfants sans surveillance. La directrice du genre à mettre la poussière sous le tapis, juste bonne à encaisser les chèques des parents.

Pour ne pas succomber quand il m'avait rapporté les mots de Fontanel, l'histoire du chauffe-eau défectueux, de l'asphyxie, je m'étais concentrée sur le parfum de la nouvelle lessive que j'avais utilisée pour laver nos draps la veille, vent d'alizé. Pour ne pas hurler dans notre lit, je m'étais passé et repassé en boucle les dessins sur ce baril de lessive, des fleurs de tiaré roses et blanches. Ces fleurs m'avaient emmenée dans les motifs des robes de Léonine. Ses robes étaient comme des tapis volants imaginaires que je prenais quand le présent devenait trop insupportable. Toute la nuit, j'avais respiré l'odeur de mes draps propres en écoutant Philippe Toussaint me parler pour la presque première fois.

Avant de savoir, j'avais à nouveau caressé son visage et nous avions fait l'amour comme nous le faisions jeunes, quand ses parents débarquaient chez nous sans prévenir. Avant de savoir. Avant de savoir qu'il avait couché avec Geneviève Magnan quand nous vivions à Malgrange-sur-Nancy, je l'avais cru pour la presque première fois.

*

Philippe Toussaint n'est jamais revenu et Sasha est resté chez Mme Bréant.

Après un mois d'absence, en 1998, je suis allée à la gendarmerie pour déclarer la disparition de mon mari. J'y suis allée sur les conseils de M. le maire. Sinon, je ne me serais pas déplacée. Le brigadier qui m'a reçue a fait une drôle de tête. Pourquoi avoir attendu si longtemps pour signaler une disparition ?

— Parce qu'il partait souvent.

Il m'a emmenée dans un bureau attenant à l'accueil pour remplir un formulaire et m'a offert un café que je n'ai pas osé refuser.

J'ai fait son signalement. L'officier de police m'a demandé de revenir avec une photo. Nous n'en avions pas fait depuis notre arrivée au cimetière. La dernière était celle de Malgrange-sur-Nancy où il avait passé son bras autour de ma taille pour faire risette au journaliste.

Le brigadier m'a demandé d'indiquer la marque

de sa moto, les vêtements qu'il portait la dernière fois que je l'avais vu.

— Un jean, des chaussures de moto en cuir noir, un bomber noir et un pull-over rouge à col roulé.

— Un signe particulier ? Tatouage ? Tache de naissance ? Grains de beauté visibles ?

— Non.

— Est-ce qu'il a emporté des affaires, des papiers importants qui laisseraient supposer une absence prolongée ?

— Ses jeux vidéo et les photos de notre fille sont toujours à la maison.

— Est-ce que son comportement ou ses habitudes avaient changé ces dernières semaines ?

— Non.

Je n'ai pas dit à l'officier de police que la dernière fois que j'avais vu Philippe Toussaint, il devait se rendre sur le lieu de travail d'Éloïse Petit à Valence. Il avait retrouvé sa trace, elle était ouvreuse dans un cinéma là-bas. Il lui avait téléphoné depuis la maison, elle lui avait donné rendez-vous le jeudi de la semaine suivante à 14 heures devant le cinéma.

Ce jour-là, Éloïse Petit avait appelé dans l'après-midi. Elle avait dû retrouver le numéro d'où Philippe Toussaint l'avait contactée. En décrochant, je pensais que c'était la mairie, le service des avis de décès. C'était l'heure à laquelle ils m'appelaient régulièrement pour m'informer ou me demander des renseignements à propos d'un enterrement passé ou à venir, d'un nom, d'un prénom, d'une date de naissance, d'un caveau, d'une allée. Quand Éloïse Petit s'était présentée, sa voix tremblait. Je n'avais pas compris ses mots tout de suite. Quand j'avais fini par saisir qui elle était, le sens de son appel, mes mains étaient devenues moites, ma gorge sèche.

— Il y a eu un problème ?

— Un problème ? M. Toussaint n'est pas là, nous avions rendez-vous à 14 heures, je l'attends depuis deux heures devant le cinéma.

N'importe qui aurait imaginé un accident, aurait appelé tous les hôpitaux entre Mâcon et Valence, n'importe qui aurait dit à Éloïse Petit : « Où tu étais la nuit où la chambre 1 a brûlé ? Tu roupillais tranquille juste à côté ? » Mais je lui avais répondu qu'il n'y avait rien à comprendre, Philippe Toussaint était et serait toujours imprévisible.

Il y avait eu un long silence à l'autre bout du fil et Éloïse Petit avait raccroché.

Je n'ai pas dit au brigadier que sept jours après l'« envol » de Philippe Toussaint, sept jours après ce rendez-vous avec Éloïse Petit auquel il n'était pas allé, une jeune femme était venue se recueillir sur la tombe des enfants, de mon enfant. Et que, bouleversée, elle s'était retrouvée, comme bien d'autres visiteurs, à acheter des fleurs et boire quelque chose de chaud chez moi. Quand j'avais vu cette jeune femme derrière ma porte, je l'avais reconnue immédiatement : Lucie Lindon. Sur la photo que j'avais conservée, elle était plus jeune, en couleur et souriante. Dans ma cuisine, elle était blanche et cernée.

Je lui avais fait du thé dans lequel j'avais versé de grosses larmes d'eau-de-vie – drôle de paradoxe quand j'aurais voulu y mettre de la mort-aux-rats. Je lui avais fait boire une tasse et un petit verre d'alcool, deux petits verres d'alcool, puis trois. Et comme je l'espérais, elle avait fini par s'épancher.

J'ai toujours les marques de mes ongles à l'intérieur de ma main gauche. Celles que je me suis faites quand Lucie Lindon a parlé. Mes lignes de vie sont recouvertes par des cicatrices depuis ce jour. Je me souviens du sang séché dans ma paume, mon poing serré pour qu'elle ne voie pas, qu'elle ne sache jamais.

Lucie Lindon m'a raconté qu'elle faisait partie du personnel du château de Notre-Dame-des-Prés.

— Vous savez, cette colonie de vacances où tout a brûlé il y a cinq ans, les quatre enfants sont enterrées ici. Depuis le drame, je ne dors plus, je revois les flammes, depuis le drame, j'ai toujours froid.

Elle a continué à parler. Et moi, j'ai continué à la servir. Le poing gauche serré, mes ongles enfoncés dans ma chair, je souffrais trop pour sentir la douleur physique. Après avoir soliloqué, elle a fini par lâcher que la « pauvre Geneviève Magnan » avait eu une liaison avec le père de la petite Léonine Toussaint.

— Une liaison ?

J'ai eu comme un goût de fer dans la bouche. Un

goût de sang. Comme si je venais de boire de l'acier. Mais je suis parvenue à répéter : « Une liaison ? »

Ce sont les derniers mots que j'ai prononcés devant Lucie Lindon. Après je me suis tue. Après elle s'est levée pour partir. Elle m'a fixée. D'un revers du bras, elle a essuyé les torrents de larmes qui lui sortaient par les yeux, le nez et la bouche. Elle a reniflé bruyamment et j'ai eu envie de la frapper.

— Oui, avec le père de la petite Léonine Toussaint. Ça s'est passé un an ou deux avant le drame. Quand Geneviève travaillait dans une école… Du côté de Nancy, je crois.

Je n'ai pas dit au brigadier que j'avais hurlé ma haine et ma douleur dans les bras de Sasha quand j'avais compris que c'était Magnan qui avait assassiné quatre enfants pour se venger de lui, de nous, de notre fille. Je ne lui ai pas dit que Philippe Toussaint avait interrogé le personnel du château dans lequel notre enfant avait trouvé la mort. Et ce après le procès, parce qu'il ne croyait plus personne. Et pour cause. Il devait chercher par tous les moyens à se dédouaner. Ce n'était pas un coupable qu'il cherchait, c'était la preuve de sa non-culpabilité.

Enfin, le brigadier m'a demandé si Philippe Toussaint aurait pu avoir une maîtresse.

— Beaucoup.

— Comment ça, beaucoup ?

— Mon mari a toujours eu beaucoup de maîtresses.

Il y a eu comme un malaise. Le brigadier a hésité avant d'inscrire sur son formulaire que Philippe Toussaint se tapait tout ce qui bougeait. Il a un peu rougi et m'a resservi une tasse de café. Il m'appellerait s'il avait du nouveau. Allait lancer un avis de recherche. Je n'ai pas revu cet homme jusqu'au jour où il a enterré sa mère, Josette Leduc née Berthomier (1935-2007). Il m'a souri tristement en me voyant.

*

Quand j'ai su que Philippe Toussaint avait eu une liaison avec Geneviève Magnan, j'ai perdu Léonine une deuxième fois. Ses parents me l'avaient enlevée par accident, leur fils me l'a arrachée intentionnellement. L'accident est devenu meurtre.

J'ai vandalisé mes souvenirs, cherché mille fois les matins où j'emmenais ma fille à l'école, les fins d'après-midi où j'allais la récupérer, j'ai tout fait pour me rappeler cette assistante maternelle au fond de la classe, dans un couloir, devant les portemanteaux, dans la cour de récréation, sous le préau, un mot, une phrase qu'elle aurait pu me dire. Ne serait-ce qu'un « Bonjour » ou un « Au revoir, à demain », « Il fait beau », « Couvrez-la bien qu'elle ne prenne pas froid », « Je la trouve fatiguée aujourd'hui », « Elle a oublié son cahier de vie de classe, celui avec le protège-cahier bleu ». À la fête de l'école, entre les chansons et les serpentins, les échanges que Geneviève Magnan aurait pu avoir avec mon mari. Des regards, un sourire, un geste. Une complicité silencieuse, celle des amants.

J'ai cherché quand ils se voyaient, combien de temps, pourquoi elle s'était vengée sur des enfants, comment Philippe Toussaint avait bien pu la traiter pour qu'elle en arrive à commettre un tel acte. J'ai cherché à m'en cogner la tête contre les murs. Mais je n'ai rien trouvé. Comme une absence de moi-même.

Je l'avais entrevue, pas vraiment regardée, elle faisait partie des meubles de l'école dont les tiroirs m'étaient fermés à double tour. *Pas fichue de te souvenir, Violette.* Après avoir appris ça, cet inacceptable-là, Sasha m'a remplacée dans le quotidien du cimetière parce que je suis redevenue bonne à rien. Bonne à rester comme ça, assise ou couchée, hébétée, à chercher.

S'il n'était pas revenu à ce moment-là de ma vie avec la valise bleue et des cadeaux, cette fois, Philippe Toussaint aurait eu ma peau. Sasha s'est à nouveau occupé de moi. Pas pour m'apprendre à planter, mais pour résister à ce nouvel hiver qui s'abattait sur moi. Il m'a massé les pieds et le dos, il m'a fait chauffer du thé, des citrons à l'eau et des soupes. Il m'a cuisiné des pâtes et fait boire du vin. Il m'a fait la lecture et a repris le jardin là où il en était. Il a vendu mes fleurs, les a arrosées et a accompagné les familles endeuillées. Il a dit à Mme

Bréant qu'il allait rester chez elle pour une durée indéterminée.

Chaque jour, il me forçait à me lever, me laver, m'habiller. Et il me laissait me recoucher. Il me montait des plateaux-repas qu'il m'obligeait à avaler en maugréant : « Tu parles d'une retraite que tu me fais vivre là. » Il mettait de la musique dans la cuisine en laissant la porte du couloir ouverte pour que je l'entende depuis mon lit.

Et puis, tout comme les chats du cimetière, le soleil est entré jusque dans ma chambre, jusque sous mes draps. J'ai ouvert les rideaux, puis les fenêtres. Je suis redescendue dans la cuisine, j'ai fait bouillir l'eau pour le thé et j'ai aéré la pièce. J'ai fini par retourner au jardin. J'ai fini par changer l'eau des fleurs. J'ai à nouveau reçu les familles, leur ai servi quelque chose de chaud ou de fort à boire. J'ai beaucoup radoté : « Tu te rends compte, Sasha ? Philippe Toussaint couchait avec Geneviève Magnan ! » Toute la journée je lui rabâchais les mêmes choses : « Je ne peux même pas la dénoncer, elle est morte, tu te rends compte, Sasha ? Elle est morte ! »

— Violette, tu ne dois plus chercher les raisons, sinon c'est toi que tu perdras.

Sasha me raisonnait :

— Ce n'est pas parce qu'ils se connaissaient qu'elle s'en est pris à des enfants. C'est sans aucun doute une monstrueuse coïncidence, un accident. Vraiment. Juste un accident.

Si j'ai rabâché, Sasha, lui, m'a convaincue. Si Philippe Toussaint a semé du mal, Sasha, lui, n'a fait que semer du bien.

— Violette, le lierre étouffe les arbres, n'oublie jamais de le tailler. Jamais. Dès que tes pensées t'amèneront vers les ténèbres, prends ton sécateur et taille dans la petite misère.

Philippe Toussaint a disparu en juin 1998.

Sasha a quitté Brancion-en-Chalon le 19 mars 1999. Il est reparti une fois certain que j'avais intégré que le drame était accidentel et non intentionnel.

— Violette, avec ça dans le bide, cette certitude, tu vas pouvoir avancer.

J'imagine qu'il est reparti au début du printemps pour être sûr que j'aurais tout l'été pour me remettre de son absence. Repousseront les fleurs.

Il parlait souvent de son dernier voyage. Mais dès qu'il l'évoquait, il sentait que je n'étais pas encore prête à le laisser partir. Il voulait reprendre un vol pour Bombay et descendre jusqu'au sud de l'Inde, à Amritapuri dans le Kerala. Il voulait s'installer là-bas comme chez Mme Bréant, pour une durée indéterminée. Sasha disait souvent :

— Aller jusqu'à ma mort dans le Kerala, près de Sany, est un vieux rêve. De toute façon, à mon âge, aucun rêve n'est jeune. Ils ont tous de la bouteille.

Sasha ne voulait pas être enterré à côté de Verena et ses enfants. Il souhaitait que son corps soit consumé sur un bûcher, là-bas, sur le Gange.

— J'ai soixante-dix ans. J'ai encore quelques

années devant moi. Je vais voir ce que je peux faire avec leur terre. Comment je peux transmettre le peu que je sais des plantes. Et puis, je pourrais continuer à soulager les douleurs. Ces projets m'enchantent.

— Vous allez offrir vos mains vertes aux Indiens ?

— À qui voudra les prendre, oui.

Un soir, nous dînions tous les deux et nous parlions de John Irving, de *L'Œuvre de Dieu, la part du Diable.* J'ai dit à Sasha qu'il avait été mon docteur Larch personnel, mon père de substitution. Et il m'a répondu qu'un jour prochain, il allait me lâcher la main, qu'il sentait que j'étais prête. Que même les pères de substitution devaient laisser leurs enfants partir. Qu'un matin, il ne viendrait pas à la maison pour m'apporter du pain frais et le *Journal de Saône-et-Loire.*

— Vous ne partiriez quand même pas sans me dire au revoir ? !

— Si je te disais au revoir, Violette, je ne partirais pas. Tu nous imagines nous serrant dans les bras l'un de l'autre sur un quai de gare ? Pourquoi chercher l'insupportable ? Tu ne crois pas qu'on a déjà suffisamment donné au chagrin ? Ma place n'est plus ici. Tu es jeune et il fait beau, je veux que tu refasses ta vie. À partir de demain, je te dirai au revoir chaque jour.

Il a tenu sa promesse. Dès le lendemain, chaque soir avant de repartir chez Mme Bréant, il me serrait dans ses bras en me disant : « Au revoir, Violette, prends soin de toi, je t'aime» comme si c'était la dernière fois. Et le lendemain il revenait. Il posait la baguette et le journal sur ma table, entre les boîtes de thé et les magazines de fleurs, d'arbres et de jardins. Puis il échangeait avec les frères Lucchini, Nono et les autres. Il s'en allait dans les allées avec Elvis pour voir les chats. Renseignait les visiteurs qui cherchaient une allée ou un nom. Donnait un coup de main à Gaston pour désherber. Et le soir, après le dîner que nous prenions ensemble, il me serrait à nouveau dans ses bras en me disant : «Au revoir, Violette, prends soin de toi, je t'aime» comme si c'était la dernière fois.

Ses au revoir ont duré tout l'hiver. Et au matin du 19 mars 1999, il n'est pas venu. Je suis allée frapper chez Mme Bréant, Sasha était parti. Cela faisait déjà plusieurs jours qu'il avait fait sa valise et en rentrant la veille au soir il s'était résolu à réaliser son vieux rêve, celui qui avait le plus de bouteille.

89

Nous avons vécu ensemble dans le bonheur.
Nous reposons ensemble en paix.

Journal d'Irène Fayolle

13 février 2009

Mon ancienne vendeuse vient de me téléphoner : « Madame Fayolle, à la télévision ils viennent de dire que votre ami l'avocat avait fait une crise cardiaque au tribunal ce matin… Il est mort sur le coup. »

Sur le coup. Gabriel est mort sur le coup.

Je lui disais souvent que je mourrais avant lui. Ce que je ne savais pas, c'est que je mourrais en même temps que lui. Si Gabriel meurt, je meurs.

14 février 2009

Aujourd'hui, c'est la Saint-Valentin. Gabriel détestait la Saint-Valentin.

Quand j'écris son prénom, Gabriel, Gabriel, Gabriel, dans ce journal, j'ai le sentiment qu'il est près de moi. C'est peut-être parce qu'il n'est pas enterré. Tant que les morts ne sont pas enterrés, ils restent à proximité. Cette distance qu'ils mettent entre nous et le ciel n'existe pas encore.

La dernière fois que nous nous sommes vus, nous nous sommes disputés. Je lui ai demandé de quitter mon appartement. Gabriel a descendu les escaliers, furieux, sans se retourner. J'ai attendu le bruit de ses pas, j'ai attendu qu'il remonte, mais il n'est jamais revenu. D'habitude, il m'appelait chaque soir, mais depuis notre dispute, mon téléphone restait silencieux. Je ne pourrai plus jamais changer le cours des choses à présent.

15 février 2009

Ce qu'il me reste de Gabriel, c'est la liberté dont je jouis chaque jour, grâce à lui. Ce sont des vêtements achetés au Cap d'Antibes au fond d'un tiroir, une bouteille de Suze entamée dans le bar, quelques billets de train, des allers-retours, trois romans, L'Œuvre de Dieu, la part du Diable *et* Martin Eden *de Jack London. Il m'a aussi offert* Une femme *d'Anne Delbée dans une édition très rare. Gabriel était fasciné par Camille Claudel.*

Il y a quelques années, je l'ai rejoint pour passer trois jours à Paris. Dès que je suis arrivée, il m'a emmenée au musée Rodin. Il voulait découvrir les œuvres de Camille Claudel avec moi. Dans les jardins, il m'a embrassée devant Les Bourgeois de Calais.

— C'est Camille Claudel qui a sculpté leurs mains et leurs pieds. Regarde la beauté.

— Vous aussi vous avez de belles mains. La première fois que je vous ai vu plaider au tribunal d'Aix-en-Provence, je n'ai regardé qu'elles.

Gabriel était ainsi : là où on ne l'attendait pas. Gabriel était un roc, il était solide et puissant. Un macho qui n'aurait jamais supporté qu'une femme paye une addition ou se serve un verre de vin devant lui. Gabriel était la masculinité incarnée. Là où je pensais qu'il vénérerait Rodin plutôt que Claudel, là où je pensais qu'il se prosternerait devant son Balzac *ou son* Penseur, *je l'ai vu se courber devant* La Valse *de Camille Claudel.*

À l'intérieur du musée, il n'a pas lâché ma main. Comme un enfant. Tout ce que Rodin avait sculpté de majestueux, il n'en avait rien à faire.

En observant Les Causeuses, *la petite sculpture de Camille Claudel posée sur un socle, il m'a serré les doigts très fort. Gabriel s'est penché vers elles, il est resté un long moment ainsi, dans un temps suspendu. On aurait pu croire qu'il les respirait. Ses yeux brillaient face à ces quatre petites femmes en onyx vert, nées il y a plus d'un siècle. Je l'ai entendu murmurer : « Elles sont décoiffées. »*

En ressortant, il a allumé une cigarette et m'a avoué qu'il avait attendu que je l'accompagne pour entrer dans ce musée, qu'il savait, avant d'y pénétrer, qu'il aurait besoin de ma main à tenir pour ne pas dérober

Les Causeuses. *Étudiant, il en était tombé amoureux en découvrant une photo d'elles. Il les avait toujours désirées, au point de vouloir les posséder. Il savait qu'en les voyant pour la première fois en vrai, il aurait besoin d'un garde-fou.*

— C'est pas parce que je défends les voyous que je n'en suis pas un. Elles sont si délicates, si petites, ces causeuses, je savais très bien que je pouvais les glisser sous mon manteau et m'enfuir avec. Tu imagines les posséder chez soi ? Les regarder chaque soir avant d'aller se coucher, les découvrir chaque matin en buvant son café ?

— Vous passez votre vie dans les hôtels, ça aurait été un peu compliqué tout de même.

Il a éclaté de rire.

— Ta main m'a empêché de commettre un délit. J'aurais dû la prêter à tous les imbéciles que je défends, ça leur aurait évité de faire un tas de conneries.

Le soir, nous avons dîné en tête à tête au Jules-Verne en haut de la tour Eiffel. Gabriel m'a dit : « Pendant ces trois jours, nous allons enfiler les clichés, il n'y a rien de mieux au monde que les clichés. » En finissant sa phrase, il a accroché un bracelet serti de diamants autour de mon poignet. Un truc qui brillait comme mille soleils sur ma peau claire. Il scintillait tellement qu'on aurait dit du toc. Comme ces imitations que les actrices portent dans les soap américains.

Le lendemain, au Sacré-Cœur, je déposais une bougie au pied de la Vierge dorée quand il a accroché un collier en diamants autour de mon cou en me baisant la nuque. Il m'a prise par l'épaule, m'a entraînée contre lui en me glissant à l'oreille : « Mon amour, tu ressembles à un sapin de Noël. »

Le dernier jour, à la gare de Lyon, juste avant que je monte dans mon train, il a pris ma main et m'a glissé une bague autour du majeur.

— Ne te méprends pas sur mes intentions. Je sais que tu n'aimes pas les bijoux. Je ne te les ai pas offerts pour que tu les portes. Je veux que tu vendes cette quincaillerie et que tu t'offres des voyages, une baraque, tout ce que tu veux. Et ne me dis jamais merci. J'en crèverais. Je ne te fais pas de cadeaux pour que tu me dises merci. C'est juste pour te protéger s'il m'arrivait quelque chose. Je passe te voir la semaine prochaine. Appelle-moi en arrivant à Marseille. Tu me manques déjà, c'est trop dur ces séparations. Mais j'aime que tu me manques. Je t'aime.

J'ai vendu le collier pour acheter mon appartement. Le bracelet et la bague sont dans un coffre à la banque, mon fils en héritera. Mon fils héritera de mon grand amour. Ce n'est que justice. Gabriel voulait la justice.

Gabriel était un homme au caractère trempé. Personne n'avait intérêt à le contrarier. Moi y compris. La dernière fois que je l'ai vu, je l'ai pourtant fait. Il avait ouvertement attaqué une consœur à lui, tous les journaux en parlaient. Cette avocate avait pris la défense d'une femme victime du sadisme de son mari depuis des années, elle avait fini par le tuer. J'ai osé reprocher à Gabriel d'avoir attaqué sa consœur.

Nous étions tous les deux dans ma cuisine après l'amour, il souriait, semblait léger, simplement heureux. Dès que Gabriel passait ma porte, il se détendait, comme s'il se délestait de valises trop lourdes. En avalant mon thé, je lui ai posé des questions pleines de reproches : comment avait-il pu attaquer une avocate qui défendait une femme persécutée ? Comment pouvait-il être si manichéen ? Quel homme était-il devenu ? Pour qui se prenait-il ? Où étaient ses idéaux ?

Blessé, Gabriel est entré dans une rage folle. Il s'est mis à hurler. Que je n'y connaissais rien et que ce dossier était beaucoup plus complexe qu'il n'y paraissait. De quoi je me mêlais ? Que je boive du thé et que je me taise, la seule chose que j'avais été capable de faire, c'est de créer de malheureuses roses que je finissais par couper, au fond je gâchais tout.

— Tu es à côté de la plaque, Irène ! Tu n'as jamais été foutue de prendre une seule décision de toute ta putain de vie !

J'ai fini par poser mes mains sur mes oreilles pour ne plus l'entendre. Je lui ai demandé de quitter mon appartement sur-le-champ. Quand je l'ai vu se rhabiller, l'air grave, je regrettais déjà. Mais il était trop tard. Nous étions trop fiers l'un et l'autre pour nous demander pardon. Nous méritions mieux que cela. Nous séparer dans une dispute.

Si c'était à refaire…

J'ai envie d'ouvrir mes fenêtres et de crier à tous les passants : « Réconciliez-vous ! Demandez pardon ! Faites la paix avec ceux que vous aimez ! Avant qu'il ne soit trop tard. »

16 février 2009

Un notaire vient de m'appeler : Gabriel a fait le nécessaire pour que je sois inhumée avec lui au cimetière de Brancion-en-Chalon, dans le village où il est né. Il m'a demandé de passer à son étude où Gabriel a laissé une enveloppe pour moi.

« Mon amour, mon doux, mon tendre, mon merveilleux amour, de l'aube claire jusqu'à la fin du jour, je t'aime encore, tu sais. Je t'aime.

Moi qui plaide, qui récuse, improvise, défends des assassins, des innocents, des victimes, je pique des mots à Jacques Brel pour te dire tout le fond de ma pensée.

Si tu es en train de lire cette lettre c'est que je suis passé de vie à trépas. J'ai pris de l'avance sur toi, ce sera bien la première fois. Je n'ai rien d'autre à t'écrire que tu ne saches déjà, à part que j'ai toujours détesté ton prénom.

Irène, que c'est moche, Irène. Tout te va, tu peux tout porter. Mais un prénom pareil, c'est comme le vert bouteille ou la couleur moutarde, ça ne va à personne.

Le jour où je t'ai attendue dans ma voiture, je savais que tu ne reviendrais pas, que je t'attendais pour rien. C'est ce rien qui m'a empêché de démarrer tout de suite.

Elle ne va pas revenir, il ne me reste rien.

Tu m'as tellement manqué. Et ça ne fait que commencer.

Nos hôtels, l'amour l'après-midi, toi sous les draps… Tu resteras tous mes amours. Le premier, le deuxième, le dixième et le dernier. Tu resteras mes plus beaux souvenirs. Mes grandes espérances.

Ces villes de province qui devenaient des capitales dès que tu en foulais les trottoirs, je n'oublierai jamais. Tes mains dans les poches, ton parfum, ta peau, tes foulards, ma terre natale.

Mon amour.

Tu as vu, je n'ai pas menti, je t'ai laissé une place à côté de moi pour l'éternité. Je me demande si là-haut, tu continueras à me vouvoyer.

Ne presse pas le pas, j'ai tout mon temps. Profite encore un peu du ciel vu d'en bas. Profite surtout des dernières neiges.

À tout à l'heure.

Gabriel »

19 mars 2009

Je suis allée sur la tombe de Gabriel pour la première fois. Après avoir pleuré, après avoir eu envie de le déterrer, de le secouer, de lui dire : « Dites-moi que ce n'est pas vrai, dites-moi que vous n'êtes pas mort », j'ai posé une nouvelle boule à neige sur le marbre noir qui le recouvre. J'ai promis à Gabriel de revenir pour la secouer de temps en temps. J'ai regardé cette tombe où je serai plus tard.

J'ai répondu à sa lettre de vive voix :

— Mon amour, vous aussi, vous resterez mes plus beaux souvenirs... J'ai eu moins de femmes que vous, enfin, je veux dire, moins d'hommes que vous, j'en ai connu si peu. Vous, vous n'aviez qu'un geste à faire pour séduire. Et encore, peut-être pas. Vous n'aviez rien à faire, juste être vous. Vous êtes mon premier amour, mon deuxième amour, mon dixième amour, mon dernier amour. Vous avez pris toute ma vie. Je viendrai vous rejoindre dans l'éternité, je tiendrai ma promesse. Gardez-moi une place au chaud, comme dans les chambres d'hôtel où je vous retrouvais, quand vous étiez en avance, vous me gardiez ma place au chaud dans ces grands lits de passage... Vous m'enverrez l'adresse de l'éternité, un voyage comme celui-là, ça se prépare. Je verrai si je vous retrouve en train, en avion ou en bateau. Je vous aime.

Je suis restée un long moment près de lui. J'ai arrangé les fleurs sur sa tombe, jeté celles qui étaient fanées sous des plastiques, lu les plaques funéraires. Je crois que c'est comme cela que ça s'appelle.

C'est une dame qui s'occupe du cimetière où Gabriel est enterré. C'est formidable. Lui qui aimait tant les femmes. Elle est passée près de moi, m'a saluée. Nous avons échangé quelques mots. J'ignorais que ce métier existait. Que des gens étaient payés pour s'occuper des cimetières, les surveiller. Elle vend même des fleurs à l'entrée, près des grilles.

Continuer à écrire ce journal, c'est continuer à faire vivre Gabriel. Mais Dieu que la vie va me paraître longue.

90

Novembre est éternel, la vie est presque belle, les souvenirs sont des impasses que sans cesse on ressasse.

Juin 1998

Alors qu'il y avait à peine deux cents kilomètres d'autoroute entre Mâcon et Valence, le chemin lui avait paru interminable. Quand Philippe roulait au hasard, aucune route ne lui paraissait longue. Mais quand il devait se rendre d'un point A à un point B, il rechignait. Il ne supporterait jamais la contrainte.

Depuis que Violette avait découvert qu'il cherchait à connaître la vérité, il avait perdu l'envie. Comme si porter ce secret seul le faisait tenir dans une recherche chimérique. Et que d'en avoir parlé l'avait démobilisé. Totalement. La parole ne l'avait pas libéré mais vidé.

Même Violette semblait avoir tourné le dos au passé.

Il parlerait avec Éloïse Petit, puis il passerait à autre chose. Ce rendez-vous avec l'ancienne monitrice était comme un dernier rencard avec le passé.

Éloïse Petit l'attendait comme prévu devant le cinéma où elle travaillait. Elle se tenait sous les horaires des séances. Au-dessus d'elle, une immense affiche du *Patient anglais* avait été accrochée. Philippe l'avait tout de suite repérée malgré l'agitation qui régnait devant les caisses. Le va-et-vient des clients qui entraient et sortaient des salles de projection. Ils s'étaient vus deux ans auparavant au procès, ils s'étaient reconnus tout de suite.

Comme si elle avait eu peur du qu'en-dira-t-on, Éloïse avait entraîné Philippe dans la cafétéria d'un Relais H installé à deux rues de là, pas très loin de la gare de Valence. Ils avaient marché côte à côte en silence. Philippe ressentait toujours ce grand vide, ce découragement. Il s'était demandé ce qu'il fichait là, sur ce trottoir. Il n'avait même plus de questions à poser à Éloïse. Qu'est-ce qu'elle en aurait à foutre d'un chauffe-eau ? Qu'est-ce qu'elle y connaissait, elle, en chauffe-eau ?

Ils avaient commandé deux croque-monsieur, un quart Vittel et un Coca. Il émanait une grande douceur d'Éloïse. Philippe s'était senti en confiance avec elle, contrairement à tous les autres. Elle ne chercherait pas à mentir. Elle semblait sincère avant même d'avoir ouvert la bouche.

Éloïse avait raconté l'arrivée des enfants le 13 juillet 1993. La répartition des chambres qui s'était faite par affinité. Les enfants qui se connaissaient déjà ne souhaitaient pas être séparées. Lucie Lindon et elle avaient tenté de faire plaisir à tout le monde et semblaient y être parvenues. Avec l'aide des monitrices, les petites avaient rangé leurs vêtements et leurs effets personnels dans les casiers de leur chambre, près de leur lit.

Ensuite, il y avait eu le goûter puis une promenade dans le parc du château, le passage aux prés pour voir les poneys, les ramener aux écuries pour la nuit. Les enfants avaient adoré doucher les animaux, s'éclabousser entre elles, les panser, les rentrer aux box, les nourrir avec l'aide des adultes. Elles étaient gaies comme des pinsons quand elles étaient passées à table pour le dîner. Le réfectoire bruyant, vingt-quatre petites filles joyeuses, ça parle fort. Elles avaient rejoint leurs chambres respectives autour de 21 h 30, après être passées à la salle des douches communes.

— Pourquoi ne se sont-elles pas lavées dans la salle de bains de leur chambre ?

Cette question avait surpris Éloïse.

— Je ne sais plus… La salle des douches était neuve. Je me souviens m'être lavée là aussi.

Éloïse avait réfléchi en se mordillant les lèvres.

— Je me souviens, il n'y avait pas d'eau chaude dans le cabinet de toilette de ma chambre.

— Pourquoi ?

Elle avait gonflé ses joues comme si elle était en

train de souffler dans un ballon de baudruche et répondu, désolée :

— Je ne sais pas… C'étaient des vieux tuyaux. Le château tombait un peu en ruine. Ça sentait pas mal le moisi là-dedans. Et puis, quand il fallait demander à Fontanel de changer ne serait-ce qu'une ampoule, on pouvait toujours attendre.

Les enfants arrivaient du nord et de l'est de la France, avait poursuivi Éloïse. Le voyage, la chaleur, cette fin d'après-midi les avaient épuisées. Elles étaient allées se coucher sans rechigner. Lucie Lindon et elle avaient fait le tour des chambres autour de 21 h 45 pour voir si tout allait bien. Six chambres en tout, trois au rez-de-chaussée et trois à l'étage. Quatre enfants par chambre. Les petites filles étaient toutes couchées. Certaines lisaient, d'autres parlaient, s'échangeaient de lit à lit des photographies ou des dessins. Des conversations d'enfants : « Il est beau ton pyjama », « Tu me prêteras ta robe ? », « Je voudrais les mêmes chaussures que toi ». Leurs chats, leurs maisons, leurs parents, leurs frères et sœurs, l'école, la maîtresse, les copines. Et surtout, les poneys. Elles ne pensaient qu'à cela, le lendemain, elles monteraient à poney.

Éloïse Petit avait hésité avant de parler de la chambre 1 à Philippe. D'ailleurs, elle n'avait pas nommé Léonine, Anaïs, Océane et Nadège. Juste dit les « enfants de la chambre 1 » en baissant les yeux quelques instants avant de reprendre.

C'était la dernière chambre où les monitrices

étaient passées. Les petites étaient déjà à moitié endormies quand Lucie Lindon et elle y étaient entrées pour leur demander si tout allait bien, donner une petite lampe de poche à chacune au cas où elles auraient besoin de se lever durant la nuit, leur dire que Lucie se trouvait dans la chambre d'à côté si l'une d'entre elles faisait un cauchemar ou avait mal au ventre. Une veilleuse resterait allumée dans le couloir toute la nuit.

Ensuite, Éloïse avait rejoint sa chambre à l'étage et Lucie retrouvé Swan Letellier. Geneviève Magnan devait rester à proximité des chambres du rez-de-chaussée pendant ce temps. Avant que les deux monitrices ne montent à l'étage, elles avaient vu Geneviève assise dans les cuisines. Elle nettoyait des casseroles en cuivre étalées sur la grande table. Elle leur avait dit bonne nuit, d'un air triste ou las. Éloïse n'aurait pas su dire.

— Je suis montée dans ma chambre, je me suis assoupie. À un moment, je me suis levée pour fermer ma fenêtre qui cognait contre le chambranle.

Une étrange lumière était passée dans les yeux bleus d'Éloïse Petit. Comme si elle revivait ce moment, qu'elle regardait quelque chose passer au loin par la fenêtre. Comme quand on regarde par-dessus l'épaule de son interlocuteur lorsqu'on repère une silhouette familière ou un mouvement inattendu qui interpelle.

— Vous avez vu quelque chose ?

— Quand ?

— Quand vous avez refermé votre fenêtre.
— Oui.
— Quoi ?
— Eux.
— Qui, eux ?
— Vous le savez.
— Geneviève Magnan et Alain Fontanel ?

Éloïse Petit avait haussé les épaules. Philippe n'avait pas su interpréter ce geste.

— C'est vrai que vous avez eu une liaison avec Geneviève ?

Philippe s'était raidi.

— Qui vous a dit ça ?
— Lucie. Elle m'a dit que Geneviève vous aimait.

Philippe avait fermé les yeux quelques secondes et lui avait répondu, la mort dans l'âme :

— C'est de ma fille que je suis venu parler.
— Qu'est-ce que vous voulez savoir ?
— Je veux savoir qui a démarré le chauffe-eau dans la salle de bains de la chambre 1. Les enfants ont été asphyxiées par du monoxyde de carbone. Pourtant, tout le monde savait qu'il ne fallait pas y toucher à ces putain de chauffe-eau !

Philippe avait crié trop fort. Les clients, le nez dans des journaux et dans la queue près des caisses, s'étaient retournés pour les regarder tous les deux.

Éloïse avait rougi comme s'il s'agissait d'une querelle d'amoureux. Elle avait parlé à Philippe comme on s'adresse à quelqu'un qui a perdu la raison.

Comme on parle doucement aux fous, pour ne pas les contrarier :

— Je ne comprends pas ce que vous dites.

— Quelqu'un a démarré le chauffe-eau dans la salle de bains.

— Quelle salle de bains ?

— Celle de la chambre qui a brûlé.

Philippe avait vu qu'Éloïse ne comprenait pas un traître mot de ce qu'il racontait. À ce moment, il s'était mis à douter. Cette histoire de chauffe-eau ne tenait pas debout, c'était n'importe quoi. Il fallait se rendre à l'évidence, Geneviève Magnan ou Alain Fontanel avait mis le feu à la chambre 1 pour se venger de lui.

— C'est ça qui aurait déclenché le feu ? Le vieux chauffe-eau ?

La question d'Éloïse l'avait tiré de ses sinistres pensées.

— Non, le feu ce serait Fontanel… pour faire croire à un accident domestique. Il aurait couvert Magnan.

— Mais pourquoi ?

— Parce qu'elle se serait barrée ce soir-là. Elle ne serait pas restée près des petites et quand elle serait revenue, elle les aurait… C'était trop tard… Les enfants s'étaient asphyxiées.

Éloïse avait ramené ses deux mains devant sa bouche. Ses grands yeux bleus s'étaient mis à briller. Philippe s'était souvenu du jour où il avait nagé pour retrouver Françoise dans la Méditerranée et qu'elle s'était débattue. Éloïse avait l'air paniquée comme elle, à la limite de la noyade.

Philippe et Éloïse ne s'étaient plus adressé la parole pendant dix bonnes minutes. Ils n'avaient pas touché à leur assiette. Philippe avait fini par commander un expresso.

— Vous voulez autre chose ?

— C'est peut-être eux.

— Fontanel et Magnan, oui.

— Non, les gens.

— Quels gens ?

— Le couple que vous connaissez, que j'ai vu partir de la cour quand j'ai refermé ma fenêtre.

— Quel couple ?

— Les gens avec qui vous êtes venu le lendemain de l'incendie. Vos parents, enfin je crois que ce sont vos parents.

— Je comprends rien à ce que vous me dites.

— Mais quand même, vous savez bien qu'ils sont venus au château ce soir-là, non ?

— Quels parents ?

Philippe avait senti qu'il perdait pied, comme s'il tombait du dernier étage d'un gratte-ciel.

— Le 14 juillet, vous êtes arrivés ensemble. J'ai cru que vous saviez qu'ils étaient passés au château la veille. Ça arrive tout le temps que des familles viennent rendre visite aux enfants, mais jamais en soirée. C'est pour ça que ça m'a surprise.

— Vous êtes cinglée. Mes parents habitent Charleville-Mézières. Ils ne pouvaient pas être en Bourgogne le soir de l'incendie.

— Ils y étaient, je les ai vus. Je vous le jure. Quand j'ai fermé ma fenêtre, je les ai vus quitter le château.

— Vous devez confondre…

— Non. Votre mère, son chignon, son allure… Je ne confonds pas. Je les ai revus le dernier jour du procès à Mâcon. Ils vous attendaient devant le tribunal.

Alors Philippe se rappela. Ce fut fulgurant, un choc, comme si un infime détail tapi dans son inconscient depuis des années lui apparaissait en plein jour. Quelque chose d'anormal, une incohérence qui, vu les circonstances, ne l'avait pas atteint, juste effleuré ce 14 juillet 1993.

Il avait téléphoné à ses parents, il leur avait dit : « Léonine est morte. » Ils étaient venus le chercher quelques heures après et, pour la première fois, Philippe était monté à l'avant, à côté de son père ; sa mère était allongée sur la banquette arrière. Abattu, abruti par le chagrin, Philippe n'avait pas ouvert la bouche de tout le trajet. De temps en temps, il entendait sa mère geindre à l'arrière. Il savait que son père récitait des « Ave Maria » en silence.

Quand Philippe pensait à son géniteur, il pensait à un bigot qui filait droit devant sa femme. Philippe avait rêvé d'être le fils de Luc, son oncle. Dame nature s'était gourée : il était né de la sœur quand il aurait voulu naître du frère.

Au moment où Éloïse avait évoqué ses parents, il se rappela que son père n'avait pas cherché son chemin, il ne lui avait pas demandé d'adresse, il s'y était rendu comme s'il connaissait l'itinéraire. En quittant l'autoroute, le village de La Clayette était signalé, mais rien n'indiquait la direction à prendre pour se rendre au château. Or, lorsqu'il était enfant, ses parents se disputaient toujours parce que son père n'avait aucun sens de l'orientation et que sa mère s'agaçait. S'il ne s'était pas perdu ce jour-là, c'est peut-être parce qu'il y était déjà allé auparavant.

Éloïse le dévisageait tandis qu'il refaisait cette sinistre expédition mentalement. Malgré l'effroi qui se lisait sur son visage, elle pensa qu'il était beau. Elle essaya de se souvenir des traits de Léonine mais n'y parvint pas. Les quatre enfants avaient disparu de sa mémoire. Elle les cherchait tout le temps mais ne les trouvait plus. Il ne lui restait que leurs voix, quand elles avaient posé des questions à propos des poneys. Elle n'avait pas dit à Philippe que Léonine avait égaré son doudou et que toutes les deux, elles l'avaient cherché partout. Léonine lui avait dit : « Doudou c'est un lapin qui a mon âge. » En attendant de remettre la main dessus, Éloïse lui avait dégoté un petit ours oublié dans les réserves. Et elle avait promis à Léonine que le lendemain matin, elle chercherait doudou partout dans le château et qu'elle le retrouverait.

Philippe la ramena sur terre :

— Je veux que vous juriez sur la tête de Léonine que vous ne direz jamais ça à personne.

Éloïse se demanda si Philippe venait de l'entendre penser. Elle fut incapable de prononcer un mot. Il insista :

— Tous les deux, on ne s'est jamais vus, jamais parlé... Jurez !

Comme si elle était au tribunal, Éloïse leva la main droite et dit : « Je le jure. »

— Sur la tête de Léonine ?

— Sur la tête de Léonine.

Philippe inscrivit le numéro de téléphone fixe de la maison du cimetière de Brancion et le lui tendit.

— Dans deux heures, vous appelez ce numéro, ma femme va vous répondre, vous vous présentez, vous lui dites que je ne suis pas venu au rendez-vous, que vous m'avez attendu tout l'après-midi.

— Mais...

— S'il vous plaît.

Éloïse eut pitié, elle acquiesça.

— Et si elle me pose des questions ?

— Elle ne vous posera pas de questions. Je l'ai trop déçue pour qu'elle en pose.

Philippe se leva pour régler l'addition. Il salua brièvement Éloïse en récupérant son casque et remonta sur sa moto garée devant le cinéma.

En jetant un coup d'œil aux gens qui entraient et sortaient des salles, il se rappela les mots de sa mère : « Ne fais confiance à personne, tu m'entends ? Personne. »

Presque sept cents kilomètres, il ferait nuit quand il arriverait à Charleville-Mézières.

*

Philippe observa un moment ses parents à travers la fenêtre du salon. Ils étaient assis côte à côte sur leur canapé sans âge aux fleurs desséchées. Comme celles sur les tombes abandonnées. Celles que Violette ne supportait pas et retirait.

Le père s'était endormi, la mère était plongée dans un feuilleton, une rediffusion. Violette l'avait déjà vu. Une histoire d'amour entre un curé et une jeune fille qui se déroulait en Australie ou une autre contrée lointaine. Violette avait pleuré en douce à certains moments. Il l'avait sentie essuyer ses larmes sur sa manche. Sa mère fixait les acteurs, les lèvres pincées, comme si elle trouvait qu'ils faisaient les mauvais choix et qu'elle avait envie de ramener sa fraise. Pourquoi avait-elle choisi ce programme à l'eau de rose ? Si l'heure n'avait pas été aussi grave, Philippe en aurait ri.

Philippe avait grandi dans cette maison qui, à présent, lui semblait être un décor. Avec les années, les arbustes avaient poussé, les haies s'étaient étoffées. Ses parents avaient fait remplacer le grillage par une palissade blanche, comme dans les séries américaines, refaire le crépi de la façade et poser deux statues de lions de chaque côté de la porte d'entrée. Les fauves en granit semblaient s'ennuyer ferme dans ce pavillon des années 70. Mais il fallait montrer au voisinage qu'on était cadres dans la fonction publique. Ses parents, tous deux retraités des PTT, lui d'abord facteur et elle agent administratif, avaient grimpé les échelons et étaient devenus des cadres de petite catégorie. Et quand l'argent avait fini par arriver, on avait épargné.

Philippe avait toujours les clés sur lui. Il trimbalait le même trousseau depuis l'enfance, un minuscule ballon de rugby qui avait perdu sa forme et ses couleurs. Ses parents n'avaient jamais changé les serrures. Pour quoi faire ? Qui aurait pu avoir envie d'entrer là-dedans et tomber sur le père perdu dans ses prières, la mère dans la rancœur ? Deux cornichons dans un bocal de vinaigre.

Il n'avait pas mis les pieds dans cette maison depuis des années. Depuis sa rencontre avec Violette. Violette. Jamais ils ne l'avaient invitée. Ils l'avaient toujours méprisée.

Chantal Toussaint hurla quand elle aperçut son fils dans l'encadrement de la porte du salon. Son cri réveilla son mari qui sursauta.

Au moment d'ouvrir la bouche, Philippe vit des portraits de Léonine accrochés aux murs, dont deux qui avaient été pris à l'école. Cela le ramena à Geneviève Magnan, son sourire dans les couloirs aux odeurs d'ammoniaque. Il fut pris d'un vertige et se rattrapa au buffet.

Violette avait décroché les portraits de leur fille. Elle les avait rangés dans un tiroir, près de son lit, dans son portefeuille et entre les pages du gros livre qu'elle relisait sans cesse.

Sa mère s'approcha de lui, en murmurant : « Ça va, mon petit ? » D'un geste, Philippe lui intima l'ordre de ne pas avancer, de garder ses distances. Le père et la mère se regardèrent. Leur fils était-il malade ? Fou ? Il était d'une pâleur effroyable. Il avait le même air qu'au matin du 14 juillet 1993 lorsqu'ils l'avaient emmené sur le lieu du drame. Il avait pris vingt ans.

— Qu'est-ce que vous foutiez au château le soir où il a brûlé ?

Le père jeta un coup d'œil à la mère, attendant les ordres pour répondre. Mais comme d'habitude, c'est elle qui parla. D'une voix de victime, celle de la gentille petite fille qu'elle n'avait jamais été.

— Armelle et Jean-Louis Caussin nous ont retrouvés au village de La Clayette avant de déposer Catherine… enfin Léonine et Anaïs au château. Nous leur avions donné rendez-vous dans un café, on a rien fait de mal.

— Mais qu'est-ce que vous foutiez là-bas ?

— Nous étions à un mariage dans le Midi, tu sais, ta cousine Laurence… en remontant sur Charleville, nous en avons profité pour visiter la Bourgogne.

— Vous n'avez jamais profité de rien, JAMAIS. Je veux la vérité.

La mère hésita avant de répondre, serra les lèvres et prit une grande inspiration. Philippe l'arrêta immédiatement :

— Ne commence pas à pleurnicher, tu seras gentille.

Jamais son fils ne lui avait parlé ainsi. Le garçon poli, bien élevé, qui disait : « Oui, maman », « Non, maman », « D'accord, maman » était bel et bien mort. Il avait commencé à disparaître quand il avait perdu sa fille. Il avait complètement disparu depuis qu'il s'était enterré auprès d'elle. Philippe les avait prévenus : « Je vous interdis de mettre un pied au cimetière, je ne veux pas que vous croisiez Violette. »

Avant la tragédie, les seules fois où il avait désobéi à sa mère, c'était quand il partait en vacances chez son frère Luc et sa jeune épouse qui portait des jupes trop courtes. Philippe avait toujours été attiré par des femmes de bas étage. Des filles, le bas de gamme, le ruisseau.

La voix de Chantal Toussaint retrouva son timbre dur, implacable. Celui d'un procureur.

— J'avais donné rendez-vous aux Caussin parce que je souhaitais voir ce que *ta femme* avait mis dans la valise de notre petite-fille. Contrôler qu'il ne manquait rien. Je ne voulais pas qu'elle ait honte devant ses camarades. Ta femme était jeune et Catherine trop souvent négligée... Ses ongles longs, ses oreilles sales, ses vêtements tachés ou rétrécis au lavage... ça me rendait malade.

— Tu dis n'importe quoi ! Violette s'occupait très bien de notre fille ! Elle s'appelait Léonine ! Tu m'entends ? ! Léonine !

Elle referma sa robe de chambre d'un geste maladroit et brusque.

— Armelle Caussin a ouvert le coffre de sa voiture, j'ai vérifié le contenu de la valise pendant que les petites jouaient à l'ombre à côté de ton père et de Jean-Louis. Il manquait beaucoup de choses et j'ai dû jeter ses affaires bon marché ou élimées pour mettre des vêtements neufs.

Philippe imagina sa mère appelant Armelle Caussin sous un faux prétexte et triturant les petites robes de sa fille. Ce droit d'ingérence qu'elle se permettait depuis toujours lui répugna. Il eut envie d'étrangler cette femme qui lui avait fait mépriser les autres. Elle baissa les yeux pour ne plus voir le regard de haine qu'il posait sur elle.

— Vers 16 heures, les Caussin sont partis au château avec les enfants. Ton père et moi ne voulions pas prendre la route pour Charleville avant la nuit, à cause de la chaleur. Nous avons décidé de rester au village. Nous sommes revenus au café pour manger une bricole. En allant aux toilettes, j'ai vu le doudou de Léonine posé à côté des lavabos. Je savais qu'elle ne pouvait pas s'endormir sans.

Chantal Toussaint grimaça.

— Il était très sale… Je l'ai passé à l'eau et au savon, avec la chaleur il sécherait vite.

Elle alla s'asseoir sur le canapé comme si les

mots étaient trop lourds à porter. Son mari la suivit comme un brave toutou attendant une récompense, un regard, un geste tendre, qui ne viendrait jamais.

— Nous sommes entrés dans le château comme dans un moulin, il n'y avait personne, aucune surveillance, tout était grand ouvert. Léonine se trouvait derrière la première porte que nous avons poussée. Elle était déjà couchée. Elle a été surprise de nous voir. Quand elle a vu son doudou dépasser de mon sac à main, elle a souri et l'a saisi discrètement pour que les autres fillettes ne la voient pas. Elle avait dû le chercher partout sans pouvoir le dire de peur que l'on se moque d'elle.

La mère se mit à sangloter. Son mari glissa un bras autour de ses épaules, elle le repoussa d'un geste lent, il le retira, habitué.

— J'ai demandé aux fillettes si elles voulaient que je leur raconte une histoire. Elles m'ont répondu oui. Je leur ai lu un conte de Grimm, *Tom Pouce*. Elles se sont endormies aussitôt. Avant de partir j'ai embrassé ma petite-fille une dernière fois.

— Et le chauffe-eau ?! hurla Philippe.

Ses parents, en larmes, se recroquevillèrent, misérables, devant la fureur de leur fils.

— Quoi le chauffe-eau, quel chauffe-eau ? finit par murmurer sa mère entre deux sanglots.

— Celui de la salle de bains ! Dans la chambre, il y avait une salle de bains ! Et un putain de chauffe-eau ! C'est vous qui l'avez touché ?!

Le père ouvrit la bouche pour la première fois et lâcha dans un soupir :

— Ah, ça…

À cet instant, Philippe aurait tout donné pour qu'il se taise comme à son habitude. Ou dise une prière, n'importe laquelle. Mais pour une heure, une heure seulement, l'homme eut le sentiment d'avoir été utile dans la vie de sa femme, de ne pas être resté les bras ballants, à attendre qu'elle finisse de raconter l'histoire de *Tom Pouce*.

— Ta mère a demandé à Léonine si elle s'était bien brossé les dents avant de se coucher, elle nous a répondu oui, mais une autre fillette nous a dit qu'il n'y avait pas d'eau chaude au robinet, que l'eau froide lui avait fait mal aux dents. Ta mère m'a demandé de jeter un coup d'œil, et effectivement, j'ai vu que le chauffe-eau était éteint, alors j'ai…

Philippe tomba à genoux devant ses parents, saisit son père à deux mains par le col de sa robe de chambre et le supplia :

— Tais-toi, tais-toi, tais-toi, tais-toi, tais-toi, tais-toi, tais-toi, tais-toi, tais-toi, tais-toi, tais-toi…

Ses parents étaient tétanisés. Philippe balbutia encore quelques mots inaudibles, puis quitta cette maison comme il y était entré, en silence.

Quand il remonta sur sa moto, il savait qu'il ne prendrait pas le chemin du cimetière de Brancion. Il savait qu'il n'avait plus de chez-lui. Ni ce soir ni demain. Il le savait depuis qu'il avait demandé à Éloïse Petit de téléphoner à Violette pour lui dire qu'il ne s'était pas présenté à leur rendez-vous. Violette qui ne l'attendait plus depuis longtemps.

Le matin, quand il lui avait annoncé qu'il voulait repartir à zéro, s'installer dans le Midi, il avait lu dans ses yeux qu'elle faisait semblant de le croire. Aujourd'hui, il ne pouvait plus l'affronter. Il ne voulait plus jamais croiser son regard.

Chantal Toussaint lui courut après en robe de chambre pour le raisonner. C'était dangereux de prendre la route dans cet état. Il était trop fatigué, à bout, il fallait qu'il se repose, elle allait lui préparer son lit, elle n'avait touché à rien dans sa chambre, même pas à ses posters, elle allait lui cuisiner un bœuf Stroganov et la crème caramel dont il raffolait, demain il aurait les idées plus claires et…

— J'aurais voulu que tu meures à ma naissance, maman. Ça aurait été la chance de ma vie.

Il démarra sa moto et prit la direction de Bron sans réfléchir. Dans les rétroviseurs, il vit sa mère s'écrouler sur le trottoir. Il savait que ses mots avaient signé son arrêt de mort. Aujourd'hui ou demain. Et son père suivrait. Il avait toujours suivi.

Il ne ressentit rien d'autre que l'envie d'être près de Luc et Françoise pour tout leur raconter. Ils sauraient quoi faire, ils sauraient trouver les mots, ils sauraient le garder près d'eux pour qu'il n'ait plus de comptes à rendre à personne. Redevenir l'enfant qu'il voulait être, celui de Luc. C'en était fini de cette vie.

91

Et quand, prenant ma butte en guise d'oreiller,
une ondine viendra gentiment sommeiller
avec moins que rien de costume, j'en demande pardon
par avance à Jésus, si l'ombre de ma croix s'y couche
un peu dessus pour un petit bonheur posthume.

Journal d'Irène Fayolle

2013

Je suis entrée chez la dame du cimetière. Elle m'a regardée comme quelqu'un que l'on connaît de vue mais qu'on ne resitue pas. Elle était seule, assise à sa table. Elle feuilletait un catalogue de jardinage.

— Je suis en train de choisir mes bulbes de printemps. Vous préférez les narcisses ou les crocus ? J'adore ces tulipes jaunes.

Ses doigts se sont posés sur des photos de massifs de fleurs. Une multitude de variétés.

— Les narcisses, je crois que je préfère les nar-

cisses. Moi aussi j'aime les fleurs, j'avais une roseraie, avant.

— Où ça ?

— À Marseille.

— Oh... Je vais à Marseille chaque année, dans la calanque de Sormiou.

— J'y allais avec mon fils Julien quand il était petit. C'était il y a longtemps.

La dame du cimetière m'a souri comme si nous partagions un secret.

— Vous voulez boire quelque chose ?

— Je veux bien un thé vert.

Elle s'est levée pour me préparer du thé. J'ai pensé qu'elle devait avoir à peu près le même âge que Julien. Elle aurait pu être ma fille. Je crois que je n'aurais pas aimé avoir une fille. Je ne sais pas ce que j'aurais pu lui raconter, comment je l'aurais conseillée, orientée. Un garçon, c'est un peu comme une fleur sauvage, une aubépine, il pousse tout seul quand il a de quoi manger, boire et s'habiller. Quand on lui dit qu'il est beau, fort. Un garçon ça pousse bien quand il a un père. Une fille, c'est plus compliqué.

La dame du cimetière est belle. Elle portait une jupe droite noire et un sous-pull gris. Je l'ai trouvée élégante. Délicate. Elle m'a presque fait regretter de ne pas avoir eu de fille. Elle a mis du thé en vrac dans une théière avant de le tamiser. Ensuite, elle a posé du miel sur la table. Il faisait bon chez elle. Ça sentait bon. Elle m'a dit qu'elle aimait les roses. Leur parfum.

— Vous vivez seule ?

— Oui.

— Dans ce cimetière, je viens voir Gabriel Prudent.

— Il est enterré allée 19, dans le carré des Cèdres. C'est bien ça ?

— Oui. Vous connaissez tous les emplacements des défunts ?

— La plupart. Et lui, c'était un grand avocat, il y avait du monde à son enterrement. C'était en quelle année, déjà ?

— 2009.

La dame du cimetière s'est levée pour prendre un registre, celui de l'année 2009, et elle a cherché le nom de Gabriel. C'est donc vrai, elle note tout dans des cahiers. Elle m'a fait la lecture : « 18 février 2009, enterrement de Gabriel Prudent, pluie diluvienne. Il y avait cent vingt-huit personnes pour la mise en terre. Son ex-femme était présente, ainsi que ses deux filles, Marthe Dubreuil et Cloé Prudent. À la demande du défunt, ni fleurs ni couronnes. La famille a fait graver une plaque sur laquelle on peut lire : "En hommage à Gabriel Prudent, avocat courageux. 'Le courage, pour un avocat, c'est l'essentiel, ce sans quoi le reste ne compte pas : talent, culture, connaissance du droit, tout est utile à l'avocat. Mais sans le courage, au moment décisif, il n'y a plus que des mots, des phrases qui se suivent, qui brillent et qui meurent' (Robert Badinter)." Pas de curé. Pas de croix. Le cortège n'est resté qu'une demi-heure. Quand les deux officiers des pompes funèbres ont fini de descendre le cercueil dans le caveau, tout le monde est reparti. Il pleuvait toujours très fort. »

La dame du cimetière m'a resservi une tasse de thé. Je lui ai demandé de relire ses notes sur l'enterrement de Gabriel. Elle l'a fait de bonne grâce.

J'ai imaginé les gens autour du cercueil de Gabriel. J'ai imaginé les parapluies, les vêtements sombres et chauds. Les écharpes et les larmes.

J'ai dit à la dame du cimetière que Gabriel se mettait en colère quand on lui disait qu'il était courageux. Qu'il n'y avait aucun courage à dire à un président d'assises qu'il était con de manière détournée. Que le courage, c'était d'aller tous les jours en dehors de ses heures de travail porte de la Chapelle pour distribuer des repas aux malheureux ou de planquer des Juifs chez soi en 1942. Gabriel me répétait toujours qu'il n'avait aucun courage, qu'il ne prenait aucun risque.

Elle m'a demandé si nous parlions beaucoup, Gabriel et moi. J'ai répondu oui. Et que cette histoire de courage que Gabriel détestait devait rester entre elle et moi. Je ne voulais pas que les gens qui croyaient avoir bien fait en mettant ces mots sur sa plaque en sa mémoire puissent savoir qu'ils s'étaient trompés.

La dame du cimetière m'a souri.

— Pas de problème. Tout ce qui est dit entre ces murs reste secret.

Je me suis sentie en confiance auprès d'elle et je lui

ai parlé comme si elle avait mis un sérum de vérité dans mon thé.

— Je vais sur la tombe de Gabriel deux à trois fois par an pour secouer une boule à neige que j'ai déposée près de son nom. Je découpe des articles dans les journaux pour lui, des chroniques judiciaires qui l'intéresseraient et je les lui lis. Je lui donne des nouvelles du monde, en tout cas du sien. Des affaires criminelles, passionnelles, éternelles. Je vais plus souvent sur la tombe de mon mari, Paul, qui est au cimetière Saint-Pierre à Marseille. À chaque fois, je lui demande pardon. Parce que je serai enterrée près de Gabriel. Mes cendres seront déposées près de lui. Gabriel a fait le nécessaire chez son notaire et moi aussi. Personne ne pourra s'y opposer. Nous n'étions pas mariés. Vous savez, j'ai eu envie de rentrer chez vous pour vous dire que le jour où mon fils, Julien, l'apprendra, c'est vous qu'il viendra questionner.

— Pourquoi moi ?

— Quand il va découvrir que ma dernière volonté est de reposer aux côtés de Gabriel et non de son père, il va vouloir comprendre. Il va vouloir savoir qui était Gabriel Prudent et la première personne à qui il va le demander, ce sera vous. Parce que la première personne sur laquelle il va tomber quand il poussera les grilles de ce cimetière, ce sera vous. Comme moi, lorsque je suis venue la première fois.

— Est-ce que vous voulez que je lui dise quelque chose en particulier ?

— Non. Non, je suis sûre que vous trouverez les mots. Ou que pour une fois Julien trouvera les siens

pour vous parler. Je suis sûre que vous saurez l'aider, l'accompagner.

J'ai quitté la dame du cimetière à regret. J'ai su que c'était la dernière fois que je venais à Brancion-en-Chalon. J'ai repris la route. Je suis rentrée à Marseille.

2016

J'ai terminé mon journal. Je vais bientôt rejoindre Gabriel. Je le sais. Je sens déjà l'odeur de ses cigarettes. J'ai hâte. Quand je pense que la dernière fois que l'on s'est vus on s'est disputés. Il est temps de se réconcilier.

Je me souviens de son parfum. Je ne me souviens plus de son visage. Juste de ses cheveux blancs, sa peau, ses mains fines, son imperméable. Et surtout de son parfum. Je me souviens de la douceur de ce moment. Des mots qu'elle posait sur Gabriel. Il me reste sa voix aussi, son écho, quand elle m'a dit qu'un jour son fils viendrait jusqu'à moi.

Quand Julien a frappé à ma porte la première fois, il m'a fait oublier Irène. Je l'ai trouvé beau dans ses habits froissés. Il ne ressemblait pas à sa mère. Elle avait la peau d'une blonde, lisse, claire et fragile, quand son fils avait tout de brun, des cheveux aux quatre vents et une peau qui avait bu tous les soleils. J'ai aimé ses mains de tabac sur moi. Mais j'en ai eu trop peur aussi.

Avant de partir pour Marseille, je lui ai téléphoné à plusieurs reprises, mais son numéro sonnait dans le vide. C'est comme s'il n'existait plus. J'ai même appelé son commissariat, on m'a répondu qu'il était parti. Mais qu'on pouvait lui écrire, son courrier suivait.

Qu'est-ce que je pourrais lui écrire ?

Julien,

Je suis folle, je suis seule, je suis impossible. Vous m'avez crue et j'ai tout fait pour ça.

Julien,

J'ai été tellement heureuse dans votre bagnole.

Julien,

J'ai été tellement heureuse avec vous sur mon canapé.

Julien,

J'ai été tellement heureuse avec vous dans mon lit.

Julien,

Vous êtes jeune. Mais je crois qu'on s'en fout.

Julien,

Vous êtes trop curieux. Je déteste vos manières de flic.

Julien,

Votre fils, j'en ferais bien mon beau-fils.

Julien,
Vous êtes vraiment mon genre d'homme. Mais en fait, je n'en sais rien. J'imagine que vous êtes vraiment mon genre d'homme.

Julien,
Vous me manquez.

Julien,
Je vais mourir si vous ne revenez pas.

Julien,
Je vous attends. Je vous espère. Je veux bien changer mes habitudes si vous changez les vôtres.

Julien,
D'accord.

Julien,
C'était bien, c'était chouette.

Julien,
Oui.

Julien,
Non.

La vie a arraché mes racines. Mon printemps est mort.

Je referme le journal d'Irène le cœur lourd. Comme on referme un roman dont on est tombé amoureux. Un roman ami dont on a du mal à se séparer, parce qu'on veut qu'il reste près de soi, à portée de main. Au fond, je suis heureuse que Julien m'ait laissé le journal de sa mère en souvenir d'eux. Quand je rentrerai chez moi, je le rangerai parmi les livres que je garde précieusement sur les étagères de ma chambre. En attendant, je le glisse dans mon sac de plage.

Il est 10 heures, je suis appuyée contre un rocher, assise sur le sable blanc à l'ombre d'un pin d'Alep. Ici, les arbres poussent dans les fissures de la roche. Les cigales se sont mises à chanter quand j'ai refermé le journal d'Irène. Le soleil cogne déjà. Je le sens me piquer les orteils. L'été, le soleil d'ici brûle la peau en quelques minutes.

Les vacanciers en sac à dos commencent à arriver par le chemin escarpé. À midi, la petite plage sera pleine de serviettes, de glacières, de parasols. Il n'y a pas beaucoup d'enfants à Sormiou. Pendant la haute saison, l'accès à la crique se fait à pied. Il faut marcher une bonne heure pour descendre depuis le parking des Baumettes. Ce n'est pas facile pour les familles. Souvent, les enfants qui échouent ici ont fait le chemin sur les épaules de leur père ou vivent dans les cabanons, le temps des vacances. On les appelle les « cabanoniers ». Ce mot n'existe qu'à Marseille, on ne le trouve pas dans les dictionnaires.

Ici, on autorise encore les gens à fumer dans les bars. Les facteurs signent les lettres recommandées pour éviter aux habitants de se déplacer s'ils ne sont pas là. À Marseille, on ne fait rien comme ailleurs.

Hier soir, Célia est restée avec moi pour dîner. Elle avait préparé une paëlla aux fruits de mer qu'elle a fait réchauffer dans une grande poêle. Pendant ce temps, j'ai défait ma valise bleue, accroché mes robes sur des cintres. On a sorti la petite table de jardin en fer forgé, posé une nappe dessus, on a versé de l'eau et du rosé dans des carafes rouges. On a mis beaucoup de glaçons dans un bol jaune, posé un pain de campagne et des assiettes dépareillées. Tout est dépareillé au cabanon. Les objets ne semblent jamais être arrivés jusqu'ici ensemble. Célia et moi nous sommes régalées de retrouvailles, d'idioties à se raconter, de riz doré et de rosé bien frais.

Nous avons parlé si tard que Célia est restée. Elle a dormi avec moi comme la première fois à Malgrange-sur-Nancy pendant la grève de train. C'était la première fois qu'elle restait là.

On a continué à boire du rosé allongées dans le lit. Célia a allumé deux bougies. Les meubles de son grand-père ont dansé dans la lumière. On a laissé deux fenêtres ouvertes pour faire des courants d'air. Il faisait bon. Ça sentait encore la paëlla. Les murs avaient avalé son odeur. Ça m'a redonné faim, je m'en suis réchauffé encore un peu. Célia n'en a pas voulu. Quand j'ai posé l'assiette vide par terre, j'ai vu le profil de Célia. Puis ses beaux yeux bleus comme deux astres dans la nuit. J'ai soufflé sur les bougies.

— Célia, j'ai quelque chose à te dire. Ça va t'empêcher de dormir mais comme nous sommes en vacances, ce n'est pas grave. Et puis, je ne peux pas ne pas te dire « ça ».

— …

— Françoise Pelletier, c'était l'amour de Philippe Toussaint. C'est chez elle qu'il a vécu ses dernières années. Il l'a retrouvée le jour où il a disparu en 1998. Mais ce n'est pas tout. Je sais pourquoi il a disparu. Pourquoi il n'est jamais rentré chez nous. Cette nuit-là, ce n'est pas l'incendie qui a tué les enfants… c'est le père Toussaint.

Célia m'a agrippé le bras, elle a juste murmuré : « Pardon ? »

— Il a bricolé un vieux chauffe-eau dans la chambre des enfants et il l'a mis en marche. Il ne savait pas qu'il ne fallait surtout pas y toucher. L'appareil n'avait pas été entretenu depuis des années. Le monoxyde de carbone ça tue, c'est sournois, inodore… elles sont mortes en dormant.

— Qui t'a dit ça ?

— Françoise Pelletier. C'est Philippe Toussaint qui lui a tout raconté. C'est pour ça qu'il n'est jamais rentré à la maison le jour où il l'a appris. Il ne pouvait plus me regarder en face… Tu connais cette chanson de Michel Jonasz ? « Dites-moi, dites-moi même qu'elle est partie pour un autre que moi mais pas à cause de moi, dites-moi ça, dites-moi ça… »

— Oui.

— Ça m'a soulagée de savoir que Philippe Toussaint n'était pas parti à cause de moi. Mais à cause de ses parents.

Célia m'a serré le bras encore plus fort.

Je n'ai pas réussi à fermer l'œil. J'ai repensé aux vieux Toussaint. Ils étaient morts depuis longtemps. Un notaire de Charleville-Mézières m'avait contactée en 2000. Il recherchait leur fils.

Quand le jour est entré par les fenêtres, que le courant d'air s'est fait plus doux, Célia a ouvert les yeux.

— On va se faire un bon café.

— Célia, j'ai rencontré quelqu'un.

— Eh ben, c'est pas trop tôt.

— Mais c'est fini.

— Pourquoi ?

— J'ai ma vie, mes habitudes… Depuis si longtemps. En plus, il est plus jeune que moi. En plus, il ne vit pas en Bourgogne. En plus, il a un enfant de sept ans.

— Ça fait beaucoup de « en plus ». Mais une vie et des habitudes, ça se change.

— Tu crois ?

— Oui.

— Tu changerais d'habitudes, toi ?

— Pourquoi pas.

92

La vie n'est qu'une longue perte
de tout ce qu'on aime.

Mai 2017

Dix-neuf ans que Philippe vivait à Bron. Qu'il avait fait le chemin entre Charleville-Mézières et Françoise. Dix-neuf ans qu'il avait débarqué un matin au garage, dans un piteux état. Il avait décidé de naître ce jour-là. De tuer le jour précédant son arrivée. Ce jour d'avant où il avait parlé à ses parents pour la toute dernière fois. Il avait tracé un gros trait au feutre noir sur un passé qu'il voulait déserter. Mis un couvercle sur les années Violette et enfermé ses parents à double tour dans la chambre noire de sa mémoire.

Il avait été si simple de se faire appeler Philippe Pelletier, de devenir le fils de son oncle. Neveu ou fils, dans l'esprit des gens, cela revenait au même.

Philippe était « quelqu'un de la famille », donc un Pelletier.

Il avait été si simple de ranger ses papiers d'identité dans un tiroir. De vider son compte en banque pour que sa mère ne sache plus rien. De transformer cet argent en bons au porteur. De ne pas voter. De ne pas utiliser sa carte de sécurité sociale.

Françoise lui avait appris que Luc était décédé en octobre 1996. Luc, mort et enterré. Philippe avait eu du mal à encaisser le coup. Mais il avait refusé de se recueillir sur sa tombe. Il ne voulait plus jamais mettre les pieds dans un cimetière.

Françoise avait vendu la maison depuis un an, elle habitait à Bron à deux cents mètres du garage. Elle avait été très malade, elle avait beaucoup maigri, vieilli aussi. Cependant, Philippe l'avait trouvée encore plus désirable que dans ses souvenirs, mais il n'avait rien dit. Il avait fait suffisamment de mal autour de lui. Utilisé son quota de malheurs sur autrui.

Il s'était installé dans la chambre d'amis. La chambre du fils. Une chambre d'enfant qui n'avait jamais existé. Juste espéré. Il s'était acheté des vêtements neufs avec le premier salaire que Françoise lui avait fait verser en espèces. Quand il avait évoqué un déménagement quelques mois après son installation à Bron, pour prendre un petit studio pas trop loin du garage, Françoise avait fait comme si elle ne l'entendait pas. Alors il était resté là. Dans cette drôle de cohabitation. Même salle de bains, même cuisine, même séjour, mêmes repas partagés, chambre à part.

Il avait tout raconté à Françoise. Léonine, Geneviève Magnan, le chauffe-eau, *l'adresse*, les orgies, le cimetière, l'aveu de ses parents sur le canapé à Charleville. Tout, sauf Violette. Il l'avait gardée pour lui. De Violette, il avait juste dit à Françoise : « Elle, elle n'y est pour rien. »

Avec les années, il avait oublié qu'il s'était appelé Philippe Toussaint dans une autre vie.

En vivant avec Françoise, il avait repris courage. Il avait appris à bien travailler au garage, à aimer ses journées de cambouis, de graisse, de pannes, de tôles froissées. En réparant des moteurs, il s'était réconcilié avec l'envie.

En décembre 1999, Françoise avait été malade, beaucoup de fièvre, trop de fièvre, une toux mauvaise. Inquiet, Philippe avait appelé un médecin de garde. En rédigeant son ordonnance près du lit, le médecin avait demandé à Philippe si Françoise était sa femme, il avait répondu oui sans réfléchir. Simplement oui. Françoise, allongée sous les draps, lui avait souri sans rien dire. Un sourire pâle, fatigué. Résigné.

Sur les conseils du docteur, Philippe avait fait couler un bain à trente-sept degrés, avait emmené Françoise jusqu'à la salle de bains, l'avait déshabillée et aidée à enjamber la baignoire, elle s'était agrippée à lui. C'était la première fois qu'il la voyait nue. Son corps frissonnant sous l'eau transparente.

Il avait promené un gant de toilette sur sa peau, son ventre, son dos, son visage, sa nuque. Il avait fait couler de l'eau sur son front. Françoise lui avait dit : « Fais attention, je suis contagieuse », Philippe avait répondu : « Ça, ça fait vingt-huit ans que je le sais. » Dans la nuit du 31 décembre 1999 au 1er janvier 2000, ils avaient fait l'amour pour la première fois. Ils avaient changé de siècle dans le même lit.

Dix-neuf ans que Philippe vivait à Bron. Ce matin-là, avec Françoise, ils avaient évoqué l'idée de vendre le garage. Ce n'était pas la première fois, mais cette fois, c'était sérieux. Ils avaient envie de soleil. Partir s'installer dans la région de Saint-Tropez. Ils avaient suffisamment d'argent pour se la couler douce. Et puis Françoise allait avoir soixante-six ans, des années de travail derrière elle. Il était temps d'en profiter.

À l'heure du déjeuner, Françoise s'était rendue dans une agence immobilière spécialisée dans la vente de commerces et entreprises. Philippe était repassé par leur appartement pour changer de vêtements. Il s'était habillé trop chaudement le matin, il avait transpiré sous son bleu de travail. Il avait pris une douche rapide, enfilé un tee-shirt propre. Dans la cuisine, il s'était fait deux œufs sur le plat, du fromage à tartiner sur un morceau de pain de la veille. En faisant couler son café, il avait entendu le courrier tomber sur le carrelage. Le facteur venait de le glisser dans l'interstice de la porte d'entrée. Philippe l'avait ramassé machinalement et jeté sur la table de la cuisine. À part le magazine *Auto-moto* auquel Françoise s'était abonnée pour lui faire plaisir, il ne lisait pas le courrier. C'est Françoise qui s'occupait de la paperasse.

Il tournait sa cuillère dans sa tasse quand il lut, sans vraiment lire : « M. Philippe Toussaint, chez Mme Françoise Pelletier, 13, avenue Franklin-Roosevelt, 69500 Bron ».

Il relut sans y croire ce nom, M. Philippe Toussaint. Il hésita, finit par prendre l'enveloppe comme s'il s'agissait d'un colis piégé. L'enveloppe était blanche, estampillée du cachet d'un cabinet d'avocats mâconnais. Mâcon. Il se souvint du jour où il avait regardé des petites filles sortir d'une école primaire. Celle qui portait la même robe que Léonine. Ce jour où il avait cru qu'elle était vivante.

Tout lui revint. Ce fut foudroyant, comme s'il prenait un uppercut dans l'estomac. La mort de son enfant, l'enterrement, le procès, le déménagement, son mal-être, ses parents, sa mère, ses consoles de jeu, le corps chaud de femmes maigres, les tétons grêlés, les ventres gras, les visages de Lucie Lindon et Éloïse Petit, Fontanel, les trains, les tombes, les chats.

M. Philippe Toussaint.

Il décacheta l'enveloppe en tremblant. Il se rappela les mains de Geneviève Magnan la dernière fois qu'il l'avait vue, quand elle lui avait dit : « J'aurais jamais fait de mal à des gosses. » Elle l'avait vouvoyé en tremblant.

Violette Trenet épouse Toussaint avait donné procuration à un avocat pour régler leur divorce à l'amiable. L'avocat demandait à M. Philippe Toussaint d'appeler le cabinet dans les plus brefs délais afin de prendre rendez-vous.

Il lut des bribes de phrases : « … se munir d'une pièce d'identité… nom de l'office notarial… contrat de mariage a été rédigé… profession… nationalité… lieu de naissance… mêmes indications pour chacun des enfants… accord des époux sur la rupture… pas de prestation compensatoire… tribunal de grande instance de Mâcon… abandon du domicile conjugal… sans suite. »

Impossible. Il fallait arrêter cela tout de suite. Enrayer la machine à remonter le temps. Il cessa de lire, glissa l'enveloppe dans la poche intérieure de son blouson, ferma la sangle de son casque et repartit *là-bas*. Il s'était pourtant juré de ne plus jamais y mettre les pieds.

Comment Violette avait-elle retrouvé son adresse ? Comment savait-elle pour Françoise ? Comment connaissait-elle son nom ? Ses parents n'avaient pas pu parler, ils étaient morts depuis longtemps. Et même avant de mourir, ils ne connaissaient pas le domicile de Philippe. Jamais ils n'avaient su que leur fils vivait à Bron chez Françoise. Impossible. Philippe n'irait pas chez cet avocat. Jamais.

Il fallait qu'elle lui foute la paix. Il fallait partir, déménager avec Françoise, il fallait s'appeler

Philippe Pelletier. Ce nom de famille lui porterait toujours malheur. Toussaint. Un nom de cimetière, de mort, de chrysanthèmes. Un nom qui puait le froid et le souvenir des chats.

Deux vies à une centaine de kilomètres l'une de l'autre. Il n'avait jamais réalisé que Bron était si proche de Brancion-en-Chalon.

Il se gara devant la maison côté rue. Un étranger devant une maison qu'il avait toujours détestée. La maison du vieux gardien de cimetière. Les arbres que Violette avait plantés en 1997 étaient hauts. Les grilles avaient été repeintes en vert foncé. Il entra sans frapper. Dix-neuf ans qu'il n'avait pas mis les pieds ici.

Vivait-elle toujours là ? Avait-elle refait sa vie ? Bien sûr, c'est pour ça qu'elle voulait divorcer. Pour pouvoir se remarier.

Un drôle de goût dans la bouche. Comme le canon d'une arme à feu enfoncé dans sa gorge. Une envie de frapper dans les poings. La haine remontait à la surface. Si longtemps qu'il n'avait pas ressenti cette amertume. Il repensa à la douce insouciance de ces dix-neuf dernières années. Et voilà que revenait *le mal*. Il redevenait l'homme qu'il n'aimait pas, l'homme qui ne s'aimait pas. Philippe Toussaint.

Il fallait reprendre là où il en était le matin même. Dégager ce passé sordide une bonne fois pour toutes. Ne pas s'apitoyer. Non, il n'irait pas chez cet avocat. Non. Il avait déchiré sa pièce d'identité. Déchiré son passé.

Sur la table de la cuisine, des tasses à café vides posées sur des magazines de jardinage. Trois foulards et un gilet blanc accrochés au portemanteau. Son parfum accroché aux tissus suspendus. Un parfum de rose. Elle vivait toujours là.

Il monta dans la chambre. Donna des coups de pied dans des boîtes en plastique contenant d'affreuses poupées. Plus fort que lui. S'il avait pu mettre des coups de poing dans les murs, il l'aurait fait. Il découvrit la chambre repeinte, un tapis bleu ciel, un dessus-de-lit rose pâle, un vert amande sur les voilages et les rideaux. Une crème pour les mains sur la table de nuit blanche, des livres, une bougie éteinte. Il ouvrit le premier tiroir de la commode, des sous-vêtements roses de la même couleur que les murs. Il s'allongea sur le lit. L'imagina dormant ici.

Est-ce qu'elle pensait encore à lui ? L'avait-elle attendu ? Cherché ?

Il avait mis un couvercle sur les années Violette mais très longtemps, il avait rêvé d'elle. Il entendait sa voix, elle l'appelait et il ne répondait pas, il se cachait dans un coin sombre pour qu'elle ne l'aperçoive pas, et finissait par se boucher les oreilles pour ne plus entendre sa voix suppliante. Il s'était longtemps réveillé en nage, dans des draps trempés par sa culpabilité.

Dans la salle de bains, des parfums, des savons, des crèmes, des sels de bain, encore des bougies, encore des romans. Dans la panière à linge, des sous-vêtements féminins, une nuisette en soie blanche, une robe noire, un gilet gris.

Il n'y avait pas d'homme dans cette maison. Aucune vie commune. Alors pourquoi le faire chier ? Pourquoi ressasser la merde ? Pour récupérer de l'argent ? Une pension ? Ce n'est pas ce que disait le courrier de l'avocat. « À l'amiable… sans suite. » Il entendit sa mère : « Méfie-toi. »

Il redescendit l'escalier. Renversa les dernières poupées qui tenaient encore debout. Il eut envie d'aller dans le cimetière pour voir la tombe de Léonine mais se ravisa.

Une ombre bougea derrière lui, il sursauta. Un vieux clébard le reniflait de loin. Avant qu'il n'ait le temps de lui filer un coup de pied, la bestiole se roula en boule dans son panier douillet. Dans un recoin de la cuisine, il vit des gamelles de nourriture par terre. Il eut des haut-le-cœur en s'imaginant vivant avec des poils sur ses vêtements. Il sortit à l'arrière de la maison, par la porte qui menait au jardin privatif.

Il ne la vit pas tout de suite. Là aussi, toute la végétation avait grimpé comme dans les livres de contes de Léonine. Lierre et vigne vierge sur les murs, arbres jaunes, rouges et roses, parterre de fleurs multicolores. On aurait pu croire que tout comme la chambre, le jardin avait été repeint.

Elle était là. Accroupie dans son potager. Dix-neuf ans qu'il ne l'avait pas vue. Quel âge avait-elle à présent ?

Ne pas s'apitoyer.

Elle lui tournait le dos. Elle portait une robe noire à pois blancs. Elle avait noué un vieux tablier de jardin autour de sa taille. Enfilé des bottes en caoutchouc. Ses cheveux mi-longs étaient ramenés dans un élastique noir. Quelques mèches chatouillaient sa nuque. Elle portait des gants en tissu épais. Elle ramena son poignet droit à son front comme pour enlever quelque chose qui la gênait.

Il eut envie de serrer son cou et de l'étreindre. De l'aimer et de l'étrangler. La faire taire, qu'elle n'existe plus, qu'elle disparaisse.

Ne plus culpabiliser.

Quand elle se releva, se tourna vers lui, Philippe ne vit que de la terreur dans son regard. Ni surprise, ni colère, ni amour, ni rancœur, ni regret. Juste de la terreur.

Ne pas s'apitoyer.

Elle n'avait pas changé. Il la revit derrière le comptoir du Tibourin, petite silhouette frêle, lui servant des verres d'alcool à volonté. Son sourire. À présent, des rides et des mèches se mélangeaient sur son visage. Les traits étaient encore fins, la bouche encore bien dessinée et les yeux dégageaient toujours une grande douceur. Le temps avait approfondi les parenthèses de sa bouche.

Garder ses distances.

Ne pas prononcer son prénom.

Ne pas s'apitoyer.

Elle avait toujours été plus belle que Françoise, pourtant c'est elle qu'il lui avait préférée. Les goûts et les couleurs… C'est ce que disait sa mère.

Il vit un chat assis près d'elle, il eut la chair de poule, se rappela pourquoi il était là, revenu dans ce cimetière de malheur. Il se rappela qu'il ne voulait plus se souvenir. Ni d'elle, ni de Léonine, ni des autres. Son présent c'était Françoise, son avenir ce serait Françoise.

Il saisit Violette brutalement, serra ses bras très fort, trop fort, comme pour la broyer. Comme quand l'homme devient bourreau pour ne pas ressentir. Convoquer la haine. Repenser à ses parents sur le canapé à fleurs. La valise de Léonine dans le coffre des Caussin, le château, le chauffe-eau, sa mère dans sa robe de chambre, son père hébété. Il serra les bras de Violette sans la regarder dans les yeux, il fixa un point, entre les sourcils, un léger creux à la naissance du nez.

Elle sentait bon. Ne pas s'apitoyer.

— J'ai reçu une lettre d'avocat, je te l'ai ramenée… Écoute-moi bien, écoute-moi bien, tu ne m'écris plus JAMAIS à cette adresse, tu entends ? Ni toi ni ton avocat, JAMAIS. Je ne veux plus lire ton nom quelque part, sinon je te… je te…

Il la lâcha aussi brutalement qu'il l'avait saisie, son corps recula comme celui d'un pantin, il enfonça l'enveloppe dans sa poche de tablier, en la touchant il sentit son ventre sous le tissu. Son ventre. Léonine. Il lui tourna le dos et repassa par la cuisine.

En rasant la table, il fit tomber *L'Œuvre de Dieu, la part du Diable*. Il reconnut la pomme rouge sur la couverture, c'est le bouquin que Violette possédait depuis Charleville, celui qu'elle relisait obstinément. Sept photos de Léonine s'échappèrent des pages et s'éparpillèrent sur le tapis. Il hésita puis se baissa pour les ramasser. Un an, deux ans, trois ans, quatre ans, cinq ans, six ans, sept ans. C'est vrai qu'elle lui ressemblait. Il les glissa à l'intérieur du livre qu'il reposa sur la table.

Le couvercle qu'il avait posé sur les années Violette pendant dix-neuf ans lui péta à la gueule à cet instant. Son enfant lui revint d'abord par bribes, puis ce furent des déferlantes. À la maternité quand il l'avait vue pour la première fois, entre lui et Violette dans leur lit, emmitouflée dans une couverture, dans son bain, dans le jardin, devant des portes, traversant une pièce, faisant des dessins, de la pâte à modeler, à table, dans la piscine gonflable, dans les couloirs de l'école, pendant l'hiver, pendant l'été, sa robe rouge un peu brillante, ses petites mains, ses tours de magie. Et lui toujours lointain. Lui comme en visite dans la vie de sa fille qu'il voulait fils. Toutes les histoires qu'il ne lui avait pas lues, tous les voyages qu'il ne lui avait pas fait faire.

Quand il remonta sur sa moto, il sentit des larmes couler de son nez. Son oncle Luc lui disait que quand on pleure du nez, c'est qu'il prend le relais parce que la jauge des yeux déborde. « C'est comme pour les moteurs, mon petit. » Luc. Il était tellement minable qu'il lui avait même piqué sa femme.

Il démarra en trombe en se disant qu'il s'arrêterait un peu plus loin pour reprendre son souffle et ses esprits. En apercevant les croix à travers les grilles, il pensa qu'il n'avait jamais cru en Dieu. Sûrement à cause de son père. Les prières qu'il exécrait. Il se rappela le jour de sa communion solennelle, le vin de messe, Françoise au bras de Luc.

Notre père qui es si creux
Que ton nom soit empalé, que ton règne saigne
Que ta volonté soit faite sur les teignes comme aux peignes
Donne-nous aujourd'hui notre vin de secours
Pardonne-nous nos dépenses comme nous pardonnons aussi à ceux qui nous ont enculés
Et ne nous soumets pas à la pénétration mais délivre-nous du crâne.
Emmène.

Durant les trois cent cinquante mètres où il rasa les murs du cimetière de plus en plus vite, trois pensées vinrent se percuter dans son crâne, comme un violent carambolage. Revenir sur ses pas et demander pardon à Violette, pardon, pardon, pardon. Rentrer le plus vite possible chez Françoise et partir dans le Sud, partir, partir, partir. Retrouver Léonine, la retrouver, retrouver, retrouver.

Violette, Françoise, Léonine.

Revoir sa fille, la sentir, l'entendre, la toucher, la respirer.

C'était la première fois qu'il désirait Léonine. Il l'avait voulue pour garder Violette près de lui. Aujourd'hui, il la voulait comme on veut un enfant. Ce désir fut plus fort que le Sud, Françoise et Violette. Ce désir prit toute la place. Léonine devait l'attendre quelque part. Oui, elle l'attendait. Il n'avait rien compris parce qu'il avait été un mauvais père, il allait devenir un papa pour la première fois, là où il la retrouverait.

Philippe détacha la sangle de son casque. Juste avant d'accélérer dans le premier virage, accélérer pour foncer dans les arbres de la forêt domaniale en contrebas, il ne regarda pas sa vie défiler, il ne regarda pas les images comme dans un livre dont on tourne les pages en accéléré, il n'en eut pas envie. Juste avant les arbres, il aperçut une jeune femme sur le bord de la route. Impossible. Elle le fixait tandis qu'il roulait à presque deux cents kilomètres-heure, qu'autour de lui plus rien ne s'immobilisait, sauf son regard à elle, sur lui. Il eut juste le temps de se dire qu'il l'avait déjà vue sur une ancienne gravure. Une carte postale peut-être. Puis il entra dans la lumière.

93

Nous sommes la fin d'été,
la chaleur les soirs de retour, les appartements retrouvés, la vie qui continue son cours.

Je ne suis pas encore entrée dans l'eau. Chaque mois d'août, j'appréhende le moment de la première baignade. J'ai peur de ne pas retrouver Léonine. Peur de ne pas la ressentir. Peur qu'elle ne soit pas au rendez-vous à cause de moi. Qu'elle ne m'entende pas l'appeler, l'attirer, que ma voix ne porte pas jusqu'à elle. Qu'elle ne ressente plus suffisamment mon amour pour revenir à moi. J'ai peur de ne plus l'aimer, de la perdre pour toujours. Cette peur est infondée, la mort ne parviendra jamais à me séparer de mon enfant et je le sais.

Je me lève, je m'étire, je jette mon chapeau sur ma serviette. Je marche vers l'immense tapis d'émeraudes aux reflets nacrés. La lumière du matin est crue, vive.

Elle promet une belle journée. Marseille tient toujours ses promesses.

À cette heure, s'il y a de l'ombre, l'eau est noire. Les vagues sont fraîches comme toujours. J'avance doucement. Je plonge la tête. Je nage vers les profondeurs en fermant les yeux. Elle est déjà là, elle est toujours là, elle n'a pas bougé d'ici puisqu'elle est en moi. Sa présence éthérée. Je respire sa peau chaude et salée comme quand elle s'allongeait sur moi pour faire une sieste sous notre parasol. Ses mains qui couraient dans mon dos, deux petites marionnettes.

Mon amour.

Quand je remonte à la surface, que je regarde le bleu du ciel droit dans les yeux, je sais que je la porterai toujours en moi. C'est cela l'éternité.

Je nage un long moment, je n'ai plus envie de sortir, comme à chaque fois. J'observe les pins inclinés par le vent, j'observe la vie, je suis tout près d'elle, elle est tout près de moi. Je me rapproche peu à peu du rivage. Sous mes pieds, le sable est revenu. Je tourne le dos à la plage, j'observe l'horizon, les bateaux immobiles amarrés, des cailloux blancs accrochés à la transparence. Rien n'est plus salvateur que ce lieu du monde où tout est beau, où les éléments réparent les vivants.

Il fait chaud, le sel brûle mon visage, mes lèvres plus encore. Je mets la tête sous l'eau, je nage en fermant les yeux, j'adore deviner, écouter la mer en dessous.

Je sens une présence, une autre présence.

Quelqu'un me frôle. Saisit mes hanches et pose une main sur mon ventre. Se colle derrière moi, fait les mêmes gestes que moi, une danse, presque une valse. Je sens son cœur taper dans mon dos, je laisse faire, j'ai compris. Transplantation d'un autre amour, un nouveau cœur, celui d'un autre, dans le mien. Je sens sa bouche dans mon cou, ses cheveux dans mon dos, ses mains toujours qui marchent sur moi, des pas légers et délicats. Je l'ai tellement espéré sans y croire, sans le croire. Je remonte à la surface, il ouvre et ferme les yeux, ses cils sur ma joue, des papillons. Il me respire. Je m'allonge sur l'eau, il me maintient, je me laisse guider, mon corps est libre, mes jambes effleurent la surface de l'eau, je m'abandonne, il me retrouve, je me retrouve.

Nous sommes.

Nous.

Des éclats de rire.

Un enfant.

Trois.

Une autre main m'attrape le bras puis s'attache à moi. Comme celle de Léonine, petite, nerveuse, chaude.

J'espère que je ne suis pas en train de rêver, j'espère que je suis en train de vivre. L'enfant me saute dans les bras. Il dépose des baisers mouillés sur mon front, dans mes cheveux. Il se jette en arrière et pousse des cris de joie.

— Nathan !

Je crie son prénom comme une litanie.

Il fait des gestes maladroits, rapides. Il écarquille les yeux, comme un enfant qui nage depuis peu, un enfant qui a envie et peur à la fois. Il rit aux éclats, son sourire a perdu deux dents. Il fait glisser des lunettes de plongée sur ses yeux et met la tête sous l'eau. Il paraît plus à l'aise et forme de grands cercles. Il a glissé un tuba dans sa bouche.

Il ressort de l'eau. Il crache en enlevant son tuba. Il retire ses lunettes qui ont marqué ses grands yeux bruns, ses grands yeux lumineux sous la lumière du Sud. Il regarde par-dessus mon épaule, il regarde Julien qui me glisse à l'oreille : « Viens. »

94

Aucun jour ne passe sans que nous pensions à toi.

Samedi 7 septembre 2017, ciel bleu, vingt-trois degrés, 10 h 30. Enterrement de Fernand Occo (1935-2017). Cercueil en chêne. Stèle en marbre noir. Caveau dans lequel reposent Jeanne Tillet épouse Occo (1937-2009), Simone Louis épouse Occo (1917-1999), Pierre Occo (1913-2001), Léon Occo (1933).

Une couronne de roses blanches, ruban : « Nos sincères condoléances ». Une couronne de lys blancs en forme de cœur, ruban : « À notre père, notre grand-père ». Sur le cercueil des roses rouges et blanches, ruban : « Les Anciens Combattants ».

Trois plaques funéraires : « À notre père, à notre grand-père. En souvenir de cette vie à t'aimer et à être aimé de toi », « À notre ami. Nous ne t'oublierons pas, tu es toujours dans nos pensées. Tes amis pêcheurs », « Tu n'es pas loin, juste de l'autre côté du chemin ».

Une cinquantaine de personnes sont présentes dont les trois filles de Fernand, Catherine, Isabelle et Nathalie, ainsi que ses sept petits-enfants.

Elvis, Gaston, Pierre Lucchini et moi-même nous tenons sur le côté du caveau. Nono n'est pas là. Il se prépare pour son mariage avec la comtesse de Darrieux qui aura lieu à 15 heures à la mairie de Brancion.

Le père Cédric récite une oraison. Mais ce n'est pas seulement pour Fernand Occo que notre curé s'adresse à Dieu. À présent, à chaque fois qu'il lui parle, il emmène Kamal et Anita avec lui dans ses prières : « Lecture de la première lettre de saint Jean : Mes bien-aimés, parce que nous aimons nos frères, nous savons que nous sommes passés de la mort à la vie. Celui qui n'aime pas reste dans la mort. Voici à quoi nous avons reconnu l'amour : nous devons donner notre vie pour nos frères, celui qui a de quoi vivre en ce monde, s'il voit son frère dans le besoin sans se laisser attendrir, comment l'amour de Dieu pourrait-il demeurer en lui ? Mes enfants, nous devons aimer : non pas avec des paroles et des discours, mais par des actes et en vérité. »

La famille a demandé à Pierre Lucchini de passer la chanson préférée de Fernand Occo pour la mise en terre. Celle de Serge Reggiani qui s'appelle « Ma liberté ».

Je ne parviens pas à me concentrer sur les paroles pourtant si belles. Je pense à Léonine et à son père, je pense à Nono en train d'enfiler son costume de jeune marié et à la comtesse de Darrieux qui lui noue sa cravate, je pense à Sasha qui voyage sur les eaux du Gange, je pense à Irène et Gabriel qui se tutoient dans l'éternité, je pense à Éliane qui est partie courir dans le jardin de sa maîtresse, Marianne Ferry (1953-2007), je pense à Julien et Nathan qui seront là dans moins d'une heure, je pense à leurs bras, leur odeur, leur chaleur, je pense à Gaston qui tombera toujours, mais que nous ramasserons chaque fois, je pense à Elvis qui ne saura jamais entendre d'autres chansons que celles d'Elvis Presley.

Depuis quelques mois, je suis comme Elvis, j'entends toujours une autre chanson, la même. Elle couvre tout le reste, tous les murmures de mes pensées. C'est une chanson de Vincent Delerm que j'écoute en boucle et qui s'appelle : « La vie devant soi ».

Merci à Tess, Valentin et Claude, mon essentiel, mon inspiration éternelle.

Merci à Yannick, mon frère adoré.

Merci à ma précieuse Maëlle Guillaud. Merci à toute l'équipe d'Albin Michel.

Merci à Amélie, Arlette, Audrey, Elsa, Emma, Catherine, Charlotte, Gilles, Katia, Manon, Mélusine, Michel, Michèle, Sarah, Salomé, Sylvie, William pour votre accompagnement fondamental. Quelle chance de vous avoir tout près.

Merci à Norbert Jolivet qui existe dans la vraie vie, dont je n'ai changé ni le prénom ni le nom parce qu'on ne change rien chez cet homme-là, fossoyeur de la ville de Gueugnon pendant trente ans. Grâce à l'écriture de ce roman, cet inventeur de la joie et de la bienveillance est devenu mon ami. J'espère boire des cafés et des blancs-cassis avec toi pour l'éternité.

Merci à Raphaël Fatout, qui m'a ouvert la porte de son drôle de magasin rempli d'humanité, « Le Tourneurs du Val », pompes funèbres à Trouville-sur-Mer. Raphaël m'a fait confiance en me parlant de l'amour de son métier, de la mort et du présent, comme personne.

Merci à papa pour son jardin et ses enseignements passionnés.

Merci à Stéphane Baudin pour ses conseils avisés.

Merci à Cédric et Carol pour la photographie et l'amitié.

Merci à Julien Seul qui m'a autorisée à emprunter son prénom et son nom.

Merci à Mes Denis Fayolle, Robert Badinter et Éric Dupond-Moretti.

Merci à tous mes amis marseillais et cassidens, mon cabanon, c'est vous.

Merci à Eugénie et Simon Lelouch qui m'ont soufflé cette histoire.

Merci à Johnny Hallyday, Elvis Presley, Charles Trenet, Jacques Brel, Georges Brassens, Jacques Prévert, Barbara, Raphaël Haroche, Vincent Delerm, Claude Nougaro, Jean-Jacques Goldman, Benjamin Biolay, Serge Reggiani, Pierre Barouh, Françoise Hardy, Alain Bashung, Léo Ferré, Chet Baker, Damien Saez, Daniel Guichard,Gilbert Bécaud, Francis Cabrel, Michel Jonasz, Serge Lama, Hélène Bohy et Agnès Chaumié.

Enfin, MERCI à tous ceux qui ont littéralement porté *Les Oubliés du dimanche*, c'est grâce à VOUS que j'ai écrit ce deuxième roman.

De la même auteure
aux éditions Albin Michel :

LES OUBLIÉS DU DIMANCHE, 2015. Lauréat du Festival du Premier Roman de Chambéry 2016, il a obtenu treize prix littéraires, dont le prix Intergénération du festival La Forêt des Livres (2015), le Grand Prix national Lions de littérature (2016), le prix Chronos (2016) et le prix littéraire des Zonta Clubs de France (2017).

TROIS, 2021.

Le Livre de Poche s'engage pour l'environnement en réduisant l'empreinte carbone de ses livres. Celle de cet exemplaire est de :
600 g éq. CO_2
Rendez-vous sur www.livredepoche-durable.fr

Composition réalisée par Belle Page

Achevé d'imprimer en octobre 2022, en France par
Maury Imprimeur – 45330 Malesherbes
N° d'impression : 264761
Dépôt légal 1re publication : mai 2019
Édition 61 – octobre 2022
LIBRAIRIE GÉNÉRALE FRANÇAISE
21, rue du Montparnasse – 75298 Paris Cedex 06

41/6603/1